Mit der Bibel durch das Jahr 2021

Mit der Bibel durch das Jahr 2021

Ökumenische Bibelauslegungen

Herausgegeben von
Nikolaus Schneider
unter Mitwirkung von
Franz-Josef Bode
Jochen Cornelius-Bundschuh
Maria Jepsen
Rosemarie Wenner
Heiner Wilmer

KREUZ kbw bibelwerk

Redaktion
Dr. h.c. Nikolaus Schneider, Präses a.D. und Ratsvorsitzender der EKD a.D.

www.verlag-kreuz.de
Koproduktion mit dem Verlag Katholisches Bibelwerk GmbH, Stuttgart
www.bibelwerkverlag.de

Umschlagkonzeption: wunderlichundweigand, Schwäbisch Hall
Umschlaggestaltung: Verlag Herder
Umschlagmotiv: Ekely/iStock – getty images
Satz und Herstellung: Arnold & Domnick GbR, Leipzig

Printed in Germany

ISBN 978-3-946905-77-6 (Verlag Kreuz)
ISBN 978-3-460-20215-3 (Verlag Katholisches Bibelwerk)

Inhalt

DAS WORT
das wort! es kündet
und ist nicht euer
es blitzt und zündet
das wort ist feuer

das wort schuf welten
das wort des höchsten
das wort will gelten
zum wohl des nächsten

das wort hält wache
das wort ist bote
das wort stärkt schwache
das wort weckt tote
Kurt Marti

Liebe Leserinnen und liebe Leser!

Gottes Wort schuf Welten, Gottes Wort stärkt Schwache und weckt Tote, aber Gottes Wort gehört nicht zu den menschlichen Besitztümern. So hat der Theologe und Poet Kurt Marti das Bekenntnis unseres christlichen Glaubens verdichtet: Gottes Wort ist schöpferische und heilvolle Lebensmacht für unsere Welt und für uns Menschen. Kein Mensch hatte und hat Verfügungsmacht über Gottes Wort. Auch nicht Bibelleserinnen und Bibelleser. Und auch nicht unsere Kirchen. Gottes Wort wirkt aus sich selbst heraus! Im Zentrum der Bibel steht Gottes Wort an den Menschen. In ihr treffen wir auf Gottes Wort in den Zeugnissen von Menschen, denen wir die Schriften der Bibel verdanken. Mit Hilfe dieser Menschenworte will Gottes Wort unseren Verstand und unser Herz erreichen. Und das auf ganz vielfältige Weise: durch die poetischen Texte der Psalmen etwa, durch Erzählungen und Berichte über Erfahrungen des Volkes oder einzelner Menschen mit dem Gott Israels, durch Berichte über das Leben Jesu Christi. Durch prophetische Worte ebenso wie durch Briefe an die ersten Gemeinden. Die biblischen Texte sind je auf ihre Weise Antworten auf Erfahrungen mit Gott oder die Ansprache durch Gottes Wort. Und diese Antworten umspannen einen weiten zeitlichen und geographischen Raum. Mündlich tradierte biblische Texte gehen zurück bis etwa tausend Jahre v. Chr., die jüngsten schriftlichen Texte entstanden etwa hundert Jahre nach Christi Geburt. Die Bibeltexte haben ihren »Sitz im Leben« an sehr unterschiedlichen Orten: etwa im Nomaden-Alltag in Kanaan, in der Sklaverei in Ägypten, im Exil in Babylon, im mühseligen Wiederaufbau im Land Israel, unter römischer Herrschaft in Galiläa und Jerusalem, in jungen christlichen Gemeinden Griechenlands und Italiens. So enthält die Bibel – statt an ein Buch sollten wir besser an eine Bibliothek denken – sehr vielstimmige und dabei auch mehrdeutige, manchmal sogar widersprüchliche Zeugnisse von Gottes Wort und Willen. Gottes Wort in der Bibel ist uns nur zugänglich in dieser nicht aufzulösenden Mischung von Gotteswort und Menschenworten. Über Voraussetzungen, Folgen und Gültigkeitsansprüche der bezeugten Gottesworte in der Bibel dürfen, können und müssen wir Menschen uns immer wieder neu auseinandersetzen. Mit Respekt und Demut. Aber auch mit Kritik und Widerspruch. Immer aber in einer Haltung der Offenheit, die bereit ist, sich von Gott auf verschiedene Weise ansprechen zu lassen. Denn: Wir finden Gott nicht jenseits seines Wortes. Wir finden

Gott nur im Wort: in seinem lebendigen Wort Jesus Christus, wie es uns in seinem Wort der Bibel bezeugt ist. Für Christinnen und Christen will das in die Menschen-Zeugnisse der Bibel eingeschriebene Wort Gottes im Hören, Lesen, Bedenken, Auslegen, Diskutieren und Feiern immer wieder neu lebendig werden für ihr eigenes Leben und für ihren konkreten Alltag.

Gottes Wort ist uns nur in *Vielstimmigkeit* zugänglich. Eine Erkenntnis, die offensichtlich auch die Autoren und Redaktoren der neutestamentlichen Evangelien geteilt haben, als die Lebensgeschichte Jesu im Neuen Testament nicht nur einmal, sondern viermal kanonisiert wurde. Und das ist gut so! Gut, weil wir die vielstimmige und vielschichtige Bibel und nicht ein eindeutiges kondensiertes Wort Gottes als Grundlage unseres christlichen Glaubens haben. Denn so zieht die Bibel gerade mit ihren Spannungen und Widersprüchen uns Heutige in das in ihr aufgeschriebene Zeugnis über Gott hinein. Die Gefahr, die mit der schriftlichen Fixierung von Gottes Wort durch Menschen und deren eigene Machtansprüche verbunden ist, wird so begrenzt. Fundamentalistische Zugänge sind verwehrt.

Christinnen und Christen aus unterschiedlichen Konfessionen – und auch Sie, liebe Leserin und lieber Leser – werden vielmehr eingeladen, sich in Gespräche mit Bibeltexten und über Bibeltexte hineinziehen zu lassen. »Mit der Bibel durch das Jahr« will diese Gespräche mit den kurzen Auslegungen biblischer Texte durch Autorinnen und Autoren unterschiedlicher Konfessionen befördern. Neues soll Sie überraschen und Vertrautes bestärken. Zu Zustimmung und Widerspruch sollen die Texte der Bibel und die Gedanken der Autorinnen und Autoren Sie herausfordern, aber auch zu Nachfragen und eigenem Weiterdenken ermutigen. Zum Ziel kommt das Anliegen dieses Buches, wenn Sie durch seine Texte dem lebendigen Wort Gottes begegnen und mit ihm durch das Jahr gehen.

Nikolaus Schneider

Hinweise zum Gebrauch dieses Buches

Die Lesungen des Tages folgen dem Bibelleseplan der »Ökumenischen Arbeitsgemeinschaft für Bibellesen«, den wir in diesem Band abdrucken (ab Seite 446) und worin auch die Zeiten des Kirchenjahres berücksichtigt werden. Ziel des Bibelleseplans ist es, im Laufe der Jahre die wichtigsten Texte der Bibel kennenzulernen. Am besten beginnen Sie mit der Lektüre des Bibeltextes selber und legen dazu die Lutherbibel oder die Einheitsübersetzung (in möglichst aktuellen Übersetzungen) an einen festen Platz in Ihrer Wohnung. So vorbereitet, greifen Sie zu den Auslegungen im vorliegenden Band, denen ein Gebetstext beigegeben ist.

Wir haben die Jahreslosung an den Beginn des Bandes gestellt. Dort finden Sie auch die Monatssprüche (Seite 10). Die Gebete (Morgen- und Abendgebete) für jeden Tag der Woche wurden von der Communität Wülfinghausen in Springe zusammengestellt (ab Seite 429). Die Gebete auf dem Lesezeichen haben meine Frau Anne Schneider und ich formuliert und Strophen der Lieder aus »Dich rühmt der Morgen« (Singt Jubilate 184) und »Der Tag ist um, die Nacht kehrt wieder« (EG 490,1) verwendet.

Im Anhang finden Sie:

- ein Bibelstellenregister (ab Seite 452), welches das Auffinden der Auslegungen erleichtert,
- ein Verzeichnis der Mitarbeitenden (ab Seite 456),
- ein Abkürzungsverzeichnis der biblischen Bücher (Seite 460)
- und ein Quellenverzeichnis (Seite 461), in dem vermerkt ist, woher jene Gebetstexte am Ende einer jeden Auslegung stammen, die nicht von den Autorinnen und Autoren selbst verfasst wurden.

Die Schreibweise der biblischen Namen folgt dem »Ökumenischen Verzeichnis der biblischen Eigennamen« nach den Loccumer Richtlinien.

Für Rückmeldungen zu den Bibelauslegungen sind wir dankbar. Am besten erfolgen diese Rückmeldungen direkt an die betreffenden Autorinnen beziehungsweise Autoren. Hinweise zur Verbesserung unserer Ökumenischen Bibellesehilfe können an die Redaktion erfolgen (redaktion@kreuz-verlag.de).

Ich wünsche Ihnen eine anregende Lektüre!
Ihr
Nikolaus Schneider

Jahreslosung und Monatssprüche

Jahreslosung 2021

JESUS CHRISTUS SPRICHT: SEID BARMHERZIG, WIE AUCH EUER VATER BARMHERZIG IST! *Lk 6,36 (L=E)*

Monatssprüche 2021

Januar
Viele sagen: »Wer wird uns Gutes sehen lassen?« HERR, lass leuchten über uns das Licht deines Antlitzes! *Ps 4,7 (L)*

Februar
Freut euch darüber, dass eure Namen im Himmel verzeichnet sind! *Lk 10,20 (E)*

März
Jesus antwortete: Ich sage euch: Wenn diese schweigen werden, so werden die Steine schreien. *Lk 19,40 (L)*

April
Christus ist Bild des unsichtbaren Gottes, der Erstgeborene der ganzen Schöpfung. *Kol 1,15 (E)*

Mai
Öffne deinen Mund für den Stummen, für das Recht aller Schwachen! *Spr 31,8 (E)*

Juni
Man muss Gott mehr gehorchen als den Menschen. *Apg 5,29 (L=E)*

Juli
Gott ist nicht ferne von einem jeden unter uns. Denn in ihm leben, weben und sind wir. *Apg 17,27 (L)*

August
Neige, HERR, dein Ohr und höre! Öffne, HERR, deine Augen und sieh her! *2 Kön 19,16 (E)*

September
Ihr sät viel und bringt wenig ein; ihr esst und werdet doch nicht satt; ihr trinkt und bleibt doch durstig; ihr kleidet euch, und keinem wird warm; und wer Geld verdient, der legt's in einen löchrigen Beutel. *Hag 1,6 (L)*

Oktober
Lasst uns aufeinander achthaben und einander anspornen zur Liebe und zu guten Werken. *Hebr 10,24 (L)*

November
Der Herr aber richte eure Herzen aus auf die Liebe Gottes und auf das Warten auf Christus. *2 Thess 3,5 (L)*

Dezember
Freue dich und sei fröhlich, du Tochter Zion! Denn siehe, ich komme und will bei dir wohnen, spricht der HERR.
Sach 2,14 (L)

Mit der Bibel durch das Jahr 2021

Gewaltig!

Wenn der Mensch sagt, etwas sei gewaltig, so flößt ihm dies großen Respekt ein und er weicht in Ehrfurcht erst einmal einen Schritt zurück. Wenn der Beter von Psalm 8 den Herrn bzw. dessen Namen als gewaltig bezeichnet, so kommt in diesen Worten zunächst einmal die große Überlegenheit Gottes zum Ausdruck: da der allmächtige, für den menschlichen Verstand nicht zu fassende Gott und das unermessliche Werk seiner Hände, der Kosmos mit Himmel, Mond und Sternen, dort der kleine, unscheinbare Mensch, im Angesicht Gottes im Grunde genommen ein Hauch von Nichts.

Eigentlich mag man angesichts dieser nicht zu überwindenden Kluft zwischen Gott und Mensch schon zum nächsten Psalm weitereilen – was gäbe es da noch zu sagen! –, käme da nicht ein Brückenschlag über eine vermeintlich unüberbrückbare Kluft: Bei all den krassen Gegensätzen gibt es etwas, das Gott und Mensch untrennbar verbindet: Gott hat etwas in den Menschen – und zwar in jeden Menschen, unabhängig von seiner Ethnie und Religion – hineingelegt, das diesen »nur wenig geringer gemacht als Gott« und ihn mit »Pracht und Herrlichkeit« krönt. Was das sein könnte? Die Antwort findet sich auf der ersten Seite der Bibel in Genesis 1,27: Der eben noch als Wurm beschriebene Mensch wurde von Gott »als sein Bild, als Bild Gottes« erschaffen. Folglich wohnt in einem jeden Menschen Gott und ein jeder ist von Gott in einzigartiger Weise geadelt.

Meister Eckhart, der große dominikanische Mystiker des 14. Jahrhunderts, nennt dieses »Etwas« das »Seelenfünkelin«. Wir könnten sagen: Als IMAGO DEI verfügt jeder Mensch über einen göttlichen Kern, über ein unauslöschliches inneres Licht, das ihn, so er diesem folgt, unweigerlich an das Ziel seines Lebens, in die offenen Arme Gottes einlaufen lässt. Wer dies im Glauben annehmen kann, wird/muss sagen, dass nicht nur Gott, sondern auch der Mensch als Bild Gottes gewaltig ist. Vergleichbares gibt es sonst im Kosmos nicht mehr.

Könnte das nicht ein Neujahrsvorsatz sein: anno 2021 einen jeden Menschen als Bild Gottes zu sehen?

BERNHARD KIRCHGESSNER

Lehre mich das Staunen über dich, Gott, und jeden Menschen als dein Geschöpf zu würdigen.

Einführung zum Lukasevangelium S. 406

Wegbereitung der Barmherzigkeit

Die Jahreslosung 2021 lautet: »Jesus Christus spricht: Seid barmherzig, wie auch euer Vater barmherzig ist!« (Lukas 6,36) Ja, das braucht Vorbereitung, denn, dass einer mit dem anderen barmherzig ist, waren und sind die Menschen nicht gewohnt. Gottes Barmherzigkeit und Zuwendung stehen über diesem Jahr. »Alle Menschen werden den Heiland Gottes sehen.« (V. 6)

Johannes der Täufer ist Wegbereiter für Gottes Barmherzigkeit in Jesus. Gottes Wort der Barmherzigkeit hat ein konkretes Datum und einen konkreten Ort (V. 1f.). Gott lässt sich ganz und gar ein in diese konkrete Welt – damals, aber auch hier und heute, wo Sie dies gerade lesen.

»Stellt euch darauf ein, ändert euren Sinn.« Das ist die Grundbedeutung von »Buße«. (V. 3) Nehmt euch vor, dieses Jahr barmherziger zu sein, mit euch sclbst – und mit andern. Das wäre ein guter Jahresvorsatz. Und wir fangen schon gleich mit dem Barmherzig-Sein an: Wenn wir scheitern und wieder ins alte, unbarmherzige, nachtragende Fahrwasser kommen, dann erinnert uns Johannes ans Taufwasser. Du bist getauft »zur Vergebung der Sünden«. Gott ist barmherzig mit dir gestern und heute und morgen und alle Tage. Taufe bedeutet, dass ich jeden Tag, jeden Moment wie mit einem weißen Blatt Papier anfangen kann. Auch wenn Altes noch drückt, ich kann neu beginnen. Die frischen Kalenderblätter erinnern mich daran.

Das Jesaja-Zitat (V. 4f.) bindet alte und neue Barmherzigkeit Gottes zusammen. Johannes ist einer in der Reihe der Propheten, aber schon Vorläufer für Jesus. Wir könnten es für uns so lesen: »Bereite der Barmherzigkeit, dem Heiland Gottes, den Weg. Räum heute zur Seite, was ihm nicht entspricht. Fülle vorhandene Vertrauenslücken. Wende dich ihm zu.« Er kommt dir entgegen, Gottes Barmherzigkeit bereitet dir schon jetzt den Weg.

HARTMUT MILDENBERGER

Mein Herr und mein Gott, nimm alles von mir, was mich hindert zu dir. Mein Herr und mein Gott, gib alles mir, was mich fördert zu dir. Mein Herr und mein Gott, nimm mich mir und gib mich ganz zu eigen dir.

Feiern geht weiter ...

Was soll gefeiert werden? Weihnachten ist fast vorbei.

Das Feiern, das der Psalm bejubelt, ist nicht an den Kalender gebunden. Es braucht auch keine besonderen Anlässe wie einen Geburtstag oder ein Jubiläum. Wenn wir feiern, gestalten wir einen besonderen Festtag. Trotzdem bleibt meist alles beim Alten; es verändert sich kaum etwas.

Der Psalm stiftet zu einem ganz anderen Feiern an. Es entspringt nicht einer Laune oder einem Wunschdenken. Es weckt und fördert den Glauben an den, der Grund und Anlass zum Feiern ist. »Erkennt, dass der HERR Gott ist. Er hat uns gemacht und nicht wir selbst zu seinem Volk.« Unsere Antwort auf Gottes Handeln ist angemessen: Jubel, Dank und Freude. Diese Art von Feiern verbindet über Grenzen hinweg und niemand ist ausgeschlossen. Dieses Feiern befreit von gefährlichen Vorstellungen, als hätten wir selbst das Heft des Lebens in der Hand. Wir verdanken uns dem Handeln Gottes! Mehr noch: Gott hat Freude an uns und weckt deshalb auch Freude in uns über Gottes Handeln. Diese Freude steckt an; sie überspringt Grenzen.

Wer sich zu solcher Freude anstecken lässt, ist nicht mehr allein, auch wenn er allein lebt. Im Gottesdienst sind und bleiben wir verbunden untereinander und mit Gott. Und jedes Glockenläuten ermuntert uns zum Gebet und zur Freude über Gottes Wahl. Wir sind gemeint. Allein und mit andern zusammen. Das ist doch Grund genug zum Feiern!

HEIMO LIEBL

Nun jauchzt dem Herren alle Welt! Kommt her, zu seinem Dienst euch stellt, kommt mit Frohlocken, säumet nicht, kommt vor sein heilig Angesicht.
Dankt unserm Gott, lobsinget ihm, rühmt seinen Namen mit lauter Stimm; lobsingt und danket allesamt! Gott loben, das ist unser Amt.

Was sollen wir tun?

»Was sollen wir tun?« Die Frage stellen heute viele Menschen, wenn sie über bedrohliche Entwicklungen in unserer Welt diskutieren – Klimawandel, die zögerlichen Schritte der internationalen Politik zur Bewahrung der Schöpfung oder die weltweit wachsende Kluft zwischen Arm und Reich. Oft fragen sie mit dem Unterton: »Was können wir denn schon tun?« – wir als Einzelne angesichts der Übermacht internationaler Konzerne, von weltweiten wirtschaftlichen Verflechtungen, von einer allgegenwärtigen neoliberalen Wirtschaftspolitik, von massiven Unrechtsstrukturen?

Johannes empfiehlt den Menschen, die ihm diese Frage stellen, kleine Schritte. Er überfordert sie nicht. Was würde er uns raten? Vielleicht: Achte darauf, was und wo du einkaufst. Du musst nicht im Winter Früchte haben, die mit riesiger Energieverschwendung in Gewächshäusern gezüchtet oder um den halben Erdball transportiert werden. Du kaufst Kleider, die wenig kosten, weil in anderen Kontinenten Hungerlöhne gezahlt und Menschen ausgebeutet werden. Schau nicht nur auf den günstigen Preis, sondern auch auf die, die sie herstellen und verarbeiten: Leben sie unter menschenwürdigen Bedingungen, und werden sie fair bezahlt? Und überprüfe, wo du dein Geld anlegst! Frag bei deiner Bank nach, ob mit deinem Geld Ausbeutung und Waffengeschäfte unterstützt werden oder nachhaltige Entwicklung und soziale Gerechtigkeit! Informiere dich über die weltweiten Verflechtungen, und sprich auch andere darauf an! Unterstütze Initiativen und Organisationen, die Gerechtigkeit und Nachhaltigkeit fördern!

Johannes ist Realist. Er weiß: Die Möglichkeiten des Einzelnen sind begrenzt. Seine Botschaft lautet: Du kannst die Welt nicht von Grund auf ändern. Aber du kannst kleine Schritte in die richtige Richtung tun.

HELMUT GABEL

Hilf, Herr meines Lebens, dass ich nicht vergebens hier auf Erden bin. Hilf, Herr meiner Tage, dass ich nicht zur Plage meinem Nächsten bin. Hilf, Herr meiner Stunden, dass ich nicht gebunden an mich selber bin. Hilf, Herr meiner Seele, dass ich dort nicht fehle, wo ich nötig bin.

Vorläufig

Der Dichter Hugo von Hofmannsthal ging einmal mit einem Bekannten im Wiener Volksgarten spazieren. Plötzlich blieb der andere neben einer Baumgruppe stehen und sagte: »Hier wird einmal in zwanzig oder in fünfzig Jahren Ihr Denkmal stehen!« Hofmannsthal fühlte sich geschmeichelt und wollte schon bescheiden und verlegen abwehren, da fuhr der andere fort: »Und die Leute werden daran vorbeigehen und fragen: Hofmannsthal? Wer war denn dieser Kerl?«

Wir erleben immer wieder, wie schnell Menschen vergessen sind. Wer in Ruhestand geht, kann erleben, dass man in der Firma schon ein paar Jahre danach nicht mehr weiß, dass er dort gearbeitet hat, geschweige denn, was er aufgebaut hat und was der Betrieb ihm verdankt. Alles ist vorläufig – diese Erfahrung machen Menschen immer wieder.

Es gibt ältere Menschen, die im Rückblick auf ihr Leben sagen: Als ich jung war, glaubte ich, die Welt verbessern zu können. Später habe ich gemerkt, wie wenig ich verändern kann. Aber ich meinte zumindest, ich könnte mich selbst verändern. Irgendwann habe ich die Erfahrung gemacht: Auch das gelingt mir nur ansatzweise. Jetzt spüre ich: Es geht darum, mich anzunehmen mit meiner Begrenztheit und mit der Vorläufigkeit all meiner Bemühungen.

Johannes der Täufer weiß, dass er nur vorläufige Bedeutung hat: Er ist nur Vorläufer, Wegbereiter eines Größeren, der nach ihm kommt. Das akzeptiert er in aller Demut. Aber diese Einsicht führt ihn nicht dazu, sich klein zu machen oder zu resignieren. Sie macht es ihm vielmehr möglich, mit allem Selbstbewusstsein seine Aufgabe zu erfüllen. Wahre Demut macht innerlich frei und schenkt Kraft. Sie ist »Mut zum Dienen«.

HELMUT GABEL

Herr, ich will nicht mehr prüfen, ob ich Fortschritte mache in meinem Glauben. Ich weiß nicht, ob ich mit all meiner Bemühung besser oder frömmer geworden bin. Nur das weiß ich: Diese Frage ist mir immer unwichtiger geworden. Von dem, was ich über mich selbst denke, hänge ich nicht mehr ab. Ich bin frei. Darum erbitte ich von dir, Herr, nichts als ein einfaches Herz, das deinen Gedanken offensteht.

Gefällst du dir?

Ein kleiner Junge sitzt auf dem Friseurstuhl. Der Friseur schneidet ihm die Haare. Als er fertig ist, hält er ihm den Spiegel hin, damit er sein Haar von allen Seiten betrachten kann, und fragt ihn: »Na, gefällst du dir?« Der Junge überlegt kurz; dann antwortet er mit leuchtenden Augen von innen heraus: »Ja!«

Gefällst du dir? Die Frage stellt sich nicht nur nach einem Friseurtermin. Vielen Menschen fällt es schwer zu sagen: Ich gefalle mir. Ich finde mich schön. Sie glauben, sie müssten ihr Äußeres mit allen Mitteln verändern, um gut auszusehen. Vielen Menschen gefällt auch ihr Inneres nicht. Sie möchten anders sein, intelligenter, geduldiger, besonnener oder auch mutiger, durchsetzungsfähiger, schlagfertiger, kreativer.

Gefalle ich mir? Es fällt leichter, Ja zu sich zu sagen, wenn man von anderen hört: Du gefällst mir. Schön, dass du so bist, wie du bist. Wir brauchen die Anerkennung durch andere, um an unseren eigenen Wert glauben zu können.

Jesus bekommt bei seiner Taufe gesagt: An dir habe ich mein Gefallen gefunden. Gott sagt zu Jesus: Du gefällst mir. Es sind die gleichen Worte, die der Knecht Gottes im Jesajabuch hört (42,1). Doch Jesus ist noch mehr – nicht nur der Knecht Gottes, sondern der »geliebte Sohn«.

Wir sind durch unsere Taufe Schwestern und Brüder Jesu. Jeder und jedem von uns sagt Gott: Du bist mein geliebter Sohn, du bist meine geliebte Tochter. Du gefällst mir. Ich habe meine Freude an dir, so wie du bist. Denn ich habe dich geschaffen, und du wirst doch nicht denken, ich sei ein ungeschickter Schöpfer. Sag Ja zu dir! Nimm dich an, wie du bist, und lass mich weiter an dir modellieren, dein ganzes Leben hindurch. Denn ich brauche dich. Mit dem, was ich dir geschenkt habe, kannst du in dieser Welt etwas Gutes bewirken. Du hast teil am Auftrag Jesu.

HELMUT GABEL

Dir will ich Dank bezeugen, der herrlich mich gemacht, und mich voll Staunen neigen vor deiner Werke Pracht. Du, der mich prüft und kennt, halt mich in deinem Segen, leit mich auf ewgen Wegen bis an mein selig End.

Jesus und der Teufel

Das Erste, was der neugetaufte Jesus tut, ist fasten und eine Zeit in der Wüste zu leben. Die 40 Tage erinnern an die 40 Wüstenjahre des Volkes Israel. Am Ende dieser Fastenzeit kommt zu Jesus der große »Durcheinanderwerfer«, wie Diabolos genau übersetzt heißt. Mit drei Ideen versucht er, Jesus zu verwirren. Die erste Idee ist naheliegend: Jesus könne doch, hungrig, wie er ist, aus einem Stein einfach Brot zaubern. Das ist die Verwechslung von Geisteskraft mit Magie! Zugleich ist es die Versuchung der Gier. Denn Steine gibt es in Steinwüsten mehr als genug. Der Teufel denkt und sagt: Wenn du, Jesus, deine besonderen Kräfte nutzen würdest, dann wäre doch Brot im Überfluss vorhanden! Jesus kontert mit einem Wort aus der Tora. Ich verstehe es so: Der Glaube an Gott ist nicht vereinbar mit Gier nach materiellen Gütern. Und Menschen leben nicht nur von Lebensmitteln, sondern von der Beziehung zu Gott und den Beziehungen untereinander. Wir leben von Brot und Rosen, von Liebe und Gnade, von Vergebung und Neuanfang.

Bei der zweiten Versuchung geht es um Macht »über alle Länder«, die der Teufel Jesus geben will, wenn er nur ihn anbetet und nicht Gott. Das sieht auf den ersten Blick so aus, als hätte es nichts mit uns Normalsterblichen zu tun. Aber eine ganze Reihe von Machthabern unserer Zeit propagiert nationalistischen Egoismus, da ist »America first« nur ein Beispiel. Wenn eine Politik der Gier der Wenigen andere Menschen ihrer Würde und ihrer Lebensmöglichkeiten beraubt, dann sind das teuflische Folgen einer falschen Prioritätensetzung. Jesu Antwort an den Satan macht klar: Es geht um den Einen und Einzigen Gott, dem wir vertrauen und dienen sollen. Ebenso aktuell sind die dritte Versuchung und das dritte Zitat aus der Tora: Es geht nicht darum, an die Buchstaben der biblischen Worte zu glauben oder Gottes Macht durch spektakuläre Wunder zu beweisen. Sondern darum, mit dem lebendigen Gott zu rechnen, mitten im Leben.

KAREN HINRICHS

Gott, du bist voller Liebe und Barmherzigkeit. Hilf uns, den Versuchungen der Gier, der Macht, des Egoismus und der Engherzigkeit zu widerstehen.

Die Hundert-Sekunden-Predigt

Wenn ich für die Tagesschau keine Zeit habe, hilft mir die »Tagesschau in 100 Sekunden«, auf dem Laufenden zu bleiben. Dieser Abschnitt über die erste Predigt Jesu ist ungefähr so lang und bringt das Wichtigste auf den Punkt. Jesus hat eine Kraft, die als Kraft des Geistes bezeichnet wird. Sie bewegt ihn, nach den überstandenen Versuchungen in der Wüste wieder in seine Heimat zurückzukehren. In Galiläa haben sich die Nachrichten über ihn schon verbreitet, ganz ohne moderne Technik. Jesus geht, wie er es gelernt hat, am Sabbat in die Synagoge seiner Heimatstadt Nazareth. Man reicht ihm eine Schriftrolle. Er liest einen Abschnitt aus dem Buch des Propheten Jesaja. Dann legt er den Text aus und alle halten den Atem an. Alle Augen sind auf ihn gerichtet! Was wird er sagen?

Jesus behauptet mit einem einzigen Satz, die Prophezeiung des Jesaja sei »heute erfüllt vor euren Ohren«. Was sagt er da? Ist er der Messias? Der von Gott Gesandte, der den Armen hilft, die Gefangenen befreit, die Blinden sehen lässt und allen Leidenden und Unterdrückten die gute Nachricht, das befreiende Evangelium, bringt?

Jesus stellte sich ganz in die jüdisch-prophetische Tradition der Hoffnung. Sie ist bis heute dieselbe: Irgendwann wird endlich, endlich Gottes Wille geschehen, überall, im Himmel und auf Erden! Irgendwann wird der Messias, der Erlöser, die Menschen befreien aus Armut, Not und Unterdrückung.

Wir glauben an Jesus, den Christus, den Erlöser. Und doch fragen wir, genau wie die Menschen in der Synagoge von Nazareth schon damals fragten: Wann wird das endlich alles wahr? Wann beginnt die neue Zeit Gottes?

Wie verstehen wir heute das »Heute«, von dem Jesus spricht?

Mir helfen die Gleichnisse Jesu, darauf eine Antwort zu finden: Das Senfkorn, der Sauerteig sprechen von unscheinbaren, aber wirkungsvollen Anfängen mitten in der Gegenwart. Und von der widerstandsfähigen Hoffnung auf das wachsende Gottesreich des Friedens und der Gerechtigkeit.

KAREN HINRICHS

Gott, wir danken dir für die Hoffnung, die Jesus uns ins Herz gelegt hat. Hilf uns, aus seinem Geist zu leben, bis er wiederkommt.

Jesus erregt Zorn und Hass

Die Reaktionen auf die kurze Predigt waren drastisch. Jesus hatte die Zuhörenden sehr provoziert. Sie reagierten unterschiedlich, von sachlicher Rückfrage nach der Herkunft aus dem Zimmermannshaus bis zu großer Empörung und dem Versuch, ihn auszustoßen und zu töten.

Jesus wurde wohl zuerst als Nachbar, als normaler Mensch wahrgenommen. Da war kein Platz für eine göttliche Berufung, ob nun als Prophet oder gar als der versprochene Messias. Kein Prophet wurde von allen Menschen als Stimme Gottes akzeptiert, auch nicht im eigenen Land, daran erinnerte Jesus. Doch die Empörung der Zuhörer war damit nicht besänftigt. Sie hatten ja gerade gehört, dass es um etwas noch Größeres ging: um den Anfang einer neuen Zeit, den Beginn des Gottesreiches, um das Wirken eines Messias. Über den Messias und Retter gab es jedoch sehr widersprüchliche Vorstellungen. Manche hofften auf einen militärischen Sieg über die verhassten Römer. Andere waren davon ausgegangen, dass ein großer Wundertäter die Macht Gottes beweist. Alle teilten die Hoffnung, dass mit einem Schlag alles besser wird. So waren es wohl enttäuschte Erwartungen, die den Zorn der Menge erregten.

Noch größer schien dieser Zorn zu werden, als Jesus mit zwei Beispielen von seiner Grenzen überschreitenden Sendung sprach. Schon der Prophet Elia wurde zu einer Witwe im Land Sidonien gesandt, obwohl es so viele Witwen in Israel gab. Elisa heilte nicht die zahlreichen Aussätzigen im eigenen Land, sondern einen kranken Mann aus Syrien.

Es ist bedrängend, wie eine aufgebrachte Menschenmenge reagieren kann, bis hin zu Hass und Lynchmord. Jesus hatte die Kraft, sie zu ignorieren und »ging mitten durch sie hinweg«. Sein Auftrag war noch nicht beendet.

KAREN HINRICHS

Guter Gott, sende uns deinen Geist der Kraft, der Liebe und Besonnenheit, wenn wir angefeindet werden, weil wir an Jesus glauben. Hilf uns, deine grenzenlose Liebe zu allen Menschen mit unserem Tun und Lassen zu bezeugen und mit gewaltfreien Mitteln gegen Hass und Gewalt zu kämpfen.

Es geht um Segen – immer!

Dieser Psalm ist ein Abschiedsgebet Davids (vgl. Ps 72,20). In wunderbaren Bildern betont er die Idee eines für alle zum Glück führenden Königtums: Gerechtigkeit, Schutz für die Armen, Segen, Frieden (vgl. V. 8–11). Wobei die Idee eines Friedens durch freiwillige Unterwerfung der Nachbarvölker natürlich von heute aus gesehen fraglich erscheint.

Den Höhepunkt bildet Vers 17, der eine ewige Dynastie und ein »Sprossen des Namens« des Königs verheißt. Dieses Bild vom Sprossen bzw. auch »Blühen« (Lutherbibel) des Namens hat einen interessanten religionsgeschichtlichen Hintergrund. Auf ägyptischen Bildern kann man sehen, wie der Name des neuen Pharaos und damit auch dessen Regierungsprogramm auf die Blätter des heiligen Baumes geschrieben werden. Heilige Bäume gehörten zur Ausstattung von Tempelbereichen. Ob allerdings das Schreiben des Namens auf die Blätter auch vollzogen wurde oder das eine symbolische Vorstellung ist, kann nicht genau geklärt werden. Die Bedeutung liegt in Ägypten darin, dass die Vitalität, Kraft und Fruchtbarkeit des Baumes, der mit dem Göttlichen verbunden ist, auf den König und seine Regierung übergehen. Eben diese Vorstellung von der Segenskraft heiliger Bäume ist auch innerbiblisch weit verbreitet (z.B. Ps 1).

Gleichzeitig spielt Vers 17 die Segensverheißungen an Abraham ein (vgl. Gen 12,1–3 u.ö.), die sich jetzt in König Salomo erfüllen werden. Von Vers 17 aus bekommt also das Königtum in Psalm 72 messianische Züge. Es ist ewig wie die Sonne. Es ist universal, denn in ihm erfüllen sich die Verheißungen an Abraham.

Bereits in der Septuaginta und im nachbiblischen Judentum wurde der Psalm messianisch interpretiert und vermutlich schöpft auch die Erzählung der Sterndeuter aus eben diesem Psalm (Mt 2,1–12). Die Könige werfen sich nieder vor dem neugeborenen König aus Davids Haus. Sie bringen verschiedene Gaben, darunter auch Gold (V. 10.15).

Aktuell könnte der Psalm uns darin unterstützen, in der Nähe und Verbindung zur Kraft der Bäume unsere Motivation und unser Engagement für Natur und Umwelt zu prüfen.

KATRIN BROCKMÖLLER

Guter Gott, begleite mich darin, die Kraft der Natur als deinen Segen wahrzunehmen.

Jesus befreit – in göttlicher Vollmacht

Der Heiland nimmt seine Arbeit auf, so könnte man diesen Textabschnitt überschreiben. Bei seiner Taufe ist Jesus zu Gottes geliebtem Sohn erklärt worden und hat den Heiligen Geist empfangen. In der Wüste hat er den Versuchungen des Teufels widerstanden. In seiner Heimatstadt Nazareth hat er das Gnadenjahr des Herrn, also den Anbruch des Reiches Gottes, ausgerufen. Seine Andeutung, dass sein göttlicher Auftrag die Heilszusage Gottes an Israel auf Nicht-Juden ausweiten könnte, hat Wut und Empörung ausgelöst und zu einem ersten Anschlag auf sein Leben geführt.

Aber Jesus lässt sich nicht beirren. Der Heilands-Dienst will getan werden, ja er muss getan werden, denn das ist Jesu Mission. Dazu ist er in die Welt gekommen, Mensch geworden, ausgerüstet mit göttlicher Vollmacht.

Dass diese Vollmacht nicht nur in seiner Lehre zum Ausdruck kommt – »denn seine Rede geschah in Vollmacht« heißt es in den Eingangsversen –, sondern auch praktisch wirksam war, dafür ist sein Auftreten in Kapernaum der sichtbare Beweis. Ein Dämon, ein unreiner Geist, stellt sich ihm in den Weg und schreit aus dem Menschen heraus, über den er die Herrschaft angetreten hat: »Tu mir nichts. Du und ich, wir haben nichts gemeinsam!« Und dieser widergöttliche Dämon erklärt Jesus auch noch ausdrücklich zu seinem göttlichen Gegenspieler. Womit er recht hat!

Trotzdem – oder gerade deshalb! – nimmt Jesus den Kampf auf gegen ihn und treibt ihn aus. Der Heiland kommt als Befreier. Kein böser, unreiner, widergöttlicher Geist soll die Menschen beherrschen, sondern der Geist Gottes, mit dem Jesus ausgerüstet ist, der soll die Menschen erfüllen. Dafür schafft Jesus durch die Austreibung des Dämons Platz. Sie ist ein Beweis des Geistes und der Kraft. Kein Wunder, dass ein heiliger Schrecken über diejenigen kam, die das miterlebt hatten. Sie haben durch Jesu Handeln Gott am Werk erlebt.

GÜNTER KNOLL

Treib aus, o Licht, all Finsternis, behüt uns, Herr, vor Ärgernis, vor Blindheit und vor aller Schand und reich uns Tag und Nacht dein Hand.

Jesus heilt – in göttlicher Freiheit

Ein beispielhafter Tag aus dem Leben und Wirken Jesu wird uns da in drei Szenen geschildert: Zunächst eine ganz intime Szene im Haus von Simon Petrus am Sabbatnachmittag; dann eine Szene vor dem Haus mitten in Kapernaum in aller Öffentlichkeit nach Sonnenuntergang; und schließlich eine Szene weit draußen an einer einsamen Stätte am Morgen nach dem Sabbat. Jede Szene hat ihre eigene Pointe.

In Simons Haus kann man miterleben, wie Jesus auf Fürbitte reagiert. Die Angehörigen bitten für Simons Schwiegermutter, die an einem lebensbedrohenden hohen Fieber erkrankt ist. Jesus stellt sich ohne weiteres zu ihr und steht ihr in ihrem Kampf gegen das Fieber bei. Sie gewinnt mit Jesu vollmächtiger Hilfe diesen Kampf und stellt sich dankbar für dieses Lebensglück in den von Gott geheiligten Dienst der Gastfreundschaft.

In der zweiten Szene, öffentlich auf dem Marktplatz, sind es die vielen Kranken, die uns beeindrucken. Ihrer nimmt sich Jesus an und legt ihnen zur Heilung die Hände auf. Ja, ist denn seine Heilands-Kraft so umfassend groß?, fragt man sich als Leser. Und zu diesem Staunen will uns der Evangelist Lukas auch bringen. Kein Dämon – und für Menschen der Antike steckten hinter jeder Krankheit böse Dämonen – hat eine Chance gegen Jesus, der in göttlicher Macht auftritt. Die Dämonen wissen das und schreien es auch heraus, aber aus ihrem Munde und zum jetzigen Zeitpunkt will Jesus das nicht hören.

In der Einsamkeit sucht Jesus am frühen Morgen nach dem turbulenten Sabbat wieder zu sich (und zu seinem Vater) zu kommen. Die Menschen wollen ihm das nicht zugestehen. Er soll mit seiner Vollmacht immer bei ihnen bleiben. Anderen wollen sie seine Nähe offenbar nicht gönnen. Aber Jesus lässt sich nicht festhalten und nicht vereinnahmen. Das Reich Gottes und die Frohe Botschaft gehören allen!

GÜNTER KNOLL

Jesus Christus, du Beistand aller Kranken und Leidenden. Nimm dich derer an, die sich nach Heilung sehnen. Lass keinen allein. Lass uns niemandem deine Frohe Botschaft und deine Heilandskraft vorenthalten. Du bist für alle da.

Jesus beruft – in göttlicher Souveränität

Was für ein grandioser Fischzug!

Jesus geht seinem Verkündigungsauftrag nach und predigt das Wort Gottes. Die Szene spielt am Ufer des Sees Genezareth. Beiläufig erfährt man von zwei Booten, die da am Ufer lagen. Es waren Fischerboote, und die Besitzer gingen ihrer Arbeit nach, Netze flicken. Es klingt fast wie eine Idylle. Jesus braucht Hilfe. Er bittet einen der Fischer, Simon, dass dieser ihm sein Boot gewissermaßen als Kanzel zur Verfügung stellt und ein Stück weit hinausfährt vom Ufer weg auf den See. Simon erfüllt diese Bitte Jesu.

Nach Predigt-Ende nämlich bekommt Simon von Jesus einen Auftrag. Er soll am helllichten Tag hinausfahren und die Netze für den Fischfang auswerfen. Für einen Profi auf diesem Gebiet ist das ein sinnloses Unterfangen. Simon gibt das Jesus gegenüber zu erkennen, aber weil Jesus ihn anweist, lässt er sich darauf ein. Als ob er ahnen würde, dass da mehr dahinter steckt, als auf den ersten Blick ersichtlich ist. Und so ist es: Es wird ein unvorstellbar großer Fischzug daraus. So unvorstellbar, dass Simon Petrus vor dem Auftraggeber zurückzuckt – und nicht nur er, sondern auch seine Gefährten, die später zu Jesu Jüngern geworden sind. Der sie da angeheuert hat, ist kein gewöhnlicher Mensch, sondern der Heilige Gottes. In seinen Dienst treten – ausgeschlossen! Wie können Unreine, Sünder, dem reinen und heiligen Gott dienen? Aber gerade darauf läuft die Geschichte hinaus. »Von nun an wirst du Menschen fangen.« An seinem Erlebnis mit dem grandiosen Fischzug soll Petrus lernen – und mit ihm die Hörerinnen und Leser der Geschichte –, dass Gott in seinen Dienst nimmt, wen er will. Da mag sich manche(r) für unqualifiziert halten. Wen Gott beruft, dem verleiht er auch die nötige Qualität.

GÜNTER KNOLL

Jesus Christus, auch wenn ich mir unwürdig und untauglich vorkomme für den Dienst in deiner Nachfolge – dein Ruf und Auftrag befähigen mich. Danke, dass du mich meinst.

Keine Berührungsangst

Auffallend ist, dass Lukas die emotionale Reaktion (tiefe Betroffenheit) Jesu weglässt. Jesus schreitet sofort zur Tat und erfüllt die Bitte des Kranken. Dabei zeigt er keinerlei »Berührungsangst« dem Aussätzigen gegenüber, der wegen seiner Krankheit fern von allen Gesunden leben musste. Jesus rührt ihn an – und verunreinigt sich nach jüdischem Gesetz dadurch, denn Aussatz war eine Krankheit, die mit der seit der Exilszeit im 6. Jahrhundert sehr wichtig gewordenen *Reinheit* nicht vereinbar war. Reinheit war, so die Vorstellung, die Voraussetzung, um sich Gott nähern zu dürfen, wohingegen alles Unreine mit dem Göttlichen unvereinbar war. Dementsprechend gehörte zu den wichtigsten Zielen eines frommen Juden, sich nicht durch den Kontakt mit Menschen, die »unrein« waren, selbst zu »infizieren«. Dies zwang die Menschen, die das Gesetz einhalten wollten, zu strenger Distanz gegenüber enorm vielen Menschengruppen. Gemieden werden mussten alle, bei deren Tätigkeit Verunreinigung unausweichlich war, z.B. weil sie den Kontakt mit Nichtjuden beinhaltete oder weil sie mit Krankheit, Tod oder Blut zu tun hatten. Auch Frauen während ihrer Monatsblutung oder nach einer Geburt waren selbstverständlich für einige Zeit unrein!

Nachdem Jesus den Aussätzigen geheilt hatte, wies er ihn an, sich genau an das jüdische Gesetz zu halten, denn nur so konnte er offiziell als gesund anerkannt werden und wieder in die Gemeinschaft zurückkehren. Doch glaubte Jesus wirklich, dass der Geheilte nicht erzählen würde, von wem er geheilt worden sei? Oder soll das »Schweigegebot« (V. 14) nur deutlich machen, dass Jesus nicht in den Ruf eines »Wunderheilers« kommen wollte, weil er darin nicht seine vorrangige Mission sah? – Typisch lukanisch ist V. 16: Jesus lässt sich nicht vereinnahmen, sondern zieht sich immer wieder in die Einsamkeit zurück, um den Kontakt zum Vater – und zu sich selbst – zu pflegen und daraus Kraft zu schöpfen.

BEATE WEINGARDT

Gott, lass uns erkennen, wo auch wir uns von Berührungsängsten zurückhalten lassen, anstatt auf Menschen zuzugehen. Lass uns in der Stille vor dir auch erkennen, wer uns braucht.

Gesundheit ist nicht alles

Zentral ist Vers 20: »Mensch, deine Sünden sind dir vergeben.« Um ihn herum ist die Geschichte aufgebaut. Da sind zum einen die Pharisäer und Gesetzeslehrer, das heißt jene jüdischen Gruppierungen, denen an eine möglichst treue Einhaltung der jüdischen Gebote gelegen war. Jesus war klar, dass sie sein Verhalten nur unter *einem* Gesichtspunkt betrachten würden: Beachtet es die mosaischen Gesetze und sämtliche daraus erwachsenen Zusatzgebote (die Gesamtzahl lag bei 613 Ge- und Verboten)? Zum anderen sind da die Gefährten des Gelähmten, für die nur das eine zählt: Wie können wir unserem Freund helfen, wieder gesund zu werden? Ihnen geht es allein um den Menschen. Zwischen diesen beiden Polen steht Jesus, den der Einsatz der Freunde tief beeindruckt. Dennoch heilt er den Kranken zunächst nicht, sondern spricht ihm die Vergebung seiner Sünden zu! Dieser Vergebung geht kein Glaubensverhör voraus, an diese Vergebung ist keine Bedingung geknüpft. Jesus gewährt sie aus freien Stücken, Vor- oder Nachleistungen müssen von niemandem erbracht werden, weder von dem Kranken noch von Jesus. Dessen Worte waren nicht nur für die Gesetzeskundigen der damaligen Zeit eine ungeheure Provokation – auch viele Christen tun sich mit dieser Bedingungslosigkeit Jesu bis heute schwer. Es führt in die Irre, wenn man in dieser Geschichte einen Zusammenhang zwischen Krankheit und Schuld konstruiert – obwohl verdrängte Schuld ohne Zweifel auch eine lähmende Wirkung haben kann. Stattdessen geht es um nichts weniger als um Jesu Anspruch auf Vollmacht (V. 24) – und um die Tatsache, dass Friede mit Gott wichtiger ist als ein Leben ohne gesundheitliche Einschränkungen. Jesus unterstreicht seinen Anspruch, indem er im zweiten Schritt den Gelähmten von seiner Krankheit heilt und damit auch das Vertrauen der Freunde belohnt.

BEATE WEINGARDT

Vater, es ist für uns oft kaum zu glauben, mit welcher Großzügigkeit Jesus den Menschen deine Barmherzigkeit und Vergebung zusprach. Wir sind gewohnt, dass es im Leben »nichts umsonst« gibt. Lass uns begreifen, dass dies bei dir anders ist.

Bedingungslose Wertschätzung

Jesu Anspruch, eine besondere Vollmacht zu besitzen, konsterniert die »Oberen« und fasziniert die »Unteren«. Gemeint von Jesus sind all jene, die bisher nicht auf die Güte Gottes zu hoffen wagten, weil sie den über sechshundert Ge- und Verboten, aus denen das mosaische Gesetz bestand, auch nicht annäherungsweise gerecht werden konnten. Und nun kam einer, der sagte: »Ihr seid für Gott wertvoll, so wie ihr seid! Ihr gehört alle zu seinem Reich, auch wenn ihr nicht ohne Sünde durchs Leben kommt!« Dass Jesus von der bedingungslosen Wertschätzung Gottes für *alle* Menschen tief durchdrungen war, zeigt seine Berufung eines Zöllners. Zöllner galten als die »Sünder« schlechthin, weil sie mit Heiden zusammenarbeiteten und darüber hinaus als korrupt verrufen waren. Da sie als »Unreine« folglich niemals eine Chance hatten, bei Gott Gnade zu finden, hatte jeder Fromme den Kontakt zu ihnen strikt zu meiden. Doch gerade mit diesen Menschen pflegte Jesus die intensivste Form der Gemeinschaft – das gemeinsame Mahl. Damit praktizierte er, was er verkündete. Seine Erklärung in Vers 31 deutet allerdings an, dass es eine notwendige Voraussetzung gibt – ausgedrückt im Bild des Kranken, dem »etwas fehlt« –, um offen zu sein für Jesu Zuspruch und Anspruch. Es ist das Bewusstsein, an einem Mangel zu leiden. Die Betonung der »Buße«, wörtlich: eines Sinneswandels, in Vers 32 ist jedoch eine lukanische Zusatzformel, welche Matthäus und Markus nicht kennen. Denn Jesu Tischgemeinschaft ist nicht zweckorientiert – er setzt sich mit Menschen nicht zusammen, um sie in Frage zu stellen, sondern um sie anzunehmen und ernstzunehmen. Haben wir Christen dies wirklich verstanden, handeln wir selbst aus diesem Geist? – Wobei es durchaus geschehen kann, dass aus der vorbehaltlosen Zuwendung im Namen Gottes eine persönliche Umkehr folgen kann (vgl. Kap. 19!).

BEATE WEINGARDT

Gott im Himmel, lass auch uns im Glauben darin wachsen, dass wir die Menschen annehmen, wie sie sind, denn nur so finden sie die Freiheit zu begreifen, was sie mit deiner Hilfe werden können. Und lass uns damit bei uns selbst anfangen.

Gottes Tora im Herzen

»Ich gebe, damit du gibst.« Darin besteht die Opferlogik vielfältiger antiker Opferkulte. Nicht selten kann diese Opferlogik in einen Tauschhandel mit den Göttern abgleiten. Dann steht nicht mehr Glaube, sondern wirtschaftliches Kalkül im Vordergrund der Opferhandlung, die zudem rituell noch richtig vollzogen werden muss, damit sie wirkt.

Opferhandlungen als Ausdrucksformen politischer Loyalität können staatstragend sein. Das mussten die Christen im Zusammenhang mit dem römischen Kaiserkult schmerzhaft erfahren.

An einer solchen Opferlogik mit all seinen wirtschaftlichen und politischen Konsequenzen hat in unserem Psalm Gott kein Gefallen. Er fordert nicht Opfer, sondern offene Ohren, damit sein Wort, das in der Tora schriftlich niedergelegt ist, gehört wird und seinen Weg zum Herzen eines jeden Menschen findet. Aus der »Hörtora« wird so eine »Herzenstora«. Nicht auf äußerliche, rituell richtig ausgeführte Opferhandlungen, sondern auf innerlich in der Herzenstora grundgelegte Haltungen kommt es Gott an. Es geht um die Haltung der Gerechtigkeit, der Treue, der Hilfsbereitschaft und der Güte – Haltungen, die Gott selbst als der »Ich bin, der ich bin da« (JHWH) in seiner Geschichte mit dem Volk Israel lebt und auf die der Beter des Psalms für sich persönlich hofft und die er auch mit seinem Mund verkündet.

Aber worin besteht heute die Haltung der Gerechtigkeit?

Sie umfasst den ganzen Menschen, sein Denken, Reden und Handeln. Gerechtigkeit bedeutet dann, aneinander denken und das egoistische Tunneldenken verlassen. Gerechtigkeit bedeutet miteinander auf gleicher Augenhöhe sprechen und nicht übereinander. Gerechtigkeit bedeutet aber vor allem auch, füreinander handeln, d.h. nicht nur reden, sondern auch aktiv werden und dies am besten im Miteinander und nicht im Gegeneinander.

Die Haltung der Gerechtigkeit baut so eine friedliche Gemeinschaft zwischen Menschen und Völkern auf und ist nicht individuell enggeführt wie die Opferlogik.

FRANZ JOSEF BACKHAUS

Gott, schenke mir Kraft, meinen alltäglichen Egoismus zu überwinden.

Fasten und Feiern

Auf die vorwurfsvolle Frage, warum seine Jünger – im Gegensatz zu denen des Johannes und den Pharisäern – kein so strenges Gebetsleben und asketisches Leben führen, antwortet Jesus mit der Gegenfrage nach den Hochzeitsgästen, die nicht fasten können, sondern feiern müssen, solange der Bräutigam bei ihnen ist.

Das erinnert auch an das geflügelte Wort von Teresa von Ávila vom Rebhuhn und vom Fasten.

Jesus fügt das Gleichnis vom neuen und vom alten Gewand und vom jungen und alten Wein und seinen Schläuchen hinzu.

Vielleicht kommen manche Überlegungen und Gespräche über die Zukunft der Pastoral und Kirche hierzulande nicht wesentlich voran, weil viele Pläne und Konzepte zu sehr in den alten Mustern und Vorstellungen verhaftet oder gar gefangen sind. Die bisherigen Strukturen taugen und greifen in vielem nicht mehr; sie dienen nicht mehr, wie bisher, in der gravierend veränderten Situation der Verkündigung und dem von Jesus geforderten Dienst am Menschen.

Könnte sein Wort nicht vielmehr dazu ermutigen, neu zu denken, um der Sprengkraft des Evangeliums mehr Chancen zu geben?

Vielleicht brauchen wir als Kirche wirklich noch viel mehr Mut, um Neues zu wagen, zu ermöglichen, zu experimentieren, neue Wege zu suchen und zu gehen, um die Botschaft Jesu zu Gehör und zum Klingen zu bringen. Wie sieht es aus mit der Experimentierfreudigkeit in unseren eigenen Reihen?

Wo gibt es Anzeichen und damit Hoffnungszeichen dafür in nächster Nähe?

Wie könnten die neuen Gewänder aussehen?

Wo und wie können wir neu und innovativ den guten, alten und bekömmlichen Wein anbieten und einschenken, um die Menschen zum Fest mit dem Bräutigam einzuladen?

PAUL WEISMANTEL

Jesus, du Freund der Fresser und Säufer, du willst uns herauslocken und herausfordern, neue Ideen zu entwickeln, neue Wege zu suchen und die entsprechenden Schritte zu wagen. Geh du uns voran, geh du mit uns, geh du uns nach!

Sabbat und religiöses Gesetz

Die älteste Auszeit der Welt ist der Sabbat. Gott selbst hat ihn eingeführt, als er am siebten Tag, nachdem das Werk der Schöpfung vollbracht war, geruht hat. Weil dieser große Ruhetag so wichtig ist für den Menschen, muss er unbedingt gehalten und geschützt werden.

Der Mensch soll – nach Gottes Plan und Willen – im Rhythmus der Woche einen ganzen Tag, vierundzwanzig Stunden lang, sich seiner Königswürde erinnern, sich an ihr erfreuen und sie inszenieren und ihrer gewiss werden.

Es geht um die Freiheit des Menschen, damit er sich nicht von seiner Arbeit versklaven oder verknechten lässt, sondern Herr über sie bleibt; nicht in ihr auf- oder auch untergeht.

Dabei soll er mit allen Sinnen sich vergewissern lassen, dass der Sinn und Wert seines Lebens viel mehr ist, als Arbeit und Leistung, als Schaffen und Schuften, als Geld verdienen und ausgeben, als Produktion und Profit.

Die Jünger verstoßen gegen das Sabbatgebot. Daran nehmen einige Pharisäer Anstoß und stellen Jesus zur Rede. Er antwortet mit der Gegenfrage und dem Verweis auf König David.

Damit stellt Jesus klar, dass er als Menschensohn auch Herr über den Sabbat ist. Er ist der Garant der Freiheit des Menschen und all der Gebote, die der Heiligkeit des Sabbat dienen. Er schenkt und garantiert in seiner Person jene heilige Ruhe, für die der Sabbat steht.

Bei ihm allein können und sollen wir in aller Stille zur Ruhe kommen. In seiner Gegenwart dürfen wir ausruhen vom Fieber des Lebens.

PAUL WEISMANTEL

Jesus, Menschensohn, du weißt am allerbesten, was wir Menschen wirklich brauchen, um innere Ruhe und wahren Frieden zu finden. Du willst uns schenken, was unser Herz heilt, tröstet und stärkt. So lass uns aufatmen in jeder Auszeit des Betens, die wir mit dir verbringen, auch jetzt.

Sabbat, Heilung und Intrige

Am Sabbat geht man als gläubiger Jude in die Synagoge, um Gottesdienst zu feiern und Gott die Ehre zu erweisen. Jesus geht in die Synagoge, so hat er es von Kindesbeinen an gelernt, um zu lehren.

»Es geschah ...«, so lässt Lukas auch diese Szene beginnen, an einem Sabbat in einer Synagoge. Wieder kommt es zur Auseinandersetzung zwischen Jesus und den Pharisäern.

Dabei geht es um die Heilung des Mannes, dessen rechte Hand verdorrt war. Jesus durchschaut seine Gegner, weil er ihre Gedanken kennt. Er fordert den Mann auf, sich in die Mitte zu stellen. Er verschafft ihm einen neuen Platz und betont damit seine Bedeutung. Es geht um ihn und sein Leben, seine Behinderung, das, was ihn an den Rand gebracht hat, wo er an den Rand gedrängt wurde, weil er sich nicht wehren konnte mit seiner kaputten, unbrauchbar gewordenen Hand.

Als der Mann in der Mitte steht, stellt Jesus den Oberlehrern des jüdischen Glaubens die entscheidende Frage, was am Sabbat erlaubt oder verboten ist. Dabei schaut er sie »alle, der Reihe nach an«, wie es ausdrücklich im Text heißt und sagt zu dem in der Mitte stehenden Mann, er solle seine Hand ausstrecken. Er tut es und seine Hand wird wiederhergestellt.

So geschieht, wozu der Sabbat erfunden wurde, Aufrichtung, Heilung, Erneuerung, Wiederherstellung des ursprünglich von Gott geschaffenen guten Lebens. »Die Ehre Gottes ist der lebendige Mensch«, wie der Kirchenlehrer Irenäus formuliert. Dafür tritt Jesus auf und an. Das ist seine Sendung und sein Auftrag. Doch zu seinem Schicksal gehört auch, was im letzten Satz von seinen Gegnern gesagt wird, dass sie, »in ihrem Unverstand beraten, was sie gegen ihn unternehmen könnten«.

Also nicht einfach nur »happy end« – sondern weitere Auseinandersetzungen und Anfeindungen bis zum bitteren Ende.

PAUL WEISMANTEL

Jesus, du heilst den Mann mit seiner verdorrten rechten Hand am Sabbat. Du stellst ihn in die Mitte, um zu demonstrieren, dass die Ehre Gottes der lebendige, ganze Mensch ist. Wir danken dir.

Die Wahl der 12 Jünger

Die Zahl 12 ist nicht zufällig. Sie hat tiefe Bedeutung. Sie weist auf die 12 Stämme des alten Gottesvolkes Israel, von denen seit dem Untergang des Nordreiches im Jahr 722 v. Chr. jedoch nur noch zwei existierten. Die 12 Jünger haben als Apostel, als »Gesandte«, einen Auftrag für das ganze Gottesvolk.

Ausdrücklich wird das nächtliche Gebet, die Zwiesprache Jesu mit seinem Vater, erwähnt und damit betont, dass die Wahl der 12 Gottes Wille ist.

Wer sind nun diese aus der großen Anhängerschar Jesu auserwählten 12? Es sind keine Männer aus der religiösen oder politischen Elite, sondern einfache Menschen. Fischer wie Petrus und Andreas. Auch ein Zöllner ist dabei, d.h. einer, der von den Frommen zutiefst verachtet war – als Kollaborateur mit der heidnischen Besatzungsmacht. Daneben ist mit Simon ein Zelot berufen, also ein Todfeind der Römer, ein Vertreter des Kampfes gegen die Besatzungsmacht. Eine wahrhaft spannungsgeladene Mannschaft, diese 12! Und dann ist auch noch Judas Iskariot dabei, Judas, der später Jesus verraten wird. Ist der Beiname »Iskariot« zu deuten als »Mann aus Kariot« oder ist er ein »Sikarier«, und damit auch einer, der gegen Rom kämpfen wollte? Bis zum heutigen Tag gibt uns die Gestalt des Judas zu denken. Er ist einer der 12, er ist erwählt von Gott, er gehört zum innersten Kreis der Jünger – und dennoch ist er der, der seinen Meister verraten hat. Auserwählt – und dennoch gefallen. Wie muss das Jesus geschmerzt haben, dass einer seiner engsten Vertrauten zu seinem Verräter wurde! Wie muss das die anderen Jünger und auch die frühe Gemeinde belastet haben – einer von ihnen! Doch sie haben diesen Verrat nicht beschönigt, sie haben ihn der Nachwelt überliefert. Und wie war das mit Judas? Seine Reue kam zu spät. Aus der Apostelgeschichte wissen wir um seine Selbsttötung (Apg 1,18). Über Gottes Gericht steht uns kein Urteil zu.

LIESELOTTE MATTERN

Herr unser Gott, auch uns hast du berufen. Wir sind getauft und gehören zu dir. Bewahre uns davor, dass auch wir an dir zweifeln und zu Verrätern deines Evangeliums werden.

Wer ist glücklich zu preisen?

Jesus preist Menschen »selig« oder anders übersetzt »glücklich«, ja, sie sollen sich freuen! Das sagt er ausgerechnet zu solchen, die auf der Verliererseite des Lebens stehen. Widerspricht das nicht all dem, was wir Tag für Tag sehen und erleben? Ist das nicht Hohn? Sind denn nicht die »Reichen und Schönen« die Glücklichen und Strahlenden? Doch die Seligpreisung hat einen tiefen Grund. Diese Leidtragenden erhalten die Zusage, dass ihre Not ein Ende haben wird. Ist das billige Vertröstung? Nein, es ist echter Trost, denn Gott steht, das weiß die ganze Bibel, auf der Seite der Schwachen. Auch die Frommen zur Zeit Jesu haben die Hoffnung, dass Gott die negativen Verhältnisse umkehren wird (vgl. Lk 1,52ff.).

Doch sind Armut, Hunger und Trauer schon als solche ein Verdienst, der Gottes Belohnung zur Folge haben wird? Das wäre zu einfach gedacht. Not kann verbittern, auch gegen Gott. Doch Not kann auch beten lehren. Und wer merkt, dass er nicht auf sich selber, sondern allein auf Gott vertrauen kann, also mit leeren Händen bittend vor Gott steht, dem gilt Jesu Seligpreisung.

Anders als in Mt 5,3ff. hat Lukas auch Weherufe überliefert, die – genau umgekehrt – den Seligpreisungen entsprechen. Weheruf im Munde Jesu? Widerspricht das nicht unserem gängigen Gerede vom »lieben Gott«? Doch Weherufe finden sich auch sonst in unserer Bibel. Gott sagt nicht zu all unserm Tun und Leben »schön und gut«. Sind aber denn Reichtum, Sattsein und Lachen als solche schon verwerflich? Ist es nicht das Lebensziel der meisten Menschen, dass sie in gesicherten Verhältnissen leben können und auch Freude und Ansehen haben werden? Was ist daran schlecht? Dies: wenn für uns »Wohlstandsbürger« der Reichtum und das Ansehen zum eigentlichen Lebenssinn und damit zur Ersatzreligion werden.

LIESELOTTE MATTERN

Herr unser Gott, auch wir gehören zu den Reichen und Satten. Lass uns begreifen, dass unser Wohlstand nicht zu unserem Lebensinhalt werden darf, dass er vielmehr Verpflichtung ist, anderen, die weniger haben, zu helfen.

Genügt Nächstenliebe?

Das Gebot der Nächstenliebe gilt für viele Menschen heute als Inbegriff des christlichen Glaubens. Doch Nächstenliebe gibt es auch außerhalb des Christentums. Oft beschämen Nichtchristen mit ihrer Mitmenschlichkeit manche Vertreter der Kirchen.

Das Gebot der Nächstenliebe steht bereits im AT (3 Mose 19,18). Wenn es 2 Mose 21,24 heißt: »Auge um Auge«, dann bedeutet auch dies gerade nicht harte Vergeltung, wie wir das Wort oft verstehen, sondern es geht um maßvolle Reaktion, *ein* Auge um *ein* Auge, und nicht mehr. Es geht dabei um ein Grundprinzip jeden Rechtsstaates, um »Verhältnismäßigkeit der Mittel«.

Doch Jesus fordert von seinen Anhängern ungleich mehr, nämlich Verzicht auf jegliche Vergeltung bis hin zur Selbstpreisgabe. Der Schlag auch auf die linke Backe, nur möglich mit der Rückhand, ist Zeichen der Verachtung. Der Mantel ist die notwendige Decke der Armen für die kalte Nacht. Geld ausleihen ohne Hoffnung auf Rückgabe? Nicht nur den angenehmen Mitmenschen, sondern sogar den Feind zu lieben – ist das nicht total menschenunmöglich?

Wer schon einmal versucht hat, seinen persönlichen Gegner, einen, der ihm alles zuleide tat, ihn übervorteilt, beleidigt und verletzt hat, nicht nur aus dem Weg zu gehen, sondern ihn zu lieben, d.h. konkret: sein Bestes wollen, für ihn eintreten, sich freuen, wenn es ihm gutgeht, der wird bald merken, wie ihm diese Liebe letztlich unmöglich ist.

Doch wer wirklich an Gott glaubt und um die Liebe Gottes zu sich und jenem »bösen« Menschen weiß, der kann den Feind mit anderen Augen sehen, hinter ihm den liebenden Gott erkennen. Er weiß: Gott vergibt nicht nur mir meine Schuld, sondern auch dem, der an mir schuldig wurde.

LIESELOTTE MATTERN

Herr unser Gott, befreie uns von Rachegefühlen und Rechthaberei. Schenke uns den festen Glauben an dich und deine Liebe zu uns und dem anderen, auch wenn er unser Feind ist.

Übertrieben?

Ist es nicht dick aufgetragen, wenn der Beter bezeugt, Gott – und nur er allein – sei sein ganzes Glück, die unüberbietbare Erfüllung seines Lebens? Relativiert Gott alles? Selbst den Lebenspartner, die Kinder, die besten Freunde? In gewisser Weise ja, denn so kommt eine ganz bestimmte Ordnung in das Leben, die zwar nichts und niemanden ausschließt, keinen hintansetzt, aber doch eine Gewichtung festlegt, wie Psalm 73, 28 mit den Worten bekennt: »Ich aber – Gott nahe zu sein, ist gut für mich.« Wer so lebt, wird in Gott geborgen sein; wer so handelt, darf »den Weg des Lebens« erkennen und ihn gehen; er wird »die Grube nicht schauen«, wird »Freude in Fülle erleben, Wonne für alle Zeit«. Die Theologie nennt dies Himmel: Ort unmittelbarer Gottnähe.

Für den gläubigen Beter bedeutet dies im Umkehrschluss, es gibt im Leben keine härtere Strafe als die Gottferne, keine größere Angst als jene, sich für immer, also auch im Jenseits, freiwillig und wissentlich durch den gewählten Lebensstil aus der Nähe Gottes herauskatapultiert zu haben. Das käme einer nie endenden manischen Depression gleich, das wäre pure Verzweiflung. Die Theologie nennt dies Hölle: Ort größtmöglicher Gottferne.

Wer Gott an die erste Stelle seines Lebens rückt, der kann aus der Nähe zu Gott, aus der dieser Nähe entströmenden Kraft sich ganz seinem Nächsten öffnen. Er hat verstanden, was Gott von ihm sehnsuchtsvoll erhofft, ja worum er geradezu bettelt: kein »Trankopfer von Blut«, keinen »billigen« Ersatz in Form von Tieren oder Nahrungsmitteln, keine noch so zahlreichen Gebete und frommen Werke, kein noch so großes Almosen, sondern einzig und allein sein ehrliches, ihm offenstehendes Herz. »Das Opfer, das Gott gefällt, ist ein zerknirschter Geist; ein zerbrochenes und zerschlagenes Herz wirst du, Gott, nicht verschmähen«, so bezeugt der Beter mit Psalm 51. Das ist es, was Gott vom Menschen in Liebe ersehnt: Er erwartet von uns keine kultischen Höchstleistungen; er will einfach unser Herz. Nicht mehr, aber auch nicht weniger.

BERNHARD KIRCHGESSNER

Lass Sehnsucht nach deinen Wegen in meinem Herzen erwachsen, Gott, und stärke mich, auf ihnen zu gehen.

Ehrlich mit sich selbst sein

Wie schnell kann ich mich über einen anderen Menschen aufregen: »Der kommt immer so arrogant daher! Die meint auch, sie wäre etwas Besseres, wie die sich immer in den Vordergrund drängt! Unmöglich, diese Rücksichtslosigkeit!«

Immer, wenn ich einen anderen Menschen verurteile, stelle ich mich selbst in ein besseres Licht: »So würd ich mich nie verhalten!«

»Seid barmherzig miteinander, wie auch Gott mit euch barmherzig ist!« So sagt es Jesus. In dem Wort Barmherzigkeit stecken die Worte Erbarmen und Herz. Wenn ich mich über einen Menschen erbarme, dann rechne ich seine Fehler nicht auf, ich hinterfrage nicht, ob er es verdient hat, dass ich ihn beachte und ihm helfe, wenn er Hilfe braucht. Wenn ich mich über einen Menschen erbarme, dann höre ich auf mein Herz.

Das Herz schaut anders als die Augen und es schaut besonders gut mit Liebe: »Du musst dich nicht über den anderen stellen und ihn verurteilen. Du kannst auch anders. Stelle dich einfach neben ihn – und euch beide vor Gott.«

»Seid barmherzig miteinander, Gott ist es auch mit euch.« Wenn ich die Worte von Jesus wirken lasse, kann ich mich auch ehrlich fragen, warum mich manches an anderen so stört. Kann es sein, dass ich darauf reagiere, weil es mir gar nicht so fremd ist, ich Ähnliches an mir selbst wahrnehme und das gar nicht an mir mag? Projizieren wir nicht gerne auf andere, was wir an uns selbst nicht sehen wollen?

Ich sehe die Fehler beim anderen übergroß – doch eigentlich sind sie nur Splitter. Ich habe in meiner Selbstgerechtigkeit oft das Brett vor dem Kopf, den Balken in meinem Auge. So drastisch sagt es Jesus. Auch darüber könnte ich mich jetzt aufregen, doch ich kann es auch als Chance sehen, dass Jesus mir Mut macht, ehrlich und barmherzig auch mit mir selbst zu sein.

ANNEMARIE STEINEBRUNNER

Herr, vor dir kann ich sein, wie ich bin. Ich muss weder dir noch mir noch anderen etwas vormachen. Danke, dass deine Liebe mich und meinen Mitmenschen trägt, auch wenn wir es manchmal schwer miteinander haben.

Worauf es ankommt

»An ihren Früchten sollt ihr sie erkennen« – das ist gar nicht so einfach. Denn was gut aussieht, muss noch lange nicht gut schmecken. Da kann ich einen großen makellosen Apfel in der Hand halten – und wenn ich hineinbeiße, ist er nur wässrig und fade. Und daneben liegt ein kleiner schrumpeliger Apfel – und der Geschmack ist einfach köstlich! Wir können vom äußeren Schein nicht auf die innere Qualität schließen.

Was braucht es, damit ein Baum gute Früchte trägt? Er muss im Innern Substanz haben und Wachstumspotential, er darf nicht hohl sein. Das Äußere spielt dabei keine Rolle, ob er gerade dasteht oder krumm. Damit Früchte wachsen und reifen können, brauchen sie die feste Verbindung zum Stamm. Von ihm bekommen sie die Nährstoffe, die sie brauchen.

Bei uns Menschen ist es nicht anders. Was in uns steckt, ist wichtig. Was da wachsen und reifen will in Verbindung mit Gott. Es geht um unser Herz. Es steht für den Ort, an dem wir in Beziehung sind mit Gott und Menschen. Das Herz ist unser innerer Schatz, um den wir uns kümmern sollen, damit daraus Gutes im Sinn Gottes hervorkommen kann.

Was lassen wir hinein in unser Herz? Was soll da Platz haben und was nicht?

Was Gott in unser Herz gelegt hat, es will Früchte bringen und mit anderen geteilt werden. Jesus sagt es zu seinen Jüngern so: Wenn euer Herz voll ist mit dem, was ihr von mir aufnehmt – Gottes Wort, das euch Richtung gibt, seine Zuwendung und Liebe, die euch aufblühen lassen –, dann dringt das, was in euch gelegt ist, wie von selbst nach außen und zeigt Wirkung.

So soll es sein: gute Früchte, die uns und anderen gut tun und nach Reich Gottes schmecken.

ANNEMARIE STEINEBRUNNER

Bei dir, Jesu, will ich bleiben, stets in deinem Dienste stehn; nichts soll mich von dir vertreiben, will auf deinen Wegen gehen. Du bist meines Lebens Leben, meiner Seele Trieb und Kraft, wie der Weinstock seinen Reben zuströmt Kraft und Lebenssaft.

Was meinem Leben Halt gibt

Wenn wir Gottes Wort nicht nur hören, sondern es ernst nehmen und danach handeln, stellen wir unser Leben auf einen tragfähigen Grund. Hinter den Worten von Jesus steht die tiefe Erkenntnis, dass wir davon leben, dass Gott zu uns spricht.

Die ganze Bibel besteht aus unterschiedlichen Geschichten und Erfahrungen über die Beziehung und Kommunikation zwischen Gott und seinen Menschen. Gott spricht auf unterschiedliche Weise – durch die Schöpfung, durch besondere Erlebnisse, durch Menschen, in der Bibel ganz deutlich durch Jesus. Jesus ist das für uns fassbare, sozusagen in Fleisch und Blut übergegangene Wort Gottes. In Jesus erkennen wir, wie Gott ist und was er für uns will.

Wer meine Rede hört und sie tut, sagt Jesus, der gleicht einem Menschen, der sein Haus auf Fels baut. Den wirft so schnell nichts um. Gottes Botschaft vom Leben trägt unser Leben, gibt ihm Stand, Richtung und Perspektive, Trost und Hoffnung. Wir tun uns oft schwer mit Gottes Wort, weil es so anders ist als die vielen anderen Worte, die um uns herum lautstark gemacht werden und populär sind. Wir tun uns oft schwer, weil Gottes Wort so leise daherkommt, der Welt fremd, weil es andere nicht niedermacht, sondern von Versöhnung redet und Solidarität, von Glaube, Liebe, Hoffnung und nicht davon, wer sich am besten durchsetzt und der Größte ist. Wir tun uns oft schwer damit, Gottes Wort zu übertragen auf unser heutiges Leben, es hineinzuholen in unseren Alltag, Erfahrungen damit zu machen, darauf zu vertrauen als lebendiges Wort. Doch wenn wir Vertrauen wagen, dann stellen wir unser Leben auf eine gute, feste Grundlage. Auf Gottvertrauen lässt sich ein Lebenshaus bauen, das nicht so schnell zu erschüttern ist. Denn wir sind nicht allein, Gott ist dabei.

Es geht um Vertrauen. Immer wieder um Vertrauen.

ANNEMARIE STEINEBRUNNER

Wer nur den lieben Gott lässt walten und hoffet auf ihn allezeit, den wird er wunderbar erhalten in aller Not und Traurigkeit. Wer Gott, dem Allerhöchsten, traut, der hat auf keinen Sand gebaut.

Grenzüberschreitende Hilfe

Wahrlich Erstaunliches hat Lukas bei der Sammlung der Geschichten Jesu gefunden und in seinem Evangelium aufbewahrt. Eins davon ist diese Begebenheit mit dem Hauptmann und seinem todkranken Knecht. Beim Lesen oder Hören dieser Geschichte taucht das Bild einer Gemeinschaft aus Verschiedenen auf, die einander beistehen und einander achten. Der Offizier ist bekannt dafür, dass er freundschaftlichen Umgang mit den Juden der Gegend hat. Und er pflegt offenbar auch eine gute Beziehung zu den Presbytern der örtlichen jüdischen Gemeinde. Er hat ihnen die Synagoge gebaut. Der Offizier ist auch ein mitfühlender Mensch. Einer seiner Knechte ist krank. Und das macht ihm schwer zu schaffen. Er will ihm unbedingt helfen. So wendet er sich an die ihm bekannten Presbyter und bittet sie: Geht zu diesem Jesus, der gerade in der Gegend unterwegs ist. Er hat schon viele Kranke geheilt. Bittet ihn, er soll herkommen.

Und die Presbyter machen sich auf den Weg. Sie finden Jesus. Sie bitten ihn inständig. Sie machen es ganz wichtig, dringend. Sie betonen auch extra, dass der Bittsteller ein guter Mann ist. Und Jesus geht unverzüglich mit ihnen.

Was für ein Bild, das Lukas hier zeigt: Unterschiedliche Menschen leben friedlich beieinander, Herren und Knechte, Juden und Andersgläubige, Fremde und Einheimische. Sogar an dem irregulären Wanderprediger Jesus nimmt niemand Anstoß. Wo Not am Mann ist, haben zwischenmenschliche, politische, religiöse Differenzen keine Bedeutung. Denn diese Not duldet keinen Aufschub. Über Weltanschauungsnuancen kann man später wieder diskutieren. Aber nicht jetzt.

Es scheint so, als ob die gemeinsame Anstrengung so vieler Beteiligter schon an sich Hilfe ist. Es kommt gar nicht zu einem sichtbaren Akt der Heilung. Die Krankheit des Knechts ist überwunden. Wie auch immer. Ein Wunder ist geschehen, ohne dass Jesus das Krankenzimmer im Haus des Offiziers betreten hätte.

Er geht weiter ins nächste Dorf, Richtung Nain.

GERHARD SCHÄBERLE-KOENIGS

Herr Jesus Christus, du hast Grenzen überwunden zum Heil der Menschen. Hilf auch uns, menschengemachte Grenzen zu überwinden, um einander in deinem Geist beizustehen und uns gegenseitig zu erfreuen.

Dem Tod den Weg versperrt

Wie Jesus in Nain ankommt, ist gerade ein Leichenzug unterwegs. Es kommt nur noch sehr selten vor, dass wir einem Leichenzug begegnen, schon gar nicht auf offener Straße. Auch in unseren Dörfern gibt es sie kaum mehr. Der »letzte Gang« ist zusammengeschrumpft auf den kurzen Weg von der Friedhofskapelle zur Grabstelle.

Dennoch, auch auf diesem meist kurzen Wegstück kann man beobachten, wie verschieden Menschen auf einen Leichenzug reagieren. Manche unterbrechen ihre Arbeit, richten sich auf und nehmen still Anteil an der Trauer. Andere, die gerade unterwegs sind mit einer Gießkanne, machen einen Umweg, um den Trauernden nicht zu begegnen.

Jesus nun geht geradewegs auf die trauernde Mutter zu. Er ist ergriffen von ihrem Leid und behält sein »Bei-Leid« nicht still für sich. Das Los der Mutter jammert ihn. Es geht ihm durch Mark und Bein. Sie ist am Abgrund, auch sozial und materiell, als jetzt kinderlose Witwe. Und er rückt noch näher. Er berührt den Sarg. Die Sargträger verstehen das als Signal, jetzt nicht weiterzugehen. Sie halten an. Jesus steht dem Tod im Weg.

Das ist geradezu programmatisch für seine ganze Existenz – von der Krippe bis zum Ostermorgen. Diesen bereits andeutend, stellt er sich dem Tod nicht nur in den Weg, sondern besiegt ihn und sagt zu dem Verstorbenen: »Steh auf.«

Wir Menschen können keinen Toten wieder zum Leben erwecken. Doch so, wie Lukas Jesu Erbarmen und seine Nähe zu der untröstlichen Mutter ins Bild setzt, sehen wir die Erfüllung der Prophetie des Zacharias: »Die Barmherzigkeit des Herrn erscheint denen, die in Finsternis und Schatten des Todes sitzen.« Er inspiriert uns, mit jenen mitzufühlen, die an Särgen und Gräbern zu verzweifeln drohen. Er inspiriert uns, ihr Weinen auch in der Nähe auszuhalten und nicht gleichgültig zu bleiben, sondern Notlagen, die Todesfälle mit sich bringen, ganz praktisch lindern zu helfen.

GERHARD SCHÄBERLE-KOENIGS

Vater im Himmel, gib uns immer wieder neu Phantasie und Liebe, um Menschen, die in großer Trauer sind, tatkräftig beizustehen.

Der, der kommen soll, ist da

Johannes hat den kommenden Messias angekündigt, ohne ihn zu kennen. Er hat die Menschen seiner Zeit gewarnt. Er sah, dass seine Mitmenschen ein Leben führten, das sie völlig ungeeignet machte, den Messias zu empfangen. So verwendete er starke, beängstigende Bilder: »Die Axt ist schon an den Baum gelegt.«

Schreckliches erlebt Johannes jetzt selbst. Er sitzt im Gefängnis. Vielleicht hat er innerlich bereits mit dem Leben abgeschlossen. Doch der Gedanke an den kommenden Messias lässt ihn nicht los. Aufmerksam verfolgt er in seinem Verlies, was im Lande vor sich geht.

Nachrichten von diesem Jesus von Nazareth erreichen ihn. Doch was ihm zugetragen wird, passt so gar nicht zu dem, wie er selbst den Messias angekündigt hatte. Und trotzdem lässt er ihn direkt fragen: Bist du's oder müssen wir noch länger warten? Er hält es also für möglich, dass der Messias auch ganz andere Züge haben kann als die, die er von ihm gemalt hatte. Er versteift sich nicht auf sein Bild.

Bemerkenswert ist die Sprache, in der die beiden indirekt kommunizieren. Johannes fragt nicht: Bist du der Messias? Er redet verdeckt. Für einen Unkundigen ist »der, der da kommen soll« harmlos und bedeutungsfrei, für Eingeweihte ist klar, was gemeint ist. Der Ausdruck »Messias«, der verheißene König, ist politisch verdächtig und unter den herrschenden politischen Umständen gefährlich. Und Jesus kleidet seine Antwort genauso in verdeckte Sprache. Er weist auf all das hin, was vom Messias erwartet und erhofft wird – und augenscheinlich geschieht. So reden die beiden miteinander und verstehen sich.

Jesus schließt seine Antwort ab mit dem Satz: »Und selig ist, wer sich nicht an mir ärgert.« Ich verstehe dies als eine ganz persönliche Botschaft Jesu an Johannes, etwa so: Nimm wahr und freu dich, dass der Messias, wenn er kommt, noch einmal ganz anders ist, als du ihn dir vorstellen konntest.

GERHARD SCHÄBERLE-KOENIGS

Herr Jesus Christus, komm und breite dein Reich in unserer Welt aus, damit alle, die aus politischen Gründen oder wegen ihres Glaubens in den Kerkern der Despoten gefangen sind, Hoffnung bekommen und aufatmen können.

Wenn Gottes Nase raucht

Wenn es auch ein alttestamentliches Bilderverbot gibt, das sich auf Götterplastiken bezieht, so bietet der Psalm 18 eine Vielzahl von Sprachbildern zu Gott wie Fels, Festung, Schild oder Horn. Göttliche Emotionen wie Zorn werden bildlich durch eine rauchende Nase oder einen brennenden Mund dargestellt. Das rettende Eingreifen Gottes wird dynamisch in drastischen Naturphänomenen geschildert, das, wie beim Ritt auf einem Kerub, einem geflügelten Mischwesen, mythische Züge annehmen kann. Und als Pfeile schießender Krieger entreißt Gott den Beter aus der feindlichen Todesmacht.

Wie sind solche Bilder zu verstehen und für das Gebet fruchtbar zu machen? Zunächst darf man solche Bilder nicht isoliert je für sich begreifen wollen. Mögen sie auch noch eine solche gewaltige und gewalttätige Macht haben und Unverständnis oder sogar Ängste in uns auslösen, so dienen sie wie Perlen einer Kette der Illustration einer Beziehung zwischen Beter und Gott. Zu Beginn des Psalms gibt der Beter eine Liebeserklärung an seinen Gott ab und später drückt Gott sein Gefallen an dem Beter aus. Vor dem Hintergrund der lebensbedrohlichen Anfeindungen wird der rettende Charakter dieser Beziehung dann durch drastisch wirkende Bilder, die mit Gott verknüpft werden, hervorgehoben. Darin spricht sich ein tiefes Vertrauen des Beters zu Gott, seinem Retter, aus.

Des Weiteren sind die Bilder mit ihrem kulturellen Rahmen in einer Kultur und einer Zeit verankert, die sich von unserer Zeit und unseren Kulturen teilweise gravierend unterscheiden. Das erschwert auch das Verständnis und das Gebet eines solchen Psalms.

Und dennoch: Wenn am Ende der heutigen Psalmlesung das Bild von der Weite steht, dann ist das ein heilsames und rettendes Bild angesichts all der Verengungen und Eingrenzungen, mit denen wir aufgrund von Vorurteilen, alternativlosen Lösungen oder sogar Ängsten in unserem Alltag oft zu kämpfen haben.

FRANZ JOSEF BACKHAUS

Gott, bewahre mich heute vor all den selbstgewählten Grenzen, die mein Leben und das Leben meiner Mitmenschen einengen.

Fragen über Fragen

Nachdem die Johannes-Jünger Jesus wieder verlassen haben, wendet dieser sich an seine Jünger mit mehreren Fragen. Es sind Fragen, die pädagogisch gemeint sind, die die Jünger zum Nachdenken anregen sollen, über den Täufer und sein Verhältnis zu Jesus. Die ersten zwei Fragen können zusammengefasst werden: Was haben sie von Johannes erwartet? Einen Menschen ohne feste Prinzipien oder etwa ohne Glauben oder einen an äußerlicher Pracht orientierten Menschen? Jesus wartet ihre Antworten nicht ab, sondern er beantwortet sie mit seiner dritten Frage und gibt gleich die Antwort. Ja, Johannes ist ein Prophet und sogar viel mehr als das: der, der Jesus angekündigt und ihm den Boden bereitet hat (Maleachi 3,1) und für seine konsequente Haltung von der Obrigkeit verfolgt wird. Die Wirkung seiner Verkündigung zeigte sich darin, dass seine Zuhörer, das Volk, gespalten wurden, in diejenigen, die sich von ihm taufen ließen (»das ganze Volk«), und dazu werden explizit die Zöllner stellvertretend für alle Sünder genannt. Die Pharisäer und Schriftgelehrten jedoch verweigerten sich ihm. Und dies führt Jesus schließlich zu einer weiteren Frage: Wie können diese Verweigerer bezeichnet werden? Es folgt das Gleichnis der Kinder, von denen die einen sich beklagen, dass nicht zu ihrem fröhlichen Flötenspiel getanzt wurde, und andererseits wurde nicht in ihre Totenklage eingestimmt. Dies steht für zwei grundverschiedene Arten der Verkündigung: zum einen Johannes und seine Jünger, die eine strenge Askese ausüben und von denen viele denken, dass sie von einem Dämon besessen seien, und andererseits die lebensfrohen Jünger Jesu, die sich der Sünder annehmen und mit ihnen gemeinsam feiern. Beide Richtungen haben aber nur ein Ziel gemeinsam: in das Reich Gottes zu gelangen. Die Verweigerer, also die Pharisäer und alle, die nicht nachfolgen wollen, lehnen beide Wege ab (»zu streng oder zu lässig«).

WOLFGANG DOERING

Herr, lass mich erkennen, welcher Weg der für mich richtige ist, damit ich in dein Reich komme.

Skandale beim Gastmahl

Wieder einmal sitzt Jesus bei einem Gastmahl, wie so oft bei Lukas, und diesmal bei einem Pharisäer namens Simon. Da mischt sich eine Frau, vermutlich eine Prostituierte, in diese Männergesellschaft, nähert sich Jesus und salbt ihm unter Tränen die Füße. Ein Skandal! Ein Skandal ist es aber auch, dass Jesus das zulässt. Den Gastgeber scheint das zunächst wenig zu berühren. Aber seine Zweifel, ob Jesus wirklich ein Prophet ist, verstärken sich. Jesus hätte erkennen müssen, was das für eine Frau ist. Darauf reagiert Jesus mit einem kurzen Gleichnis über die zwei Schuldner. Der Zusammenhang wird schnell klar. Die Frau hat durch ihren Lebenswandel ungleich größere Schuld auf sich geladen. Simon, der Pharisäer, dagegen ist ein strenggläubiger Mann mit einem untadeligen Lebenswandel und seine Schuld ist es, dass er Jesus gegenüber seine Pflichten als Gastgeber versäumt hat. Auch schaut er verächtlich auf die Sünderin hinab. Diese aber bereut ihre Sünden, vertraut auf Jesus und bringt ihm ihre große Liebe entgegen, ohne Gegenleistung. Ihr Glaube lässt vermuten, dass sie nicht mehr in ihre alte Verhaltensweise zurückfallen wird. Also werden ihr bedingungslos ihre Sünden vergeben. Und hier kommt der nächste Skandal, der die ganze Mahlgemeinschaft erregt: Wieso kann Jesus Sünden vergeben? Woher nimmt er das Recht? Jesus hat wieder einmal klar gemacht, dass er ein wirklicher Prophet ist und dass mit ihm die Gottesherrschaft angebrochen ist.

Der Text vermag uns anregen zu überlegen, welche Rolle Vergebung in unserem Leben spielt. Wie verhalte ich mich Menschen gegenüber, die schuldig geworden sind? Ignoriere ich sie einfach oder verurteile ich sie sogar?

WOLFGANG DOERING

Herr, hilf mir zu erkennen, dass auch ich der Vergebung bedarf, und dass ich nicht auf andere herabsehe, die Schuld auf sich geladen haben.

Vom Hören

Ein bekannter Witz erzählt, wie es einem Pfarrer gelingt, die unerwünschten Fledermäuse in seinem Kirchturm loszuwerden. Er fängt sie ein, tauft und firmt/konfirmiert sie und sieht sie dann nie wieder! Wir kennen das. In den meisten Bundesländern ist der Religionsunterricht bis zu einer bestimmten Stufe Pflichtfach, danach kann er wahlweise weitergeführt werden. Viele Kinder und Jugendliche kennen also Gottes Wort, sie haben Teile davon sogar gelernt. Auch in den Gemeinden bringen sich junge Leute bei den Gottesdiensten ein, als Ministrantin oder bei der Kinderkirche. Wenn sie erwachsen werden, sehen wir die meisten immer seltener in der Kirche.

Das Problem, das Jesus in seinem Gleichnis anspricht, gilt also heute noch, bei uns in Europa sicher noch stärker als damals. Die Gründe dafür sind vielfältig. Da ist eine gewisse Verhärtung gegenüber der Botschaft Jesu zu spüren, verursacht durch ein Übermaß an Arbeit und Ablenkungen. Das immer größer werdende Tempo unserer Lebenswelt, die rasante Mobilität unseres Lebens tragen gewiss auch dazu bei. Ebenso der Drang nach Besitz, nach Ansehen und Vergnügungen, der auch zur Sucht ausarten kann. Die Kritik an der Kirche, ob berechtigt oder unberechtigt, entsteht oft als Beschwichtigung des schlechten Gewissens, weil man Gottes Botschaft missachtet. Grund also zum Verzagen? Keineswegs, sagt Jesus. Denn da ist ja noch die Gruppe von Menschen, die sein Wort dankbar und freudig annehmen und in ihr Leben umsetzen. In einigen Teilen der Welt ist zu beobachten, wie die Zahl der Gläubigen ansteigt.

Wir können uns fragen: Wo sehe ich mich hier? Inwieweit bin ich bereit zum Gebet, zum Lesen der Bibel, zum Besuch von Gottesdiensten? Könnte ich mich nicht auch in Diensten und Tätigkeiten der Gemeinde engagieren? Wie gebe ich den Glauben an meine Kinder weiter? Ganz generell: Welche Rolle spielen Jesus und sein Wort in meinem Leben?

WOLFGANG DOERING

Herr, hilf mir, dass ich dein Wort aufnehme und mein Leben danach ausrichte.

An Gottes Geheimnis teilhaben

Jesus spricht davon, dass die Geheimnisse des Reiches Gottes den Jüngern erschlossen seien. Ein Rätsel kann man lösen. Dann verliert es seine Anziehungskraft. Ein Geheimnis dagegen lässt sich nicht auflösen; man kann nur in es eintreten und an ihm teilhaben. Wer Gottes Wort wahrhaft hört, tritt in das Geheimnis ein, an dem es ihm Anteil gibt. Jesu Lebensweg ist dieses Geheimnis, der Weg von Kreuz und Auferstehung. Wie gewinne ich Anteil daran?

Ich trete in dieses Geheimnis ein, indem ich Jesus auf seinem Lebensweg ans Kreuz folge. Ich nehme den Weg ins scheinbar Ausweglose auf mich, in der Gewissheit, dass mich auch da Gottes Hand hält und er die Dunkelheit in Licht verwandeln wird.

Indem ich Jesus auf dem Weg ans Kreuz folge, setze ich mich dem Ungewissen aus. Ich ducke mich nicht weg. Ich werde sichtbar. Ich leuchte und gebe anderen dadurch Orientierung. Es gehört Mut dazu, diesen Weg zu gehen, Ausdauer, die Bereitschaft, sich selbst aufs Spiel zu setzen und sich dabei verwandeln zu lassen. Der Weg ins scheinbar Dunkle und Verborgene ist zugleich der Weg des Samenkorns, das in der Erde zerfällt, damit aus ihm hundertfach Frucht wachsen kann.

Wenn ich meine, das Hören sei billiger zu haben und ich müsse mich nicht ganz hingeben, dann wird mir auch noch das genommen, was ich zu haben meine. Wenn ich mich diesem Geschehen aber ganz anheimgebe, dann wird mir alles andere im Überfluss gegeben werden. Das wahrhafte Hören ist ein ganzheitliches Geschehen; es durchdringt mich ganz. Ich gebe mich dabei selbst aus der Hand. Ich trete ein in das Geheimnis des Reiches Gottes.

CHRISTOPH SCHROEDER

Gott, führe mich hinein in dein Geheimnis. Lass mich dein Wort hören. Verwandle mich wie das Samenkorn, das in der Erde zerfällt und hundertfach Frucht bringt.

Einem anderen gehören

Elisabeth hat Maria begrüßt; sie hat sie seliggepriesen, sie gewährt ihr Gastfreundschaft. Jetzt kann Maria Gott loben: »Meine Seele erhebt den Herrn und mein Geist freut sich Gottes, meines Heilandes.« Wenig später, nachdem die Hirten Maria berichtet hatten, was die Engel ihnen verkündigt hatten, weiß die Weihnachtsgeschichte: »Maria aber behielt alle diese Worte und bewegte sie in ihrem Herzen.« Maria – das Inbild des Vertrauens, der Demut und der Glaubensgewissheit.

Und nun dieser harte Bruch: »Meine Mutter und meine Brüder sind diese, die Gottes Wort hören und tun.« Jesus macht damit unüberhörbar klar: Das Evangelium stellt die stärkste menschliche Beziehung, die zwischen Mutter und Kind, in Frage. Das kann befreiend sein. Etwa dann, wenn die Eltern Wünsche in ihr Kind hineinprojizieren, die es gar nicht erfüllen kann; wenn es erreichen soll, was seinen Eltern verwehrt geblieben ist. Oder wenn die Eltern aus Sorge um ihr Kind nicht akzeptieren können, dass es einen Weg einschlägt, den sie selbst niemals gegangen wären. »Komm doch zurück nach Nazareth, in die Geborgenheit von Familie und Beruf.« Wer könnte diesen Wunsch nicht verstehen? Mutter und Brüder wollen ihn bewahren vor den Gefahren, in die er sich sehenden Auges begibt.

Jesu Mutter und seine Brüder leben im Sehen, Jesus im Hören. Auf der Ebene des Sichtbaren ist er der Blutsverwandte. Auf der Ebene des Hörens ist er der, in dem der dem Menschen gnädig zugewandte Gott begegnet. Aus dem Hören ergeben sich neue Familienbeziehungen. Sie reichen tiefer als genetische, ethnische, nationale und religiöse Zugehörigkeiten.

Maria muss erst noch lernen, dass ihr Sohn ihr nicht gehört. Gottes Wort hören und es tun, kann Loslassen und Hergeben zur Folge haben. Ein schwerer Weg. Maria wird ihn gehen, aus Liebe zu ihrem Sohn. Nach Ostern wird auch sie dem Kreis der Jünger angehören.

CHRISTOPH SCHROEDER

Gott, zuweilen sind deine Wege unerforschlich. Du beschenkst uns mit deiner Gnade, aber sie ist nicht unser Besitz. Bleibe in uns und wir in dir!

Keine Angst vor dem Aufbruch!

Wenn die Dunkelheit näher rückt, ziehen wir es vor, in unserer eigenen kleinen und heilen Welt zu bleiben und uns in ihr einzurichten. Doch Jesus bläst zum Aufbruch. »Lasst uns hinüberfahren!« Hinüber, auf die andere Seite? Da, wo die Fremden leben, die unsere Werte und Traditionen nicht kennen und nicht teilen? Warum das? Was soll das bringen? Haben wir nicht mit uns selbst genug zu tun? Ist es nicht besser, in vertrauter Umgebung zu bleiben, sich mit denen zu umgeben, die wir kennen und mit denen wir uns verstehen?

Widerstrebend und skeptisch steigen die Jünger ins Boot. Und dann, als hätten sie es geahnt, gerät es in einen Sturm. Die Wellen schlagen bereits in das Boot hinein; es droht zu sinken.

Und Jesus? Er ist mit im Boot – aber er schläft. Warum schläft er im Sturm? War das alles nur leeres Gerede, dass Gott zu uns hält, dass er an unserer Seite ist, komme, was wolle? Sind wir da auf einen großen Trug hereingefallen?

Die Geschichte führt uns an die Grenze, an die Grenze des Vertrauten, an die Grenze unseres Glaubens. Aber wenn wir bereit sind, mit Jesus auf den See hinauszufahren, werden wir Erfahrungen machen, die alles übersteigen, was wir bisher erlebt haben. Wenn wir mit Jesus aufbrechen, wenn wir uns mit ihm auf den Weg machen ins Unbekannte, ans andere Ufer, in die Fremde; wenn wir die Ausweglosigkeit durchleben, in die wir dabei geraten, gerade dann werden wir – wie die Jünger – die Nähe und heilsame Gegenwart Gottes überraschend neu erfahren: Der Wind legt sich, das Wasser wird still und ein großer Friede breitet sich aus.

Also keine Angst vor dem Aufbruch, vor dem Neuen, vor der Fremdheit. Gerade da wird Gott sich uns heilvoll zeigen, in einer Weise, wie wir es noch nicht erlebt haben.

CHRISTOPH SCHROEDER

Nähme ich Flügel der Morgenröte und bliebe am äußersten Meer, so würde auch dort deine Hand mich führen und deine Rechte mich halten. Diese Erkenntnis ist mir zu wunderbar!

Wer bist du Gott für mich?

Schon die ersten Verse des heutigen Psalms lassen mich offen gestanden die Stirn runzeln. Rühmt sich da ein Psalmbeter – die Bibel selbst identifiziert König David als Verfasser – seiner eigenen weißen Weste und findet in seinem tadellosen Verhalten eine Begründung für Gottes rettendes Handeln an ihm? Und damit nicht genug: Im Weiteren lese ich, dass der Beter Gott als jene Kraft begreift, die ihn ausrüstet oder gar ausbildet, in den siegreichen Kampf gegen seine Feinde zu ziehen. Als tatsächlichen Kriegsverbündeten beschreibt hier der Psalmist seinen Gott. Und ist darin voll des Lobs. Und ich denke: Wie weit entfernt bin doch ich von einem solchen Gottesbild! Ich stoße mich daran. Hinter den Worten jedoch spüre ich eine bange Frage oder einen Konflikt, dessen Betrachtung mir vielleicht doch einen Ertrag bringt heute. Ich meine die Frage im Hintergrund zu entdecken: Bist du Gott für mich? Oder vielleicht auch: Wer bist du Gott für mich? Der Psalmbeter referiert uns hier seine Antwort auf die Frage, wer Gott für ihn ist. In den ersten Versen des Psalms, die unserem heutigen Abschnitt vorausgehen, beschreibt er in mitreißenden Bildern seine spektakuläre Errettung aus größter Not durch Gott höchstpersönlich. Und dann erkenne ich in den von mir zunächst als »Selbstbeweihräucherung« wahrgenommenen Versen 21–28 die Erfahrung des Beters, dass Gott treu zu den Seinen steht. Den Jubelton, in dem das alles verfasst ist, nehme ich als Indiz für die Verunsicherung in der Frage nach Gott, die der Rettungserfahrung des Beters vorausgegangen ist. Seine Bemühungen, ein gottgefälliges Leben zu führen, haben sich gelohnt. Er hat nicht auf den falschen Gott gesetzt. Das ist wirklich eine beglückende Erfahrung. Im Weiteren bezeugt der Beter dann, dass er in Gott seine Stärke als siegreicher und streitkräftiger Herrscher begründet sieht.

Wer bist du Gott für mich? Davids Antwort könnte sein: »Du bist mein Retter. Du bist treu an meiner Seite. In dir finde ich meine Stärke.« Was ist meine Antwort?

ULRIKE JUNGE

Gott, ich will dranbleiben an der Frage, wer du für mich bist, und glauben, dass du für mich bist.

Mach mich frei!

Lukas ist ein »Befreiungstheologe«. An zahlreichen Stellen seines Evangeliums beschreibt er, wie Jesus von Zwängen befreit: von der Armut, von der Gefangenschaft und von der dämonischen Versklavung. Schon mit dem vorausgehenden Bericht von der Stillung des Sturmes wird Jesus als Herr über die dämonischen Kräfte dargestellt. Wie in der Schöpfungserzählung werden den zerstörerischen Kräften Grenzen gesetzt. So auch in der Heilung des Besessenen. Nach seiner Befreiung nimmt der Mann, dem niemand Herr zu werden vermochte, wieder ein geordnetes Leben auf und wird schließlich zum Zeugen Jesu.

Lukas geht es nicht vorrangig um das Wunder, dass Jesus eine Vielzahl von Geistern in eine Schweineherde fahren lässt und diese sich in den Abgrund stürzt, auch wenn damit viele Anspielungen verbunden sind: Jesus ist im heidnischen Gebiet, worauf die Schweine hinweisen, da Juden kein Schweinefleisch essen. Die Schweine könnten auch für die Römer stehen, da die damalige Besatzungslegion ein Wildschwein als Bild im Banner trug und man sich von Jesus erhoffte, er würde die Besatzer aus dem Land vertreiben.

Für Lukas entscheidet sich alles an Jesus selbst. Die bloßen Zuschauer, die von dem Wunder erfahren, bekommen es mit der Angst zu tun und bitten den vermeintlichen Magier, die Gegend zu verlassen. Aber der Geheilte vertraut Jesus und will sich ihm anschließen. Darin kommt Lukas zum eigentlichen Höhepunkt: Jesus schickt ihn weg und bittet ihn, Zeugnis für Gottes heilendes Handeln abzulegen. Der aber berichtet allen, »was Jesus für ihn getan hatte« (V. 39). Lukas macht deutlich: In Jesus handelt Gott selbst. Die Kräfte des Chaos und des Untergangs können durch den Glauben an Jesus überwunden werden. In ihm befreit uns Gott von all dem, was unser Leben beschweren will.

MARC WITZENBACHER

Dein Wort, das ist geschehen: Ich kann das Licht noch sehen, von Not bin ich befreiet, dein Schutz hat mich erneuet.

Berühre mich!

Wie Markus hat auch Lukas die Erzählungen von der Heilung der blutflüssigen Frau und der Auferweckung der Tochter des Jairus kunstvoll ineinander verwoben. Zwei Frauen werden geheilt, wie Lukas an vielen Stellen Frauen in den Mittelpunkt rückt. Die eine ist mit zwölf Jahren gestorben, die andere erduldet seit zwölf Jahren eine Krankheit, die sie unrein macht und von der Gesellschaft ausschließt. Lukas will aufzeigen, dass Jesus auch von Krankheit und Tod befreien kann.

Während in der vorhergehenden Erzählung die Menge Jesus loshaben will, bedrängen sie ihn nun. Sie ahnen, dass von Jesus eine Kraft ausgeht, die menschliches Vermögen überschreitet. So trotzt Jairus allen Skeptikern und wendet sich in seiner Not an Jesus. So schleicht sich die blutflüssige Frau in einer vagen Ahnung an Jesus heran, ihr könne es helfen, den Mantel dieses Wunderheilers anzufassen. Und wieder geht es Lukas nicht um das Heilungswunder. Viermal kommt das Wort »berühren« vor, es geht um eine äußerliche und eine innere Berührung, es geht im Kern um die Beziehung der Menschen zu Jesus.

Es ist sein Glaube, der Jairus unbeirrbar macht und den Jesus schließlich als Grund dafür angibt, dass die Tochter wieder ins Leben zurückkehrt (V. 50). Kein Hokuspokus, sondern schlichtes Vertrauen. Ganz anders die blutflüssige Frau. Sie verlässt sich scheinbar auf die Magie, dennoch lobt Jesus ihren Funken Glauben, der sich später in das tiefe Staunen über Jesu Zutrauen in sie verwandeln wird.

Jesus versteht, mit welchen Vorurteilen wir zu ihm kommen, und mögen sie noch so verworren sein. Er führt uns zum Urvertrauen auf Gott. Wir brauchen nicht anders zu werden, als wir sind. Er berührt uns und macht uns frei für einen Glauben, der sich allein auf ihn verlässt.

MARC WITZENBACHER

Das muss ich dir, mein Gott, bekennen, das rühm ich, wenn ein Mensch mich fragt; ich kann es nur Erbarmung nennen, so ist mein ganzes Herz gesagt. Ich beuge mich und bin erfreut und rühme die Barmherzigkeit.

Sende mich!

Während Markus in seinem Evangelium Aussendung und Rückkehr der zwölf Jünger in einem Bericht zusammenfasst (Mk 6,7–13), teilt Lukas die Aussendung auf. Jesus schickt zunächst die Zwölf, später 70 bzw. je nach Lesart 72 Jünger aus (Lk 10,1–16). Lukas verbindet damit ein Programm der Sendung Jesu in die Welt. Er ist zunächst zum Volk Israel gesandt, wobei die Zahl der Jünger für die zwölf Stämme Israels steht. Später werden die Jünger auch in die ganze Welt geschickt. Und das ist wörtlich gemeint, denn damals kannte man rund 70 Länder. Das Reich Gottes kennt keine Grenzen, Gottes Liebe gilt in Jesus allen Menschen.

Während man damals die Macht der Herrscher am Auftreten ihrer Boten erkennen konnte, geht Gott in Jesus den völlig umgekehrten Weg. Und doch gebietet das einst hilflos in einer Krippe liegende Kind nun den Stürmen und befreit sogar vom Tod. Es kommt nicht auf die äußeren Umstände an. Jesus schickt auch seine Jünger ohne Absicherung weiter. Lukas will einerseits verdeutlichen, dass der Auftrag zeitlich begrenzt war, aber auch wie radikal die Botschaft vom Reich Gottes in Jesus Christus zu verstehen ist: Konzentriert euch ganz auf Gott, er wird bald kommen, nichts soll euch ablenken! Es geht ums Ganze.

Dazwischen berichtet Lukas, dass der Tetrarch Herodes Jesus zu sehen wünscht. Er will wissen, wer Jesus wirklich ist, da die Meinungen auseinandergehen. Schließlich könnte ihm ein neuer oder gar »auferstandener« Johannes gefährlich werden. Solche Mutmaßungen, wer Jesus ist, wird Lukas auch in seiner Gemeinde vorgefunden haben. Doch Jesus lässt sich in keine Schublade stecken.

Das ist das Abenteuer des Glaubens. Jesus sprengt alle unsere Vorstellungen und gewohnten Umstände. Doch wer sich ganz auf ihn verlässt und von ihm in die Welt senden lässt, kann erleben, dass Liebe und Zutrauen durchs Leben tragen können.

MARC WITZENBACHER

Erneue mich, o ewigs Licht, und lass von deinem Angesicht mein Herz und Seel mit deinem Schein durchleuchtet und erfüllet sein.

Der Alltag hat sie wieder oder nicht?

Was für ein herrliches Wechselspiel zwischen Groß und Klein, zwischen Reich Gottes und Alltag. Da kommen die Apostel also zurück von ihrer Aussendung und erzählen von großen Taten, die sie im Auftrag des Herrn haben vollbringen können. Sind sie freudig oder gar stolz auf das, was ihnen gelungen ist? Und dann? Dann wird die Szene noch größer, denn obwohl sie sich eigentlich zurückziehen, wächst eine große Menge an Zuhörenden heran. Aber genau dann holt sie der Alltag scheinbar ganz schnell wieder ein. Es ist nicht genug zum Essen da, das jedenfalls meinen die Jünger und machen sich klein. Sie glauben nicht, dass sie die Menschen versorgen können. Sie gehen von dem aus, was sie sehen, was ihnen vertraut ist, was sie zu der Zeit, in diesem Moment überblicken und wissen können. Deswegen soll die Rede vom Reich Gottes beendet und die Leute eben zurück in ihren Alltag geschickt werden, damit alle genug bekommen, zuhause natürlich, wie es halt so war und ist. Die Initiative ist verantwortungsbewusst und nachvollziehbar, aber sie bleibt im gewohnten Denken und Handeln. Wie groß das Reich Gottes aber wirklich ist, das erfahren sie jetzt erneut: Das Wunder der Brotspeisung nimmt seinen Lauf. Alle waren hungrig, alle werden satt. Niemand muss zu diesem Zeitpunkt in seinen Alltag geschickt werden, es reicht für alle, alle werden satt. Und nicht nur das: Es bleibt sogar noch vieles übrig – für andere hungrige Münder?

STEFFEN BAUER

Gott in Jesus Christus, durchbrich durch deine Worte und Taten unser gewohntes Denken und Handeln immer wieder neu. Lass uns so spüren, was dein Reich mit sich bringt für uns, dass alle satt werden und noch genügend übrig bleibt. So werden wir neu. Wir hören auf deine Worte, sie öffnen uns, sie richten uns neu aus und machen das Alte alt und bringen Neues hervor.

Er ist es!

Petrus bringt es auf den Punkt. Er sieht es, er ahnt es, er weiß es. Er, Jesus, ist der Gesalbte Gottes. Draußen im Lande herrscht noch Unwissenheit. Ja, sie sind schon auf der Spur, sie suchen ihn bei den Propheten. Sie spüren, dass er besonders ist, anders als viele andere Menschen, sie sehen ihn in der Nähe Gottes, ein Beauftragter, ein Gottesmann. Seinen Jüngern aber wird die Sache noch klarer. Wer so vom Reich Gottes redet, wer so auftritt und Kranke heilt und Sünden vergibt, der muss es sein: der Gesalbte Gottes. Sie rücken ihn schon ganz eng mit Gott zusammen. Petrus bringt es auf den Punkt. Und nun aber werden die Konsequenzen benannt, und zwar in doppelter Hinsicht: von Jesus für ihn selber und von Jesus für seine Jünger. Wer so vom Reich Gottes redet, der hat in dieser Welt nichts verloren, so wird die Welt über ihn urteilen. Diesen Einbruch, dieses Ankommen des Reiches Gottes mitten in dieser Welt, beantwortet die Welt mit Verfolgung und Tod. Sie will dieses Ankommen nicht. So nah darf Gott dieser Welt nicht kommen. Hoch oben, da kann und soll er sein. Mitten unter ihnen, mitten unter uns – bitte nicht. Die Leidensankündigung ist nur konsequent. Wer die Welt kennt, der weiß, was passieren muss. Dieser eine muss hinausgedrängt werden aus dieser Welt. Und wer so einem nachfolgt, der muss auch wissen, was passieren wird. Der muss selber mit Verfolgung leben, der wird selber aus dieser Welt hinausgedrängt.

STEFFEN BAUER

Gott mitten unter uns! In Jesus Christus kommst du zu uns, kommst du in unsere Mitte. Mit dessen Worten und dessen Taten sehen wir dich. Lass uns das spüren und davon ergriffen werden. Lass uns das mutig bekennen und bezeugen. Dein Reich ist längst angebrochen in diesem Tun, in diesem Sein.

Festhalten geht nicht

Nein, er wusste nicht, was er da redete. Petrus, der forsche Mann, der hier als erster in Bewegung gerät. Ich baue drei Hütten, wenn du willst. Ankommen, bleiben, festhalten, den Moment, in dem man am Ziel ist.

In diesem Moment des Glaubens, in dem das Heil so hell, so gewiss vor einem steht, dass man selbst keine Fragen mehr hat, dass alles klar zu sein scheint, alles befriedet und gestillt, und man sich selbst darin aufgehoben weiß; vermutlich gibt es dann nur den einen Wunsch – bleiben. Es soll so bleiben, wie es in diesem heiligen Moment ist.

Drei Hütten. Für alle drei Gestalten der göttlichen Verheißung eine. Petrus erscheint wie jemand, der seine Glaubensfamilie festhalten möchte. Sie sind da, sie sollen bleiben, hier gehöre ich hin. Der oft mutige und dann doch so schnell ängstliche Petrus – hier sind die, die er braucht, um tapfer ins Leben zu gehen. Petrus, der Familienmensch der Heilsgeschichte. Der die Seinen zusammenhält, nicht, weil er muss, sondern weil sie zu ihm gehören und er zu ihnen.

Aber festhalten geht nicht und bleiben auch nicht. Hören dagegen geht. Das wird ihnen gesagt, und das Gehörte sollen sie behalten, zuerst nur für sich, d.h. schweigend sein und niemandem mitteilend. Geredet wird erst später über das Unfassbare, über diese Verwandlung, diese Verklärung, die so ausstrahlt, dass sie hier in diesem Moment allen ansichtig wird und sie ergreift. Wunderbar ist das, unerklärbar, auch nicht erklärungsbedürftig offenbar, sondern einfach leuchtend, einleuchtend, erleuchtend. Heilserkenntnis, die fraglos ist, weil alle ihrer ansichtig werden.

STEFFEN BAUER

Gott, du Vater, Sohn und Heiliger Geist, um diese Klarheit bitten wir auch für unser Leben, immer wieder neu, immer wieder über uns hereinbrechend, damit wir nicht bleiben, sondern weitergehen, damit wir nicht schweigen, sondern zu erzählen haben, vorsichtig, zaghaft, mutig, erleuchtet und einleuchtend, schwankend und doch auf sicherem Grund. Auf dem Grund, den du für uns bereitest.

Aus gutem Hause

»Wer darf in deiner unmittelbaren Nähe verweilen?« Mit dieser Frage an den Gott Israels beginnt unser Psalm heute. Ausleger vermuten, dass es in Israel eine feste Tradition gab, vor Betreten des Heiligtums, bzw. vor der Teilnahme am Gottesdienst, nach der Legitimation für dieses Vorrecht zu fragen und diese zu klären. Wer gehört in die Hausgemeinschaft des Heiligen? Wer hat das Bleiberecht? In meiner Kindheit und Jugend machte man sich noch sonntagsfein für den Gottesdienst. Für mich war es undenkbar, mit Alltagskleidung in den Gottesdienst zu gehen. Vielleicht habe ich darum noch den fremden jungen Mann in Erinnerung, der in einem grobgestrickten Friedenstaubenpullover und Jeans unter den Blicken aller eines Tages in die Kirche kam ... und am Ende wortlos wieder ging. Mit jeder Faser meines Seins habe ich gewusst: Der geht gar nicht! Dieser Mensch gehört nicht dazu. Der gehört nicht zu der Gemeinschaft der Gottesdienstbesucher, die sich hier regelmäßig versammelte. Ein Teil von mir war aber auch bestürzt darüber, dass hier eine Gemeinschaft wortlos darüber entschied, dass dieser Mensch hier nichts zu suchen hatte. Denn dass er auf der Suche war, dessen war ich mir sicher. Die Frage in unserem heutigen Psalm richtet sich jedoch nicht an die Gemeinde oder gar einzelne Vertreter der Gemeinschaft. Sie richtet sich an Gott selbst. Und die Antwort ist insbesondere dann überraschend, wenn ich bedenke, dass die Frage ursprünglich einen rituellen, kultischen Ursprung hat. Denn auf die Frage: »Wer gehört zu dir, Gott?«, ergeht eine Antwort, die den Fragenden an seinen Nächsten verweist. Zusammengefasst könnte man es so sagen: Zum Haus Gottes gehört, wer sich durch Haltung und Handlung abhebt und unterscheidet von der heillosen Welt. Das kann ich für mich heute auch so annehmen. Es bringt mich Gott nahe, wenn ich mein Handeln und meine Haltung gegenüber meiner Umwelt (und das meine ich durchaus doppeldeutig) dem Gebot der Nächstenliebe unterwerfe. Dann bin ich ganz nah dran!

ULRIKE JUNGE

Lass mich heute die Welt mit deinen Augen sehen, Gott. Und in deinem Sinne handeln.

Bleibt in mir

Manchmal wird es Jesus schwer, die Menschen und ihr mangelndes Vertrauen in Gottes weises und gütiges Handeln zu ertragen. Ist es in Kapitel 7 Vers 31 die Unentschlossenheit und Ignoranz seiner Zeitgenossen, die er kritisiert, so meint er hier wohl vorrangig seine Jünger. Ungläubig und verkehrt, so sieht er sie. Sie leben mit ihm, lernen von ihm und haben Erfahrungen mit dem Glauben gesammelt. Doch nun, wo es darauf ankommt, erweist sich ihr Glaube als wirkungslos. Sie können den epilepsiekranken Jungen nicht heilen. Der hilflose Vater bittet um eine Tat aus der Kraft des Glaubens, doch die Jünger sind selbst hilflos. Was ist der Glaube wert, wenn er im Ernstfall so wenig auszurichten vermag?

Als Jesus hinzukommt, ändert sich alles. Hatte der Vater zunächst die Jünger um Hilfe gebeten, weil sie doch zu Jesus gehörten, so wendet er sich nun unmittelbar an Jesus. Er ruft aus der Menge heraus, damit Jesus ihn auf jeden Fall wahrnimmt. Und Jesus hört und heilt. Er vermag das, was die Jünger nicht können. Er kann kraftvoll helfen, weil die Kraft Gottes beständig in ihm wirkt. Seine Verbindung zum Vater gerät nicht ins Wanken. Er lebt aus Glauben und Vertrauen. Uns mag es ein Trost sein, dass es selbst den ersten Jüngern nicht gelang, in Gottes Gegenwart zu bleiben und daraus zu handeln. Wir sind im Scheitern nicht alleine. Und so wie Jesus es damals nicht aufgab mit denen, die ihm nachfolgten, trotz seines harten Vorwurfs, so gibt er es auch mit uns nicht auf. Uns gilt wie den Jüngern sein Wort, das Johannes überliefert: Bleibt in mir und ich in euch, denn ohne mich könnt ihr nichts tun.

KERSTIN LUBENOW

Ich bin oft so hilflos, lieber Herr. Kann weder anderen noch mir Gutes tun. Schenke mir deine Gegenwart, halte du mich fest bei dir und stärke meinen Glauben, damit ich deine heilende Liebe weitergeben kann.

Ich bin Gott wichtig

In vielen Zeiten und Kulturen galten Kinder als Individuen nicht viel. Sie waren oft billige Arbeitskräfte oder eine unnötige Esserin, die verheiratet werden musste. Und das, was es heute immer noch gibt, gab es auch damals schon: Kinder, die geringgeschätzt oder vernachlässigt wurden, geschlagen oder als Sexualobjekte missbraucht. Ein Kind aufzunehmen, war in den Augen von Jesu Zeitgenossen also keine große Tat. Damit gewann man kein Prestige bei den Nachbarn und erhielt auch keinen Verdienstorden. Vermutlich war es öfter einfach eine lästige familiäre Pflicht, um die niemand großes Aufheben machte. Wer in den Augen von Verwandtschaft und Gesellschaft Anerkennung gewinnen, sich abheben und bedeutend sein wollte, musste anderes auffahren.

Im Reich Gottes, das Jesus verkündet und verkörpert, gelten andere Maßstäbe. Da wird die Sucht nach Größe als absurdes Streben angesehen, weil es Unwichtiges so wichtig nimmt und über das wirklich Bedeutsame hinwegsieht. Und darum stellt Jesus die Sache vom Kopf auf die Füße: Willst du groß sein, dann sei klein. Soll dein Licht hell scheinen, dann tue das Unscheinbare. Im Grunde heißt das ja: Es ist so irrelevant, ob du Macht und Prestige vor den Menschen hast, relevant ist doch nur, dass du Gott wichtig bist und was dich ihm näherbringt. Und nahe kommst du ihm, wenn du aus der Liebe heraus handelst, der Liebe zu Gott und dem Mitmenschen, denn das lässt sich nicht trennen. Wer ein Kind aufnimmt, weil es Gottes Geschöpf und von Jesus geliebt ist, der nimmt den dreieinigen Gott selber auf. Im Kleinen geschieht etwas wirklich Großes. In der unscheinbaren Tat ist Gott selbst gegenwärtig.

KERSTIN LUBENOW

Himmlischer Vater, auch in mir gibt es diese Sehnsucht, groß, bedeutend, anerkannt zu sein. Schreib es mir ins Herz: In deinen Augen bin ich groß, dir bedeute ich unendlich viel, und ich finde dich in dem Menschen, dem ich mich zuwende.

Bereicherung, nicht Bedrohung

Der ist nicht wie wir, die macht ihr eigenes Ding, die halten sich nicht an das, was allein richtig ist. Intoleranz und Misstrauen sind zwei Grundübel, die man immer wieder in christlichen Gemeinden findet. Und schon hier im Jüngerkreis machen sie sich breit. Er, der Wundertäter, folgt dir nicht nach mit uns, sagt Johannes. Mit uns. Darauf scheint es ihm anzukommen. Wir sind auf der richtigen Seite, wir haben das Vorrecht, in deinem Namen Großes zu tun. Es scheint den Jüngern mehr um ihre eigene Stellung als um Jesu Position zu gehen.

Wie anders doch Jesus. Er rückt nicht die Perspektive zurecht – schließlich handelt da jemand in seinem Namen –, sondern geht auf den Gedankengang seiner Jünger ein. Wer nicht gegen euch (nicht: gegen mich) ist, der ist für euch, so antwortet er. Wie viel Freiheit, Gelassenheit und Vertrauen strahlt Jesus aus. Er sieht nicht das Defizit, sondern die Ressource. Er spricht dem Wundertäter, der doch offenkundig auf die Kraft des Namen Jesu vertraut, den Glauben nicht ab.

Glaube hat viele Gesichter. Es kann sein, dass andere einen anderen Glaubensweg gehen. Christenmenschen sollen das nicht als Angriff auf sich und ihre Glaubensweise ansehen. Meine Frömmigkeit wird nicht dadurch in Frage gestellt, dass andere sie nicht teilen. Nicht Angst soll mein Glaubensleben prägen, sondern Vertrauen. Geschwister anderer Couleur sind nicht Bedrohung, sondern Bereicherung. Es gibt doch zumeist mehr, was verbindet, als was trennt. Und außerdem: Du und ich, wir beide nähren uns aus derselben Quelle: der gnädigen Zuwendung Gottes. Wie viel mehr Frieden gäbe es unter Christinnen und Christen, wenn wir dieses Wort Jesu ernst nähmen: Wer nicht gegen euch ist, der ist für euch!

KERSTIN LUBENOW

Ach Herr, warum sehe ich bloß in dem Glauben anderer so leicht eine Bedrohung? Bin ich mir meines Weges so unsicher? Du liebst die anderen, du liebst mich. Das reicht doch. Bitte, Herr, mache mein Herz fest in dir, damit ich offen für die Geschwister sein kann.

Diesmal ist es ein Nein!

Ich wäre nur zu gerne mit Johannes und Jakobus gegangen. Sie hießen ja nicht umsonst Donnersöhne. Der Ansatz war doch gut, wir machen das möglich, und zwar nach alter Manier mit gewaltigen eindrucksvollen Machtbeweisen. Wenn Jesus im Dorf nicht willkommen ist, werden wir eben nachhelfen müssen, so die Logik. Sein Besuch ist immerhin das Beste, was den Leuten dort je widerfahren ist. Dann muss eben die alte Taktik nach Eliahtagenmanier her, Feuer vom Himmel, und dann ist gut. Man will es doch recht machen, Erstklasse-Botschafter für Jesus sein.

Nur, dass dieser dafür kein Verständnis hat. Zum zweiten Mal in kurzer Zeit kommt das Nein.

Genauso, wie das Nein auf dem Berg kurze Zeit davor, als die Jünger einfach nur bleiben wollten, Hütten bauen, es war doch so schön. Damals hatten sie zu hören bekommen, es sei nicht der Moment dafür. So auch jetzt ein Nein, mit gleicher Begründung. Keine Zeit, kein Sinn für ein Ausharren, Durchkämpfen an den Orten, wo ihr nicht willkommen seid. Nicht mit Gewalt oder großer Anstrengung werden wir operieren. Wenn wir aufgenommen werden, ist gut, wenn nicht, Staub von den Füßen und weiter.

Denn, und das ist das Wichtige, Jesus hat einen Termin in Jerusalem, das Ziel ist die Hauptstadt. Dort wird Widerstand, Anfechtung und Verklärung allzusammen verhandelt, von Golgatha bis zum Ostermorgen. Verwechselt nicht den Weg und das Ziel. Und reist einfach, simpel, mit Leichtigkeit und ohne großes Drama – mit Blick auf die Zielgerade. Wir ziehen schließlich nach Jerusalem.

HEIKE MILLER

Welch ein Versprechen, du wunderbarer Gott, dass du uns voranziehst und darauf achtest, dass wir den Puls spüren, der uns ans Ziel bringt. Lass uns wahrnehmen, wenn du Dinge unterbrichst und unterbindest, dass wir uns nicht festparken, sondern auch ankommen.

Diese Reise wird anders

Keine Zeit verlieren, scheint das Motto. Jesus will los. Das Ziel ist definiert, frisch vom Berg herunter. Sicher, es gibt eben mehr Täler als Bergspitzen, das sei allen klar und ist auch simple Geographie. Unterwegs wird es Hindernisse geben, samaritanische Dörfer werden nein sagen, aber wir halten uns nicht daran auf, das Ziel ist Jerusalem, heimkommen, der Himmel auf Erden und der Himmel am Ende. Die Menge meldet sich an, klar kommen sie mit, Nachfolge klingt plötzlich gut.

Nur drei Dinge sind noch zu erledigen. Ich muss noch meine Sachen packen. Und Jesus korrigiert, diese Reise wird anders. Komplett anders als alles, was du jemals erlebt hast, keine Fünf-Sterne-Schiffsreise noch ein rustikaler Campingausflug. Sogar die Füchse haben andere Fuchslöcher. Steig ein und los gehts.

»Ja, aber ...«, antworten wir, ich muss nur kurz noch meine Vergangenheit lösen. All das Unversöhnte meiner Kindheit. Und Jesus korrigiert. Dass da noch Unaufgeräumtes in der Vergangenheit liegt, ist jetzt nicht wichtig. Und dann erinnert er uns: Ich bin der Herr über das Gestern, Heute und Morgen. Bevor irgendeine Seele von dir wusste, war ich da – dann kann ich auch deine Geschichten von früher lösen. Lass die Toten die Toten begraben.

»Ja, aber ...«, antworten wir, da ist nur noch eins, das sind meine Lieben. Ich will rasch mir deren Segen abholen, dann kann es losgehen. Und Jesus wird harsch, und sagt: »Steig ein!« Familien und Beziehungen sind naturgemäß nicht immer so gemacht, dass sie Veränderung gut vertragen.

Nachfolge ist nicht für Tänzer, Feiglinge oder die, die es immer allen recht machen müssen. Nachfolge ist für die, die Mut und Vertrauen haben in den, der sie mitnimmt auf die Reise – nach Jerusalem, bitte nicht vergessen.

HEIKE MILLER

Danke, du gütiger Weggott, für deine Klarheit und dein außergewöhnliches Ziel, das uns Zukunft und Klarheit verspricht. Dein Reich komme wirklich.

Wie Lämmer unter die Wölfe

Wenn das kein Auftrag ist: Reisen und Besuche machen sollen sie, die Jünger. Die Anweisungen sind konkret. Geht auf direktem Weg, kein Schwatz unterwegs, keine Umwege, keine fünfzig Mitbringsel oder Ausrüstungsgegenstände. Und wenn ihr vor Ort seid und reingelassen werdet, bleibt dort, kein Herumgehüpfe zwischen verschiedenen Adressen, lebt einfach mit, esst, was auf den Tisch kommt. Friede sei mit euch. Und bleibt eine Weile.

Das ist schon nicht jedermanns Geschmack. Wir wissen ja von Gastfreundschaft und wie wichtig Kontaktpflege ist. Aber alles in Grenzen ... und schon gar nicht wie Lämmer unter Wölfe.

Wer Jesus nachfolgt, ist unterwegs. Das Leben, das wir verstehen und verstanden haben, sollen wir mit den Mitmenschen teilen. Jesus sagt: Die Leute, die ihr trefft, bringen auch ein Leben mit. Eine Familie, eine Geschichte, Umstände, die sie heute so sein lassen, wie sie sind. Wenn ihr einkaufen geht und am Arbeitsplatz seid, Termine wahrnehmt und ans Telefon geht, seid ihr unterwegs. In Kontakt, auf Besuch, im Außendienst, als meine Jünger und Jüngerinnen. Ohne viel Handgepäck und einfach nur so, wie ihr seid. Der Auftrag ist: Lebt deren Geschichten mit und bleibt dran. Ja, das geht sogar telefonisch. Im Englischen sprechen wir von »Ich habe soundso gestern am Telefon besucht.« Nur eines noch: Nie allein, sondern 2 und 2 sollt ihr gehen. Manchmal mit einem Kollegen, Glaubensbruder, aber immer mit dem, der die Sünde der Welt trägt. Christus, Lamm Gottes, der die Sünde besiegt hat und die Welt in den Händen hält. Dann kann ich neugierig morgen wieder Begegnungen suchen, Frieden mit diesem »Haus«, Heilungen unterwegs und das Reich Gottes ist nah!

HEIKE MILLER

Kontakt suchen, sagst du, sollen wir, du lebendiger Gott. Und an den Menschen dranbleiben. Dass durch uns du real wirst. In unserer Welt, als Lamm inmitten der Wölfe. Und dann, ja dann, wird wieder neu wahr, wie sehr du dein Volk liebst, es rettest und es versöhnst und verwöhnst. Wir folgen deinem Beispiel. Dir zur Ehre.

Aussicht auf andere Ansichten

»Wer finden will, muss sich von Bildern trennen, die ihm erklären wollen, wie Gott ist.« so lautet es in einem Lied von Georg Schmid. Ja, stimmt. Mein Kopf ist voller Bilder wie Gott ist: Gott ist Güte. Gott ist Liebe. Gott ist Frieden. Gott ist Gerechtigkeit. Ihn umgeben Glanz und Licht und Leben und die Fülle schlechthin. Wo Gott wohnt, ist Heil und Gerechtigkeit.

Wie naheliegend ist es doch – mit diesen Bildern im Kopf –, mich in Zeiten der Not von Gott verlassen zu fühlen! Denn wo das Leid und die Ungerechtigkeit, der Unfriede, Gewalt – sei es durch Menschenhand oder zerstörerische Naturgewalten –, Krankheit und Tod mein Leben berühren und bedrohen, da kann der Allmächtige doch nicht nahe sein! Ich glaube, das empfinden Menschen, die zur Zeit des Psalmbeters gelebt haben damals wie heute gleich. Das Gefühl der Gottverlassenheit findet gerade in Zeiten der Not in uns einen fruchtbaren Boden. Es nährt sich von den einseitigen Gottesbildern in uns, die einen allmächtigen Gott in Leid und Not, in Armut und Krankheit, in Ungerechtigkeit und Gewalt nicht entdecken können.

Wir kommen von Weihnachten her und gehen auf Ostern zu. Gott kam zu den Menschen in einem Stall. Da war kein Glanz, da war Mist und Armut gefolgt von Flucht und Vertreibung. Und was für ein jämmerliches Ende sollte sein Weg auf Erden finden: gekreuzigt und geschlagen, von allen Weggefährten verraten und verkauft zwischen Schwerverbrechern auf Golgatha. Kein Wunder, dass so viele in diesem Geschehen Gott nicht erkennen können! Wie kann denn auch der Allmächtige mit Bildern der Ohnmacht in Verbindung gebracht werden? Übrigens spannend, dass die erlebte Ohnmacht Gottes zugleich ein Beweis für seine Verborgenheit bei den Gottesfürchtigen wie für seine Nichtexistenz bei den Gottlosen zu sein scheint. »Wer finden will, muss sich von Bildern trennen, die ihm erklären wollen, wie Gott ist.« Sie sind ja da, die neuen, anderen Bilder. Bilder von der Gottesgeburt in Armut und dem Gerechten an der Seite der Ungerechten. Und plötzlich ist Gott gar nicht mehr fern!

ULRIKE JUNGE

Gott, lass mich dich heute nah an meiner Seite entdecken.

An ihrer Freude sollt ihr sie erkennen

»Die größte Ehre, die wir dem allmächtigen Gott geben können, besteht darin, froh zu leben in dem Wissen um seine Liebe.« So hat im 14. Jahrhundert die englische Mystikerin Juliana von Norwich die Signatur des christlichen Lebens beschrieben. Auf diesen Grundton der Freude sind die Worte Jesu gestimmt. Dabei soll die Freude nicht in einem – ohnehin durch die alltägliche Erfahrung vielfach widerlegten – Gefühl von Überlegenheit über das Böse in seinen vielerlei Gestalten wurzeln, sondern in der Gewissheit einer tiefen Zugehörigkeit zu Gott. »Freut euch, dass eure Namen im Himmel geschrieben sind.« In einer so begründeten Freude erweist sich die Verbindung mit Jesus Christus, denn auch seine Freude beruht auf der Verbundenheit mit dem Vater.

Glaube und Freude gehören untrennbar zusammen. Papst Franziskus I. hat die Freude gar als »Personalausweis der Christen« bezeichnet, durch sie erweisen wir uns als Glaubende. Welch ein wunderbarer Gedanke, Christen und Christinnen könnten allerorten und zu jeder Zeit an ihrer Freude erkannt werden. »Jeder soll es sehen«, hat Hanns Dieter Hüsch geschrieben, »und ganz erstaunt sein, dass Gottes Kinder so leicht und fröhlich sein können, und sagen: Donnerwetter!«

Inmitten der Worte von der Freude spricht Jesus von dem »Satan, der wie ein Blitz vom Himmel gefallen ist« – angeknackst in seiner Macht, aber eben auch uns direkt vor die Füße gefallen, mitten in unsere Welt hinein. Unsere Freude muss ihre Kraft erweisen in Ängsten und Nöten, in den verstörenden Erfahrungen der vielfältigen Erscheinungsformen des »Bösen«. Das geschieht, wo sie uns so erfüllt, dass wir sie dorthin tragen können, wo sie fehlt, wo Angst, Mutlosigkeit und Resignation regieren, wo Feindseligkeit und Hass Menschen bedrängen und verletzen. Und es geschieht, wo die Freude über die Verbundenheit mit Jesus Christus uns dazu verhilft, dass unser Herz weit ist und offen, unser Gang aufrecht und unsere Liebe und Hoffnung stark.

WIEBKE BÄHNK

Meine Hoffnung und meine Freude, meine Stärke, mein Licht, Christus, meine Zuversicht, auf dich vertrau' ich und fürcht' mich nicht.

Tu das, so wirst du leben

Ein Mann hebt den halbnackten Verwundeten vom Pferd. Im Hintergrund gibt der Samariter dem Wirt Geld für Kost, Logis und Pflege des Mannes, der da unter die Räuber gefallen ist. Rembrandt hat diese Szene in einer Radierung von 1633 mit zartem Strich festgehalten. Dieser Teil der Geschichte vom barmherzigen Samariter gerät leicht aus dem Blick. Und ist doch wesentlich.

Ihr Ausgangspunkt ist die Frage des Gesetzeslehrers nach dem Weg zum ewigen Leben. Jesus antwortet mit dem höchsten Gebot der Gottes- und der Nächstenliebe. Und auf die zweite Frage des Gesetzeslehrers, wer denn sein Nächster sei, erzählt er von dem Samariter, der dem Überfallenen hilft – und dabei nicht nach dessen Zugehörigkeit zu seinem Volk, seiner Religion fragt. In seiner Person spiegelt sich die Barmherzigkeit, die allein auf die Not eines Menschen sieht. In ihr drückt sich ein deutliches »Nein« aus gegen jeden Versuch, Hilfe und Unterstützung für Menschen daran zu binden, dass sie zu der eigenen Gemeinschaft, der eigenen Religion gehören.

Diese Nächstenliebe ohne Bedingung wird von Jesus erweitert durch die Selbstliebe. »Liebe deinen Nächsten wie dich selbst.« Selbstliebe ist nicht zu verwechseln mit Selbstsucht. Sie ist die Wahrnehmung dessen, dass ich von Gott geliebt bin, so wie ich bin. Vor allem Sein und Tun. Und sie mündet in die Weitergabe dieser Liebe von Gott an die Menschen, die in Not sind.

Die Selbstliebe steht zu den Grenzen unserer Möglichkeiten. Der barmherzige Samariter leistet Erste Hilfe. Er übergibt ihn dann in die Obhut des Wirts und sichert seine Versorgung. Geht und kündigt an, wiederzukommen. Der Nächste bleibt in seinem Blick, er gibt aber nicht sein Leben für ihn auf.

Alle drei gehören zusammen: die Gottes-, die Nächsten- und die Selbstliebe. Sie in dieser Zusammengehörigkeit zu leben, steht unter der Verheißung Jesu: »Tu das, so wirst du leben.«

WIEBKE BÄHNK

Unser Gott, Liebe allein ist der Weg zum Leben. Erfülle uns mit deiner Liebe, dass wir lieben können: dich, die Menschen, wie nah oder fern auch immer, wie vertraut oder fremd, uns selbst. Lass deine Liebe Quelle, Kraft und Ziel unseres Lebens sein.

Da-Sein vor Gott

»Gott sagt nicht: Das ist ein Weg zu mir, das aber nicht«, sondern er sagt: »Alles, was du tust, kann ein Weg zu mir sein, wenn du es nur so tust, dass es dich zu mir führt.« So der jüdische Religionsphilosoph Martin Buber. Jesus ist bei den Schwestern Marta und Maria zu Gast. Als Marta sich beschwert, dass Maria ihr kein bisschen hilft, antwortet Jesus mit den bekannten Worten: »Marta, Marta, du hast viel Sorge und Mühe. Eins aber ist not; Maria hat das gute Teil erwählt; das soll nicht von ihr genommen werden.«

Diese Worte Jesu sind nicht selten als eine Abwertung der Aktion gegenüber der Kontemplation gedeutet worden. Jesus kritisiert an Marta aber nicht grundsätzlich die Gestalt ihres Dienstes, sondern ihr »Sorgen« um alles, ihr Zerrissensein zwischen den vielen Aufgaben. Sie ist – gerade wegen ihrer vielfältigen Bemühungen um Jesus – nicht auf ihn konzentriert, nicht mit ihm verbunden.

Maria hingegen ist nur auf Jesus ausgerichtet. Sie hört auf sein Wort. Ohne Ablenkung, ohne Zerstreuung, ohne Zerrissenheit. Das ist ihr »gutes Teil«. Das Da-Sein vor Jesus in diesem Moment, die Verbundenheit mit ihm, das Hören auf sein Wort, auf ihn als »Wort Gottes«.

Denn das ist das »Eine«, das not ist: die Ausrichtung auf Jesus, auf sein Wort, die Nähe des einen Gottes statt innere und äußere Unruhe.

Dazu hilft es, still zu werden, sich Zeit zu nehmen zum Schweigen, Hören, Beten, zum einfachen Da-Sein vor Gott. Aber auch wenn wir unseren alltäglichen Dienst verrichten, können wir das im inneren Schweigen und Hören auf Gott, im tiefen Wissen um unsere Verbundenheit mit ihm. »Alles, was du tust, kann ein Weg zu mir sein, wenn es du es nur so tust, dass es dich zu mir führt.«

WIEBKE BÄHNK

Lebendiger Christus, da sein vor dir, das ist alles für mich. Ich will still werden in meiner Seele und meinem Geist und erfahren, dass du gegenwärtig bist.

Wie halten Sie es mit dem Beten?

Laut statistischem Bundesamt betet jede / jeder in unserem Land durchschnittlich 4 Minuten täglich. Mit eingerechnet sind Vielbeter wie der Schuhunternehmer Deichmann, der erzählt, dass er morgens lieber in der Bibel liest statt in den aktuellen Finanzblättern. Der einstige Fußballstar Franz Beckenbauer bezeichnet sich als Gewohnheitsbeter, der aus dem täglichen Vater Unser Kraft und Stärke zieht. Bei Franz von Sales, dem französischen Kirchenlehrer und Mystiker aus dem Jahr 1600 lese ich: »Nimm Dir jeden Tag eine halbe Stunde Zeit zum Beten. Und wenn Du ganz besonders viel zu tun hast, dann nimm Dir eine Stunde Zeit!« Die Forderung des alten Kirchenvaters liegt über dem Schnitt von vier Minuten.

Wie es Ihnen wohl mit dem Beten geht? Ist es für Sie eine leichte oder eine schwere Übung? Haben Sie bestimmte Zeiten und Orte, an denen Sie gut und gerne beten?

»Not lehrt beten«, sagt der Volksmund. In schweren Stunden kann das Gebet eine wichtige Hilfe und große Kraftquelle sein. Manchmal fehlen mir die Worte beim Beten, da kommt mir eher ein kurzes Stoßgebet wie: »Sei du bei mir, guter Gott« in den Sinn. Ich vertraue darauf, dass auch das bei Gott ankommt. Oder ich gebe mich hinein in Gebetsworte von Menschen, die sich lange vor mir vertrauensvoll an Gott gewandt haben, z. B. mit den Worten, die Jesus seinen Jüngern und Freundinnen nahegebracht hat.

»Vater Unser im Himmel«, schon die fast zärtliche Anrede klingt vertrauensvoll. Ich kann Gott ganz persönlich ansprechen, mit ihm reden wie mit einem vertrauten Menschen. Gott hört unsere Bitten um das, was wir zum Leben brauchen, er nimmt sich unserer Sehnsucht an. Gott schenkt uns dazu noch Vergebung und Neuanfang, wenn wir uns verirren, uns selber, anderen und ihm etwas schuldig bleiben. Welch ein Geschenk! Gott sei Dank!

CHRISTINE WOLF

Ewiger Gott, hab Dank, dass wir dir im Gebet alles anvertrauen können. Wie gut, dass du unsere Gebete hörst.

Eindringlich bitten

Mir fällt es nicht leicht, andere um etwas zu bitten. Viel lieber lasse ich mich um etwas bitten und gebe gerne, was ich kann. Jesus erzählt uns Geschichten vom Bitten. Zunächst berichtet er von einer nächtlichen Ruhestörung. Während das ganze Haus ruhig schläft, klopft ein Freund eindringlich an der Tür und bittet um drei Brote (das ist die Tagesration einer Familie) für seinen unerwarteten Besuch. Und was passiert? Was würden wir wohl tun oder lassen? Die Tür öffnen? Den nächtlichen Störenfried zurechtweisen? Oder grummelnd Brotreste herausgeben?

Lukas erzählt nicht, wie der Hausherr reagiert, doch er macht klar: Freunde in Not werden nicht abgewiesen, die nächtliche Bitte wird gehört.

So ist es auch mit unseren Gebeten. Gott hört meine leise Sehnsucht und ich darf auch aufdringlich laut und beharrlich bitten und beten. Wir dürfen seufzen und flehen, auch stammeln, wenn die Worte fehlen. All das kommt bei Gott an. Und: Bitten und Beten verändern. Sie weiten meinen Blick über mich hinaus, denn ich kann mich beim Beten neu ausrichten. Doch das Gebet ist kein zauberhafter Wunscherfüllungsautomat, beim Bitten und Beten geht es nicht ums Wegzaubern von Krankheiten und unerträglichen Missständen, auch wenn ich mir das zuzeiten sehr wünsche. Gott hört, wenn wir ihm unsere Bitten und Sorgen, unsere Sehnsüchte nahebringen, so wie ein Vater / eine Mutter die Bitten der Kinder hört, wahr- und ernst nimmt. Sie werden aus Liebe das geben, was ihre Lieben brauchen. Die lauten Rufe und das leise Flehen von uns, den Kindern Gottes, werden nicht ins Leere gehen, wir dürfen auf seine Resonanz vertrauen. Vielleicht bekommen wir nicht genau das, was wir meinen zu brauchen, doch ganz sicher dürfen wir auf eine Gabe von Gottes gutem heiligen Geist hoffen. Gott wird uns seine Tür öffnen, uns das reichen, was wir brauchen, und wundersame Entdeckungen gibt es noch dazu.

CHRISTINE WOLF

Guter Gott, ich danke dir, dass du mein Gebet hörst und dich meiner Sehnsucht annimmst.

Erlöse uns von dem Bösen

Eine wundersame Heilungsgeschichte wird uns erzählt. Jesus befreit einen Menschen von einem Dämon, der ihn stumm gemacht und ihm seine Lebenskraft genommen hat. Es gibt vieles, was Menschen verstummen lässt: traumatische Ereignisse, physische und psychische Gewalt, Kränkung, Missachtung und vieles mehr. Wenn meine Seele besetzt ist von krankmachenden, bösen Geistern, finde ich keinen Zugang mehr zu mir, zu Gott und den Menschen um mich herum. Das macht Angst, schnürt die Kehle zu und lässt Menschen verstummen. Ich erlebe immer wieder: Es gibt dämonische Kräfte und sie treten in mancherlei Gestalt auf. Sie verführen mit verlockenden Angeboten, blenden den Verstand aus, breiten sich aus und engen mächtig ein.

Jesus erzählt auch, wie es gelingen kann, sich gegen die Macht des Bösen zu schützen und den Dämonen etwas entgegenzusetzen. Er zeichnet das Bild von einem gewappneten Starken, der seinen Palast bewacht, also sein inneres Haus, die Seele schützt, damit die bösen Mächte nicht übermächtig werden.

Gottes guter, heiliger Geist will uns helfen, wieder in Beziehung zu treten, mit ihm und mit der eigenen Seele. In der Gebetsbitte »führe uns nicht in Versuchung, sondern erlöse uns von dem Bösen ...« wird deutlich, dass Gottes Kraft und Macht wirksam werden gegen die Mächte der Zerstörung. »Denn dein ist das Reich und die Kraft und die Herrlichkeit in Ewigkeit.« Wer so betet, kann erfahren, wie Gottes neue Welt sich auftut und Türen der Freiheit geöffnet werden.

Wem öffne ich die Türen meines inneren Hauses, welche Kräfte lasse ich ein, was soll mich erfüllen und begeistern? Es gilt die »Geister zu unterscheiden«, damit wir uns nicht verlieren in den Sackgassen des Lebens, sondern vielmehr neue Orientierung bekommen und als freie Menschen mit Gottes gutem Geist unsere Schritte gehen können.

CHRISTINE WOLF

Ewiger Gott, wir danken dir, dass du uns stärkst mit deinem heiligen Geist, der uns Kraft und Mut schenkt, auf dich zu vertrauen.

Gott hat einen Namen

Psalm 25 lebt gleichsam von einem anderen Text her, der zugleich auch die Visitenkarte Gottes im Alten Testament bildet. Es handelt sich um Ex 34,6–7: »Der HERR ist der HERR, ein barmherziger und gnädiger Gott, langmütig und reich an Huld und Treue. Er bewahrt tausend Generationen Huld, nimmt Schuld, Frevel und Sünde weg, aber er spricht nicht einfach frei, er sucht die Schuld der Väter bei den Söhnen und Enkeln heim, bis zur dritten und vierten Generation.«

Diese beiden Verse bilden eine Selbstvorstellung Gottes, die in abgewandelter Form wie ein roter Faden im Alten Testament auftaucht. Theologisch wird hier Gott zwar von seiner barmherzigen Seite her beleuchtet, aber der strafende Aspekt wird nicht einfach vergessen, sondern kommt dann zum Zuge, wenn das schuldhafte Verhalten der Väter auch bei den Söhnen und Enkeln vorliegt. Es geht also nicht darum, dass möglicherweise unschuldige Nachkommen für die Sünden ihrer Väter bestraft werden, sondern Gott sucht prüfend bei den Söhnen und Enkeln, bei der dritten und vierten Generation, ob sie die gleichen Sünden begehen wie ihre Väter. Sollte dies der Fall sein, dann und nur dann werden sie bestraft. Es handelt sich hier also um eine bedingte Strafe auf Bewährung. Gerade diese Art des Strafens beleuchtet nochmals die Barmherzigkeit Gottes und ermöglicht für die nachfolgenden Generationen bei erfolgter Abkehr von den Sünden ihrer Väter einen Neuanfang mit Gott.

Die zentralen Attribute Gottes von Ex 34,6–7 verteilt der Beter wie ein Sprachnetz in Psalm 25, um angesichts eigener Sünden und zahlreicher Feinde eine Rettungsperspektive für sich zu bekommen. Der Beter lebt ganz von diesem theologischen Rettungsnetz her, das den Namen Gottes glaubensmäßig ausbuchstabiert. Nicht ohne Grund wird daher in der Mitte des Psalms einmalig und betont auf den Namen Gottes hingewiesen. So lädt der Psalm beim Beten auch heute dazu ein, diese Visitenkarte Gottes für sich selbst neu auszubuchstabieren.

FRANZ JOSEF BACKHAUS

Barmherziger Gott, schenke mir immer wieder Möglichkeiten der Umkehr und des Neuanfangs.

Gott setzt Zeichen

Es ist ja nur allzu menschlich: Im Gebet bringe ich meine Ängste und Hoffnungen vor Gott und bitte ihn um seine Hilfe. Wie schön wäre es dann, von Gott schnell eine Antwort zu erhalten, ein Zeichen beispielsweise, etwas, was mir die Sicherheit gibt, dass er mich auch wirklich gehört hat. Umso größer die Enttäuschung, wenn scheinbar gar nichts passiert. Es bleibt still. Mit vergleichbaren Bitten, Gott möge ihnen ein Zeichen geben, bedrängten die Menschen auch schon Jesus. Er reagierte darauf zunehmend ärgerlich. Natürlich wusste er, dass die Menschen einen festen Grund für ihre Hoffnungen suchten, aber zugleich erkannte er das fehlende Vertrauen, das hinter diesen Bitten stand. Man wollte sich Gottes Hilfe sicher sein. Ein wirklicher Glaube jedoch, der aus dem Vertrauen in Gottes Liebe wächst, braucht keine weitere Bestätigung – und wird gerade deswegen von Gott gestärkt! Jesus erinnert seine Hörer daher an den Propheten Jona, der zunächst eher widerwillig als Prediger zu den heidnischen Bewohnern von Ninive ging, um sie zur Buße zu rufen. Nur wenige Worte Jonas reichten aus, damit sich die Menschen aus Ninive bekehrten. Wenn diesen Heiden aber bereits die dürre Predigt Jonas Mut zur Umkehr machte, welche einmalige Situation ergibt sich jetzt, wo Jesus sich selbst als das von Gott gesandte Zeichen für das Kommen des Gottesreiches erweist. Er, der den Menschen predigt und Kranke heilt, ist er nicht genug Hinweis auf Gottes Zuwendung zu uns Menschen? So wie es schon die Königin aus dem fernen Saba erfuhr. Sie reiste extra zu König Salomo nach Jerusalem, um dessen Weisheit selbst zu prüfen. Auch sie ließ sich überzeugen und erkannte in Salomo das Zeichen der Liebe Gottes zu seinem Volk. Deuten also schon Heiden diese Zeichen Gottes richtig, wie sehr sind dann wir, als Christen, von Gott berufen, um in seinem Sohn das Zeichen der unumstößlichen Liebe und Barmherzigkeit zu erfahren und zu erleben.

TILMAN M. SCHRÖDER

Auf meinen lieben Gott trau ich in Angst und Not; der kann mich allzeit retten aus Trübsal, Angst und Nöten, mein Unglück kann er wenden, steht alls in seinen Händen.

In Gottes Haus brennt Licht

Wer hier bei so viel Rede vom Licht unwillkürlich an Advent und Weihnachten denkt, der liegt durchaus richtig. Von einem Adventssonntag zum nächsten nimmt die Zahl der Kerzen zu, bis dann am Heiligen Abend eine ganze Lichterfülle erstrahlt. Sie steht für das Kommen Gottes in Jesus, in dessen Licht die Finsternis schwindet. Wir genießen in dieser Zeit das Licht der Kerzen und die besondere, von ihnen ausgehende Atmosphäre. Keiner von uns käme daher auf die Idee, seine Kerzen nur kurz anzuzünden, um sie dann umgehend wieder auszublasen. Im Gegenteil, ihrem Licht geben wir Raum auf Leuchtern, Adventskränzen, Weihnachtspyramiden und natürlich auf dem Weihnachtsbaum. Aber dann ist Weihnachten vorbei, die Kerzen sind abgebrannt oder weggeräumt. Für das eigentliche Licht von Weihnachten gilt das aber eben nicht. Christus zeigt sich uns als das Licht der Welt und verlöscht nicht gleich wieder, sondern er bleibt und lässt das Haus seines Vaters, das Reich Gottes, in seiner ganzen Herrlichkeit erstrahlen. Der Weg dahin liegt also klar vor uns, unser Ziel ist hell erleuchtet, ein Verlaufen eigentlich unmöglich, denn Gott selbst ruft uns als Christinnen und Christen auf, Licht der Welt zu sein. Unsere Augen spiegeln das Licht Gottes, wirken selbst wie Lampen und erleuchten so unser Inneres. Nun aber liegt es an uns, davon den richtigen Gebrauch zu machen. Wir können leichtfertig mit diesem Licht umgehen und, anstatt es sorgsam zu bewahren, es auslöschen oder gleichgültig ausgehen lassen. Dann wird es dunkel in uns. Wir können das Licht Gottes aber auch dankbar empfangen und es in alle Räume des Hauses unserer eigenen Seele tragen, damit es sich in uns entfaltet. Dann werden wir selbst zu Zeugen von Gottes Licht und können es durch unser Handeln weitertragen, damit auch dort, wo noch die Dunkelheit herrscht, ein neuer und lichtvoller Morgen anbricht.

TILMAN M. SCHRÖDER

Ein Licht geht uns auf in der Dunkelheit, durchbricht die Nacht und erhellt die Zeit. Licht der Liebe, Lebenslicht, Gottes Geist verläßt uns nicht.

Als den Gästen der Appetit verging

Es fängt gut an. Jesus folgt der höflichen Einladung eines Pharisäers zu einem Gastmahl. Am Ende aber stehen Wut und Zorn der übrigen Gäste auf Jesus. Schonungslos ist seine Abrechnung mit den Gastgebern gewesen, auch für unser Empfinden hart und rücksichtslos, gar nicht passend zu unserem Bild eines »sanften« Jesus. Offenbar ist hier ein Punkt erreicht worden, der keine vermittelnden Kompromissformeln mehr zuließ, sondern Klartext erforderte. Entsprechend aufmerksam sollten wir Jesu Anklagen zuhören, es sind auch Anfragen an uns. Es geht um unser äußerliches Auftreten und gleichzeitig um unsere wahre innere Haltung. Bei den Pharisäern und Schriftgelehrten am Tisch klaffen da gewaltige Unterschiede. Da wird peinlich genau auf äußere Reinlichkeit geachtet, aber die Herzen sind verschmutzt durch Eigennutz und Bosheit. Jesus stellt der Habgier die Freigebigkeit entgegen, dem genauen Pochen auf die Einhaltung von Gesetzen und Regeln, die Großzügigkeit und die Bereitschaft zu teilen. Die Korrektheit in rechtlichen Dingen wird mit der wahren und von Gott geforderten Gerechtigkeit verwechselt. So werden die Liebe und damit schließlich Gott zur bloßen Nebensächlichkeit reduziert. In einer nächsten Klage prangert Jesus das Verhalten der Verantwortlichen in Religion und Politik an. Sie legen den von ihnen abhängigen Menschen zwar Lasten auf, sie selbst jedoch nehmen ihre Pflichten nicht ernst, ja, sie sind sogar bereit, den Gesandten Gottes zu töten. Die Sünde, so Jesus, hängt immer von den inneren Absichten ab. Wer nur nach außen hin selbstgefällig seinen Glauben zeigt, tatsächlich aber seinen Mitmenschen ohne Erbarmen und ohne ethische Verantwortung gegenübertritt, der verfehlt Gottes Auftrag, den Zirkel der Gewalt zu durchbrechen und Liebe zu üben. Harte Worte und doch eine zeitlose Anfrage.

TILMAN M. SCHRÖDER

Jesus Christus, auch in deinen harten Worten höre ich deine Liebe, die nicht schweigt, wenn ich vom Weg abkomme, die nach mir ruft, wenn mein Glaube einschläft, die mir Mut zur Veränderung macht. Herr, du bist mir nahe, ich danke dir dafür.

Grundvertrauen haben

Denke ich über diese Geschichte länger nach, so fällt mir nicht nur die Hartnäckigkeit des Unbekannten aus Jericho auf, der erkennt, dass er hier die womöglich einmalige, entscheidende Chance hat, sich nicht so leicht durch den Unwillen der Umstehenden von seinem Vorhaben abbringen zu lassen, sondern auch, dass Jesus sagt: »*Dein* Glaube hat dir geholfen!« (»Heil gebracht«, wie die Vulgata übersetzt.) Wie auch bei den anderen Wundergeschichten der Evangelien gilt: Eigentlicher Akteur also ist zunächst nicht Gott, sondern der Mensch. Und (nur) dessen – auch im psychologischen Sinn – »blinder«, unbedingter Glaube ermöglicht Gottes Eingreifen, bewirkt Heilung, Sehen; Sehen auch im übertragenen Sinn, Christus als auch den eigenen Heilbringer erkennen und folgerichtig, wie der Mann aus Jericho, ihm im eigenen Leben nachzufolgen. Ohne Glaube und Vertrauen kann Gott nichts bewirken (Mk 6,5).

Vielleicht haben auch Sie einmal die Erfahrung gemacht, dass Sie durch den Glauben Zusammenhänge erkannt haben (es hat Ihnen »die Augen geöffnet«, könnte man auch sagen), die Sie sonst nicht erkannt hätten? Daran hat, wie der Unmut der Umstehenden in dem Gleichnis zeigt, nicht jeder Andere ein Interesse. Es geht bei alledem nicht um ein Außerachtlassen der gebotenen Sorgfalt in den Dingen des Lebens, sondern um ein *Grundvertrauen*, etwa im Sinne von »Beten, das Gerechte tun und Gottes Zeit abwarten« (D. Bonhoeffer).

Roger Schutz, der Gründer und erste Prior von Taizé, hat oft von der heilsamen Wirkung, ja der Notwendigkeit des Vertrauens auf Christus gesprochen; Glaube ohne Vertrauen geht nicht. Das ist auch der Aufruf an uns heute: IHM vertrauen und so »richtig« sehen – dann werden, wie schon Jesaja (35,5 ff.) gesagt hat, Blinde sehen, Lahme gehen. Und das kann nur gut für alle sein – und dieses Vertrauen wünsche ich Ihnen!

GUNTHER BRITZ

Christus, führe mich zu dem Weg vom Zweifel zum Vertrauen!

Den Armen erkennen – nicht erst in Brasilien

Wir wissen nicht viel über Zachäus; er war ein Oberzöllner, wahrscheinlich jüdischer Herkunft; in der Hl. Schrift taucht er nur in dieser Erzählung auf. Womöglich hat er sich in seinem allgemein unbeliebten Beruf auch selbst nicht wohlgefühlt; so war er für die Begegnung mit Jesus offen – indem dieser gerade bei *ihm* einkehrte, befreite er ihn aus seiner sozialen Isolation und vermittelte (auch) ihm Gottes Gegenwart.

Warum berichtet das Evangelium über ihn? In der Nachfolge Jesu sollen auch *wir*, wie das II. Vatikanische Konzil (LG 8) sagt, in den Armen das Bild Jesu, der selbst arm war, erkennen und ihnen beistehen! In der lateinamerikanischen Kirche entstand daraus die – bis heute wirksame – Theologie der Befreiung, die »vorrangige Option für die Armen« (Medellin 1968). Das ist auch heute noch Thema; es gibt allerdings, gerade in den materiell besser gestellten Ländern, neben der auch dort immer noch vorhandenen *materiellen* Armut zunehmend die *psychische* Armut, die seelisch Kranken, »Angeschlagenen« – die werden oft übersehen, gar nicht erkannt.

Für viele Menschen waren, neben einem langsamen »Verdunsten« des Glaubens, die – mit dem Evangelium sicher kaum vereinbaren – kleineren und größeren Skandale in den Kirchen der Anlass zum Austritt. Die Zukunft der Kirche(n) in der »aufgeklärten« modernen Gesellschaft wird entscheidend von ihrer Glaubwürdigkeit und Überzeugungskraft abhängen; und diese wird sich daran messen lassen müssen, inwieweit die Kirche – die Institution wie auch jeder einzelne Christ! – dem Beispiel ihres Meisters im eigenen Leben folgt. Und dazu wird wesentlich die Sorge um die – materiell oder psychisch – »Zu-Kurz-Gekommenen« gehören. Da brauchen wir nicht erst für Brasilien zu spenden – der nächste Betroffene kann gleich neben unserer Haustür wohnen! Übersehen wir ihn nicht – Gott wird auch hier unsere Taten einfordern (s. Mt 25,31 ff.).

GUNTHER BRITZ

Christus, hilf uns, dass wir das, was wir vom Evangelium verstanden haben, und sei es auch noch so wenig, leben!

Gegen die »Abergeister« – die eigenen Pfunde nutzen!

Ich kenne einen Musiker, der sich knapp über dem Existenzminimum von einem Aushilfsjob zum anderen durchgehangelt hat – obwohl er praktisch wie theoretisch hervorragende Kenntnisse und Fähigkeiten hat. Befriedigend war das auch für ihn selbst nicht. Aber hauptberuflich, also »richtig«, Musiker sein? O je, da müsste ich ja öfters früh raus, wäre gebunden ... Lehrer werden? Liegt mir nicht, die Arbeit mit Kindern ... Erwachsenenbildung? Zu stressig ... So gab es zu allem umfangreiche Einwände, Gründe, warum es nicht ging – »Abergeister« nennen das die Kirchenväter; da nutzte auch gutes Zureden nichts. Als ob nicht *jeder* Beruf auch seine schwierigen Seiten hätte!

»Wer nichts hat, dem wird auch noch das genommen, was er hat« (V. 24)? Das Matthäusevangelium (25,14 ff.) berichtet ein ähnliches Gleichnis. Während es für uns logisch ist, dass die, die mit den ihnen anvertrauten »Pfunden« etwas gemacht haben, entsprechend belohnt werden, irritiert dieser letzte Satz zunächst. Keine Gnade für den, der, aus welchem Grunde auch immer (häufig ist es die Angst – Eugen Drewermann hat viel darüber geschrieben), verloren hat? Ich muss einräumen: Auch mich hat dieser Text zunächst irritiert. Soll der Gute Hirte wirklich so gnadenlos sein, oder was meinte er?

»Pfunde« steht hier für die Begabung. Ich denke, Jesus wollte uns nicht Angst machen, sondern uns sagen: Habe Mut, deine Fähigkeiten zu nutzen, *sonst bestrafst du dich letztlich selbst*, dein Leben läuft Gefahr, sinnlos zu werden – bildlich gesprochen: Du verlierst auch das »Pfund«, was du hattest, es »verdunstet« sozusagen.

So ruft uns das Evangelium heute auf: Wir sollen die Fähigkeiten, die *jede/r* (!) von uns von Gott erhalten hat, nutzen – und zwar in dem Maße, wie Gott sie uns gegeben hat (V. 15), also möglichst gut. Ich muss wissen, welche »Pfunde« ich habe, und die nutzen! »Aussteigen«, die eigenen Fähigkeiten »vergraben« und nur die Anderen machen lassen, geht nicht.

GUNTHER BRITZ

Guter Gott, hilf mir, die Fähigkeiten, die du mir gegeben hast, zu nutzen!

Dankbare Menschen leben glücklicher

Das sagt sich so leicht. Dankbare Menschen leben glücklicher. Wenn ich nun aber gar nichts habe, wofür ich ehrlichen Herzens danken kann? Wenn mir mein alltägliches Leben eine Last ist? Wenn ich in Ängsten lebe, am Boden liege, gemobbt werde, fliehen muss? Wenn mich schwere Krankheiten plagen und mich wieder und wieder Misserfolge niederdrücken? Das Leben ist kein Ponyhof. Das wissen wir alle. Trotzdem. Dankbare Menschen leben glücklicher. David macht es uns vor. Sein Psalm hat es in sich. Jeder Satz könnte die Überschrift über eine Predigt sein oder in einer spannenden Biografie ein weiteres Kapitel einleiten. David fasst in konzentrierter Form zusammen, was er in seinem turbulenten Leben vor allem gelernt hat, nämlich: Es lohnt sich, mit Gott zu leben. Gott gebührt allezeit Lob und Dank, weil von ihm alles kommt und alles zu ihm zurückkommt. In dieser Zuversicht können wir glücklich leben und zufrieden sein. Egal, wie die äußeren Lebensumstände sind. Egal, ob einer ganz oben auf der Erfolgsleiter sitzt oder gerade abgestürzt ist, egal, ob einer im Rampenlicht steht und Applaus erfährt oder auf der Flucht ist und sich verstecken muss. Gott gebührt immer unser Lob und Dank, auch, oder gerade dann, wenn wir in Schwierigkeiten sind und nicht mehr weiterwissen. Gott ist da. Gott hält seine Hand schützend über uns. Gott zeigt Auswege aus den Sackgassen des Lebens. Es lohnt sich, Gott jeden Tag neu zu vertrauen, uns ihm anzuvertrauen. Wer dieses Vertrauen nicht aufgibt, der wird erfahren, dass ihm das Leben glückt, selbst im Unglück. Denn egal, was ihm geschieht, er darf es aus Gottes Hand nehmen und wissen: Es wird gut.

INGRID EBERT

Herr, so wie David möchte ich loben können, immerdar, zu jeder Zeit, in jeder Situation. So wie David möchte ich dir vertrauen können. Manchmal vergesse ich das. Vergib mir.

Würden wir heute Jesus erkennen?

»Jesu Einzug in Jerusalem«, das ist die Überschrift der heutigen Textstelle und spontan steht in unserer Vorstellung die Person Jesu im Mittelpunkt. Schaut man sich aber den Text genauer an, so nehmen die Schilderung des Auftrags der Jünger und das Holen des Esels die Hälfte des Textes in Anspruch. Dieses Geschehen steht im Mittelpunkt. Bei kritischer Betrachtung erscheint die Beauftragung der Jünger sowie das Besorgen des Esels minutiös geplant und der Einzug in Jerusalem geradezu inszeniert. Das aktuelle Geschehen wird dadurch für jedermann erkennbar in den historischen, religiösen Zusammenhang von Sacharja 9,9 gestellt, auch wenn Lukas im Gegensatz zu Matthäus und Johannes das Zitat nicht wiedergibt. Es ist die Vorhersage des Königs, der arm in Jerusalem einzieht und Jerusalem Frieden bringen soll. Welch großen Anspruch macht hier Jesus für sich geltend! Wäre es heute möglich, dass in der christlichen Welt ein aktuelles Geschehen so offensichtlich in einen biblischen Zusammenhang gestellt wird und solch einen religiösen Anspruch formuliert?

Wir können getrost davon ausgehen, dass dieser Bezug und auch das Zitat zumindest den Pharisäern bestens bekannt waren, denn es handelt sich um eine zentrale Stelle im Alten Testament. Und doch sprechen die Pharisäer Jesus nicht direkt auf den von ihm mit diesem Einzug in Jerusalem erhobenen Anspruch an, sondern nur mittelbar. Als nämlich die Jünger das, was sie gerade erleben, in Worte fassen und vom Kommen des Königs sprechen, verlangen die Pharisäer, dass Jesus seine Jünger zurechtweisen soll. Dies erstaunt umso mehr, als die Aussagen der Jünger nur die Worte waren, mit denen die in den Tempel einziehenden Pilger begrüßt wurden. Man könnte das Verhalten der Pharisäer so deuten, dass nicht das Geschehen das Ausschlaggebende ist, sondern das, was darüber gesagt wird. Oder aber erging es den Pharisäern so, wie es auch uns vielleicht heute ergehen würde: Sie konnten oder wollten (unbewusst?) die wahre Bedeutung Jesu nicht erkennen.

ELKE LUISE BARNSTEDT

Vater im Himmel, öffne du unsere Herzen und Sinne, dass wir erkennen, wenn wir dir begegnen.

Wir haben dank der Gnade und Güte Gottes die Chance zur Erkenntnis

Das Weinen Jesu beim Anblick von Jerusalem lässt eine große Betroffenheit entstehen. Wobei mit Jerusalem nicht nur die Stadt, sondern auch und vor allem das jüdische Volk gemeint ist. Man weint nur über das Unglück anderer, denen man emotional nahesteht. Man spürt in diesen Worten, dass Lukas die Liebe und den liebenden Blick Jesus in Worte fassen will. Unwillkürlich stellt sich die Frage: Weint Jesu auch, wenn er heute auf die Christenheit und die Kirchen schaut? Es gibt sicherlich viele Gründe und Anlässe zum Weinen, so etwa die Trennung und Konkurrenz der Kirchen, Missbrauchsfälle, immer leerer werdende Kirchen und die abnehmende Zahl von Kirchenmitgliedern, aber auch die abnehmende Zahl derer, die aktiv ihren Glauben leben und Gott suchen, und vieles mehr.

Das macht betroffen und traurig. Es ist wirklich zum Weinen und man fragt sich, warum ist das so? Auf diese Frage enthält der Text in Bezug auf Jerusalem eine Antwort: Es gab einen, leider versäumten Zeitpunkt, wo das Erkennen möglich gewesen wäre. Der ist aber verstrichen und nun ist ein Erkennen nicht mehr möglich. Gilt das auch für uns? Schaut man sich die Realität an, so entsteht angesichts der geschilderten Situation in den Kirchen das Gefühl: Ja, auch uns sind die Augen verschlossen. Aber die Geschichte im Lukas-Evangelium schildert eine Situation vor Golgatha und wir leben heute nach Karfreitag, Ostern und Pfingsten. Wir leben mit der unfassbaren Zusage der Gnade und der Erlösung. Gerade deshalb dürfen wir über die Kirche und über uns selbst weinen. Zugleich haben wir die Zusage, dass uns nicht die Augen für immer verschlossen sind, sondern die Gnade und Güte Gottes wurden in Jesus offenbar und sind uns durch Jesus gewiss. Wir können um Vergebung und vor allem um Erkenntnis bitten.

ELKE LUISE BARNSTEDT

Vater im Himmel, wir danken dir für deine Gnade und Güte. Öffne du unsere Augen, dass wir dich recht erkennen, und gib uns die Kraft, diese Erkenntnis in unserem Leben Gestalt werden zu lassen.

Kein Glauben ohne Vertrauen

Kern- und Angelpunkt des heutigen Textes ist ein schmerzlicher Dialog zwischen Jesus und den Hohenpriestern und Schriftgelehrten. Ausgangspunkt ist die auf den ersten Blick vollkommen berechtigte Frage der Letztgenannten nach der Vollmacht Jesu. Wobei jedoch diese Frage im Anschluss an den symbolträchtigen Einzug Jesu in Jerusalem rhetorisch anmutet, denn mit dem Ritual des Einzugs hatte Jesus seine Vollmacht mehr als deutlich belegt. Trotzdem entsteht eine gewisse Enttäuschung, dass Jesus nicht mit deutlicheren Worten seinen Anspruch untermauert, sondern mit einer Gegenfrage retourniert. Ganz offensichtlich soll diese Gegenfrage entweder die Fragenden dazu bringen, ihre Frage selbst zu beantworten, oder aber die unlauteren Motive der Fragenden entlarven. Letzteres geschieht in den von Lukas wiedergegebenen Überlegungen der Hohenpriester und Schriftgelehrten. Sie bringen zum Ausdruck, dass es diesem Personenkreis nicht um Erkenntnis oder Vertrauen geht, sondern um ihren Status und damit um ihre Interessen. Sollten sie die Vollmacht von Johannes dem Täufer anzweifeln, dann würde sich das Volk gegen sie wenden. Sollten sie sie bestätigen, würden sie Jesu Vollmacht anerkennen, was wiederum einen Machtverlust bedeuten würde. Obwohl damit die unlauteren und egozentrischen Motive der Pharisäer und Schriftgelehrten entlarvt werden, mutet es doch enttäuschend an, dass Jesus nicht deutlich und klar antwortet, sondern die Antwort verweigert.

Aber hätte er mit einer klaren und eindeutigen Antwort etwas bei den Pharisäern und Schriftgelehrten – etwa das Vertrauen und den Glauben an seine Vollmacht – erreicht? Wohl kaum. Es ging den Fragenden gerade nicht um den Glauben an Gott. Denn im Glauben an die unendliche Güte Gottes geht es darum, nicht seine eigene Person oder Überzeugung zu behaupten, sondern darum, zu vertrauen. Uns kann dieser Text dazu anhalten zu erforschen, ob wir im Zwiegespräch mit Gott, aber auch in der Begegnung mit anderen dieses Vertrauen haben.

ELKE LUISE BARNSTEDT

Vater im Himmel, öffne unsere Herzen und Sinne, dass wir dir, aber auch untereinander vertrauen können.

Ein gutes Ende für ein böses Spiel

Beinahe hätte ich die Überschrift gewählt: »Gott schreibt auch auf krummen Zeilen gerade!« Wieder zeigt sich wie so oft in der Verkündigung Jesu, dass Gott so befremdlich anders handelt, als wir Menschen meinen.

Das Gleichnis spricht für sich. Der Weinberg ist von alters her ein Bild für Israel (vgl. Jes 5,1f.). Die »Pächter«, die »Hohepriester und Schriftgelehrten« (V. 12), verweigern dem Besitzer des Weinbergs die schuldige Pacht. Sie hören nicht auf die Warnungen der von Gott gesandten Propheten. Ja, sie suchen Gott mit ihren Mordplänen zu »enteignen«. Jesus, der sich als »Sohn« seines himmlischen Vaters gesandt weiß, gleichsam als letzter der Propheten, ist sich bewusst, was ihm bevorsteht. Nach menschlichem Ermessen kann dieses böse Spiel kein gutes Ende finden.

Gottes Antwort auf Verstocktheit und offene Rebellion ist nicht »Vernichtung« und dauerhafte »Vertreibung« (V. 16). Israel bleibt der Weinberg Gottes, auch wenn die Führer des Volkes versagt haben. Gottes Antwort ist die Sendung des »Sohnes«, der – wie die Jünger Jesu nach Ostern wissen – durch seine Auferstehung von den Toten aus dem »Stein des Anstoßes« zum »Eckstein« (vgl. Ps 118,22) geworden ist. An ihm wird sich nach dem Karfreitag das Geschick Israels entscheiden, auch das ihrer »blinden Führer« (vgl. Mt 23,24). Denn es gilt: Den sie ans Kreuz geheftet haben, wird auch ihr Fürsprecher beim Vater sein.

Wir dürfen unser Gleichnis im Kontext des ganzen Lukasevangeliums lesen. Umkehr und Neuanfang im Bekenntnis zum erhöhten Menschensohn werden in der Verkündigung der Osterbotschaft allen angeboten, gerade auch den Sündern. Das uns wohlvertraute Gleichnis vom »verlorenen Sohn« (Lk 15,12–32) ist eine Hilfe zum Verstehen. Es macht auch unseren Text zum »Evangelium«. Denn der verlorene Sohn ist nicht wirklich verloren. Er weiß nur nicht, dass er von Gott gefunden werden will. Manchmal sind Gottes Wege schwer verständlich. Aber sie führen zum Ziel. Das sollten auch wir nie vergessen.

JOACHIM WANKE

Vater, vergib ihnen, denn sie wissen nicht, was sie tun!

Was Gott im Sinn hat

Jesus soll in eine Falle gelockt werden. Es geht um die heikle Frage, ob die von der römischen Besatzungsmacht eingeführte Kaisersteuer gezahlt werden darf oder nicht. Verweigert Jesus die Berechtigung der Steuer, rückt er in die Nähe der aufrührerischen, von einem Gottesstaat träumenden Zeloten. Billigt er dagegen die Steuer, kompromittiert er sich als »Römerfreund«.

Es lohnt sich, einen Blick in die Perikope Mt 17,24–27 zu werfen. Hier geht es nicht um die Kaisersteuer, sondern um eine innerjüdische Steuer für den Tempel. Jesus ist bereit, diese zu zahlen. Aber er erinnert die Jünger an die grundsätzliche »Freiheit der Söhne Gottes«. Die »wunderbare« Beschaffung der dazu notwendigen »Vierdrachmenmünze«, wohl nicht ohne hintergründigen Humor überliefert, zeigt, wie nebensächlich Jesus diese Zahlung ansieht angesichts des Anspruchs, den die »Sohnschaft« seinen Jüngern im Blick auf Gott abfordert.

In diese Richtung weist auch unsere Perikope. Die Antwort Jesu stellt den alles überragenden Anspruch Gottes heraus (vgl. Mt 6,33). Es gibt ein entscheidendes »Zuerst« vor allen anderen, irdisch-weltlichen Ansprüchen, mögen diese noch so wichtig sein. »Wichtig« aber nicht im Sinne eines gegenseitigen, konkurrierenden Abwägens der Anforderungen von »oben« und »unten« (als ob man bei Gottes Anspruch auch mal »eine Pause zum Verschnaufen« einlegen dürfte!). Es geht vielmehr um ein ständiges Ineinander und Durchdringen unserer Entscheidungen mit dem, »was Gott im Sinn hat«. Es geht, im Bild gesprochen, um die »Fermentierung« all unseres Tuns und Lassens mit dem Geschmack des »Gottesreiches«. Jesus wusste: Ohne Salz bleibt alles schal (vgl. Mt 5,11).

Wer Christ sein will, weiß um Verpflichtungen, die mehr in Anspruch nehmen und größere Verbindlichkeit haben als die Anerkennung politischer oder sonstiger Realitäten. Welche Rolle spielt das, »was Gott gehört«, in meinem Leben? Und wie sähe diese »Fermentierung« meines Alltags mit dem »Geschmack von oben« heute konkret aus?

JOACHIM WANKE

Vater, dein Wille geschehe!

Leben jenseits des Sterbens?

Es ist schnell dahingesagt, dass mit dem Tode alles aus sei. Anders hingegen, wenn ich plötzlich ganz hautnah, etwa in einer schweren Krankheit, den Anhauch des Todes spüre. Ist Gott wirklich ein Gott des Lebens? Der Psalmist kennt diese bedrängende Frage: »Wirst du an den Toten Wunder tun, werden Schatten aufstehen, um dir zu danken?« (Ps 88,11)

Die Sadduzäer, die nur die fünf Bücher Mose als Heilige Schrift anerkannten, blieben bei ihrer Skepsis. Sie teilten nicht die Hoffnung auf die Auferstehung der Toten, wie sie etwa Jesaja bezeugt: »Deine Toten werden leben!« (Jes 26,19) Gott kann kein Gott sein, wenn er nicht auch gegenwärtig ist in der »Unterwelt«, im »Reich der Schatten« (vgl. Ps 139,8). Diese Überzeugung teilt auch Jesus. Für ihn ist sein Vater »kein Gott der Toten, sondern der Lebenden. Denn für ihn leben sie alle« (V. 38).

Um unsere Perikope zu verstehen, muss man um das Institut der sog. »Leviratsehe« wissen (vgl. Dtn 25,5–10). Starb ein Mann, der in seiner Ehe keinen männlichen Nachkommen gezeugt hatte, so musste dessen Bruder die Witwe heiraten. Der Sinn dieses Brauches war die Sicherung des Fortbestandes der Familie des Bruders, wohl auch die soziale Absicherung der Witwe.

Die listigen Fragesteller konstruieren nun einen absurden Einzelfall. Sie wollen Jesus in Verlegenheit bringen. Der nun stellt diese ihrerseits ins Abseits. Denn sie können sich das Leben »in jener Welt« nur als Verlängerung des Lebens »in dieser Welt« vorstellen. Jesus verweist auf den religiösen »Kronzeugen« der Sadduzäer, auf Moses selbst, dem sich Gott in der Vision vom brennenden Dornbusch als »Gott Abrahams, Isaaks und Jakobs« offenbart hat (vgl. Ex 3,6.15). Gott ist Größeres zuzutrauen, als unsere begrenzte Vorstellung von Leben für möglich hält.

Ob die Sadduzäer diese Argumentation Jesu überzeugt hat? Auch uns steht der »Wahrheitstest« der biblischen Verheißung von der Auferstehung noch bevor. Wohl erst im Sterben selbst wandelt sich das Dunkel des Zweifelns in Licht.

JOACHIM WANKE

Du Gott des Lebens, unseren Toten leuchte dein immerwährendes Licht!

Nach Hause kommen

Als Kind verlebte ich viele Sommertage im Betriebsferienlager. Mein Heimweh hielt sich in Grenzen, auch, weil mein Vater als Lagerleiter immer in der Nähe war. Ich erinnere mich aber an ein Mädchen, das Tag für Tag weinte. Es ließ sich einfach nicht beruhigen. Es hatte großes Heimweh. Die Eltern mussten es schließlich abholen. Sehnsucht kann richtig weh tun und krank machen. Wenn wir Kinder damals am Ende der Ferien mit dem Zug in unsere Heimatstadt zurückfuhren und durch die Fensterscheiben schon von weitem den Wasserturm – das Wahrzeichen der Stadt – sahen, jubelten alle laut. Jetzt war es nicht mehr weit. Jetzt kamen wir nach Hause. Heute ist es unser Enkelsohn, der angesichts des Wasserturms feststellt: »Nun sind wir wieder in unserem Kiez.« Wir sind angekommen, nichts ist mehr fremd. Irgendjemand hat einmal gesagt: »Selig sind, die da Heimweh haben, denn sie werden nach Hause kommen.« Der Psalmist verzehrt sich in Sehnsucht nach den Höfen des Herrn. Wenigstens in der Nähe des Gotteshauses sein möchte er, im Kiez, wo man dazugehört, wo man sich wohlfühlt und sicher, wo Schutz und Geborgenheit sind, Vertrautheit, Heimat eben. Mit Gleichgesinnten zusammensein, das ist mehr als ein schönes Gefühl. Das gibt täglich neue Kraft und Lebensmut. Hier können wir uns entfalten. Hier haben wir eine Lebensgrundlage. Hier dürfen wir sein, wie wir sind, um so zu werden, wie Gott uns gedacht hat. Ich glaube, Gott ist die Heimat, nach der wir uns letztlich alle sehnen. Bei ihm anzukommen, das heißt nach Hause kommen. Das gilt auch für Menschen, die ihr irdisches Zuhause verloren haben, die fliehen mussten, vertrieben wurden, umgesiedelt. Es gibt keinen Ort, der das Zuhause ersetzen kann, sagt der Volksmund. Doch, es gibt diesen Ort. Gott will uns Heimat sein. Bei ihm finden wir Zuflucht und immer eine offene Tür.

INGRID EBERT

Du bist mein Zufluchtsort, Herr. Zu dir kann ich kommen, wie ich bin. Du hast für mich eine offene Tür. Bei dir bin ich zu Hause. Dafür danke ich dir, Herr.

Falsches Verhalten – sich nicht anstecken lassen

Was macht Christen aus? Glaube findet im Alltag statt und lebt von Menschen, die ihn zeigen, sich engagieren und Verantwortung übernehmen, die Gottes Liebe buchstabieren. Unser Glaube nimmt seinen Anfang bei dem Mann aus Nazareth, der schon zu seinen Lebzeiten umstritten war: bei Jesus, dem Christus Gottes. Auf die Gesetzeslehrer seiner Zeit war er nicht gut zu sprechen. Ihre Scheinheiligkeit ärgerte ihn. Was ihnen der Glaube ans Herz legte, lebten sie nicht. Unser Glaube steht und fällt mit unserem Tun. Sprechblasen braucht keiner. Theologie und Ethik gehören zusammen. Nachdenken hat Folgen und führt vielleicht zur Nachfolge.

Während ich diese Zeilen schreibe, leiden Menschen am persönlichen Verhalten von Pfarrern. Missbrauch hat sie zu Opfern gemacht. Ich erlebe strukturelle Fehlentscheidungen. In meiner Region wird das bestgeführte Sozialkaufhaus zugemacht. Da bleiben arme Menschen »im Regen stehen« … Für manches Fehlverhalten, manche Umstrukturierungen und manche Machtherrlichkeit schäme ich mich. Wo keine Liebe drin ist, da ist keine Kirche und keine Diakonie. Für Jesus gehören Glaube und Leben zusammen.

Nicht Institutionen oder Strukturen entscheiden, sondern wir Menschen mitten im Alltag. »Wir sollten genau hinsehen und hinhören, selbst Verantwortung übernehmen und diejenigen zur Rechenschaft rufen, die für Fehlentwicklungen verantwortlich sind, sich bereichern, handeln und entscheiden, was nicht der Zukunft dient« (Margot Käßmann). Manche kehren den Kirchen den Rücken und begründen ihre Entscheidung mit den Fehlern der anderen. Dabei brauchen wir genau das Gegenteil: Alternativen und ermutigende Beispiele, Menschen, die Glaube und Tun zusammenbringen.

HEINZ-GÜNTER BEUTLER-LOTZ

Herr, mach uns stark im Mut, der dich bekennt, dass unser Licht vor allen Menschen brennt! Lass uns dich schaun im ewigen Advent. Halleluja, Halleluja. – Tief liegt des Todes Schatten auf der Welt. Aber dein Glanz die Finsternis erhellt. Dein Lebenshauch bewegt das Totenfeld. Halleluja, Halleluja.

Gutes tun – sich inspirieren lassen

Gutes zu tun, ist nicht einfach. Manchmal kommen meine Ideen und Gaben nicht an. Die Empfänger reagieren nicht so, wie ich mir das wünsche. Überhaupt, warum sollte ich etwas geben, denken manche. Misstrauen macht asozial und ist unfromm. Wenn ich auf meine Habe so stolz bin, dass ich mich nicht trennen kann, bin und habe ich ein Problem. Haben oder Sein – das ist die Frage. Meine Oma hatte nicht viel, aber immer Platz an ihrem Tisch. Sie gab ganz bewusst »mit warmen Händen« und meinte, mit kalten Händen zu geben, sei keine Kunst.

Als Jesus bemerkte, wie eine Witwe etwas spendet, machte er sie zum positiven Vorbild für mutiges und richtiges Handeln. Für die Welt war ihre Spende Peanuts, eine Kleinigkeit, für die Frau selbst viel. Mochten die Reichen lachen, trotzdem warf sie ihre kleinen Münzen in einen der Trichter der 13 Opferkästen des Tempels. Gott sollte sich freuen. Eine arme Frau mit zwei Kupfermünzen öffnet uns noch heute die Augen für das Wesentliche, das liebevolle Handeln.

Der Himmel ist nicht bestechlich. Darauf hat Martin Luther vor 500 Jahren hingewiesen, als der den Ablasshandel anprangerte. Das Zusammenleben wird leichter, wenn wir alle Freud und Leid teilen. Großzügigkeit und Spenden können Leben sichern und soziale Arbeit unterstützen. Ich finde es erstaunlich, wie viel die zahlreichen weltweiten Projekte etwa von Adveniat und Brot für die Welt mit unseren Spenden bewegen. Hilfe zur Selbsthilfe. Mit 50 Euro können 50 Schulkinder aus armen Familien in Bogotá Hefte und Stifte erhalten. Das ist doch was. Und wenn ich es recht bedenke, habe ich viel Grund zu dankbarem Geben. Und Sie?

HEINZ-GÜNTER BEUTLER-LOTZ

Tief liegt des Todes Schatten auf der Welt. Aber dein Glanz die Finsternis erhellt. Dein Lebenshauch bewegt das Totenfeld. Halleluja, Halleluja! – Welch ein Geheimnis wird an uns geschehn! Leid und Geschrei und Schmerz muss dann vergehn, wenn wir von Angesicht dich werden sehn. Halleluja, Halleluja!

Gegen alle Katastrophen: Zeichen setzen

Das Leben ist lebenswert, aber nicht immer schön. Da müssen wir durch, sagte meine Mutter, als meine Großeltern starben, und später mein Vater und schließlich sie selbst. Dabei litt und kämpfte sie, machte bis zum Ende, was sie tun konnte. Es macht keinen Sinn, den Kopf in den Sand zu stecken. Weder im Individuellen, noch im Gesellschaftlichen oder Globalen. Je länger wir leben, umso mehr werden wir zu Zeitzeugen von Veränderungen. Aktuell scheinen Nationalismus und Egoismus unsere Strukturen des Zusammenlebens zu bedrohen. Überall finden sich Baustellen, wo wir Flagge zeigen sollten: Glaube, Liebe, Hoffnung.

Jesus hat nicht nur gute Nachrichten. Er spricht auch vom Ende, vom Zerbrechen aller Ordnung und der Vernichtung allen Lebens auf der Erde. Keine schönen Aussichten, diese letzten Tage, wenn er wiederkommt. Wo wir Fremde aufnehmen, Armen beistehen, Kranke besuchen, Gefangene unterstützen, stellt er klar, da begegnen wir ihm selbst! Gott begegnet uns nicht in einer fernen Zukunft, sondern schon heute in den Menschen, die unsere Hilfe brauchen.

Bei allem Wandel halte ich mich an Jesu Worte vom Reich Gottes. Gott setzt sich mit seiner Liebe durch wie Hefe im Teig. Und die verrückte Geschichte von der Auferweckung Jesu rückt alle unsere Aussichten in eine neue Perspektive. Nicht Hinrichtung, sondern Ausrichtung zu einem guten Leben machen das Konzept Gottes aus. Solange wir leben, können wir durch unser Tun Zeichen setzen, hoffen und träumen, Probleme angehen und mit anderen nach Lösungen suchen. So macht das Leben Sinn. Haushalter sind wir, solange der Hausherr nicht da ist.

HEINZ-GÜNTER BEUTLER-LOTZ

Aber noch tragen wir der Erde Kleid. Uns hält gefangen Irrtum, Schuld und Leid; doch deine Treue hat uns schon befreit. Halleluja, Halleluja! – So mach uns stark im Mut, der dich bekennt, dass unser Licht vor allen Menschen brennt! Lass uns dich schaun im ewigen Advent! Halleluja, Halleluja!

Was kommen muss, kommt

Nur an wenigen Stellen stimmt Lukas in dieser Passage mit dem Markusevangelium überein. Wie an anderen Stellen greift er offenbar auf eine eigene Quelle zurück. Sehr sachlich spricht er von schrecklichen Ereignissen der Zukunft, von Bedrohung und Untergang. Dabei verwendet er Bilder der alttestamentlich-jüdischen Apokalyptik. Aber er setzt einen deutlichen Akzent auf den letzten Vers unseres Abschnitts: »Eure Erlösung naht.« (V. 38) Die endgültige Gottesherrschaft, die mit dem Wirken Jesu schon begonnen hat, wird mit dem Kommen des Menschensohns vollendet, und sie bedeutet Heil und Erlösung für die Gläubigen. Weil sie zu Jesus gehören, sind sie gerettet und sollen deshalb ohne Furcht ihren Weg gehen. Das schließt nicht aus, dass sie selbst unter den Wirren der Zeit zu leiden haben. Das kommende Unheil wird nicht kleingeredet. Aber es hat nicht das letzte Wort, und so sollen die Gläubigen sich nicht in Panik versetzen lassen.

Unheilsszenarien kennen wir zur Genüge. Klimawandel, Pandemien und wachsende Gewaltbereitschaft an vielen Orten bedrohen unseren Frieden. Und mit der Angst der Menschen werden Geschäfte gemacht. Angst macht anfällig für Propaganda und Manipulation. »Erhebt eure Häupter«, sagt Jesus, »und schaut auf das Ende: Eure Erlösung ist nahe.« »Kopf hoch!« – das bedeutet ein freier Blick über Vordergründiges hinaus. Vielleicht haben wir deshalb Mühe, das Gewicht dieser Aussage nachzuempfinden, weil wir so sicher und wohlversorgt leben? Sehnen wir uns überhaupt nach »Erlösung«? Und wie stellen wir sie uns vor?

Jesus lädt uns ein, Ängste und negative Prognosen nicht zu verdrängen, sondern über sie hinaus zu sehen im Wissen: Jesus kommt. Diese Welt mit allem, was dazugehört, ist nicht das Letzte. Einmal wird alles anders.

ULRIKE BRODBECK

Ach komm, ach komm, o Sonne, und hol uns allzumal zum ewgen Licht und Wonne in deinen Freudensaal!

Allzeit bereit!

Die ersten christlichen Gemeinden machen die Erfahrung: Die Begeisterung der ersten Zeit lässt nach. Durchhalten ist schwierig. Müdigkeit und Gleichgültigkeit greifen Raum. Demgegenüber macht unser Abschnitt deutlich: Es kann jederzeit soweit sein. Wachsamkeit ist angesagt. Ungeduld ist dabei fehl am Platz, auch Spekulationen werden abgelehnt. Es kommt darauf an, den Glauben zu bewahren, in den Sorgen der Welt nicht aufzugehen und im Gebet Halt zu suchen.

Mit dem Bild vom Feigenbaum wird unterstrichen, dass das Ende ganz sicher kommt. So wie der Wechsel der Jahreszeiten Vorbereitungen ermöglicht, so kann man sich an den genannten Ereignissen orientieren, nicht als Beweismittel, wohl aber als Ermutigung.

Bereit sein, wachsam bleiben – das ist etwas anderes als konkrete Planung. Unsere Welt ist sehr kalkulierbar geworden. Wenn wir uns auf etwas vorbereiten, erwarten wir, dass auch alles so eintrifft, wie wir denken. Und dann kommt ein verregneter Sommer, und wir haben die Gartenstühle kein einziges Mal benutzt, die wir im Frühling bereitgestellt haben ...

In Palästina ist der Feigenbaum der einzige, der seine Blätter im Herbst verliert und im Frühling neu austreibt. Lukas hat den Zusatz »und alle Bäume« eingefügt. So entsteht ein Bild des blühenden Gartens, wie wir es in Joel 2,22 finden: »Die Auen in der Steppe grünen und die Bäume tragen ihre Früchte ...« Über das Volk Israel hinaus, das oft mit dem Feigenbaum symbolisiert wird, reicht Gottes Heilszusage. Zugleich ist mit dem Satz »Dieses Geschlecht wird nicht vergehen« (V. 32) vielleicht gerade die Hoffnung für Israel angesprochen; auch diejenigen, die Jesus bisher nicht annehmen konnten, erhalten noch eine Chance.

Der feste Punkt in all dem turbulenten Geschehen ist Jesu Wort. »Himmel und Erde werden vergehen, aber meine Worte werden nicht vergehen.« (V. 33) Alles hängt daran, dass die Gläubigen dies bewahren und weitersagen, so lange es noch geht.

ULRIKE BRODBECK

Herr, dein Wort ist meines Fußes Leuchte und ein Licht auf meinem Wege.

Die Macht des Bösen

Es gibt Erfahrungen, die sich allen gängigen Erklärungsmustern entziehen. Dass einer, der jahrelang zum engsten Jüngerkreis gehört hatte, sich bereitfinden würde, den Meister an seine Gegner »ohne Aufsehen« auszuliefern (V. 6), das muss auch für die übrigen Jünger und die ersten Gemeinden unbegreiflich gewesen sein. Für Lukas kommt da nur das Mitwirken einer bösen Macht in Frage, die in den Vorstellungen seiner Zeit personalisiert als »Satanas« oder »Diabolos« auftritt, als Gegenspieler Gottes und Verkörperung des Bösen schlechthin. Zu Beginn der Wirksamkeit Jesu ist diese Figur aufgetreten als der Versucher, der Jesus auf die Probe stellt und aufs Glatteis führen will. Am Ende heißt es dort: »Als der Teufel alle Versuchungen vollendet hatte, wich er von ihm, bis zur bestimmten Zeit.« (Lk 4,13) Nun ist der Zeitpunkt gekommen, an dem diese Macht erneut eingreift.

Was in uns Menschen an Potential zum Bösen steckt, wird uns in Nachrichten aus aller Welt ständig vor Augen geführt. Oft verschließen wir die Augen davor, weil wir es kaum ertragen können. Manches ist einfach unbegreiflich und verstörend. Meist geht es dabei um Macht oder um Geld oder um beides. Macht korrumpiert offenbar, und der Wunsch, einmal erreichte Machtpositionen nicht zu verlieren, scheint zu erschreckenden Maßnahmen zu führen. So auch hier: Die Verantwortlichen im von den Römern besetzten Land sehen sich bedroht durch das große Interesse, das dem einfachen Wanderprediger aus Galiläa entgegengebracht wird. Riskieren wollen sie selbst nichts, aber sie ergreifen gern die Gelegenheit. Die »Hauptleute«, an die Judas sich wendet, sind wohl die Kommandanten der Tempelwache, die zu den Priestern gehören.

Mit dem heutigen Abschnitt treten wir ein in die Passionsgeschichte, in der ja auch zunächst die Macht des Bösen zu siegen scheint. Bis sich am Ende zeigt: Sie hat nicht das letzte Wort.

ULRIKE BRODBECK

Erforsche mich, Gott, und erkenne mein Herz; und sieh, ob ich auf bösem Wege bin, und leite mich auf ewigem Wege.

Antwort in Spiegelschrift

Eine/r schreit gegen das Schweigen Gottes an: »Mein Gott, mein Gott, warum hast du mich verlassen?«, und klagt: »Du antwortest nicht!« Die Worte »ein Wurm bin ich und kein Mensch« sprechen von verletzter Menschenwürde. Nicht nur auf der Opferseite. Die Ich-Figur sieht sich umringt von Stieren, bedroht von Löwen, eingekesselt von Hunden, umgeben von unmenschlicher Gewalt.

Und dann antwortet Gott: »Aus den Hörnern der Stiere antwortest du mir.« (22) Kein Satzzeichen trennt die Antwort Gottes von den Hörnern der Stiere – wie es die meisten Übersetzungen einfügen. Der hebräische Text stellt einen Zusammenhang zwischen der Gefahrensituation und der Antwort Gottes her. Mitten aus dem tierisch verzerrten Angesicht der Bedränger – so übersetze ich »die Hörner der Stiere« – spricht Gott. Es geht um eine Grenzerfahrung, wie sie von der Zvi Kolitzs in »Jossel Rakovers Wendung zu Gott« berichtet wird. Jossel Rakover hält Gott in den Ruinen des Warschauer Ghettos entgegen: »… ich weiß jetzt, dass Du mein Gott bist. Denn Du bist doch nicht, Du kannst doch nicht der Gott jener sein, deren Taten der grauenvollste Beweis ihrer aggressiven Gottlosigkeit sind. Denn wenn Du nicht mein Gott bist – wessen Gott bist Du dann? Der Gott der Mörder? Wenn die, die mich hassen, die mich morden, so finster sind, so schlecht, wer bin dann ich – wenn nicht jemand, der etwas von Deinem Licht verkörpert und von Deiner Güte?« (Zvi Kolitz, Jossel Rakovers Wendung zu Gott. Zweisprachige Ausgabe, Berlin 1997, 43). Er erkennt, dass Erbarmungslosigkeit und Menschenverachtung Widerstand sind gegen Gottes Ruf zur Menschlichkeit, der aus jedem menschlichen Antlitz spricht. Psalm 22 dichtet davon. Spiegelverkehrt, aus dem Angriff, der die Ich-Figur vernichten soll, erkennt sie Gott an ihrer Seite. Sie erkennt ihre Würde – ein Mensch, in dem trotz des Wütens der Bedränger Gottes Ruf zur Menschlichkeit Gestalt bekommt.

KLARA BUTTING

Du, Liebe, die uns festhält, die in unser Herz und Gesicht die Vision der Geschwisterlichkeit gelegt hat. Sei nahe.

Pflaumenkuchen

Ein gemütliches Zusammensein, eine gelungene Familienfeier oder gar ein festlicher Staatsempfang – ohne gemeinsame Mahlzeit geht das nicht. Wenn wir Menschen unsere Gemeinschaft feiern oder sie festigen wollen, dann gehört das kleine oder auch opulent große Essen in allen Kulturkreisen dazu, und das bis zum heutigen Tag. Die regelmäßigen Mahlzeiten spielen in heutigen Familien quantitativ eine wichtige Rolle für das Familienleben. Familien in Deutschland nehmen sich aktuell sogar mehr Zeit für das gemeinsame Essen als 1990. Mahlzeiten sind häufig eine der wenigen Gelegenheiten, zu denen die gesamte Familie regelmäßig zusammenkommt. Sie sind verdichtete Nähe innerhalb des Familienalltags.

Das war zu biblischen Zeiten nicht anders und insofern verwundert die Episode in der Bibel nicht. Essen, ob zur Begrüßung oder zum Abschied, das ist gute Gewohnheit. Die Gemeinschaft wird, wieder oder noch einmal, gefeiert. Ein schöner Brauch. Eine intime Sitte. So auch bei Jesus. Und doch ist da mehr. Es ist nicht nur ein Abschiedsmahl, sondern auch ein Vergegenwärtigungsmahl. In Brot und Wein bleibt er verbunden.

Ungewöhnlich? Nein, eigentlich gar nicht. Bei meinen Nachbarn gibt es am Heiligen Abend immer Pflaumenkuchen. Ein frisches Blech wird zur Bescherung gebacken. Das erinnert an die viel zu früh verstorbene (Groß-)Mutter. Sie ist bei diesem Familienfest auf diese Art und Weise präsent, mitten in der Familie, auch für die Enkelkinder, die sie kaum kennenlernten. Leicht, liebevoll und freundlich umgibt die (Groß-)Mutter die Familie an diesem wichtigen Tag. Lebendig gegenwärtig mit ihrem guten Geist.

Eine moderne Variante des Abendmahls mit dem Duft von frischem Pflaumenkuchen?

CHRISTIAN BUTT

Jesus Christus, deine Nähe ist so wohltuend. Du begleitest uns mit deiner Liebe und Fürsorge. Lass uns das immer wieder spüren und erkennen im Alltag, im Gebet und in deinem Mahl.

Neue alte, alte neue ... Perspektiven

Die Welt ist aus den Fugen geraten, das ist der fundamental erschütternde Eindruck nicht weniger Menschen. Es gibt nicht einzelne Baustellen, sondern es scheint, unser ganzer Planet ist eine einzige Großbaustelle: Von A wie Artensterben, Antisemitismus oder Ausländerfeindlichkeit über P wie Pandemie bis Z wie Zerstörung der Umwelt, Zwangsehe oder Zuwanderungsstopp – es gibt kein Ende an Themen. Dass dabei die Regierenden oftmals nicht nur ungeschickt agieren, sondern die Problematik eklatant verschärfen, ist unübersehbar. Da wirkt es so, als ob Jesus in all diese Dilemmata einen Hinweis auf eine Gegenkultur gibt, der schlicht und unspektakulär daherkommt und doch gleichzeitig so effektvoll ist. Gegen Großmannssucht und Aufschneiderei setzt er einfach und klar den Dienst. Bescheiden, zurückgenommen und absolut: So soll es unter euch sein!

Nun wissen wir alle, dass auch die Kirche in ihren vielen Gliedern nicht frei von eben diesen Übeln ist: der Geltungssucht, der Willkür und der Maßlosigkeit. Deswegen ist es so heilsam, dass Jesus an die Umkehrung der Werte erinnert. Der Größte sei der Kleinste, der Vornehmste der Diener. Welch Perspektive!

Sicher, das ist kein Allheilmittel, aber ein grandioser Perspektivwechsel. Wenn deutlich wird, dass die Strategie der Herrschenden eine Sackgasse ist und gar nicht so neue Werte uns voranbringen. Da könnten die Kirche, ihre Gemeinden und jede Christin, jeder Christ einen Anfang machen. Auf Macht, Einfluss, Status, Herrschaft verzichten und tun, was not tut. Dem Leben dienen. Das ist nichts für spektakuläre Schlagzeilen, aber vielleicht deswegen umso wirkungsvoller. Schritte auf diesem Weg kann jede und jeder tun. Bereits heute.

CHRISTIAN BUTT

Jesus, lehre uns in dem Chaos der Welt, deiner Stimme zu vertrauen und dir zu folgen, damit wir Kraft und Hoffnung finden, neue und andere Wege zu wagen und zu beschreiten.

Glaubens-Achterbahn

Wer meint, dass der Glaube an Gott ein einfaches Unterfangen sei, das man so im Vorbeigehen erledigen kann, der wird in der Bibel eines Besseren belehrt. Petrus zum Beispiel. Er ist kein strahlender Glaubensheld, sondern vom Leben herausgefordert geht er keineswegs den geraden Weg. Es scheint, er nimmt die rasante Glaubensachterbahn. Große Ankündigungen und Glaubensschwüre, kleinlautes Zurückrudern und Ausweichen. Und Jesus ist darüber keineswegs überrascht, sondern begleitet ihn darin. Mehr noch, er betet für ihn.

Nun könnte man denken, dass Petrus wegen seiner Achterbahnfahrt in Glaubensdingen kein Vorbild für uns ist, doch das Gegenteil ist der Fall. Gerade deswegen ist er ein Vorbild! Er zeigt, wie der Glaube im Wandel ist, bedroht ist und mehr als nur manchmal verloren zu gehen droht. Nicht umsonst betet Jesus für ihn, dass sein Glaube nicht aufhöre. Nein, Glaube ist ein lebendiger Prozess. Eine Christin oder ein Christ, so Martin Luther, ist im Werden, nicht im Gewordensein. Unfertig. Voller Fragen und Zweifel. Auf der Suche. So ist das Glaubensleben. Aber es gibt auch Antworten. Momente des vollkommenen Glücks. Glaubensfreude. Augenblicke großer Geborgenheit und Aufgehobenseins bei Gott, die ewig dauern könnten.

Aus diesem Wissen um die Veränderbarkeit des Glaubens erwächst, wenn es gut geht, weniger Unsicherheit, sondern eher Neugierde. Die Frage lautet dann, was Gott vorhat, wie das Leben wird und wie und ob Gottes Spuren im Leben zu entdecken sind. Denn das ist auch wahr: Gott will uns jeden neuen Tag begegnen in den großen, aber auch in den alltäglich kleinen Dingen des Lebens – auch auf der Achterbahn!

CHRISTIAN BUTT

Gott des Lebens, unser Leben stellt uns Fragen, viele Herausforderungen sind zu bewältigen. Gib uns Mut und Zuversicht, dich in alldem immer wieder zu suchen und immer neu nach dir zu fragen.

Vom Sinn sinnlosen Betens

Jesus steht Schlimmstes bevor. Aber er betet. Was soll das jetzt noch? Er kann doch damit nicht aufhalten, was kommt! Dennoch: Dass Jesus nun betet, ist modellhaft für die, die das Evangelium lesen. Lukas unterstreicht das, wenn er schreibt, dass »die« Jünger Jesus an den Ölberg »folgten«.

Wozu soll ich aber wie Jesus gegen etwas anbeten, das unausweichlich ist? Jesus sagt es gleich zweimal: damit ich »nicht in Versuchung gerate« (V. 40+46). Das Gebet vermag also Leid einzugrenzen. Beten verhindert, im Abgrund des Leidens zu versinken. Die Versuchung besteht darin, dem Bösen die Übermacht zu lassen, vor ihm zu verstummen und damit Gott aufzugeben. Doch Jesus ruft Gott an, und zwar wie er's durch Übung gewohnt ist (V. 39), als »Vater« (V. 42). Er betritt einen Raum des Vertrauens, birgt sich in einer Höhle und weckt in sich selbst Vertrauen, Liebe, Hoffnung.

Was kann und soll Jesus jetzt noch erbitten – und wir in ähnlicher Lage? Jesus macht es vor: Er taucht in seinem Gebet einfach in den Vaternamen Gottes ein. Er folgt diesem Namen in zwei entgegengesetzte Richtungen: Spontan weckt der »Vater« in ihm den kindlichen Wunsch, vor Schlimmem bewahrt zu werden. Jesus selbst wird hier zu dem Kind, dem er das Himmelreich versprochen hat (Lk 18,16f.). Aber dann betet Jesus auch noch in die entgegengesetzte Richtung. Er sieht seinen kindlichen Wunsch aufgehoben im Willen des Vaters. Auf diesen Willen setzt er nun sein ganzes Vertrauen, auch wenn er ihn nicht verstehen und akzeptieren kann. Jesus wird also in seinem Gebet ganz Kind, um sich ganz in die Arme Gottes, des Vaters, zu werfen!

Was bringt solches Beten? Dazu muss man bis Kapitel 24 weiterlesen und am besten gleich noch die Fortsetzung in der Apostelgeschichte. Fürs erste bringt es immerhin, dass Jesus aufsteht (V. 45) und sich dem stellt, was kommt.

SEBASTIAN DEGKWITZ

Vater, vor uns längst da, Hüter und Geber aller Güter: Sorge heute für uns und lass deinen Willen geschehen – an uns und durch uns.

Von der Macht des machtlosen Menschensohns

Jesus wird verhaftet. Es ist klar, wer hier Macht hat und wer nicht. Oder doch nicht? Der Wehrlose hat denen, die ihn jetzt in der Hand haben, noch etwas zu sagen. Denn was ihm widerfährt, betrifft sie, ob es ihnen klar ist oder nicht. Daran, wie sie – und wir! – uns nun zu ihm stellen, entscheidet sich, ob wir im wahren Leben sind oder in die Irre gehen. Jesus ist entscheidend: Er ist der »Menschensohn« (V. 48). Und jetzt, wo er ausgeliefert ist (9,44; 18,31ff.), sind seine Bekenner auf die Probe gestellt, ob sie ihm weiterhin folgen.

Wie paradox: Als Ohnmächtiger hat Jesus Vollmacht über alle Beteiligten. Sie zeigt sich nicht in seiner Kraft, sondern in seinem Wort. Wenn der machtlose Jesus spricht, sind wir gerufen, seinem Wort zu glauben – nicht den überwältigenden Ereignissen.

Dreifach zeigt sich Jesu Vollmacht. Zuerst als entlarvende Frage an Judas. Jesus konfrontiert ihn mit seinem Widerspruch aus Freundschaft und Verrat, vertraulicher Nähe und Teilnahmslosigkeit. Fragt Jesus vergleichbar auch uns, wo wir stehen? Ob wir zwar seine Gebote gutheißen, aber dann doch lieber ohne sie leben?

Als nächstes fällt Jesus mit seinem Wort den Jüngern in den Arm. Sie wollen ihn mit Gewalt vor Leid und Ohnmacht bewahren. Aber Jesus gebietet ihnen Einhalt. Sie sollen seine Ohnmacht anerkennen. Sie ist seine Mission, von Gott so vorgesehen und von ihm begleitet.

Schließlich wendet sich Jesus an das Verhaftungskommando. Er gesteht den Soldaten zu: Ja, das ist eure Stunde; ja, nun hat die Finsternis die Macht (V. 54). Aber nur für eine Stunde! Die wird vorübergehen. Jesu Worte haben einen verborgenen Horizont, der in der Nacht seiner Verhaftung noch verdunkelt ist: Gott.

Jesus zeigt: Wer aus dem Glauben spricht, widerspricht der Macht der Finsternis – doch ohne sie aggressiv zu verfluchen. Er oder sie findet Worte, die mit Gottes Zukunft rechnen, mit Gottes Macht, die alles zum Guten wandeln kann.

SEBASTIAN DEGKWITZ

Lass dich hören, wenn Leid und Finsternis uns sprachlos machen.

Vom Halt im Versagen

Petrus bleibt Jesus nahe als letzter und einziger (V. 54). Wie versprochen (V. 33) will er ihm mit allen Konsequenzen nachfolgen. Seit Jesus Petrus als ersten Jünger berief (5,10f.), ist dessen Nachfolge modellhaft. Auch darin, dass Petrus schon bei seiner Berufung zauderte und sich als Sünder bekannte (5,8). Von Anfang an ist er dem nicht gewachsen, was ihm in Jesus begegnet. Nun steht Jesu Todesurteil bevor, und Petrus könnte es ähnlich ergehen, würde er sich zu Jesus bekennen. Doch er leugnet dreimal, mit Jesus zu tun zu haben. Also kündigt er dreimal sein Vertrauen zu Gott auf. Petrus aber fürchtet um sein Leben und will es retten – statt sich, komme was wolle, Gott anzuvertrauen. Diesen Weg geht ab sofort Jesus allein.

Als Petrus ein drittes Mal Jesus verleugnet und damit seine Abkehr von Gott besiegelt – wendet sich Jesus ihm zu und sieht ihn an! Petrus hält dem nicht stand und läuft davon, so wie ihn bei seiner Berufung Jesu Geschenk überforderte. Er weint, weil er sich schämt, Jesu Blick nicht freundschaftlich erwidern zu können. Von diesem Blick wird im Evangelium oft erzählt: Jesus »sieht« Menschen. Er sieht ihnen auf den Grund, sieht ihre Not und Sünde, aber voll Barmherzigkeit. Schmerzhaft klärend ist Jesu Blick und beschenkt doch die Menschen, gibt ihnen Halt und lädt sie zu etwas Neuem ein.

So sieht Jesus jetzt auf Petrus. In seinem Blick liegt das, was zwischen Jesus und Petrus zuvor schon zur Sprache kam: dass Petrus Jesus nicht folgen kann und Jesus dennoch an ihm festhält. Petrus ist so wahrhaftig der modellhafte Nachfolger Jesu.

Wo sind wir, wenn Jesus rückhaltlos barmherzig ist zu den Elenden und Verirrten? Wenn er bereit ist zu leiden, weil er seine Zukunft in Gottes Hand legt? Wenn er hinnimmt, in Verruf zu geraten, weil er in Gottes Namen Klartext reden und verstörend handeln muss? Wir haben Jesus nicht dauernd im Blick – aber er uns. Das hält uns, auch an diesem Tag.

SEBASTIAN DEGKWITZ

Wo ich auch bin, du siehst mich. Du hast mich berufen und hältst an mir fest.

Unsagbares erzählen

Der zweite Teil blickt auf die Antwort Gottes zurück: »Gott hat die Erniedrigung der Erniedrigten nicht für etwas Abscheuliches erachtet.« (25) Das Wort »Abscheuliches« ist ein Fachterminus aus Speisevorschriften. Es gibt Lebewesen, die als Abscheuliches gelten und dem menschlichen Genuss verwehrt sind (3 Mose 11,10ff.). Mit dieser Abgrenzung wird im Alltäglichen die Achtung vor der Heiligkeit des Lebens eingeübt, um der Heiligkeit Gottes nahezukommen. Psalm 22 nimmt diesen Begriff, den jede/r kennt, um zu bestreiten, dass menschliche Erniedrigung aus Gottes Heiligkeit herausfällt. Und erzählt Unsagbares: dass Gott in der Gottesferne nahegekommen ist.

Kehrseite dieser Naherfahrung ist die Vision von der Umkehr der Völker. Denn die Völker brauchen sich nur zu »erinnern«: »Es werden sich erinnern, und sich zum EWIGEN wenden, alle Enden der Erde« (28). Denn jede Frau und jeder Mann hat aus bedrohtem, menschlichem Angesicht den Ruf Gottes zu Mitmenschlichkeit vernommen. Deshalb wissen alle Völker der Erde, dass »dem EWIGEN das Königreich gehört und er über die Völker regiert« (29). Dabei geht es nicht um die Wahrheit einer Religion gegenüber anderen, sondern um die Stimme der Humanität, die allen unmenschlichen Taten entgegentritt – in welcher Religion auch immer. Diese Stimme der Humanität und ihre Regentschaft sind das Geheimnis, um das die Bibel kreist und von dem dieser Psalm erzählt. Die Macht der Menschenverachtung ist gebrochen, erzählt Psalm 22. Denn mit ihrer Unmenschlichkeit müssten die Täter/innen nur die Menschenwürde ihrer Opfer bezeugen und erzählen, dass Gottes Licht in denen verkörpert ist, die sie vernichten wollen. Mich überrascht es nicht, dass Jesu Freund/innen in diesem Psalm Worte gefunden haben, von Jesu Sterben zu erzählen. Am Ende steht der Mörder beim Kreuz und gesteht, dass Israels Gott, den sie besiegen wollten, sichtbar geworden ist – in einem verletzlichen Menschen, der Gottes Güte verkörpert.

KLARA BUTTING

Wir preisen deinen Namen, Gott, der zu uns spricht aus dem Angesicht von Menschen.

Das Verhör

Man glaubte, dass der Messias prophetische Fähigkeiten haben werde. Noch vor dem Verhör lassen die Leute, die Jesus gefangen genommen haben, ihre Rohheit an ihm aus, indem sie »beweisen«, dass er nicht weissagen könne. Jesus setzt sich nicht gegen die Quälerei zur Wehr. Dann tritt der Hoherat zusammen und befragt Jesus. Sie wollen ihn loswerden und fragen ihn deshalb, ob er der Messias sei. Denn dann kann er wegen Aufruhr bei den Römern verklagt werden. In seiner Darstellung konzentriert der Evangelist Lukas alles auf diesen Punkt. Auch die Aussage, Jesus sei Gottes Sohn, kann so verstanden werden, dass er königliche und messianische Hoheit beanspruche, ebenso die Rede davon, dass der Menschensohn zur Rechten Gottes sitzen werde. Gott sagt nämlich im Psalm zum König: »Du bist mein Sohn« (Ps 2) und »Setze dich zu meiner Rechten« (Ps 110). Zugleich zeichnet sich in der Frage nach der Gottesbeziehung Jesu der tieferliegende Konflikt zwischen Jesus und den jüdischen Autoritäten ab. In ähnlicher Weise haben später auch die Zeitgenossen des Lukas mit den Leuten in der Synagoge gestritten, ob Jesus der Sohn Gottes und der Messias sei.

So fordert die Aussage Jesu: »Ich bin Gottes Sohn« auch uns zur Stellungnahme heraus.

Es bleibt ja anstößig, dass der von Gott gesandte König sich widerstandslos gefangennehmen, misshandeln, verurteilen und töten lässt. Und wir fragen uns, warum der Sohn Gottes nicht die Macht Gottes einsetzt, um seinen Gegnern das Maul zu stopfen.

Die Gegner Jesu nehmen seine Aussagen als Geständnis, so dass sie sich eine mühsame Überführung vermittels Zeugen sparen können. Seine Freunde dagegen bekennen: Du bist wahrhaftig Gottes Sohn. Allerdings lag ihnen dies Bekenntnis am Karfreitag und in den Tagen danach völlig fern. Mühsam musste der Auferstandene sie davon überzeugen, dass mit der Kreuzigung nicht alles zu Ende war. Der Evangelist Lukas lädt uns dazu ein, nun mit einzustimmen in das Bekenntnis zum Gottessohn.

JORG CHRISTIAN SALZMANN

Himmlischer Vater, dein Sohn ist für uns in den Tod gegangen. Wir danken dir dafür.

Der Prozess

Nachdem der Hoherat Jesus überführt zu haben meint, wird der Gefangene an den römischen Statthalter überstellt und offiziell wegen Aufruhr angeklagt. Der Leser des Lukasevangeliums weiß, dass der Vorwurf, Jesus rufe zur Steuerverweigerung auf, falsch ist (Lk 20). Die Antwort Jesu auf die Frage, ob er König sei, scheint Pilatus nicht zu überzeugen; das »du sagst es« hat er als Ironie verstanden. Denn zu sehr spricht die Realität dagegen: Weder gab es unter Jesus einen Aufstand, noch ist irgendein Anzeichen zu sehen, dass hier ein gefährlicher Umstürzler vor ihm steht. Das Risiko für Pilatus war wohl eher, dass es zu einem Aufstand kommen könnte, wenn er einen beliebten, aber aus seiner Sicht harmlosen Prediger verurteilte.

Ein Ausweg für den Taktiker Pilatus scheint die Verschiebung der Zuständigkeit. Jesus ist Galiläer; soll doch Herodes Antipas, der Fürst Galiläas, sich mit dem Problem herumschlagen. Der aber weiß, dass er nicht auf seinem eigenen Hoheitsgebiet ist, und schickt Jesus wieder zurück, zumal der Angeklagte ihn auflaufen lässt. Ein Wunderzeichen will Herodes sehen, aber er bekommt von Jesus nicht einmal ein Wort zu hören. So ergießen sich erneut Spott und Hohn über Jesus. Die beiden Herrscher aber verbünden sich über dem gemeinsamen Problem, vielleicht mit der Versicherung, dass jeweils der andere es doch viel besser lösen könne.

Von den Evangelisten erzählt nur Lukas die Episode mit Herodes, so dass manche Forscher an ihrem historischen Gehalt zweifeln. Glaubhaft aber ist allemal, dass Jesus, angeklagt wegen Hochverrats, in die Mühlen politischen Kalküls und einer Justiz gerät, die ihn nach einigem Taktieren am Ende bedenkenlos zum Tode verurteilt. Es bleibt die Ironie, dass der Vorwurf, Jesus wolle sich zum König machen, haltlos ist, aber in einem tieferen Sinn die Wahrheit beschreibt: Er ist der Messias, nur nicht so, wie die Leute das damals dachten.

JORG CHRISTIAN SALZMANN

O Wunder ohne Maßen, wenn man's betrachtet recht: Es hat sich martern lassen der Herr für seinen Knecht; es hat sich selbst der wahre Gott für mich verlornen Menschen gegeben in den Tod.

Das Urteil

Pilatus versucht einen Deal: Er will Jesus auspeitschen lassen, aber ihn dann freigeben. Eine Front aus Hohemrat und Volksmenge aber verlangt es anders: wenn schon Freigabe, dann Barrabas. Lukas erzählt nur, dass die Menge lieber einen verurteilten Terroristen frei sehen wollte als Jesus; ein späterer Abschreiber ergänzt aus den anderen Evangelien, dass zum Fest ein Gefangener freizulassen war (V. 17).

Unwillkürlich überlegen wir beim Lesen, ob es wohl dieselben Leute waren, welche Jesus beim Einzug in Jerusalem begrüßten, die jetzt lautstark seine Verurteilung forderten. Wir erfahren es nicht; massenpsychologisch wäre es möglich, zumal wenn die Leute gehofft hatten, dass Jesus den Kampf gegen die Römer beginnen würde, und nun enttäuscht waren.

In der Erzählung aber kommt es darauf an, dass auch bei dreimaliger Frage die Menge immer nur antwortet: Lass Jesus kreuzigen! Als Pilatus die Lage zu gefährlich wird, verurteilt er Jesus zum Tode.

Manche Ausleger erkennen hier eine Tendenz, den Heiden Pilatus zu entlasten und die Schuld am Tode Jesu allein seinen jüdischen Gegnern zuzuschieben. Nüchtern betrachtet aber wirken alle zusammen, so dass der Tod Jesu beschlossen wird: Pilatus, der Jesus freisprechen könnte, tut das nicht, sondern hängt sein Fähnlein nach dem Winde; der Hoherat folgt seinem eigenen Kalkül und peitscht die Menge gegen Jesus auf; und die Anhänger Jesu, die sich für ihn einsetzen könnten, sind von der Bildfläche verschwunden.

Lukas aber betont noch einmal, dass der verurteilte Verbrecher freigelassen wird, während Pilatus Jesus dem Tode ausliefert. Welch Ironie, dass ausgerechnet Pilatus in seiner Rücksichtslosigkeit etwas tut, was dem inneren Sinn des Todes Jesu entspricht: den Schuldigen freilassen, weil der Unschuldige sein Leben dafür lässt.

JORG CHRISTIAN SALZMANN

Wie wunderbarlich ist doch diese Strafe! Der gute Hirte leidet für die Schafe; die Schuld bezahlt der Herre, der Gerechte, für seine Knechte.

Greinen? Weinen!

Am Gründonnerstag wird »gegreint«, geweint, geklagt. So eine Erklärung für das »Grün« im Namen: Greinen! Hier im Text wird »gegreint«, geweint, geklagt: eine große Volksmenge und Frauen, die ihm, Jesus, folgten auf dem Weg zur Kreuzigungsstätte. Jesus wendet sich ihnen zu und sagt nicht, wie es ja häufig geschieht: »Weint doch nicht!« »Du musst nicht weinen. Alles nicht so schlimm.« »Weint«, sagt Jesus. Es ist schlimm. »Weint«, es gibt wahrlich Grund dafür! Aber der Grund zum Greinen, Weinen und Klagen ist nicht er selbst. »Weint nicht über mich, sondern über euch und eure Kinder!«

Der Evangelist Lukas trägt in die Leidensgeschichte Jesu einen universalen Zug ein. Es geht nicht um ein einzelnes Schicksal, es geht um das Leben und die Zukunft aller Welt. Das Sterben Jesu, morgen lesen wir davon, verdunkelt die Sonne. In einer anderen Überlieferung bringt es die Felsen zum Erbeben. Hier hat sie also Platz, die Verzweiflung über die so grauenvollen Missstände dieser Welt. Die überfischten Meere, die Inselwelten, die verschwinden, das Sterben so vieler Geschöpfe, die erbarmungslose Diktatur von Wachstum und Fortschritt, koste es, was es wolle. Hier haben sie also doch Platz, meine eigenen Tränen über alles Dunkle, Zerbrochene und Vergebliche in meinem Leben.

Jesus wendet sich um zu all dem Greinen, Weinen und Klagen. Wendet sich zu mir, zu allen, die weinen. Steckt in dieser Wendung schon die erste Ahnung der großen wunderbaren Wendung zum Leben?

Nicht zu schnell! Noch muss es ausgehalten werden, das Greinen, Weinen und Klagen. Noch ist das Dunkle so übermächtig. »Weint!« Aber alle Tränen werden gesehen. Und werden abgewischt. Irgendwann.

BÄRBEL SCHÄFER

Du wirst abwischen meine Tränen, Gott, darauf vertraue ich, darauf hoffe ich, auch wenn ich jetzt überfließe voll Schmerz. Der Schmerz verbindet mich mit meinen Schwestern und Brüdern rund um den Erdball, die auch weinen. Wir sehnen uns nach der neuen Erde. Wir hören nicht auf, uns danach zu sehnen. Verwandle mich, verwandle uns, verwandle deine Erde!

Macht anders

»Hilf dir selbst!« Mehrmals wird das Jesus voll Spott zugerufen.

»Hilf dir selbst!« »Zeig deine Macht! Lass deinen Worten Taten folgen! Beweise es doch! Als König der Juden solltest du das doch wohl können, dir zum Leben zu helfen – und damit allen anderen ...«

Vielleicht ist es nicht nur Spott, was da bei manchen mitschwingt in diesen hässlichen Rufen. Vielleicht steckt da auch bei einigen die Sehnsucht dahinter, dass endlich sichtbar wird, dass und wie Gott eingreift. »Wir wollen deine und seine Macht sehen. Dann können wir glauben!«

Jesus zeigt seine Macht. Aber er zeigt sie anders als erwartet. Nicht, indem er sich hilft, sich vom Kreuz befreit, sondern indem er anderen hilft. Er bittet Gott, dass er all denen vergebe, die ihn quälen und töten. Er verheißt dem Übeltäter das ewige Leben bei Gott. Er befiehlt seinen Geist Gottes Händen an. Da beginnt einer zu glauben: der Hauptmann.

Jesus zeigt seine Macht. Er macht, dass andere leben können, befreit von Schuld. Er macht, dass andere sterben können mit dem Blick auf die Ewigkeit Gottes. Er macht, dass andere neu leben können, erfüllt vom Lob Gottes.

Der Theologe Dietrich Bonhoeffer schreibt: »Wir müssen uns immer wieder sehr lange und sehr ruhig in das Leben, Sprechen, Handeln, Leiden und Sterben Jesu versenken, um zu erkennen, was Gott verheißt und was er erfüllt. Gewiss ist, dass im Leiden unsre Freude, im Sterben unser Leben verborgen ist; gewiss ist, dass wir in dem allen in einer Gemeinschaft stehen, die uns trägt.«

Jesus macht es anders am Kreuz.

BÄRBEL SCHÄFER

Lass mich an diesem Tag, Gott, konzentriert sein auf dich. Lass mich nachsinnen über das, was du verheißt. Lass mich schweigen und so hören, was du in meinem Leben wirken willst. Lass mich immer mehr erkennen, dass deine Macht anders ist.

Zwischenzeit

Die Augen sind müde geweint. Die Lider schwer. Am liebsten würde ich sie nicht mehr öffnen müssen. Nicht mehr sehen müssen, was geschehen ist. Aber der Evangelist Lukas lässt mich nicht in dieser Trauer versinken. »Und siehe«, ruft er. Die Geschichte geht weiter – mit Menschen, die nicht in der Trauer versinken, sondern entdecken, dass sie etwas tun können.

Da ist Josef aus Arimathäa. Er als Ratsherr wollte die andere Entscheidung, die, dass Jesus nicht angeklagt wird. Ohnmächtig muss er nun zusehen, dass Jesus gequält und getötet wird. Aber er verharrt nicht in ohnmächtigem Zorn, sondern geht zu Pilatus. Er lässt sich den Leichnam geben, wickelt ihn ein und legt ihn in ein frisch gehauenes Felsengrab. »Wenigstens das«, so denkt Josef. »Ein Grab, ein Ort der Totenruhe. Das kann ich ihm geben.«

Da sind die Frauen. Sie hatten alles gesehen. Waren mitgegangen, den Weg zum Kreuz. Greinend, weinend, klagend. Sie hatten von ferne gestanden und den Tod am Kreuz gesehen. Und dann waren sie Josef gefolgt und sahen das Grab. Sahen, wo er hingelegt wurde, und »kehrten um und bereiteten wohlriechende Öle und Salben«. Sie können etwas tun. Das hilft ihnen.

Um Schreckliches zu verarbeiten, braucht es Weinen und Klagen. Braucht es den Grün-, »Grein«donnerstag. Es braucht dann, nicht die Augen zu verschließen, sondern zu sehen, sich dem zu stellen, was geschieht. Wie oft steht in diesen Versen: »Sie sahen. Sie folgten.«

Nach dem Weinen, dem Sich-müde-Weinen kommt der nötige, der nächste Schritt: die Tat. Josef aus Arimathäa schenkt dem toten Jesus den Ort der Todesruhe. Und die Frauen bereiten Öle und Salben, die damals gültigen Rituale vor, die nach der Sabbatruhe dann vollzogen werden können.

BÄRBEL SCHÄFER

Ich bin müde geweint, Gott. Ich will nichts mehr sehen. Ich bin am Ende. Lass mich. Lass mich in Frieden trauern. Ach, Gott, du willst mich anders. Woanders. Zeig mir einen nächsten Schritt. Zeig mir das Dazwischen – zwischen Tod und Leben.

Den Lebenden bei den Toten suchen?

Dieses Osterevangelium will niemanden überfordern oder unter Druck setzen. Behutsam nimmt es uns mit auf den Weg derer, die befangen in ihrer Trauer und Hoffnungslosigkeit den Ort aufsuchen, der für sie den Schlusspunkt ihrer Geschichte mit Jesus markiert. Wer das Grab aufsucht, erwartet keine Überraschung. Wenigstens Erinnerungen wachrufen, konservieren – und den Leichnam Jesu einbalsamieren ...

Anstelle frommer Routine erleben sie tiefe Erschütterung: Das Grab ist offen, kein Leichnam zu finden. Geblendet von überirdischem Lichtglanz, hören sie die Frage: Was sucht ihr den Lebenden bei den Toten? Hier ist Jesus nicht zu finden!

Dabei waren sie sich doch sicher, wo sie ihren Herrn suchen müssten. Ihre Tradition leitete sie, ihr Herz ließ sie zum Grab gehen. Entscheidend wird ihnen jetzt der Hinweis auf das Wort, das sie von Jesus selber damals in Galiläa gehört hatten. Sein Leiden und Sterben stehen nun in einem anderen Licht. Das Grab ist nicht das traurige Ende der Jesusgeschichte. Jetzt haben sie sein Wort wieder ganz lebendig im Ohr – und ein neues Ziel! Sie suchen den Lebendigen – im Leben!

Wir haben sein Wort gehört. Das Wort des lebendigen Gottes, das Evangelium von Jesus Christus ist in der Welt des Todes; es lässt das Licht des Lebens aufleuchten. Es fragt nach Menschen, die sich von diesem Wort ansprechen und in Bewegung setzen lassen auf ihrer Suche nach Hoffnung. Wird das Wort Glauben finden?

Noch sind nicht alle Fragen geklärt, noch gibt es Zweifel. Aber sie haben ein neues Ziel: die Gemeinschaft der anderen. Und was ihren bisherigen Denkhorizont durchbrochen hat, wird ganz sicher zu neuer Glaubensgewissheit führen. Der Lebendige, ihr Herr und Gott, wird sich selber zu Wort melden und ihnen persönlich begegnen.

EDWIN BRANDT

Unser Herr ist auferstanden, wahrhaftig!

Kein Osterspaziergang …

Nein, ein Osterspaziergang war das wirklich nicht. Ihre Enttäuschung, ihre Resignation war ihnen schon von weitem anzusehen: Das mutlose Kopfschütteln, die hängenden Schultern, der traurige Blick, die müden Schritte vermitteln deutlich, dass Menschen ihre Hoffnung verloren haben und auf der Flucht vor ihren Erinnerungen sind. Bloß weg aus Jerusalem, weg von dem Ort der Kreuzigung ihres Herrn.

Wir hatten gehofft, dass er der erwartete Messias, der Erlöser, der Künder der neuen Welt Gottes wäre; doch dann dieses traurige Ende – zerbrochene Hoffnung, tiefe Enttäuschung. So klagen sie einander diesen Verlust und merken dabei gar nicht, dass einer mit ihnen geht und ihr Klagen hört. Keiner ist auf seinem Weg der Resignation, der Enttäuschung allein. Dieser Eine ist immer mit uns auf unseren schweren Wegen unterwegs und hört uns.

Der Auferstandene führt mit ihnen ein Bibelgespräch. Er legt ihnen die Bibel so aus, dass sie plötzlich alte Worte neu hören und verstehen. Der Leidensweg des Messias bis hin zu seinem Tod gehört in die Geschichte Gottes mit seinem Volk – bis hin zur Auferstehung von den Toten. Die Geschichte zu unserem Heil ist nicht zu Ende, sie hat neu begonnen!

Die Einladung zu bleiben, mit ihnen zu essen, das Dankgebet Jesu und sein Austeilen des Brotes überwinden alle ihre Zweifel. Es gibt Worte und Zeichen, die uns untrüglich der Nähe unseres Herrn gewiss machen. Sie inspirieren uns, wecken Glauben und vertreiben unsere dunklen Gedanken. Unser Herz fängt an zu brennen. Wir verstehen, der Auferstandene ist uns liebevoll nahe.

Die Verzagten haben Hoffnung und darum auch ein neues Ziel, eine neue Perspektive: zurück nach Jerusalem zu den anderen Zweifelnden, Hoffenden, Glaubenden.

EDWIN BRANDT

Herr, bleibe bei uns in den Stunden unserer Angst, unseres Zweifelns und gib uns dein Wort, Zeichen deiner Nähe, deiner Liebe.

Der Gekreuzigte lebt

Der Herr ist auferstanden! Er ist wahrhaftig auferstanden! Mit diesem Bekenntnis feiern Christen das Auferstehungsfest heute wie damals!

Natürlich ist das nicht unangefochten, es gibt Einreden, Gegenargumente und Zweifel. Im Kreis der Jünger gab es auch die Skeptiker, die Zweifler und tief Enttäuschten. Doch sie blieben nicht allein, die Glaubenden holten sie ab und berichteten von ihren Erfahrungen mit dem Auferstandenen. Sie haben einander nicht aufgegeben, nicht abgeschrieben, auch wenn es schwierig war mit manchen.

Aber dann die beglückende Erfahrung: Der auferstandene Christus selber offenbart sich unter ihnen, gibt sich so klar zu erkennen, dass sie seiner gewiss werden. Kein Appell an die Kraft ihrer Phantasie, kein leeres Gedankenspiel, sondern so eindeutig, dass sie im Auferstandenen den Gekreuzigten, ihren Herrn und Meister leibhaftig erkennen. Wie geduldig geht er auf ihre Bedenken ein, erinnert sie an sein Wort und veranschaulicht alte Bibeltexte, so dass neu Vertrauen entstehen kann.

Was wir in ökumenischen Bibelwochen und Hauskreisen erleben, lässt uns das Geheimnis dieses Ostertextes erahnen: Wie wichtig und wertvoll ist die Gemeinschaft mit den anderen Christen, das gemeinsame Bibellesen und der persönliche Austausch, das Nachdenken und Beten – und ganz sicher auch das gemeinsame Singen!

Zu ihrer Horizonterweiterung gehört in jedem Fall auch das Sendungswort, mit dem der Auferstandene die ehemaligen Versager und Zweifler zu Zeugen in ihrer Umwelt macht. Das, was sie erlebt haben, darf nicht ihr Geheimnis bleiben, das sie selbstzufrieden für sich behalten sollten. Diese einzigartige Botschaft von Vergebung, Befreiung, neuem Leben durch Christus ist ihnen anvertraut und aufgegeben. Das Wort und das göttliche Zeichen der Versöhnung sind seit Ostern unübersehbar in der Welt.

EDWIN BRANDT

Herr Jesus Christus, danke, dass du so geduldig um unser Vertrauen wirbst. Mach uns zu glaubwürdigen Zeugen deines Erlösungswerkes.

Unvergesslicher Abschied

Der segnende Christus – mit diesem eindrücklichen Bild wird uns der Abschied des gekreuzigten und auferstandenen Jesus von seinen Freunden vor Augen gemalt. Unvergesslich wird ihnen diese Szene bleiben. Seine zum Segnen erhobenen Hände über ihnen – dieses Bild gehört untrennbar zu ihrer Geschichte mit ihrem Herrn.

Dieser Abschied ist allerdings nur vorläufig. In der Apostelgeschichte knüpft Lukas direkt an dieses Ereignis an und beschreibt die weltumspannende Wirkungsgeschichte des Evangeliums.

Manche Jesusbilder aus der Kulturgeschichte werden wir betrachtet haben; das Bild des segnenden Christus gehört zu denen, die wir nicht vergessen. Es ist wie eine Zusammenfassung seines Lebens auf dieser Erde: Segnend ist er den Kranken, den Sterbenden, den Gescheiterten nahe gewesen und hat sie mit göttlicher Lebenskraft aufgerichtet. Segnend hat er den Kindern liebevolle Zuwendung und Wertschätzung gezeigt und ihnen Gottes Nähe zugesprochen. Segnend hat er den Skeptikern und Zweiflern deutlich gemacht, dass er sie nicht aufgegeben hat.

Unter seinen segnenden Händen wird auch unser Leben stehen, immer und überall, auch wenn uns diese Wirklichkeit oft verborgen sein mag. Die Aufnahme Jesu in den Himmel zu seinem himmlischen Vater wird so unspektakulär berichtet, dass auch wir nicht grübeln sollten, wie wir uns das vorstellen können. Mit Ostern ist eine neue Wirklichkeit in unsere Welt eingebrochen, die unseren Verstehenshorizont weit übersteigt. Aber wir dürfen glauben, dass der Herr sich von dieser Welt nicht zurückgezogen hat. Er bleibt uns nahe – für uns oft ungeahnt und unerwartet. Er bleibt der Segnende – und ist immer nur ein Gebet weit entfernt.

Das haben seine Freunde damals gewusst oder geahnt. Darum fangen sie an, Gott zu preisen, ihm zu danken und ihn zu loben. Segen empfangen und Gott loben – das gehört tatsächlich zusammen.

EDWIN BRANDT

Herr unser Gott, du hast uns in diesen Tagen neu die Augen geöffnet und das Herz berührt. Wir durften Ostern feiern. Danke, dass du bei uns bleibst als der lebendige und gegenwärtige Herr, segnend und tröstend.

Einführung zum Kolosserbrief S. 416 ff.

Barocke Weisung

Auf dem barocken Altaraufbau einer Erfurter Kirche sitzen links und rechts, weit oben, neben den seitlichen Fenstern des Altarraums, zwei Engel, frontal zum Betrachter, überlebensgroß. Lange schon sind sie mir zu Freunden geworden, als Hinweis auf einen guten Rhythmus christlichen Lebens.

Der Engel links schaut aus dem Fenster, sein rechter Arm aber weist über seinen Körper hinweg zur Mitte, in der sich der Tabernakel befindet, der den Schatz der Kirche birgt: Christus im Brot. Der Engel rechts aber schaut in den Kirchenraum, Arm und rechte Hand weisen über seinen Körper hinweg nach draußen. Beides zusammen sind starke Gesten: eine Einladung für die draußen hereinzukommen und eine Einladung an die drinnen hinauszugehen. Mehr noch: Komm und besinne dich auf die Mitte, feiere zusammen mit deinen Schwestern und Brüdern den anwesenden Herrn, lass dich tief auf ihn ein, berühre das Geheimnis seiner Hingabe. Und dann geh hinaus und suche mit wachem Blick, wo du dieses Leben in deinem Alltag verwirklichen kannst.

Dieser Zweischritt christlichen Lebens ist in den paulinischen Briefen wie in eine literarische Struktur gegossen und findet sich auch im Brief an die Kolosser, den wir heute zu lesen beginnen: in seinem ersten Teil ein intensiver Blick auf Gott und das, was er in Christus dem Menschen zugutegetan hat; in seinem zweiten Teil Mahnung und Einladung, das Leben in all seinen Facetten aus dem Geist Christi und in der Verbindung mit ihm zu gestalten.

Unser heutiger Text freilich ist so etwas wie eine Ouvertüre; er spielt das, was später ausgeführt wird, schon einmal verhalten an. Und so lesen wir von dem, was Gott den Kolossern – und uns! – in der Taufe geschenkt hat: dass wir in das Reich Christi »verpflanzt«, in seine Liebe hineingenommen worden sind. Aber dann auch schon die Mahnung, zu wachsen in diesem neuen Leben, Frucht zu bringen, täglich und immer intensiver, in einer nie endenden Annäherung an das unauslotbare Geheimnis Christi und in einem steten Bemühen, aus seiner Kraft im Alltag zu leben.

JUTTA BRUTSCHECK

Herr, rufe uns zu dir, lass uns gehen mit dir!

Wer bist du, Christus?

Manchmal kann es geschehen, dass uns mitten im Alltag der Blitz einer tieferen Einsicht trifft, die uns neue Dimensionen erschließt. Danach senkt sich der Vorhang wieder, und wir sind auf dem alten Level, vielleicht aber mit einer bleibenden Erinnerung, die uns hilft, wahrhaftiger zu leben. So ähnlich erscheint es mir, wenn jetzt, mitten im Prosatext, der die Gemeinde von Kolossä in theologisch korrekter Sprache auf das verweist, was Christus für sie getan hat, ein Loblied auf ihn angestimmt wird. Die Räume weiten sich, Zeitgrenzen verschwinden, das kleine Ich wird hinausgeschleudert in eine Weite, die atemberaubend und befreiend zugleich ist, dabei auf die Knie zwingt und zu einer Neuorientierung im Alltag einlädt.

Um die Person Christi kreist das ganze Lied in überschwänglichem Jubel. Dabei wächst seine Gestalt ins Unermessliche. Nicht weniger als die ganze sichtbare und unsichtbare Schöpfung gerät in den Blick. Nichts kann ihn fassen, er aber umfasst alles. Welt in Gott, Gott in Welt. Keine Kluft ist mehr, keine Ferne. Ein grandioses Christusbild! Zugleich eine tiefe Herabneigung: Der Unsagbare hat sich in Christus berührbar, ansprechbar gemacht. Was für ein Geschenk! Zugleich für die Schöpfung eine ungeahnte Würde. Trotz ihrer bleibenden Verletzlichkeit und Gebrochenheit darf sie auf Gott verweisen. Und doch ist sie nicht mit ihm zu verwechseln. Nur wenn wir durchstoßen zu Christus, werden wir aus der Fülle des Lebens schöpfen können. Ja, unsere Suchbewegung nach prallem und heilem Leben könnte hier ein Ende haben, wenn wir nicht immer wieder die Orientierung verlören. Wir fallen zurück in heidnisches Gebaren, argwöhnen, dass Gott uns etwas vorenthält. Das liegt uns im Blut. Das legen wir in diesem Leben nicht ab. Wenn wir uns nur immer wieder vertrauend Christus zuwenden, dann kann unsere jetzt halbherzige Antwort auf Gottes Liebe in Christus einst ausgeweitet werden zu einem bleibenden Ja im Jubel der erlösten Schöpfung.

JUTTA BRUTSCHECK

Herr, lass uns immer entschiedener von dir allein leben. Denn du bist das Leben und kannst Leben in Fülle schenken.

Seid vollkommen!

Es geht nicht ohne Leiden ab in dieser Welt. Aber sich auch noch darin freuen? Das erscheint doch arg übertrieben! Allerdings lädt auch Jesus selbst in der Bergpredigt seine Jünger dazu ein, sich zu freuen, ja zu tanzen und zu jubeln, wenn sie um seinetwillen beschimpft, verfolgt und verleumdet werden. Um Christi willen hat Paulus durch seinen missionarischen Dienst eben solche Leiden erfahren. Er durchlebt, was an anderer Stelle der Evangelien gesagt ist: »Ein Jünger steht nicht über seinem Meister … er muss sich begnügen, dass es ihm geht wie seinem Herrn.« Was Jesus in seinem irdischen Leben an Missgunst und Hass, Erfolglosigkeit und Leiden widerfahren ist, muss nach Christi Erhöhung der Apostel tragen, der in seinem Auftrag unterwegs ist. Und er trägt es freudig, und er weiß, dass es durch die geheimnisvollen Kanäle, die es zwischen Himmel und Erde gibt, auch der Gemeinschaft der Anhänger Jesu zugutekommt. Es braucht diese Ergänzung. Und sie müssen nicht nur diejenigen leisten, die im Dienst der Kirche stehen. Sich Christus unterstellen, die Lebensart Jesu in sich auszuprägen, das geht nie problemlos. Das zieht Leiden an sich selbst und Leiden durch Menschen nach sich, die verständnislos, spöttisch oder gar feindlich dieser Lebensart gegenüberstehen, häufig auch Repressalien der Staatsmacht, Verfolgungen im großen Stil. Niemand kommt daran vorbei, der ernsthaft und entschieden sich Christus zuwendet und in tiefer Verbindung mit ihm leben will. Die »Leerstelle«, die noch ausgefüllt werden muss an dem, was Christus für uns gelitten hat, sind wir selbst und unsere manchmal mühsamen und leidvollen Wege. Dass es authentische und wahrhaftige Wege sind, mit Versagen und Neubeginn gepflastert, aber in inniger und immer wieder erneuerter Christusverbundenheit, das macht unsere irdische »Vollkommenheit« aus. Diese zu befördern und zu bewirken, legt der Apostel alles in die Waagschale.

JUTTA BRUTSCHECK

Herr Jesus Christus, lass uns nicht verzagen, wenn innere und äußere Widerstände in unserem Bemühen um Nachfolge uns hemmen wollen.

Gott hört zu

Alle reden, aber keiner hört richtig zu. Oft erlebt. Selber mitgemacht. Jeder ist ganz bei der Sache, die ihn beschäftigt, aber für die sich der andere eben ganz und gar nicht interessiert. Jeder redet von sich, von seinen Überzeugungen, von seiner Meinung, die er auch gar nicht ändern will. Die Gesellschaft ist gespalten, so vermitteln mir die Medien immer wieder und so erlebe ich es im Alltag. Mit denen kann man doch nicht reden, sagt Links über Rechts. Mit denen kann man doch nicht reden, sagt Rechts über Links. Dabei wäre es so wichtig, nicht übereinander, sondern miteinander zu reden und einander zuzuhören. Das wäre gelingende Kommunikation. Das könnte uns voranbringen und aufeinander zugehen lassen. Mit Gott kann man reden. Er neigt uns sein Ohr zu, so sagt es der Psalmist. Gott hört aufmerksam, was wir zu sagen haben, was uns beschäftigt. Er ist sich nicht zu groß, um ganz und gar bei uns zu sein. Vielleicht hören wir Gott deshalb so selten reden, weil er mit Hören beschäftigt ist. Ihm kann ich alles sagen, ihm kann ich alles klagen. Er wird nicht müde, mir zuzuhören. Und wenn dann alles in mir zur Ruhe kommt, dann kann ich Gottes Stimme hören. Dann redet er zu mir. Und dann kommt es darauf an, dass auch ich mein Ohr auf ihn ausgerichtet habe, um sein Wort an mich zu vernehmen. Wir sollten aufhören, so viel zu reden – von uns und über den anderen. Wir sollten uns darin besser üben, zuzuhören. Ich gebe zu: Mir fällt das schwer. Ich rede so gerne, bin vorlaut, falle anderen ins Wort. Ob ich das von Gott lernen kann, meine Ohren zu öffnen für das, was der andere mir sagen will?

INGRID EBERT

Herr, du hast immer ein offenes Ohr für mich. Danke. Öffne mir meine Ohren für die Nöte meiner Mitmenschen. Lass mich genau hinhören, wenn mir jemand etwas anvertrauen möchte.

Die Schätze des Glaubens

Die Gemeinde von Kolossä ist gut vernetzt mit der Gemeinde in der Nachbarstadt Laodizea. Ihr soll sie diesen Brief weitergeben, damit er auch dort im Gottesdienst vorgelesen werden kann. Aus der Ferne bringt Paulus seine Freude über den Glauben und die Liebe der Gemeinde zum Ausdruck. Zugleich erfüllt ihn die Sorge, dass dieser Glaube durch andere Lehren verwirrt werden könnte. Umso mehr möchte er die Gemeindeglieder in ihrem Glauben an Christus bestärken. Denn in ihm haben sie alle Schätze, heute würde man sagen: die größten Werte. Aber es sind keine materiellen Güter, sondern geistige Werte. Sie liegen nicht auf der Hand, sondern sind verborgen wie ein Schatz im Acker. Seit ewigen Zeiten war dieses Geheimnis verborgen, aber dem Apostel Paulus hat Gott es offenbart. Dieser hat es nicht als Geheimlehre für sich behalten, sondern im Evangelium für alle Völker öffentlich gemacht. Es ist das Geheimnis des göttlichen Heilsplans, das der Christushymnus besungen hat. Es umfasst Schöpfung und Erlösung. An beiden ist Christus beteiligt vom Anfang der Welt bis zu ihrer Vollendung, von Ewigkeit zu Ewigkeit. Er hat schon bei der Erschaffung mitgewirkt. Er hält die ganze Welt in seiner Hand, alle Mächte im Himmel und auf Erden. Er hat die Mächte des Bösen überwunden und die Menschheit versöhnt. Er wird die Welt vollenden in Herrlichkeit. Am Reichtum dieser Glaubenserkenntnis sollen sie festhalten und sich nicht irre machen lassen durch andere Lehren. Vielmehr soll ihr Glaube in der Erkenntnis Christi Wurzeln schlagen wie ein zartes Pflänzchen, um stark zu werden wie ein Baum, der fest in der Erde verwurzelt ist. Er soll in Christus sein Fundament haben wie ein Haus, das nicht auf Sand gebaut ist, sondern auf einem Felsen ruht und sich auch durch den Wind anderer Lehren nicht verwirren lässt.

ULRICH HECKEL

Mach in mir deinem Geiste Raum, dass ich dir werd ein guter Baum, und lass mich Wurzel treiben. Verleihe, dass zu deinem Ruhm ich deines Gartens schöne Blum und Pflanze möge bleiben.

Der Gewinn der Taufe

Nun wird die Irrlehre genannt, die »Philosophie« von den Elementen der Welt. Man kann streiten, ob hier nur Feuer, Wasser, Luft und Erde gemeint sind oder auch die Gestirne und Sternzeichen, Engel- oder Schicksalsmächte, die Christus entwaffnet hat. Aber wie dem auch sei, Christus ist das Haupt der Welt, Herrscher des Himmels und der Erde, Herr über alle Mächte und Gewalten, Mitschöpfer, Versöhner der Menschheit und Vollender der ganzen Welt. Jesus ist gestorben und begraben worden, aber Gott hat ihn auferweckt und in den Himmel erhöht. Nun sitzt er auf dem Thron zur Rechten Gottes und hat Teil an dessen Macht über die ganze Schöpfung. Mit seinem Schicksal sind die Glaubenden durch die Taufe unlöslich verbunden, mit ihm zusammengewachsen. Indem Jesus »für uns« gestorben ist, hat er ausgeräumt, was vor Gott »gegen uns« spricht. Durch seinen Tod hat er die Schulden aus dem Sündenregister gelöscht, den Schuldschein ans Kreuz geheftet, mit Gott Frieden gemacht, uns versöhnt und vergeben. In der Taufe ist jedem Gläubigen zugeeignet, was Christus für uns getan hat. Durch sein Kreuz ist das Vorzeichen auf dem Lebenskonto ins Positive gewendet, vom Minus ins Plus. Wo Soll stand, ist nun ein Guthaben eingetragen, der Friede Gottes, Schalom. Durch die Taufe haben wir auch an seiner Auferweckung Anteil, sitzen – im Glauben – schon mit ihm auf dem Thron zur Rechten Gottes und können von dort aus auf den Kampf des Guten gegen das Böse herabschauen. Die Elemente der Welt, die Mächte des Schicksals, der Sünde und des Todes treiben auf dieser Erde noch ihr Unwesen, aber sie haben ihren Kampf verloren. Christus hat sie besiegt. Durch die Taufe ist unser Leben nach Gottes Heilsplan mit Christus schon heute in Gott geborgen. Von seiner Warte aus gesehen kann uns – im Glauben – letztendlich keine Macht der Welt mehr etwas anhaben.

ULRICH HECKEL

Such, wer da will, Nothelfer viel, die uns doch nichts erworben; hier ist der Mann, der helfen kann, bei dem nie was verdorben. Uns wird das Heil durch ihn zuteil, uns macht gerecht der treue Knecht, der für uns ist gestorben.

Die Befreiung von irren Machtansprüchen

Der erste Satz nennt als wesentliches Kriterium der Irrlehre, dass sie unberechtigt verurteilt und unnötig ein schlechtes Gewissen macht. Dass die Irrlehren durch Speisegebote, Festtagsvorschriften, Engelspekulationen und religiöse Erlebnisse eher angedeutet als ausgeführt werden, mag auf den ersten Blick erstaunlich wirken, weist aber auf die Vielfalt der Anschauungen im Umfeld der Gemeinde hin. Dieser Befund macht es leichter, auch heute weniger nach konkreten Ausformungen von Aberglauben, religiösen Vorstellungen und säkularen Weltanschauungen zu fragen, vor denen zu warnen wäre, sondern eher an die Grundlage des Glaubens zu erinnern. Die Gemeinde ist der Leib Christi, wie ihn Paulus in 1 Kor 12 anschaulich beschrieben hat. Aber sie soll nicht vergessen, dass Christus das Haupt ist. Als solches ist er nicht nur der Herr der örtlichen Gemeinde ebenso wie der weltweiten Kirche. Als Ebenbild Gottes ist er auch der Mitschöpfer, Versöhner und Erlöser der ganzen Welt. Er hält alles zusammen wie die Gelenke und Bänder, die den Körper durch Sehnen, Nerven- und Blutbahnen unterstützen, versorgen und wachsen lassen. Wer durch die Taufe mit Christus verbunden ist, braucht sich von den unberechtigten Machtansprüchen irdischer Gewalten nicht mehr beeinflussen zu lassen. Christus ist Haupt und Herr auch über mein eigenes Leben. Er ist der Maßstab, nach dem ich alle Mächte, menschliche Überlieferungen, Gebote und Lehren, Weltanschauungen und selbstgemachte Patch-Work-Religiosität messen und beurteilen kann. Er macht mich im Glauben frei, dass ich mir nicht durch irgendwelche Elemente dieser Welt abergläubisch ein schlechtes Gewissen machen lasse, sondern mich an den dreieinigen Gott halte und an den Gaben seiner Schöpfung freue, denn »die Erde ist des Herrn und was darinnen ist« (1 Kor 10,26 Zitat Ps 24,1).

ULRICH HECKEL

Jesus Christus ist der Eine, der gegründet die Gemeine, die ihn ehrt als teures Haupt. Er hat sie mit Blut erkaufet, mit dem Geiste sie getaufet, und sie lebet, weil sie glaubt.

Der Blick nach droben

Nach droben zu blicken und nicht auf das Irdische: Das ist kein Aufruf dazu, aus der Welt zu fliehen, in die uns Gott gestellt hat. Es geht darum, alles Irdische, unseren Alltag und die Welt insgesamt »unter dem Gesichtspunkt der Ewigkeit« zu betrachten. Da wird das tägliche Geschehen und da wird unser eigenes Tun und Lassen gewichtet. Immer ist zu fragen, was dem Maßstab des Christus entspricht und was nicht. Der Christus ist die uns und unserer Welt zugewandte Seite Gottes. Er wird über alle und alles das letzte Wort haben.

Damit kann und darf man den Blick nicht abwenden von so elementaren Fragen wie atomares Rüsten, Klimawandel, Pandemien, Kriege, Menschenrechte, Flüchtlingselend, Rassismus und Nationalismus. Hier stehen Menschlichkeit und die Bewahrung der Schöpfung auf dem Spiel. Das künftige Reich Gottes will jetzt schon wenigstens ansatzweise Gestalt annehmen. Dabei sind wir voll herausgefordert.

Andererseits gibt es im Leben vieler Menschen Grenzsituationen von unsäglichem Schmerz und unerträglichem Leid. Da sehnt man sich nach dem Ende des nur noch als Last erfahrenen irdischen Lebens. Der Tod wird als Erlösung herbeigewünscht.

In solchen extremen Lagen tritt die »Weltverantwortung« notgedrungen zurück. Da hilft in erster Linie der »Blick nach droben«. Vom irdischen Leben wendet man sich verzweifelt ab. Das darf man dann aber auch. Aber es braucht nicht bei der Verzweiflung zu bleiben. Man darf sich in die Hände Gottes fallen lassen. Das »Droben« ist nicht das dunkle Loch eines Nichts, in dem alles untergeht, sondern es hat das Gesicht des gütigen, barmherzigen Gottes, in dem seine Welt aufbewahrt bleiben wird.

ANDREAS RÖSSLER

Dein Wort bewegt des Herzens Grund, dein Wort macht Leib und Seel gesund, dein Wort ist's, das mein Herz erfreut, dein Wort gibt Trost und Seligkeit.

Auf dem Weg zum neuen Menschen

Wir sind »neue Menschen« geworden, durch Gottes Zuwendung zu uns, die in Jesus als dem Christus deutlich und einzigartig wirksam geworden ist. Mit anderen Worten: Wir sind »Ebenbild Gottes« (Gen 1,26–27). Das ist eine ungeheuerliche Zusage. Kann ich mich darauf einlassen? Oder ist das nur eine aus der Luft gegriffene Behauptung? Sind es etwa nur Superfromme mit einer gewissen Sektenmentalität und einer Portion Selbstsicherheit, die dazu fraglos Ja sagen? Ehrliche, nachdenkliche, beharrlich Wahrheit suchende Leute sind da eher skeptisch: Ja, wo spüre ich denn bei mir so etwas wie »neues Menschsein«?

Wenn ich mich da überprüfe, ergibt das doch ein recht dürftiges Bild. Da bleibt viel vom »alten Menschen« bestehen, mit seinen Trieben und Begierden, seiner Eigensucht und Selbstgefälligkeit, seiner Lieblosigkeit und seinen Lügen. Der Schuh »neuer Mensch« ist mir doch viel zu groß! Eben das weiß auch der Kolosserbrief. Er hält die Taufe für die Wende vom alten zum neuen Menschen. Er sieht aber auch die dürftige Wirklichkeit der Getauften und ruft sie deshalb zu entschlossener Umkehr auf.

Die Zusage bleibt bestehen: »Du bist ein neuer Mensch geworden!« Doch nun kommt es darauf an, das ins tägliche Leben umzusetzen und die frohe Botschaft nicht durch unser eigenes Verhalten Lügen zu strafen. Unser wahres Wesen ist und bleibt »Ebenbild Gottes«. Das sehen wir bei Jesus eindrucksvoll verwirklicht. Wir selbst aber bleiben weit dahinter zurück.

Immerhin können wir uns an unsere wahre Bestimmung herantasten. Wir können Christus in unser Inneres einlassen und aus der Kraft seines Geistes täglich neu anfangen. Auf diesem Weg gewinnen wir vertiefte Einsicht in den bleibenden Sinn unseres Lebens: Gott und seinen »Willen der Liebe« zu spiegeln und in Gott geborgen zu bleiben.

ANDREAS RÖSSLER

Lass deines guten Geistes Licht und dein hell glänzend Angesicht erleuchten mein Herz und Gemüt, o Brunnen unerschöpfter Güt.

Neue Menschen im Miteinander

»Alles, was ihr tut mit Worten oder mit Werken, das tut alles im Namen des Herrn Jesus ...« Unser gesamtes Tun und Lassen spielten sich auf verschiedenen Ebenen ab: in der Innerlichkeit des Herzens, wo wir Geschehnisse auf uns wirken lassen, nachdenken, beten, gute oder böse, fruchtbare oder nichtsnutzige Gedanken fassen und Pläne schmieden; ferner im Gegenüber zu unserer Umwelt, auf die wir einzuwirken versuchen; und schließlich im Zusammensein mit anderen Menschen, in Familie, Bekanntenkreis, Beruf, Verein, Kirchengemeinde, oder wo auch immer.

Die Christen in Kolossä und in anderen frühchristlichen Gemeinden bildeten Minderheiten und waren Verfolgungen ausgesetzt. Bei ihnen spielte sich der Kontakt zu anderen vor allem in der örtlichen Christengemeinde ab, in der Hausgemeinde, von Haus zu Haus bei Mahlzeiten und Versammlungen, und dann im regelmäßigen Gottesdienst.

Durch Gottes Güte sind wir »neue Menschen« geworden. Ein herausragendes Bewährungsfeld dafür ist das Miteinander mit anderen Menschen, ob diese nun gleichen Glaubens wie wir sind oder nicht.

»Erbarmen, Freundlichkeit, Demut, Sanftmut, Geduld«, und in allem die Liebe: So wird der Kontakt mit anderen aufbauend, erfreulich, entlastend, für alle Beteiligten hilfreich. Wo man aber auf Mauern der Ablehnung und Feindseligkeit stößt, gilt es, nach Kräften Böses mit Gutem zu überwinden.

In der Gemeinschaft der Glaubenden können wir unsere Annäherungen an das gelebte neue Menschsein im Licht des Wortes der Wahrheit überprüfen. Hier lassen wir uns stärken. Hier können wir uns gegenseitig belehren und ermahnen, nicht rechthaberisch, aber umeinander besorgt, füreinander »empathisch«.

Unser gesamtes Tun und Lassen darf unter Gott gestellt werden, mit Dank für seine Güte. So wächst neues Menschsein.

ANDREAS RÖSSLER

Dein soll sein aller Ruhm und Ehr, ich will dein Tun je mehr und mehr aus hocherfreuter Seelen vor deinem Volk und aller Welt, solang ich leb, erzählen.

Meine Lebenskraft!

»Du bringst meine Lebenskraft zurück« (Psalm 23,3) ist sicher die markanteste Veränderung der revidierten Einheitsübersetzung. Im hebräischen Text steht das Wort »*näfäsch*«. In der Grundbedeutung meint das ganz körperlich die Kehle oder Gurgel des Menschen. Durch die Kehle gelangt die Nahrung in den Menschen, ebenso die Luft zum Leben. Aus der Kehle kommt die verbrauchte Luft wieder nach außen. Jedes Wort, das zärtliche wie das verletzende, jedes Lied, jeder Jubel oder Angstschrei entspringen ihr. Als körperlicher Ort dieser lebensnotwendigen Vorgänge kann *»näfäsch«* im übertragenen Sprachgebrauch deshalb auch Lebendigkeit und Lebenskraft bedeuten. Funktioniert aber die Zufuhr von Wasser, Nahrung oder Atem nicht, dann naht der Todesschatten und deshalb kann *»näfäsch«* auch die Assoziationen von Verlangen, Begehren, Verletzlichkeit und Bedürftigkeit in sich tragen. Die antike griechische Fassung der Bibel (Septuaginta) wählte für dieses schillernde Wort häufig den Begriff »*psyche*«. So erklärt sich die häufige Übersetzung der »Kehle« im Psalter mit Seele (vgl. Ps 63,2 u.ö.).

Wenn Gott nun meine Lebenskraft zurückbringt, was genau war da eigentlich verloren? Wenn ich meine *»näfäsch«* wieder ganz bei mir habe, was ist dann anders? Der Atem fließt ruhig und gleichmäßig ein und aus, er stockt nicht, ich bekomme genug Luft, ich kann mich hingeben, ich habe Vertrauen ins Leben. Die Kehle ist wieder feucht, ich kann schlucken, ich kann singen, ich kann lachen, ich kann gute Worte sprechen oder schweigen.

In der Biologie ist die Lebenskraft (= Vitalität) genau diejenige Kraft, die ermöglicht, dass ein Organismus überlebt, indem er sich flexibel anpasst an die Bedingungen seiner jeweiligen Umwelt und erfolgreich sein Leben gestaltet. Wenn Gott meine Lebenskraft zurückbringt, dann erblüht mein Leben genau in dem, was eben jetzt gerade ist (vgl. auch Ps 22,27).

KATRIN BROCKMÖLLER

Stärke mich mit der Gnade, deine Kraft in meiner täglichen Erfahrung zu erleben.

Die Mitte jeder Beziehung

Zuerst möchte ich Sie dazu einladen, sich möglichst offen und neugierig einzulassen auf diese Verse – auch wenn Ihnen manche Aussagen als nicht mehr zeitgemäß erscheinen mögen. Der Schlüssel zum Verstehen dieser Verse liegt in Vers 23: *Alles, was ihr tut, das tut von Herzen als dem Herrn und nicht den Menschen.*

Paulus war kein Revolutionär, der die damaligen Ordnungen aufheben möchte. Aber er schreibt sehr deutlich, was Christus gemäß ist. Drei Beziehungsverhältnisse spricht er an: das Miteinander von Frau und Mann, von Kindern und Vätern, von Sklaven und ihren Herren. Auffallend ist dabei, dass Paulus zuerst die anscheinend Schwächeren in diesem Beziehungsgeflecht anspricht. Er benennt ihren Stand, ihre Aufgabe, ihr Verhalten. Die jeweils »stärkere Seite« spricht er auf ihre Pflichten an. Sie trägt eine große Verantwortung, die geprägt sein soll von Liebe. Nichts Kränkendes oder Verletzendes tun, sich gerade nicht als Herren aufspielen, sondern um den einen Herrn wissen, Gott, dem sie Rechenschaft schulden. Männer werden ermahnt, ihre Frauen zu lieben. Denn Gehorsam ohne Liebe als Gegenüber ist gnadenlos. Väter sollen ihre Kinder nicht kränken. Dahinter steht das Wissen um die Verletzlichkeit eines Kindes, einer Kinderseele.

Maßstab und Gradmesser für ein gelingendes Miteinander im gemeinsamen Leben wie im gemeinsamen Dienst sind für Paulus das zuerst und vor allem Ausgerichtet-Sein auf Christus. Auffallend ist dabei, dass der Schlüsselvers 23 genau innerhalb des Beziehungsgeschehens zwischen Sklaven und Herren steht. Gerade so, als müssten die Dienstherren in besonderer Weise darauf hingewiesen werden.

Bei allem, was uns an diesen Versen fremd ist, stört oder zum Widerspruch reizt: Die Ausrichtung auf Christus hin, Christus als Mitte in allen Beziehungen, ist allein Garant für ein gelingendes Miteinander in vielerlei Lebens- und Dienstgemeinschaften, auch in Formen von Über- und Unterordnung.

SR. BRIGITTE ARNOLD

Christus, du bist die Wahrheit. Du bist die Liebe. Du bist das Haupt. Hilf uns dazu, im Bruder und in der Schwester dich erkennen.

Das Wichtigste zum Schluss

Mit der Fürbitte für die Gemeinde hat der Kolosserbrief begonnen. Mit der Einladung an die Gemeinde, im Beten nicht nachzulassen, leitet Paulus die Schlusssätze des Briefes ein. Wie eine Art Zusammenfassung klingen diese wenigen Verse, in denen Paulus der Gemeinde dreierlei besonders ans Herz legt.

Das erste: die Treue im Gebet. Wenn Paulus hier von der Beharrlichkeit oder der Ausdauer im Beten spricht, meint er damit nicht die Länge der Gebete. Vielmehr unterstreicht er das »Dranbleiben« gerade auch in schwierigen Zeiten. Beten meint im Kontakt sein mit Gott, leben in seinem Herrschaftsbereich. Beten ist so auch eine Form von Wachsamkeit. Im Gebet, im Gespräch mit Gott lernen wir unterscheiden, was richtig oder falsch, was wichtig oder unwichtig ist.

Das zweite: die Fürbitte für ihn, den Apostel. Paulus weiß, er braucht Menschen, die für ihn und seinen Auftrag beten, nur so können sich Türen öffnen. Paulus, der ja diesen Brief in Gefangenschaft schreibt, meint dabei nicht die Gefängnistüren als vielmehr die Herzenstüren der Menschen, denen er von Jesus Christus erzählt. Die Gabe der Verkündigung ist so getragen und eingebunden in die Gabe des Gebets. Paulus weiß, dass er auf das Gebet der Gemeinde angewiesen ist, um seinen Auftrag erfüllen zu können.

Das dritte: Er gibt der Gemeinde Lebensregeln mit auf den Weg. Als Christen sollen sie sich denen gegenüber, die nicht zur Gemeinde gehören, klug und taktvoll benehmen und nicht überheblich sein. Mit ihrem ganzen Leben sind sie »Aushängeschilder« für den Glauben, für Christus. Weiter sollen sie stets Ausschau halten nach der rechten Gelegenheit, den Glauben zu bezeugen und zu bekennen, anstatt sich zu verstecken. Zuletzt sei ihre Rede mit Salz gewürzt, also schmackhaft, aber zugleich geprägt von Liebe. Liebe und Wahrheit gehören untrennbar zusammen. Von der Liebe geleitet, können klare und eindeutige Worte gesprochen werden.

SR. BRIGITTE ARNOLD

**Gott mache uns im Glauben kühn und in der Liebe reine.
Lass uns wach sein im Gebet und nicht müde werden, denn du bist treu.**

Grüße

Wie sehr Paulus bemüht ist, seine eigene Person in den Hintergrund zu stellen, zeigen diese letzten Verse des Briefes. Ist es doch nachvollziehbar, dass die Gemeindeglieder in Kolossä wissen wollen, wie es Paulus in der Gefangenschaft ergeht. Aber dazu macht Paulus keine Aussagen. Er verweist vielmehr auf Tychikus, den er nach Kolossä schicken wird, um zu berichten. Mit ihm schickt er Onesimus. Paulus betont: *Der einer der Euren ist.* Onesimus ist ein Sklave, der seinem Herrn davongelaufen ist. In der Gefangenschaft lernt Paulus ihn kennen und Onesimus kommt zum Glauben. Paulus schickt ihn nun zurück zu seinem Herrn Philemon mit einem Empfehlungsschreiben (Philemonbrief). Darum hier die Betonung: *der einer der Euren ist.* Wie schon im vorherigen Kapitel ist hier die Beziehung zwischen Herren und Sklaven angesprochen. Im Glauben an Christus sind sie gleichgestellt, so also auch der Sklave Onesimus. Paulus betont, dass es innerhalb der christlichen Gemeinde keine Unterschiede in der Person gibt, sondern es zählt allein »alles und in allen Christus«.

Die lange Namensliste in den letzten Versen zeigt, wie vernetzt die ersten Gemeinden bereits gewesen sind. Es zeigt, wie wichtig dieses Netz von Geschwistern war, um in allen Bedrohungen standhaft zu bleiben. Darum auch die Bitte, der Brief möge auch in der Gemeinde von Laodicea gelesen werden.

In diesen letzten Versen wird deutlich, was bereits am Briefanfang angeklungen ist: Die Tatsache, dass Paulus sich in Gefangenschaft befindet, behindert die Ausbreitung des Evangeliums nicht. Die Verbundenheit im Gebet macht vor Gefängnistüren nicht Halt und lässt sich durch Gefängnismauern nicht hindern. Das Gebet ist eine große Vernetzung untereinander und vor allem mit dem, der das Haupt der Gemeinden ist, Jesus Christus. Paulus weiß sich darin aufgehoben, dass die Gemeinden ihn, der in Fesseln ist, im Gebet begleiten. Diese Gewissheit ist ihm Trost genug.

SR. BRIGITTE ARNOLD

Danke, Herr Jesus Christus, für die Gabe des Gebets. Danke, dass wir als Einzelne teil haben an einer weltweiten Gemeinschaft mit dir als Mittelpunkt.

Einführung zum Buch Daniel S. 393 ff.

Vegane Ernährung macht zehnmal klüger

Um 600 v. Chr. breitete sich das babylonische Reich beständig aus. Die Babylonier schwächten die unterworfenen Völker unter anderem durch die Verbannung führender Persönlichkeiten ins Exil nach Babylon. Babylon war eine hochentwickelte Kultur – mit beeindruckenden Bauwerken, einem ausgefeilten Schriftsystem und astronomisch-mathematischem Wissen.

Die Stadt Babylon (oder Babel) lag südöstlich des heutigen Bagdad im Irak. Im Originaltext wird die Landschaft mit »Schinar« bezeichnet. Ein Begriff, den wir aus der Geschichte vom Turmbau zu Babel kennen (Gen 11). Dort nahm die Auflehnung der Völker gegen Gott ihren Anfang, deshalb gilt »Schinar« als negative Bezeichnung.

Daniel und seine Freunde erleben eine Verbannung de luxe: Leben am Königshof, die beste und modernste Bildung jener Zeit, edle Speisen, ein Intensiv-Sprachkurs, ein neuer Name. Die Integration in die fremde Umgebung gelingt ihnen ausgezeichnet. Drei Jahre sind dafür angesetzt – nach unseren heutigen Erfahrungen eine sinnvolle Zeit, um Integration zu ermöglichen.

Aber: Die vier Freunde wollen auch im Exil dem Gott Israels treu bleiben. Deshalb verweigern sie die Speisen von der Königstafel und setzen auf vegane Ernährung. Man könnte meinen, die vier gehören zu den Begründern der Fridays-for-Future-Bewegung. Und wir sehen, vegane Ernährung ist genau die richtige Wahl: Die vier Freunde sind gesund, leistungsstark und an Verstand den anderen Jünglingen haushoch überlegen. »Sie waren zehnmal klüger«, heißt es in Vers 20. Das liegt allerdings nicht am Gemüse, sondern am Segen Gottes, wie es das Danielbuch deutlich macht. Daniels neuer babylonischer Name »Beltschazzar« bedeutet: »Schütze sein Leben!« Interessant ist: Der angeredete Gott ist hier nicht mit Namen genannt, im Vergleich zum Namen des in Kapitel 5 erwähnten Königs »Belsazar« (Bel schütze den König). Ja, Daniels Leben wird beschützt, und zwar vom lebendigen Gott des Volkes Israel.

CHRISTINE HAAG-MERZ

Guter Gott, auch eine goldene Gefangenschaft ist eine Gefangenschaft. Wir danken dir von Herzen für Frieden und Freiheit in unserem Land. Das ist ein großer Segen.

Ein beunruhigender Traum

Träume können einem lange nachgehen. Sie wirken tief – das ist nicht erst seit der Traumdeutung in der Psychoanalyse so. Auch in Babylon und im alten Ägypten galten Träume als Botschaft der Götter. Genesis 41 erzählt davon, wie bereits Josef in Ägypten Karriere macht, weil er die Träume des Pharao auslegen kann. Und auch Josef betonte damals, dass seine Erkenntnisse nicht auf seiner Klugheit beruhen, sondern allein von Gott kommen.

Ungewöhnlich ist in unserem Textabschnitt, dass der König seinen beunruhigenden Traum gar nicht erzählen will, sondern er möchte von seinen Wahrsagern sowohl den Traum als auch die Auslegung hören. Will er einen Betrug vermeiden oder kann er sich womöglich gar nicht mehr genau an den Traum erinnern? Vielleicht spürt er noch den Schrecken der nächtlichen Bilder in Körper und Seele, kann aber nicht fassen, was genau ihn so verstört hat. Wenn er sich nicht mehr an das Traumgebilde erinnert, könnte das seine Angst verstärken: Irgendetwas wollte ihm der Traum sagen, aber was?

Die Ratgeber versuchen ihrem König deutlich zu machen, dass diese Aufgabe viel zu schwierig ist: Nur die Götter könnten das Geheimnis lösen, doch »Götter wohnen nicht bei den Sterblichen« (V. 11), argumentieren sie. Und genau hier kann Daniel einhaken. Er zeigt, dass der Gott Israels sehr wohl Weisheit und Erkenntnis an die Sterblichen weitergeben kann (V. 21). Daniel bittet den König um eine Fristverlängerung. Zusammen mit seinen Freunden beten sie zu ihrem Gott, flehen um Erbarmen und um die Offenlegung des Geheimnisses. Was für ein Vertrauen!

Daniel zeigt damit: Nur Gott allein kann Geheimnisse offenbaren, keine babylonischen Wahrsager und Traumdeuter, auch keine begabten jungen Männer aus dem Volk Israel. Die Deutungshoheit über Träume liegt ganz allein bei Gott, so betont es die Bibel. Auf diesen Gott verweist Daniel – und rettet damit sich, seinen Freunden und seinen babylonischen Kollegen das Leben.

CHRISTINE HAAG-MERZ

Barmherziger Gott, auch wir kennen nächtliche Traumbilder, die uns unruhig machen. Lass uns Vertrauen haben in deine guten Wege für unser Leben.

Die Gedanken des Herzens verstehen

Daniel erklärt König Nebukadnezar, Gott selber habe ihm die Bedeutung des Traums enthüllt, damit Nebukadnezar die Gedanken seines Herzens verstehen lernt (V. 30). Das wünsche ich mir auch, dass Träume mir dazu verhelfen, die Gedanken meines Herzens zu verstehen!

Daniel nennt das Traumbild des Nebukadnezar einen Blick in die Zukunft. Dieses Geheimnis enthüllt das Ende der bekannten Weltreiche. Das Standbild im Traum war aus Gold, Silber, Bronze und Eisen, gemischt mit Ton. Das Gold steht für das goldene Zeitalter der Babylonier, also des Reiches von Nebukadnezar selbst. Die nachfolgenden Reiche sind – den Metallen entsprechend – immer weniger wert. Wahrscheinlich sind das Persische Reich (Silber) und das Griechische Reich (Bronze) damit gemeint. Das vierte Reich, vermischt aus Eisen und Ton, bezieht sich vermutlich auf die unter den Generälen aufgeteilten Herrschaftsgebiete nach dem Tod Alexander des Großen. Obwohl sie versuchten, sich durch Heirat miteinander zu verbinden (Vermischung von Eisen und Ton), zerfiel das griechische Großreich immer mehr. Endlose Kämpfe um die Vorherrschaft führten zur Unterdrückung der Bevölkerung. Das war die leidvolle, tagtägliche Erfahrung der sogenannten Makkabäerzeit im 2. Jh. v. Chr.

In der Deutung des Traums fasst Daniel die ganze Weltgeschichte zusammen und stellt sie dem Gottesreich gegenüber. Der Stein, der ohne menschliches Zutun das Standbild zerschmettert, symbolisiert das künftige Reich Gottes. Damit wird deutlich, dass die Weltreiche eine Abfolge sich ablösender Mächte auf Zeit sind. Am Ende ist es Gott, der über der Geschichte steht, seine Treue bleibt – und das gilt auch für meine kleine Lebensgeschichte.

Am Schluss steht das bewegende Bekenntnis des babylonischen Königs: Er preist den Gott Israels als den wahrhaftigen Herrn über alle Götter und Könige (V. 47) – leider ist diese Erkenntnis nicht von Dauer, wie die folgenden Kapitel zeigen.

CHRISTINE HAAG-MERZ

Treuer Gott, mein Herz ist oft so wankelmütig und ängstlich. Lass mich die Gedanken meines Herzens verstehen und auf deine Treue vertrauen.

Eigenartig

Eine eigenartige, sperrige Formulierung steht am Beginn des Psalms: »Lass dein Angesicht über uns leuchten.« (Ps 67,2) Würde das im Alltag jemals jemand, etwa zu seinem Vorgesetzten, sagen? Das käme doch ziemlich schräg daher! Im Munde des alttestamentlichen Beters jedoch klingt das nahezu selbstverständlich und hat einen konkreten Hintergrund.

Wer von uns möchte nicht wissen, mit wem er es zu tun hat? Und wenn er seinen Kommunikationspartner noch nie zu Gesicht bekommen hat, so ist es sein Begehr, diesen live oder zumindest auf dem Foto zu sehen. Von diesem Wunsch war auch der fromme Jude beseelt: den Gott, zu dem er täglich betet, dem er im Tempel opfert, schauen zu dürfen. Und zugleich erfährt er die Unmöglichkeit dieser ihm innewohnenden Sehnsucht. Selbst Mose, der große Prophet, muss hier kapitulieren. Als er die Stimme aus dem Dornbusch mit der Stimme Adonais identifiziert, da verhüllt Mose sein Angesicht (Ex 3,6), wohlwissend, dass er den Anblick Gottes nicht ertragen würde. Das »Schauen« hat also in der Bibel einen tiefen mystischen Sinn: Es ist Einübung in die ewige, grandiose Schau Gottes. Einübung findet natürlich im Hier und Heute statt. In diesem Sinn versteht übrigens der Katholik das Erheben des eucharistischen Brotes in der Messfeier oder die Fronleichnamsprozession: als Einübung in die Schau Gottes. Wir dürfen auch sagen: als Einstimmung in die den Menschen erwartende Einung von Gott und Mensch. Thomas von Aquin hat dies sehr schön in der letzten Strophe seines Fronleichnamshymnus zum Ausdruck gebracht: »Jesus, den verborgen jetzt mein Auge sieht, stille mein Verlangen, das mich heiß durchglüht: Lass die Schleier fallen, einst in deinem Licht, dass ich selig schaue, Herr, dein Angesicht.« Jetzt liegt gleichsam ein Schleier über unseren Augen und wir erkennen nur die »Umrisse Gottes«; dann aber, wenn der Schleier fällt, werden wir ihn schauen – und wir werden uns eine Ewigkeit nicht satt sehen können. Welch herrliche Zukunftsaussichten!

BERNHARD KIRCHGESSNER

Halte in uns die Sehnsucht nach dir wach, Gott, und lass uns mit den Umrissen zufrieden sein, die wir sehen.

Im Feuerofen der Entscheidung

In eine fremde Welt führt Daniel 3,1–30. Selbst in Ländern, wo es nur unter Lebensgefahr möglich ist, Christ zu sein, wird von kaum jemandem verlangt, ein goldenes Standbild anzubeten, noch dazu in den beschriebenen riesigen Ausmaßen. Doch geht es hier um mehr als lediglich die Verehrung eines von Menschen gemachten Bildes, das einem Juden allein schon aufgrund des Bilderverbotes (vgl. Ex 20,4) verwehrt ist. Wie die Versammlung der Autoritäten des Landes in Vers 2 zeigt, steht das Standbild als ein Symbol staatlicher und menschlicher Größe. Was hier passiert, ist also eine Art Selbstvergötzung menschlicher Macht, die keinen Gott neben sich und über sich duldet. Das Ertönen verschiedener Instrumente, um damit die Anbetung anzuzeigen, ist eine Anspielung auf den wahren JHWH-Gottesdienst im Tempel. So klingt hier das bereits am Beginn der Bibel intonierte alte Thema der Bestrebung des Menschen an: »sein zu wollen wie Gott« (vgl. Gen 3,5), sich selbst zu genügen. Wahre Gottesfurcht, die sich demgegenüber ebenfalls symbolhaft in den drei Jünglingen ausdrückt, muss sich einem solchen Ansinnen verweigern. Das heißt, hier wird eine Scheidelinie aufgezeigt, bei der es keine Kompromisse, sondern nur ein Entweder-Oder gibt. Ein JHWH-Gläubiger (sei er Jude oder Christ) muss sich immer dort verweigern, wo menschliche Machwerke, Ideologien und manchmal auch Menschen selbst an die Stelle Gottes gesetzt werden oder sich setzen. Diese Entscheidung ist nicht ein für alle Mal getroffen, sondern ist im Grunde jeden Tag fällig, und zwar immer dann, wenn wir in Gefahr stehen, Gottes Anspruch auszuweichen, eigenen Vorlieben, Bequemlichkeiten, ja vielleicht sogar Menschenfurcht den Vorrang zu geben. Nicht umsonst wird hier das Bild des »Feuerofens« verwendet, das, als reales Hinrichtungsinstrument eher ungewöhnlich, darauf verweist, dass es im Leben eines jeden Gläubigen so etwas gibt wie einen Läuterungsprozess (vgl. Spr 17,3).

BURKARD M. ZAPFF

Preist alle den Herrn, ihr seine Verehrer, preist den Gott der Götter, denn ewig währt seine Güte.

Durch und in Gottes Hand

Hat der Glaube an Gott, hat Religion in einer sich zunehmend säkularisierenden Welt eine Zukunft oder wird nicht mit fortschreitender Technisierung und Beherrschung der Welt eine Ausrichtung des Menschen auf eine Wirklichkeit jenseits des Sichtbaren überflüssig? Diese Frage wird immer wieder von Theologen und Philosophen diskutiert. Sie ist es auch, die bisweilen gläubige Menschen bedrängt, besonders dann, wenn der Kreis derer, die an den Gott der Bibel glauben, immer kleiner zu werden scheint. Tröstlich ist es, dass diese Frage gar nicht so neu ist, wie es scheint. Sie stellte sich nämlich bereits jüdischen Menschen in der Zeit Alexanders des Großen und seiner Nachfolger, als sie durch deren Feldzüge im 4. und 3. Jahrhundert v. Chr. mit dem Geist des Hellenismus konfrontiert wurden, der den Menschen und seine Fähigkeit zur Gestaltung der Welt in den Mittelpunkt stellte. So wurden in dieser Zeit die einstige Großmacht Babylon und seine Könige zu Chiffren und Symbolen für Überheblichkeit und Selbstbezogenheit, ja Selbstvergötzung des Menschen. In Vers 2f. findet dies bildhaft seinen Ausdruck, wenn die heiligen Gefäße des Tempels, die allein dem Gottesdienst dienen dürfen, vom König und seinen Großen als Trinkgefäße missbraucht werden. Menschen vergreifen sich an dem, was allein Gott zusteht! Dem steht Daniel gegenüber, der unbeeinflusst und unbestechlich von einem möglichen Prophetenlohn (V. 17) Zeugnis für den Gott ablegt, der allein die Weltgeschichte bestimmt und vor dem schließlich auch alle menschliche Macht dem Untergang geweiht ist (vgl. die abfallende Linie der Materialien, aus denen die Götterbilder hergestellt sind, V. 4!). Der Text will daher zu Vertrauen darauf anleiten, dass Gott es ist, der den Lauf der Welt und damit des Lebens eines jeden Menschen bestimmt. Auf ihn, nicht auf vermeintliche menschliche Sicherheiten ist Verlass!

BURKARD M. ZAPFF

Herr, dir ist nichts verborgen. Du schaust mein Wesen ganz. Du kennst mich bis zum Grund; ob ich mag ruhn, ob gehen, ob sitzen oder stehen, es ist dir alles kund.

In höchster Not

Wenn in Dan 6,8 von einer »Löwengrube« gesprochen wird, die von den Persern als Hinrichtungsinstrument all derer verwendet wird, welche sich dem »unwandelbaren Gesetz der Meder und Perser« nicht unterwerfen, dann geht es nicht lediglich um eine aus der Historie nur in Einzelfällen bekannte Bestrafungsart. Bei dem Wort »Löwe« schwingen vielmehr für einen Menschen des Alten Orients Assoziationen mit, die ihn an chaotische, gefährliche und menschenfeindliche Mächte erinnern. Bereits im Buch des Propheten Amos ist davon die Rede, wenn es dort heißt: »Der Löwe brüllt – wer fürchtet sich nicht?« (Amos 3,8) So wurden nicht zuletzt dämonische Wesen im Umfeld Israels in Löwengestalt abgebildet. Ein Reflex darauf findet sich noch im Neuen Testament, wenn dort der Widersacher mit einem »brüllenden Löwen« verglichen wird, der »sucht, wen er verschlingen kann« (1 Petr 5,8f.). So geht es hier offensichtlich um eine Gefahr, der sich ein JHWH-treuer Mensch immer wieder ausgesetzt sieht, mögen es Anfechtungen sein, die von außen kommen (z. B. Verachtung bis hin zu Verfolgungen, die Christen in vielen Ländern erleiden), oder innere Kämpfe (Zweifel, Einsamkeit, körperliche und seelische Krankheit). Daniel zeigt, was da helfen kann. Er geht vertrauensvoll in den Spuren seiner Väter, die bereits im Auszug aus Ägypten schon einmal mit Gottes Hilfe dem Rachen des Löwen in Gestalt des Pharaos entronnen sind. Tatsächlich gibt es mehrere Anspielungen auf dieses grundlegende Ereignis (z. B. die Rettung am Morgen, V. 20, vgl. Ex 14,24; die Vernichtung der Feinde des Daniel, V. 25, vgl. Ex 14,28, und der Verweis auf Wundertaten Gottes, V. 28, vgl. Ex 15,11). So lädt uns der Text ein, auch unser Leben immer neu vertrauensvoll in die Hand dessen zu legen, der den Rachen der Löwen verschließt.

BURKARD M. ZAPFF

O mein Christ, lass Gott nur walten, bete seine Vorsicht. Liebreich wird er dich erhalten, da er nichts als lieben kann. Wer auf ihn sich ganz verlässt, dessen Glück steht felsenfest.

Monströser Schrecken – Hoffnung auf Menschlichkeit

Der Visionär Daniel schildert schreckliche Bilder, die ihm im Traum erscheinen. Er sieht Tiere, die aber bei näherem Hinsehen keine natürlichen Tiere, sondern monströse Mischwesen sind. Sie verhalten sich wie brutale Gewalttäter, unmenschlich und grausam. Was Daniel sieht, erschreckt und verstört ihn. Seine Schilderung verschreckt und verstört auch uns. Doch der Prophet schaut auch noch andere Bilder: Auch sie erschrecken, weil sie gewaltig sind. Aber ihr Inhalt ist tröstlich. Das Wort vom »Hochbetagten«, der »uralt« war, lässt an einen König und Richter denken. Die gewalttätigen Tiere werden gerichtet, aber nach Recht und Gerechtigkeit und nicht mit willkürlicher Grausamkeit. Zuletzt kommt »einer wie ein Menschensohn«. Ihm wird die Herrschaft übergeben. Nach der Schreckensherrschaft der unberechenbaren Tiere folgt eine dauerhafte menschliche Herrschaft. Im nächsten Abschnitt wird die Vision erklärt, aber hier trifft sie die Leserinnen und Leser mit voller Wucht. Die Worte Daniels rufen Bilder des Schreckens in uns wach. Sie sprechen von Erfahrungen der Unterdrückung und Bedrohung, deren Ausmaß unermesslich scheint. Dennoch enthält diese Vision eine hoffnungsvolle Botschaft: Auch wenn die Lage derzeit unerträglich erscheint, auch wenn nicht absehbar ist, dass der Schrecken jemals ein Ende nimmt, tatsächlich wird eine Wende kommen. Gott überlässt die Herrschaft nicht auf Dauer den Gewalttätigen und Unterdrückern. Gott wird dafür sorgen, dass alles wieder zurecht gerichtet wird – dafür ist sein Gericht da. Gott wird dafür sorgen, dass die Menschlichkeit siegt. Die Vision vermittelt an Menschen, die in einer scheinbar ausweglosen Situation mit gewalttätiger Unterdrückung konfrontiert sind, Hoffnung: Hoffnung auf Menschlichkeit, die kein Ende mehr nimmt.

AGNETHE SIQUANS

Gott, vieles in unserer Welt und in unserem Leben versetzt uns in Angst und Schrecken. Stärke du unsere Hoffnung, dass du der Gewalt ein Ende setzt und Menschlichkeit wiederherstellst.

Der Sieg der Heiligen des Höchsten

Dieser Abschnitt ist eine Erklärung der davor geschilderten Vision. Allerdings ist auch die Erklärung selbst nicht ganz leicht zu verstehen. Jedenfalls werden die schrecklichen Tiere als Königreiche gedeutet, die das Volk Israel unterdrücken. Der vierte König ist der schlimmste von allen. Wer sie tatsächlich sind, wird nicht gesagt. Daniel schreibt in einer Situation, in der es gefährlich wäre, die Unterdrücker offen mit Namen zu nennen. Die Visionen des Danielbuches haben einen politischen Hintergrund in der Zeit ihrer Entstehung, im 2. Jahrhundert vor Christus. Der hellenistische Herrscher Antiochus IV. ist berüchtigt als gewaltsamer Unterdrücker der jüdischen Religion. Er lästert gegen Gott, den Höchsten, und unterdrückt »die Heiligen des Höchsten« (V. 25). Damit sind die Menschen gemeint, die auf Gott vertrauen und ihm treu sind. Manche Ausleger meinen auch, dass damit himmlische Wesen gemeint sind. Sie sind es, die die Herrschaft erhalten, die dem vierten König genommen wird. Mit dieser Herrschaft ist das Ende der gewaltsamen Unterdrückung verbunden und alle Menschen und Mächte werden Gott dienen.

Eine drängende Frage in einer Zeit der religiösen und politischen Unterdrückung ist, wie lange sie noch dauern wird. Die kryptische Angabe »eine Zeit und zwei Zeiten und eine halbe Zeit« wurde im Laufe der Zeit immer wieder auf bestimmte Daten hin gedeutet. Der Text bleibt hier uneindeutig. Wir können und sollen das Ende nicht berechnen. Aber die Vision des Danielbuches macht Mut, nicht zu resignieren und in Angst zu erstarren, sondern auch im schlimmsten Leid zu hoffen. Wir dürfen darauf vertrauen, dass die böse Herrschaft ein Ende nimmt und sich Gottes gerechte und sanfte Herrschaft, das Reich Gottes, durchsetzt. Diejenigen, die auf Gott vertrauen, die ihm treu sind, werden Anteil an seiner Herrlichkeit haben – wann auch immer sie sichtbar werden wird.

AGNETHE SIQUANS

Aus den Tiefen rufe ich, Herr, zu dir: Mein Herr, höre doch meine Stimme! Beim Herrn ist die Huld, bei ihm ist Erlösung in Fülle.

Wie lange noch?

Die Visionen des Buches Daniel wurden in einer Zeit enormer politischer und religiöser Unterdrückung niedergeschrieben. Sie schildern schreckliche Bilder, die der Prophet sieht. Sie machen ihn auch selbst krank. Während die vorangehende Vision das Ende der Gewaltherrschaft und das Kommen der menschlichen Herrschaft von Gott her deutlich in den Blick nimmt, steht hier die lange Zeit der Unterdrückung im Vordergrund. Die Gewaltherrscher kämpfen brutal gegeneinander – dabei ist im historischen Kontext an die Diadochenherrscher und ihre Konflikte zu denken. Wieder sind die Herrscher in Gestalt von Tieren geschildert und die Gewalt nimmt geradezu kosmologische Dimensionen an. Dazu gehört auch die Unterdrückung der Ausübung der jüdischen Religion. In dieser Situation erwarteten viele das Ende der Zeit. Wie sonst sollte sich noch etwas ändern? Der Engel erklärt Daniel, dass die Vision sich auf das Ende bezieht, aber dieses liegt noch in weiter Ferne. Das ist wahrlich keine ermutigende Botschaft! Daniel erhält den Auftrag, sie geheim zu halten, weil sie zwar wahr ist, aber sich nicht so bald erfüllen wird. Das macht ihn kaputt und krank. Er versteht nicht, was vor sich geht und was er gesehen hat. Aber die Vision wurde aufgeschrieben und konnte gelesen werden. Wer weiß, vielleicht hat sie doch manchen Menschen Mut gemacht und sie in Zeiten der Bedrängnis aufrecht erhalten? Wäre sie sonst bis heute überliefert worden?

Die Visionen des Danielbuches beschönigen nichts: Die Bedrängnis ist grausam und kaum erträglich. Ein Ende der Unterdrückung scheint nicht in Sicht. Dennoch ist Gott da, er sendet seinem Propheten Visionen, er schickt seinen Engel, um ihm beizustehen. Nach einiger Zeit kehrt Daniel wieder zu seinem Alltag, seinem Dienst beim König, zurück. Der Schrecken verlässt ihn nicht, aber ein Funken Hoffnung bleibt. Und diesen gibt er weiter, um anderen ebenfalls ein wenig Mut zu machen.

AGNETHE SIQUANS

Gott, schenke uns Einsicht und Geduld und großes Vertrauen in deine Güte, auch wenn sie uns in noch so weiter Ferne scheint.

Einblick in den Traumpalast

Psalm 45 wirkt wie eine Szene aus einem Märchenfilm. Das Ich des Psalms übernimmt die Perspektive des Hofschreibers oder Erzählers. Dieser »Hofschreiber« beginnt seinen Lobpreis in Vers 2 mit einer Art Selbstreflexion, vielleicht auch eine Art Demutsgeste vor dem König. Dann beginnen die öffentlichen Huldigungen dieser Thronsaalszene. Von der körperlichen Schönheit angefangen über die königliche Prunkkleidung hin zu den erfolgreichen Taten des Königs: Feinde besiegen, Gerechtigkeit herstellen, für die Wahrheit einstehen – der König ist einfach perfekt!

Die Szene wäre nicht komplett, würden nicht neben dem König seine Gemahlin sichtbar und weitere königliche Frauen. Die Aufgabe dieser Frauen ist klar. Sie sind dazu da, die Generationenfolge zu sichern, damit diese glanzvolle Regierung vom Vater auf die Söhne übergeht und auf ewig Bestand haben kann.

Mittendrin schwenkt der Blick des Erzählers auf eine der Königstöchter und beschreibt ihre Schönheit und ihre Auszeichnungen. Nur an diesem Punkt spricht der Erzähler eine Mahnung aus: »Vergiss dein eigenes Vaterhaus …« Genau das zeichnet ja gelungene Heiratspolitik aus. Die »fremden Prinzessinnen« dienen dazu, andere Reiche einzugliedern.

Was sollen wir nun machen mit diesem märchenhaften, aber durch und durch patriarchalen Bild einer monarchischen Regierung, entsprechender sozialer Ordnung inklusive Geschlechterverhältnis? Wie ungebrochen sprechen wir von Gott als König, als Herrscher, als Mann? Vielleicht sollten wir heute den Psalm (gegen seine historisch sicher berechtigten Kontexte) als Warnung lesen: Von welchen idyllischen, romantischen, tradierten, verklärten Bildern lasse ich mich verführen oder gar manipulieren? Wie träume ich von Gott, von Kirche, von Gesellschaft, von Liebe und Partnerschaft, von jeglicher Art von sozialem Miteinander?

KATRIN BROCKMÖLLER

Gott, erleuchte uns mit Realismus und stärke unseren Glauben daran, dass du in jeder und jedem von uns gegenwärtig bist.

Höre meine Stimme, wenn ich rufe

Als Bibelleser begegnet Daniel. Er hofft, in der Bibel eine Antwort auf seine Frage nach dem »Warum?« und dem »Wie lange noch?« der fatalen Situation zu finden. Eine erste Antwort findet er durch die Lektüre des Propheten Jeremia, der von einer siebzigjährigen Dauer des Leidens und des Leides spricht.

Auf sein Bibellesen folgt das Beten. Umsichtig und behutsam bereitet Daniel sich darauf vor – wörtlich heißt es in Vers 3: Er suchte das Gebet. Stellvertretend bekennt das Gebet »Sünde«, konkret das durch das Volk Israel getane Unrecht, seine Gottlosigkeit und seine Gleichgültigkeit. So wird Schuld gegenüber dem treuen Gott benannt – und Schuld gegenüber den Mitmenschen. Die Nächsten zu schützen, ja zu lieben, erwartet die im »Gesetz des Mose« enthaltene gute Weisung Gottes (vgl. nur 3 Mose / Lev 19,18).

Und das Gebet wendet sich voller Leidenschaft an Gott, bittet, ja bedrängt ihn geradezu, um seinetwillen endlich aller Not und den Erfahrungen von geistlichem und materiellen Mangel ein Ende zu setzen. Dabei wird der Gott Israels bei seiner Bundestreue und Gnade, bei seiner Liebe behaftet. Eigenschaften also, die das Wesen des Gottes der Bibel auf den Punkt bringen.

Dass nahezu jede Wendung des Gebetes eine Parallele in anderen Gebeten des ersten Teils unserer Bibel hat, so auf deren Formulierungen zurückgreift oder diese umgekehrt prägt, verstehe ich als Einladung und Ermutigung zugleich: Ich bin eingeladen und ermutigt, mich bei meinem eigenen Beten an Gebetsworten der Bibel zu orientieren, mich etwa in den Worten und Bildern der Psalmen zu bergen. So weiß ich mich ermutigt und ermuntert, mir beim Reden meines Herzens mit Gott Gedanken und Worte zu leihen. Eingebunden in die lange Reihe all derer, die vor mir gebetet haben, und all derer, die sich nach mir betend an Gott wenden werden, kann ich vor ihn bringen, was immer mich bewegt.

ERNST MICHAEL DÖRRFUSS

Tue du, Gott, meine Lippen auf, dass mein Mund deinen Ruhm verkündige, und neige dich mir zu, wenn ich mit meinen Klagen zu dir komme.

In Gottes Erbarmen fallen dürfen

Ein Engel unterbricht Daniels Gebet – und lässt Daniel wissen, was sich hinter den siebzig Jahren des Jeremia (vgl. Dan 9,2) verbirgt. Siebzig »Jahrwochen« sind gemeint, jede dieser Jahrwochen umfasst sieben Jahre – eine große, abgeschlossene Gesamtheit.

Dieser lange Zeitraum ist »verhängt«, festgesetzt als Zeit, in der Schurkereien, Sünde und Schuld die Stadt Jerusalem überziehen. Die drei Begriffe fassen die Untaten der über die Stadt herrschenden Seleukiden und ihrer Kollaborateure zusammen.

Erst dann – so die Deutung Gabriels weiter – wird die Geschichte Gottes mit seinem Volk und seinen Menschen an ihr Ziel kommen. Ewige Gerechtigkeit wird herrschen, Verheißungen werden sich erfüllen, die Integrität des Heiligtums wird wiederhergestellt. Die Deutung schlägt einen weiten Bogen von der unheilvollen Gegenwart zurück zu den Anfängen.

Sie spiegelt die geschichtlichen Ereignisse des zweiten vorchristlichen Jahrhunderts: politische sowie religiöse Unterdrückung ebenso wie politisch-gesellschaftliches Chaos und religiöser Sinnverlust. Im Angesicht dieser Erfahrungen artikuliert sich widerständige Hoffnung auf eine grundstürzende Änderung der Verhältnisse.

Immer wieder neu ist versucht worden, die apokalyptische Rede von den sieben mal siebzig Jahren neu zu deuten und mit erlebter Wirklichkeit sowie gelebter Hoffnung in Verbindung zu bringen. Solche Versuche standen – und stehen – in der Gefahr, Gott ausrechnen zu wollen und damit den Herrn über die Geschichte Zahlen zu unterwerfen.

Liegt das befreiende Potential der Deutung des Weltgeschehens mithilfe der siebzig Jahrwochen nicht vielmehr im Gedanken, dass diese Welt nicht sich selbst überlassen bleibt, sondern in Gottes Erbarmen fallen wird? – All dem, was dieser Zuversicht entgegenzustehen scheint, zum Trotz!

ERNST MICHAEL DÖRRFUSS

Dir, lebendiger und ewiger Gott, lege ich diese unsere Welt ans Herz. Stärke mein Vertrauen darauf, dass sie in dein Erbarmen fallen wird.

Sehen – hören – reden

Von äußerster Not bekommt Daniel zu sehen und zu hören – und wird dabei zunächst einmal vorbereitet auf die abschließende Offenbarung durch den Engel Gabriel. Wie auch den übrigen sogenannten Erzengeln wird ihm eine gewichtige Rolle im Zusammenhang der Durchsetzung der Herrschaft Gottes und beim Gericht zugewiesen.

Was Daniel jetzt sieht, hat die Gestalt eines Menschen, ist aber eine göttliche Erscheinung – und lässt ihn ebenso ausgelaugt wie kraftlos zu Boden gehen.

An die Seite des Sehens tritt das Hören. Erneut als von Gott Geliebter angesprochen, braucht sich Daniel nicht zu fürchten. Aufrecht, beide Füße fest auf dem Boden, soll er die ihm zugedachte Botschaft entgegennehmen.

Im Verlauf der Unterredung erfährt Daniel, dass Gabriel aufgehalten wurde, weil zunächst der »Engelfürst des Perserreiches« zu überwinden war. Gedacht ist damaliger Vorstellungswelt zufolge an den himmlischen Repräsentanten der persischen Nation; in Vers 21 kommt der Griechenland repräsentierende Engelsfürst in den Blick – und Michael, der (Schutz-)Engel Israels.

Daniel verstummt. Erst nach der Berührung seiner Lippen durch den Offenbarungsengel wird er wieder sprachfähig. Offen beschreibt Daniel die erlittenen Schmerzen sowie seine Kraftlosigkeit – und wird berührt. So gestärkt kann er hören, was im Buch der Wahrheit aufgezeichnet ist.

Das zehnte Kapitel des Danielbuches bereitet auf die Schau der letzten Dinge vor und hat so die große Welt(-geschichte) im Blick. Und doch hat es auch im Kleinen etwas zu sagen: Es kann dazu anstiften auszusprechen, was mir meine Kraft nimmt, mich mutlos werden lässt, körperliche und seelische Schmerzen bereitet. Mich anderen Menschen anvertrauen, kann helfen. Und es kann helfen, Ereignisse, die mich beschäftigen, unlösbare Probleme oder auch Menschen, mit denen ich nicht zurechtkomme, vor Gott zu bringen, das alles und sie alle Gott anzuvertrauen – und um seine stärkende Nähe zu bitten.

ERNST MICHAEL DÖRRFUSS

Herr, dir in die Hände sei Anfang und Ende, sei alles gelegt.

Das Beste kommt zum Schluss

Die Schau der durch Gewalt, Bedrückung sowie äußerste Not geprägten Endzeit und des mit ihr einhergehenden Gerichtes verbindet sich mit der Rede von der Auferstehung der Toten. All denen, die mit einer an Gerechtigkeit und Wahrhaftigkeit orientierten Haltung ihr Leben mit Gott führen und an seinem Willen ausrichten woll(t)en, wird dabei ein über die Grenzen des Todes hinausreichendes Leben in der Gegenwart Gottes in Aussicht gestellt. Die zur Zeit der Abfassung des Danielbuches verbreitete Vorstellung, die »Verständigen« würden nach ihrem Tod wie der Himmel strahlen und wie die Sterne leuchten, findet auch im Matthäusevangelium ihren Niederschlag (vgl. Mt 13,42).

Wie in Daniel 12 ist auch andernorts im Alten Testament »Gerechtigkeit« »das Band, das Diesseits und Jenseits verbindet« (Matthias Albani). Wobei »Gerechtigkeit« im biblischen Sinn durchweg ein Verhalten bezeichnet, das Partei ergreift, Missstände beseitigt, zurechtzubringen sucht, was in Unordnung geraten ist – und so der Gemeinschaft dient.

An die Seite der Vorstellung eines über den Tod hinausreichenden Lebens in Gemeinschaft mit Gott tritt auch jetzt die schon verschiedentlich gestellte Frage nach dem »Wann?« des Endes dieser Welt. Dessen Zeitpunkt ist auf den ersten Blick erneut präzise benannt, lässt sich aber – trotz unzähliger Versuche – nicht einfach entschlüsseln.

Dass der allmächtige und barmherzige Gott dieser Welt ihr Ende setzen wird, gehört jedoch zu den in der Bibel Alten und Neuen Testaments auf ganz unterschiedliche Weise entfalteten Grundüberzeugungen. Mit ihnen verbindet sich das Vertrauen darauf, dass der in Freiheit liebende Gott zurechtbringen wird, was in dieser Welt in Unordnung geraten ist, ja: Er wird alles neu machen! Zerschlagene werden aufgerichtet, Leid, Geschrei und Schmerz haben keinen Ort mehr, Tränen werden abgewischt.

ERNST MICHAEL DÖRRFUSS

Lass mich vor dir den Weg deiner Gerechtigkeit gehen, du liebender Gott – und lass du dein Reich kommen.

Einführung zu den Sprichwörtern / Sprüchen Salomos (Proverbia) S. 388 ff.

Goldene Äpfel auf silbernen Schalen

»Menschliche Klugheit und Wissenschaft interessiert uns nicht. Für uns zählt nur die Bibel. Denn das ist Gottes Wort.« Es gibt Gläubige, die mit solchen Worten die Erkenntnisse der Naturwissenschaften ebenso abtun wie menschliche Erfahrung.

Bei König Salamo wären sie damit allerdings in schlechter Gesellschaft. Er und die anderen, die nach ihm seine Sammlung von Sprüchen weitergeführt haben, konnten gar nicht genug bekommen von der Lebenserfahrung, die in diesen Versen steckt. Wer wollte auch bestreiten, dass sich ein Vorgesetzter nur mit Geduld umstimmen lässt? Dass ich einen Feind beschämen kann, wenn ich ihm Gutes tue? Oder dass allzu viel Lob ebenso schlecht bekommt wie eine Überportion Honig?

Die Sprüche sind ausdrücklich nicht als von Gott gehörtes Prophetenwort gekennzeichnet. Einige stammen ganz offenkundig nicht einmal von gläubigen Juden. Und doch haben sie nicht nur Salamo und die Sammler nach ihm fasziniert, sondern Eingang in die Heilige Schrift gefunden. Für Salomo und seine Nachfolger stand fest: Hinter jeder vordergründig rein menschlichen Lebenserfahrung steckt letztlich die Weisheit, die Gott schenkt. Dabei spielt es nicht einmal eine Rolle, ob der Mensch, der diese Erfahrung gemacht hat, selbst gläubig ist. Nur ein Kriterium muss der Weisheitsspruch erfüllen: Er darf der Offenbarung nicht widersprechen. Sonst kann er nicht von Gottes Weisheit inspiriert sein.

So dürfen wir bis heute unsere Freude an den Sprüchen Salomos haben. Wir dürfen schmunzeln bei der Lektüre oder auch ernst werden. Wir dürfen uns etwas sagen lassen. Wir dürfen sie dankbar annehmen als goldene Äpfel auf silbernen Schalen.

Und genauso dürfen wir uns von aller Lebenserfahrung und aller wissenschaftlichen Forschung bereichern lassen, die uns in unserer heutigen Zeit begegnet – solange sie nicht dem widerspricht, was Gottes Sohn uns in seiner Lehre und seinem Wirken offenbart hat.

MARTIN FAATZ

Gib mir die Weisheit, die an deiner Seite thront!

Die wahren Toren

»Wie kann man nur so blöd sein? Und vor Faulheit stinken?« Zugegebenermaßen habe ich manches Mal über Zeitgenossen am Ende nur noch den Kopf geschüttelt. Ich konnte einfach nicht begreifen, warum sie sich so dumm angestellt oder vor der Arbeit gedrückt hatten. Mit einigen hätte ich am liebsten nie mehr zu tun gehabt.

Die Weisheitssprüche scheinen mir recht zu geben. Einem Toren gebührt keine Ehre, sondern der Stock. Ein Weisheitsspruch in seinem Mund kommt lahm daher. Wer einen Toren ehrt, auf den fällt dessen Dummheit zurück.

Die Faulen kommen nicht besser weg. Sie drehen sich im Bett. Sie schaffen es nicht einmal, die Hand von der Schüssel wieder zurück in den Mund zu bekommen. Sie halten sich für klüger als sieben, die es wirklich sind.

Auf den ersten Blick bestärken mich die Sprüche also darin, auf weniger intelligente und fleißige Mitmenschen herabzuschauen und mich möglichst von ihnen fern zu halten. Auf den zweiten aber steht mitten zwischen diesen Sprüchen noch ein anderer: Für den Toren gibt es immer noch mehr Hoffnung als für den, der sich selbst für weise hält.

Und damit ist eine deutliche Mahnung ausgesprochen: Wenn ich mich für den Überflieger halte und wichtig mache, dann könnte unversehens ich selbst der Tor und vielleicht auch der Faule sein, vor dem die Sprüche so eindringlich warnen.

So kehrt der eine Spruch die Blickrichtung der anderen um. Ich soll nicht auf andere schauen und unter ihnen die Toren und Faulen suchen. Ich soll auf mich selbst schauen und prüfen, ob ich in Gefahr bin, Dummheiten zu begehen und der Arbeit auszuweichen. Wenn ich beides ehrlichen Herzens verneinen kann, dann mögen andere über mich schimpfen – mir gilt dann der Spruch, dass ein unverdienter Fluch nicht eintrifft.

MARTIN FAATZ

Erforsche mich, Gott, und erkenne mein Herz. Prüfe mich und erkenne meine Gedanken! Sieh her, ob ich auf dem Weg bin, der dich kränkt, und leite mich auf dem altbewährten Weg!

Mit Gottes Wort vertraut

Schwarzer Anzug, ein Hut auf dem Kopf, einen Gebetsschal um die Schultern, ein Holzschemel als Sitzplatz, das Lesepult vor die Brust gezogen – so sind orthodoxe Juden in ihren Lehrstuben zu finden. Sie haben die uralten Texte aufgeschlagen und murmeln und wiegen sich beim Rezitieren. Was um sie herum passiert, scheinen sie gar nicht wahrzunehmen.

Auf den ersten Blick mögen sie uns wie Wesen aus einer anderen Welt vorkommen. Aber der Verfasser der Einleitung zum Psalmenbuch hätte wohl seine Freude an ihnen gehabt. Er lobt den Mann, der Tag und Nacht das Wort Gottes liest und wiederholt.

Das hört sich nach einem Anspruch an, den niemand erfüllen kann. Tag und Nacht in der Bibel lesen? Wie soll das gehen? Wir haben unseren Alltag zu bestehen. Wir können uns nicht jede Minute in eine andere Welt zurückziehen. Wir müssen schließlich für das Lebensnotwendige sorgen, für uns selbst und für alle, die uns anvertraut sind.

Der Psalmist weiß das. Denn er sagt dem, der Freude an Gottes Wort hat, zu: Alles, was er tut, wird ihm gut gelingen. Es geht also nicht darum, jede Minute in Gottes Wort versunken zu sein. Aber es geht um eine tiefe Vertrautheit mit Gottes Weisung. Wir sollen sie so tief in uns aufgenommen haben, dass sie uns vor Augen steht, was immer wir tun.

Diese Vertrautheit will eingeübt sein. Sie verlangt genauso viel Training wie Leistungssport: möglichst jeden Tag eine Übungseinheit. Wir sind also eingeladen, uns ganz ähnlich wie die orthodoxen Juden in unserem Alltag eine Zeit zu reservieren, in der wir nichts anderes tun, als in der Heiligen Schrift zu lesen und darüber nachzudenken, und vielleicht auch uns mit anderen darüber auszutauschen. Wir dürfen uns ab und zu für ein paar Minuten aus unserer Welt zurückziehen, um dann mitten in der Welt ganz im Sinne Gottes wieder an die Arbeit zu gehen. Wenn wir das tun, gilt uns die Verheißung des Psalms: Wir werden Frucht bringen zur rechten Zeit.

MARTIN FAATZ

Dein Wort ist meinem Fuß eine Leuchte, ein Licht für meine Pfade.

Worauf es ankommt

Auf die Situation kommt es an. Es gibt Dinge, die sind wirklich schwer, nicht nur Stein und Sand. Ein sehr langer Arbeitstag, komplizierte Verhandlungen, die Koordination eines Familienalltags – sie verlangen alle Konzentration. Wenn das, was man sich vorgenommen hat, auch geschafft wird, wenn es dabei auch noch gut gelingt, dann sagt man: Die Anstrengung hat Sinn gemacht. Es stellt sich ein gutes Gefühl ein und man freut sich darauf, daran weiterzuarbeiten.

Aber wie geht es Menschen, wenn da jemand blöd daherkommt? Wenn die Argumente wenig taugen, die gründlichen Vorbereitungen lächerlich gemacht werden, jede Äußerung mit einer Wertung verbunden wird – dann ärgern sie sich und sie bleiben darauf auch noch sitzen, wenn es die Situation nicht zulässt, darüber offen zu sprechen.

Solche Situationen habe ich immer wieder erlebt und ich weiß um die Hilflosigkeit, die mit mir gegangen ist.

Auf die Perspektive kommt es an. Wer alles hat, wird auch klagen, aber am allerwenigsten über Mangel. Unter ihnen gibt es auch welche, die reichlich Empfehlungen haben, was für die gut ist, die weniger haben.

Es gibt genau das Gegenteil, für Millionen von Menschen, auch hier, aber Millionen mehr in Dürregebieten, in Kriegsgegenden, nach Katastrophen. Da ist eine Handvoll Reis Rettung, eine Flasche sauberes Wasser ein Geschenk des Himmels und Regenschauer Hoffnung auf neues Leben. Diese Perspektiven möchte ich mir immer wieder vor Augen halten und vergegenwärtigen, welch ein Segen mir geschenkt ist.

Auf die Erwartung kommt es an. Muss mein Tag genau durchgeplant sein? Gibt es auch Raum für Unvorhergesehenes? Was macht es mit mir, wenn es anders kommt als gedacht? Wie werde ich mit guten Ergebnissen und wie mit traurigen Nachrichten umgehen können? Ab wann weiß ich, dass heute ein guter Tag ist?

HANS-JOACHIM ZOBEL

Gott, lass mich offen sein, wie und wo du mir heute entgegenkommst, lass mich merken, wie und wo du mir die Augen öffnen willst, lass mich darin wachsen, mit Schwierigem umzugehen.

Verstand und Weisheit

Das Wichtige vom Unwichtigen, das Richtige vom Falschen zu unterscheiden, ist oft nicht so einfach, wie es in dieser in Gegensätzen formulierten Spruchsammlung zum Ausdruck kommt; doch gehört diese Anstrengung zu den lebensstiftenden Weisheiten im Leben.

Zumeist wird jedoch einfach nur daran appelliert, sich des gesunden Menschenverstandes zu bedienen. In vielen Situationen ist das immer noch die bessere Lösung, als unreflektiert spontan zu reagieren, als taktisch zu agieren oder unverzüglich eine Antwort parat zu haben. Wenn ein Kind zornig ist oder sich ungerecht behandelt fühlt, dann will es gleich etwas tun, um den Zorn auszuleben oder dem verletzten Gefühl Ausdruck zu verleihen. Gerade in hochemotionalen Situationen ist es gar nicht so einfach, den Verstand ins Spiel zu bringen. Verantwortungsvolle Eltern versuchen mit dem Kind dann zu üben, erst einmal Luft zu holen, eine kleine Pause einzulegen, um Abstand zum unmittelbar Erlebten zu gewinnen. Darin kommt die Lebenserfahrung oder eben auch die Lebensweisheit zum Tragen. Miteinander wird dann die Situation noch einmal angeschaut, noch einmal – nun aber in einer Distanziertheit – das durchgegangen, was erlebt worden ist, um dann mit einer gewissen Klarheit nach vorne zu schauen. So sich seines Verstandes zu bedienen und immer wieder situationsgemäß angemessen zu handeln, so wächst Weisheit im Leben, reiht sie sich Ring um Ring um den Kern des Lebens. Dieses Reifen ist Übung und Geschenk zugleich.

Ich verstehe solche Weisheit wie auch die kluge Abwägung von dem, was wichtig ist, als ein Gottesgeschenk: Sie ereignet sich, wo etwas im Moment aufleuchtet und einleuchtet. Das Teil des eigenen Lebens wird, das es möglich macht, mit neuem Abstand und größerer Gelassenheit den Menschen und sich selbst näher zu kommen und anderen und sich selbst gerechter zu werden.

HANS-JOACHIM ZOBEL

Schenk uns Weisheit, schenk uns Mut für die Zeit, in der wir leben, für die Liebe, die wir geben. Schenk uns Weisheit, schenk uns Mut. Schenk uns Weisheit, schenk uns Mut für die vielen kleinen Schritte. Herr, bleib du in unsrer Mitte. Schenk uns Weisheit, schenk uns Mut.

Gerechtigkeit – Barmherzigkeit – Weisheit

Zu schön, um wahr zu sein? Praktizierte Gerechtigkeit? Wenn es doch immer so ausrechenbar oder so eindeutig wäre, dass auf ein bestimmtes Tun immer ein bestimmtes Ergehen folgt. Wie schön wäre es, wenn der, der Macht hat, diese Macht auch für die Armen einsetzt und alle seine Möglichkeiten nutzt, die Menschen in seinem Herrschaftsgebiet so weit wie möglich Gerechtigkeit erleben zu lassen. Wenn sich Macht und Barmherzigkeit verbünden, wird es vielen viel besser gehen. Das Leben ist dann nicht allein nur Schicksal, der Werdegang nicht nur ein Abbild der Herkunft und die Berufschancen durch die Sozialisation vorhersehbar beschränkt.

Doch es gibt etwa die Verführung, denen nach dem Mund zu reden, die das Sagen haben, sein Fähnchen nach der jeweiligen Windrichtung auszurichten, mit der Strömung zu schwimmen und sich von ihr treiben und tragen zu lassen. Die Frucht der Weisheit ist das nicht. Vielmehr gibt der Schöpfer uns allen gleichermaßen Sehkraft und einen Verstand zum Durchblick. Er hilft die schmeichelhafte Nähe zu denen, die man um des eigenen Ansehens für wichtig hält, zu meiden und er hilft auch, sich nichts von eigenen Schmeicheleien zu versprechen.

Gottes Versprechen ist vielmehr, dass seine Weisungen, die wir von ihm durch sein Wort und durch das Zeugnis der Menschen bekommen, zum Leben helfen in guter Gemeinschaft, mit Achtung der Generationen, der Wertschätzungen dessen, was andere sind, können und haben. Die Weisheit seiner Weisungen und Gebote immer neu zu entdecken, sie mit anderen zu teilen und so das Leben verantwortlich zu gestalten, ist Geschenk und Aufgabe zugleich. Und das heißt für mich: Gott liegt uns mit dem Ruf nach Gerechtigkeit im Ohr, er lädt uns ein, Geschmack an der Barmherzigkeit zu finden und mit der Weisheit in Freundschaft verbunden zu sein.

HANS-JOACHIM ZOBEL

Schenke mir, weiser Gott, den Blick für deine Barmherzigkeit, damit ich dir hierin nachfolge, eröffne mir, großer Gott, die lebensförderliche Welt deiner Weisungen und Gebote, damit wir besser zusammenleben, wecke in mir, langmütiger Gott, die Sehnsucht, das Heil in deiner Gerechtigkeit zu suchen.

Trommelfeuer der Anbetung

Ja, so wünscht man sich das Leben: happy clapping, voll Energie, voller Leben und Lachen! Manchmal hat es das Leben für uns bereit: die großartige, tolle Feier!

Allerdings stutze ich beim Vers 4: Was ist das denn für eine Begründung für den Jubel? Gott »zwingt die Völker unter uns und Völkerschaften unter unsere Füße?« Ich werde hellhörig – wie haben wir diesen Jubel zu verstehen? Etwa ähnlich der Begeisterung, als Deutschland 1914 in den Ersten Weltkrieg zog? Oder ähnlich der Stimmung im Berliner Sportpalast 1943? Ich schaue mir den Psalm ein drittes Mal, ein viertes Mal an. Und finde die eigentliche Botschaft in den Versen 8 bis 10: keine Bejubelung von starken Männern und Soldaten, sondern Bejubelung der Majestät Gottes. Dieser Herr ist so großartig, dass er die vielen unterschiedlichen Völker alle zusammen nimmt und allen gleichermaßen ein guter, gerechter König sein will. Syrer und Russen, Briten und Franzosen, Chinesen und Deutsche werden zusammen gedacht, sind versammelt um diesen einzigartigen Gott. Psalmengesang, geistliche Lieder, keine Chorgesänge auf dem Fußballplatz, die manche als Gegröle erleben. Kein »Ihr da – wir hier«, sondern eine große Gemeinschaft, eine Solidargemeinschaft mit dem Wunsch nach Gerechtigkeit. Wie man sie auch heute erleben kann – beispielsweise in Jugendgruppen, auf Pilgerfahrten, in Lobpreis-Gottesdiensten, oder auf dem Ökumenischen Kirchentag in Frankfurt/Main. Möge Gott solche Erlebnisse segnen! Möge das Leben eine großartige, tolle Feier sein, mitten im Alltag, in den kleinen Begegnungen.

JOST HASSELHORN

Auf und macht die Herzen weit, euern Mund zum Lob bereit! Gottes Güte, Gottes Treu sind an jedem Morgen neu. Gottes Wort ruft Freund und Feind, die sein Geist versöhnt und eint. Gottes Güte, Gottes Treu sind an jedem Morgen neu.

Gottes Wider-Sprüche – Einsprüche des Lebens

Von Sprüchemachern halten wir üblicherweise wenig, ein Spruch erscheint uns oft nicht wirklich ernst gemeint. Und ehrlich gesagt: Den Namen Agur habe ich noch nie zuvor gehört. Ich weiß auch nicht, wer Jake war und wo Massa liegt. In meiner Tradition ist das biblische Buch der Sprüche eher beiseitegelassen worden. Dabei sind es Kraftworte der Lebensweisheit! Keine paulinische Theologie, sondern sinnliche Bilder und einfache Einblicke in das Wesen des Menschen.

Ja, ich kann selbstverständlich blättern oder im Internet recherchieren: »Agur« ist der Sammler, der aus dem Schatz seiner gesammelten Erfahrung heraus Ermahnungen gibt. Und der nicht zu groß von sich denkt: »Weisheit habe ich nicht gelernt und Erkenntnis des Heiligen habe ich nicht.« (V. 3) Aber seine Fragen verstehe ich sofort, ohne Nachschauen: »Wer ist hinaufgefahren zum Himmel und wieder herab? Wer hat den Wind in seine Hände gefasst? Wer hat die Wasser in ein Kleid gebunden? Wer hat alle Enden der Welt bestimmt? Wie heißt er? Und wie heißt sein Sohn?« (V. 4) Meine Mobilität ist klasse, aber zum Himmel aufgefahren bin ich noch nicht. Ich greife nur ins Leere, wenn ich den Wind zu packen versuche. Ich kann den Wellengang des Meeres nicht beruhigen und dem Ozean ein Kleid anziehen. Die Enden der Welt – ich weiß nicht, wo sie liegen. Aber möglicherweise weiß ich den Namen seines Sohnes. Jesus von Nazareth.

So ist Gottes Wort »im Feuer geläutert«; und kann zum Schild werden für die, die Vertrauen auf ihn setzen. Dann sind die Sprüche auch Wider-Sprüche und Einsprüche Gottes.

Und ich kann mich entscheiden, nicht zu dem »Geschlecht zu gehören, das seinen Vater flucht und seine Mutter nicht segnet«. Ich dünke mich nicht rein, ich weiß, dass ich von meinem Schmutz nicht gewaschen bin – aber ich hoffe auf die Reinheit durch Christus Jesus! Ich wünsche mir eine Welt, in der die Menschen keine Schwerter als Zähne haben und keine Messer als Backenzähne. Eine Menschheit, die nicht »verzehrt die Elenden im Lande und die Armen unter den Leuten«. Machen wir uns auf den Weg!

JOST HASSELHORN

Herr, dein Wort sei meines Fußes Leuchte, ein Licht auf meinen Wegen! Ein Wegweiser durch das Chaos der Gefühle, eine Orientierung im Alltag!

Weisheit der Mutter

Ja, auch den Namen Lemuel habe ich noch nie wahrgenommen. Ein biblischer Name, der aber nur an dieser Stelle der Bibel vorkommt. Lemuel – »Gott ergeben«. In Amerika ist der Name präsenter, dort werden Kinder auch noch heute »Lemuel« getauft.

Mich berührt das: diese klare Sicht auf die Unvereinbarkeit von Verantwortung und Betäubung. Diese mütterliche Weisung an das Kind. Das Kind, das die Mutter sich so gewünscht hatte (ein »erbetener Sohn«): Wer Recht schaffen muss für andere, sollte einen klaren Kopf behalten!

Vor meine Augen und an meine Ohren kommen ja andere Signale und Bilder. Menschen mit hoher Verantwortung »brauchen« den Kick, und Alkohol ist eine gesellschaftlich anerkannte Droge. Es ist nicht nur ein Jelzin, der auf diese Art der »Stärkung« setzte. Der Deutschen Hauptstelle für Suchtfragen (DHS) zufolge sind 1,3 Millionen Menschen hier zu Lande alkoholabhängig, doppelt so viele Männer wie Frauen. Ganz zu schweigen von anderen Abhängigkeiten von Medikamenten, Kokain, Ecstasy und weiteren Substanzen.

Was lehrte die Mutter Lemuels den König?

Betäubungsmittel und Drogen und Alkohol sind für die Wehrlosen, die Schwachen: ein billiger Trost für die, die nicht mehr viel Verantwortung übernehmen können. »Gebt Bier denen, die am Umkommen sind, und Wein den betrübten Seelen, dass sie trinken und ihres Elends vergessen und ihres Unglücks nicht mehr gedenken!«

Und für diese Elenden hast du einen Auftrag: »Tu deinen Mund auf für die Stummen und für die Sache aller, die verlassen sind.« Lass deine Stimme hören zugunsten der Menschen am Rande der Gesellschaft: Arbeitslose, Kranke, Geflüchtete, Alleinerziehende. Auch wenn du vielleicht kein König bist – lass dich ein auf diesen Auftrag Gottes und handele mit klarem Kopf, königlich!

JOST HASSELHORN

Ach, dein Lebensgeist durchdringe, Gnade, Kraft und Segen bringe deinen Gliedern allzumal, wo sie hier zerstreuet wohnen unter allen Nationen, die du kennest überall.

Auf Gott ist Verlass – trotz allem

So viel Selbstbewusstsein in Glaubensangelegenheiten wünschte ich auch mir. Gleich zu Beginn die doppelt positive Eröffnung, was Gott für ihn ist: Licht/Heil und Lebenskraft. Ach, könnte ich das doch auch so souverän sagen! Und als ob das nicht schon genug Statement wäre, mündet dieser Auftakt in zwei Fragen: Vor wem oder was sollte er sich fürchten oder grauen? Die Frage ist natürlich rhetorisch gemeint: Was auch immer im Leben geschehen mag – es kann keineswegs das Vertrauen auf Gott erschüttern. Da strotzt einer nur so vor Gottvertrauen.

Im weiteren Verlauf klingt der Psalmbeter nicht mehr so großspurig. Und plötzlich spricht er mir aus der Seele, wenn auch er nicht so genau weiß, wie er die Ungewissheiten des Lebens aus der Perspektive des Glaubens eigentlich deuten soll. Der Tenor jetzt: Gott möge auch in Krisenzeiten ein verlässlicher Ansprechpartner bleiben. Das ist der Realismus des Glaubenden, den auch ich kenne: zu hoffen, dass unterm Strich das Gute überwiegt.

Mir gefällt die Leidenschaft, mit der der Psalmdichter spricht. An einer Stelle sogar mit besonderer Finesse. Er versucht nämlich, Gott bei der Ehre zu packen. Frei übersetzt: »Du, Gott, willst doch, dass ich dir vertraue. Jetzt tue ich es.« Er muss gar nicht mehr sagen, was sonst passieren würde: »Wenn du mir jetzt nicht beistehst, dann ...« Das ist die Glaubenszuversicht, die auch mir Mut macht: zu vertrauen, dass es am Ende gut ausgeht.

Und wenn nicht? Dann hilft vielleicht ein Wort des evangelischen Theologen und Märtyrers Dietrich Bonhoeffer: »Ich glaube, dass Gott uns in jeder Notlage so viel Widerstandskraft geben will, wie wir brauchen. Aber er gibt sie nicht im Voraus, damit wir uns nicht auf uns selbst, sondern auf ihn verlassen.«

UDO HAHN

Von Gott will ich nicht lassen, denn er lässt nicht von mir, führt mich durch alle Straßen, da ich sonst irrte sehr. Er reicht mir seine Hand, den Abend und den Morgen tut er mich wohl versorgen, wo ich auch sei im Land.

Einführung zur Apostelgeschichte S. 413 ff.

Je suis Gottlieb

Wer dem Bibelleseplan folgt, liest in diesem Jahr etwa die Hälfte der Zeit Lukas. Schon 2020 beginnend, begleitete Lukas nicht nur die großen Zeiten Weihnachten, Karwoche und Ostern, sondern auch die Alltagsstrecken dazwischen. Ab heute folgt die Apostelgeschichte. Sie beginnt mit der Himmelfahrt Christi, die Pfingsten mit den Worten »Ihr werdet die Kraft des Heiligen Geistes empfangen« vorbereitet.

Mit der Apostelgeschichte setzt der Schriftsteller Lukas, der von sich in der Ich-Form spricht und einen »lieben Theophilus« anspricht, sein Erzählwerk fort. Seine biographische Identität ist ungeklärt, während seine theologische Identität als die eines Theologen der Heilsgeschichte zu fassen ist. Für Lukas ist es konstitutiv für das Evangelium, dass es allen Völkern gilt (Lk 24,47) und seine Zeugen die letzten Winkel der Erde erreichen werden (Apg 1,8). Insofern ist der hochgeehrte (Lk1,3) und liebe (Apg 1,1) Theophilus eher nicht als der Name eines einzelnen Lesers zu verstehen, sondern als Anrede all derer, die die Lukas-Bücher lesen. Denn sie erweisen sich durch ihr Interesse als »theophil«, als gottliebend. Der alte Vorname Gottlieb ist die deutsche Übersetzung des griechischen Theophilus.

Am Ende des Lukasevangeliums war die Auferstehung mit der Ankündigung der »Kraft aus der Höhe« und einer sehr kurzen Zusammenfassung des Himmelfahrtsgeschehens abgerundet worden. Am Anfang der Apostelgeschichte wird beides – die Ankündigung der Kraft des Heiligen Geistes und die Himmelfahrt – zur ausführlichen Eröffnung der Erzählung, die den Weg des Evangeliums in die Welt hinaus mitgeht. Geographisch führte dieser Weg vom galiläischen Rand des Römischen Reiches nach Kleinasien und Griechenland, danach bis nach Rom, das als Zentrum der damaligen Welt galt. Heilsgeschichtlich bestätigte sich für Lukas mit diesem Weg, dass das Heil Gottes in Jesus Christus allen Menschen gesandt ist, die sich dafür öffnen und sich heilen lassen.

EVI JOBST

Gott, gib mir das Vertrauen, mich für dich zu öffnen und mich von dir heilen zu lassen.

Warum zwölf?

Lukas erzählt, wie Gottes Projekt trotz tiefgreifender Rückschläge vorangeht. Mit Klagesätzen und Verwünschungen aus verschiedenen Psalmen wird das Geschehen gedeutet. So findet der Verrat durch Judas seinen Platz: Er führt zum Guten. Denn ohne Verrat keine Kreuzigung, ohne Kreuzestod keine Auferstehung.

Durch den Tod des Judas war in der Runde der Apostel eine Lücke entstanden. Es war wichtig, sie sofort zu schließen, damit sie wieder »die Zwölf« waren. Die Zwölfzahl stellte die Apostel in einen umgreifenden Bedeutungszusammenhang. Dieser reichte zurück über die zwölf Stämme Israels bis zu den zwölf Söhnen Jakobs und würde – was Lukas nicht wissen konnte – seine Vollendung im himmlischen Jerusalem finden, dessen Maße alle auf der Zahl zwölf basieren und auf dessen Toren zwölf Engel stehen (Offb 21).

Die Zwölf ist auch in der Bibel eine symbolisch hoch aufgeladene Zahl. Beim Vergleich der Aufzählungen der Apostelnamen in den Evangelien ergeben sich interessante Beobachtungen. Markus nennt bei den von Jesus berufenen Jüngern 13 Namen, bei der Aussendung als Apostel sind es dann »die Zwölf«. Lukas und Matthäus nennen jeweils 12 Namen, aber bei Lukas ist ein zweiter Judas darunter, der Sohn des Jakobus, während bei Matthäus ein Thaddäus genannt wird. Johannes nennt nur einige Jüngernamen, zusammen werden sie als die Zwölf bezeichnet und angesprochen. Es geht also nicht um die Jünger als Individuen, sondern um das Besondere, das die Zwölf in der Bibel und damit in Gottes Plan in sich trägt.

Auch Matthias' Wahl gibt das zu erkennen. Es ist leicht nachzuvollziehen, dass die Apostel die Lücke mit einem schließen wollten, der wie sie mit Jesus unterwegs gewesen war und mit ihnen nun Zeuge der Auferstehung sein könnte. Dieses Auswahlkriterium und die Auswahl selber belegen aber, dass es sich schon damals nicht um zwölf an der Zahl, wohl aber um »die Zwölf« im symbolischen Sinn gehandelt hatte.

EVI JOBST

Gott, auch in unserem Leben geschehen schlimme Dinge, die wir nicht verstehen. Hilf uns, einen Sinn darin zu erkennen. Sie sollen doch nicht umsonst gewesen sein.

Gottes Geist – Verstehen wird möglich

Das Evangelium muss in die Welt hinaus. Wie aber soll das gehen, wenn doch so viele verschiedene Sprachen auf der Welt gesprochen werden? Wie sollen die Menschen die Apostel verstehen, die doch nur Aramäisch sprechen?

Was da in Jerusalem am Tag des Wochenfestes geschieht, ist das große Versprechen, dass Gott selber die Sprachbarrieren überwindbar machen wird. Wie die Auferstehung Christi das Versprechen der Auferstehung aller in sich trägt, so das Jerusalemer Ereignis das Versprechen: Das Evangelium wird verstanden werden, egal welche Sprachen die Menschen sprechen, denen es verkündet wird. Gott selber wird dafür sorgen.

Der Neutestamentler Gerd Theißen weist darauf hin, dass die Glossolalie, bei der Laute und Artikulation der Sprache anders benutzt werden als normalerweise, im Urchristentum durchaus verbreitet war. Paulus suchte nach Wegen, wie sie konstruktiv in das Gemeindeleben eingebunden werden könnte. Für Lukas und seine Leser sind das Brausen und die herabschwebenden Feuerzungen eindeutige Hinweise darauf, dass in der Zungenrede der Apostel und im Verstehen ihrer Zuhörer der Geist Gottes wirksam ist. In Jerusalem jedoch sind Entsetzen und Ratlosigkeit auf der einen Seite, Unverständnis und Spott auf der anderen die ersten Reaktionen. Die Feier des Wochenfestes ist traditionell nicht der Rahmen außergewöhnlicher, unmittelbar religiöser Erfahrungen, bei denen solch extremes Sprechen zu erwarten wäre.

In diesem Zusammenhang sei allerdings daran erinnert, dass auch in anderen Ausnahmesituationen extreme Sprechformen ihren Platz haben, die in moderaten Situationen inakzeptabel erscheinen – so z.B. Schluchzen, Stammeln, Schreien, Stöhnen, Wimmern, Gellen. Glossolalie ist nach heutigem Kenntnisstand nicht krankhaft oder eine Spezialität ausgegrenzter Gruppen, sondern ein Spiel mit Sprachmöglichkeiten außerhalb des Alltäglichen.

EVI JOBST

Gott, hilf uns, dass wir miteinander reden statt übereinander. Hilf uns, dass wir zuhören statt weghören. Dass wir die richtigen Worte finden und manchmal auch andere Wege zum anderen.

Was war das?

Man könnte meinen, das Entscheidende sei bereits geschehen: pfingstliches Brausen und Sausen, Stürmen und Lallen, Bewegung, die alle erfasst und mitreißt. Jetzt beginnt das Übliche: Einer steigt auf die Kanzel und predigt.

Man könnte auch sagen: Das Entscheidende geschieht jetzt, die Deutung. Erst die Deutung entscheidet, welche Rolle das Erlebte spielt. War es ein Rausch, der einen für eine Weile emporhob, kurz von der Erdenschwere befreite und mehr oder weniger sanft landen ließ? Oder Euphorie, in die man sich selbst hineinpuschte, oder ein Lallen von denen, die verzweifelt, weil ihr Retter abhandenkam, im Suff ihr Heil fanden. Der Kampf um die Deutungshoheit setzte sofort ein.

Christen führen ihn von Anfang an mit der Bibel in der Hand, besser gesagt: die Bibel im Herzen, by heart, wie Engländer das bezeichnen, was angeeignet ist. Die Zeugen des Pfingstwunders erkennen im Erlebten wieder, was Joel vorhergesagt hat: Spuren von Gottes Geist. Der findet plötzlich Eingang in ganz viele Menschen. Als ob die Membran zwischen Gott und Mensch feine Löcher erhält, der Himmel hineinträufelt ins Leben, und die Leute auf der Straße sensibel werden für Gott sowie Träume, Gesichte haben von ihm und seinem Reich.

Das ist kein Event, kein Hype, der entsteht und vergeht, sagt Petrus und deutet weiter mit Joel: Das ist eine unumkehrbare Bewegung. Mit diesem Ereignis beginnt die Phase, die auf das Ende zu läuft, auf den Tag des Herrn, auf unsere Rettung. In dieser Phase leben wir. Der Tag heute? Hoffentlich löchrig, dass etwas hineintröpfelt von Gottes Geist.

CHRISTINE JAHN

Heiliger Geist, du bist im Himmel und erfüllst die Erde, du bist überall zugegen, und nirgends kennst du Schranken. Du wohnst in jedem Menschen und bist ganz Gott. Wir bitten dich: Nimm in unseren Herzen Wohnung, und verlass uns zu keiner Zeit.

Mit der Bibel in der Hand

Mit der Bibel in der Hand wird nicht nur das Pfingstgeschehen gedeutet, sondern auch Ostern, die Auferweckung Jesu Christi. Die Rede davon stand ja auf tönernen Füßen, eher ein Gerücht als eine Nachricht, verbreitet von einigen Frauen und Männern, die in der Öffentlichkeit wenig galten.

Noch mangelte es ihnen an Ansehen, das noch nie Dagewesene zu bezeugen: den Sieg über den Tod. Sie müssen sich auf die Autorität der Heiligen Schrift beziehen. Wenn darin Ostern in Aussicht gestellt ist, dann wird glaubwürdig, was sie sagen: Der Herr ist wahrhaftig auferstanden.

Petrus wählt Psalm 16 als Predigttext, legt ihn aus und findet in seinen Versen die Auferweckung des Christus verheißen: Der, der Gott heilig ist, wird nicht die Verwesung sehen.

Den heutigen Fachleuten erscheint diese Interpretation an den Haaren herbeigezogen sein. Aufgrund ihrer Kenntnisse sagen sie, im Alten Testament gäbe es die Hoffnung auf die Auferweckung von den Toten noch gar nicht. Der Beter des Psalms spräche von der Bedrohung durch den Tod, vor der Gott ihn hoffentlich errettet, nicht vom Leben nach dem Tod. Auch ist aufgezeigt, dass die Worte nicht von König David stammen.

Das stimmt. Mit der Bibel in der Hand können wir ohnehin keine Beweise erbringen. Trotzdem hilft der Psalm dabei, zu deuten, was am dritten Tag geschah: Gott ist sich treu geblieben. Er gibt das Leben seiner Menschen nicht preis. Wie auch immer uns die »Wehen des Todes«, sein alles zerreißender Schmerz, angreift, Gott steht mir zur Rechten, ist machtvoll an meiner Seite in meiner letzten Stunde und bei allem, was mich heute ins Wanken bringt.

CHRISTINE JAHN

Bleib mir vor Augen, mein Herr, Jesus Christus, auferweckt von den Toten. Gib mir ein fröhliches Herz, eine Zunge, die frohlockt, einen Leib, der in Hoffnung ruht. Erfülle mich mit Freude, denn du hast mir kundgetan die Wege des Lebens.

Pfingsten geht es um Ostern

Anfangs war der 50. Tag nach Ostern nichts weiter als der Tag, mit dem die Osterzeit festlich abgeschlossen wurde. Sie war vom immerfort angestimmten Halleluja geprägt, von der Freude über die Auferstehung Christi und vom Jubel über das neue Leben. Pfingsten war die Erfüllung der Osterwochen.

Erst mit der Zeit setzt sich der Brauch durch, am 8. Sonntag nach Ostern der Himmelfahrt Christi und der Geistausgießung zu gedenken. Inzwischen ist der ursprüngliche Zusammenhang fast vollständig aufgelöst. Ostern geht es um Christus, Pfingsten um den Heiligen Geist. Die Maibäume ersetzen die Osterkerze, die kirchliche Sehnsucht nach Begeisterungsstürmen ersetzt das ungläubige Staunen über das leere Grab.

Petrus, bzw. der Autor der Apostelgeschichte, sieht es anders. Petrus' Pfingstpredigt ist eine Osterpredigt. Der ganze Wirbelsturm, der plötzlich durch Jerusalem fegte, Jesusanhänger und Jesusskeptiker, Einheimische und Gäste ergriff, mündete in den Satz: »So wisse nun das ganze Haus Israel gewiss, dass Gott diesen Jesus, den ihr gekreuzigt habt, zum Herrn und Christus gemacht hat.« (V. 36)

Ungeheuerliches ist geschehen: Der, dem die Leute nichts mehr zugetraut haben, den hat Gott an seine Seite gesetzt. Auf den nur noch die Verwesung wartete, den hat er zum Herrn über alles gemacht. Und wir werden hineingesogen in diese Dynamik. Uns zieht Christus mit sich, dereinst aus dem Grab, jetzt aus einem lieb- und leblosen, fried- und trostlosen Dasein. Der Pfingstgeist macht Ostern in uns lebendig.

CHRISTINE JAHN

Gott, Heiliger Geist, mein einziger und ewiger Trost, besitze und bewohne mein Herz. Bewahre mich wie deinen Augapfel, beschirme mich unter dem Schatten deiner Flügel, segne und erleuchte mich. Tröste mich in meiner letzten Not. Nimm meine Seele zu dir. Erwecke meinen Leib am Jüngsten Tag zur ewigen Freude, und lass mich deine Herrlichkeit sehen ewiglich.

Pfingsten – Feuer und Flamme

Feuer und Flamme sind mindestens 3000 Menschen in Jerusalem. Sie lassen sich anstecken von den Predigten der verschiedenen Apostel. Jetzt also los. Was sollen wir tun?

Pfingsten ist kein revolutionärer Aufruf zum gewaltsamen Umsturz, sondern nur die Aufforderung: »Tut Buße«, also »Verändere dein eigenes Leben«; und »Lass dich taufen«, und zwar »auf den Namen Jesu«. Das ist neu, das ist revolutionär.

Nicht nur den Juden gilt jetzt die Verheißung der Liebe und Gnade Gottes, sondern durch Jesus und den Heiligen Geist »allen«, auch denen, »die fern sind«. Das Sprachwunder hat die Öffnung der Liebe Gottes für alle Völker schon angedeutet. Aber noch ist man in Jerusalem, noch sind alle Beteiligten Juden mit der speziellen Erkenntnis, dass in diesem Jesus von Nazareth, der gekreuzigt wurde, der von Gott versprochene Retter und Messias gekommen ist – eben anders als erwartet. Um dies zu erkennen, braucht es Gottes Geist, Gottes Wirken.

3000 lassen sich anstecken von der Begeisterung der Zwölf. Es sind nicht alle der damals ca. 25–30000 Bewohner Jerusalems, aber doch welche mit Ausstrahlungskraft.

Was Lukas hier bezeugt, ist der Anfang einer Bewegung, eines Flächenbrandes, der zuerst das römische Reich und dann die Welt verändert hat.

Anfangsbegeisterung schwingt in diesen Worten mit, Lukas erinnert Jahrzehnte später daran, wie das war am Anfang, und er idealisiert ein wenig. Aber eben nicht alle, nur die, »die das Wort annehmen«, werden hinzugefügt. Gott hat das in der Hand. Wie wichtig waren die wenigen damals. Die große Zahl beeindruckt, aber sowohl bei Jesus, als auch bei den Aposteln haben nur wenige ihr Leben verändern lassen. Aber die, die es tun, sind Salz und Licht für die Welt (Matthäus 5,13f.), sie gehen los und stecken andere an.

HARTMUT MILDENBERGER

Gott, stärke die Christenheit in aller Welt. Gib deinen Geist. Kehre die Herzen der Menschen zu dir. Lass auch mich Licht sein für deine Welt.

Pfingstmontag – und was bleibt

Die ersten Christen sind Juden. Täglich beten sie im Tempel, dazu bildet sich eine eigene Gottesdienstform aus. Man feiert Abendmahl/Eucharistie. Das hat Jesus selbst angeordnet. »Das tut zu meinem Gedächtnis.« Diese Form des Gottesdienstes blieb erhalten – auch nach der Zerstörung des Tempels, die Juden treffen sich in der Synagoge, die Christen in den Häusern.

Und dazu gehört Gesang. Sie loben, sie singen Gott (V. 47). Kirchenmusik ist elementar. Wo gesungen wird, da lass dich ruhig nieder. Wo Musik die Menschen trifft, da kommen die Leute dazu.

Aber noch mehr ist anziehend. Sie geben etwas ab von sich und haben alles gemeinsam. In Naherwartung der Wiederkunft Christi kommt es nicht mehr aufs Haben, sondern aufs Teilen an. Diese spezielle innerjüdische Sekte hat etwas Sektiererisches. Wo bleibt die Vernunft, wo bleibt die persönliche Vorsorge? Jesus sagt: »Was sorgt ihr euch um Essen, Trinken, Anziehen, euer himmlischer Vater weiß, dass ihr das alles braucht.« Uns Vernünftigen und Abgeklärten ist da Gottvertrauen verlorengegangen. So ging es wahrscheinlich den Gemeinden, für die Lukas schreibt. Deshalb erinnert er an die ideale Urzeit, und er verklärt etwas, wie sich bald zeigen wird.

Aber lassen Sie uns doch diese Ideale nicht einfach verlieren: Lassen Sie uns ab und zu unvernünftig sein vor Begeisterung und Gottvertrauen.

Lukas überliefert vier Merkmale, die sich bewährt haben. Sie blieben beständig (!): 1. im Lehren und Lernen. Die Christenheit ist und bleibt eine Lerngemeinschaft, wo einer vom andern lernt. 2. in der Gemeinschaft. Einer nimmt Anteil daran, wie es dem anderen geht. Jugendmitarbeiter sagen: »Einfach zusammen chillen.« 3. im Brotbrechen – Gottesdienst feiern mit Abendmahl/Eucharistie und Essen sowieso. 4. in den »Gebeten«. Feste Gebetszeiten sind damals gemeint und sind auch für uns heute noch hilfreich. Das bleibt und trägt – auch heute und nach Pfingsten.

HARTMUT MILDENBERGER

Herr, stärke die Gemeinde hier vor Ort. Sei bei den Gruppen und Kreisen, die sich treffen. Erfülle die Gottesdienste mit deiner Gegenwart. Gib gute Musik.

Ein Groschen hätte gereicht!

Gerade ist sie in Kur an der Ostsee. Und danach wird sie – an Leib und Seele gestärkt – den neuen Job antreten. Weniger Geld, aber mehr Zufriedenheit erwarten sie. Und dann bleibt nur noch ein einziger Wunsch offen: eine neue, wohltuende Beziehung.

Es war ihr ergangen wie dem Lahmen vor der Schönen Pforte: Jahrelang war sie zur Arbeit gegangen. Hatte nichts erwartet, als dass der Tag erträglich vorbeigeht. Von Tag zu Tag hatte sie sich gehangelt in der Hoffnung, die Lähmung würde wenigstens nicht schlechter werden. Aber dann kamen diese hartnäckigen Grippen und die Stimme wurde nicht besser. Das Kreuz machte ihr zu schaffen. Sie konnte morgens nicht mehr aufstehen und war völlig gelähmt, wenn sie nur an die Arbeit dachte. Irgendwann begriff sie, dass ein handfester Burnout sie am Boden hielt, und ließ sich krankschreiben.

Unglaublich schön wird es in der biblischen Geschichte beschrieben, wie Petrus dem Lahmen, der nichts anders will als ein Almosen für diesen Tag, in die Augen blickt. Er merkt schnell: Geld wird diesem Mann nicht helfen und nicht aus seiner Lähmung befreien. So sehr er auch darauf hofft. »Gold und Silber habe ich nicht.« Meine Güte, ein Groschen, ein bisschen Kupfer hätte ja schon gereicht! Aber Gott hat mehr vor mit diesem Mann. Das lässt Petrus hier schon gleich durchblicken. »Im Namen Jesu: Steh auf und geh umher!« Gott schenkt durch Petrus die Fülle der Befreiung.

Schade eigentlich, dass wir uns oft mit dem alltäglichen Almosen zufriedengeben – bei uns selbst, aber auch bei anderen. So manches Wunder geschieht mitten im Alltag, wo ich es am wenigsten erwarte. Endlich kann der Mann an der Schönen Pforte hineingehen in den Tempel und Gott durch sein Springen und Tanzen loben! Was ihm jahrelang verwehrt blieb, wird jetzt im Namen Jesu Realität.

Verlassen wir uns doch darauf, dass Jesus Christus alle Lähmung abschaffen will. Und so bete ich für den letzten Wunsch meiner Bekannten.

ANNE OBERKAMPF

Jesus Christus, vergib uns, wenn wir oft zu wenig von dir erwarten. Ich weiß: Du willst uns die Fülle schenken und uns befreien.

Skurrile Anklage im Tempel

Kennen Sie das Spiel »black storys«? Auf einer Spielkarte wird etwas geschildert und man muss herausfinden, wie es dazu kam. Zum Beispiel: »Marie ging in ein Geschäft und kaufte sich neue Schuhe. Am Abend musste sie dafür sterben.« Die Lösung ist: »Marie war die Frau eines Messerwerfers. Ihre neuen Schuhe hatten höhere Absätze als die alten. Mit verbundenen Augen konnte ihr Mann, den sie überraschen wollte, den Höhenunterschied nicht sehen und warf die Messer in gewohnter Höhe.« Skurril, oder?

Etwa so skurril muss den Leuten im Tempel der Auftritt der Apostel vorgekommen sein. Da war doch dieser Bettler, den man als Gelähmten kannte. Und plötzlich sprang der durch den ganzen Tempel. Und er hielt sich an zwei Männer, die ihn wohl geheilt hatten. Skurril genug. Weiter: Diese zwei waren keine Unbekannten. Sie waren Freunde dieses Jesus gewesen, der vor kurzem wegen Gotteslästerung getötet worden war. Seine damals untreuen Anhänger hielten jetzt große Reden mitten im Tempel.

Und was der Sache die Krone aufsetzte: Sie hatten nicht nur die Unverschämtheit, zu behaupten, dass es Jesus war, der den Gelähmten geheilt hat, sondern erhoben bei dieser Gelegenheit auch gleich Anklage gegen die Besucher im Tempel. Sie hätten statt Jesus einen Mörder freigelassen und hätten Pilatus gegen seinen Willen zur Verurteilung bewogen. Als ob diese braven Leute, die zum Mittagsgebet gekommen waren, alle dabei gewesen wären bei dem Tumult um die Verurteilung des Jesus! Und selbst wenn ein paar dabei waren ... wie skurril jetzt hier, mitten im Tempel, am hellen Tag dafür angeklagt zu werden. Sollten die zwei sich nicht lieber fürchten? Das nächste Kreuz könnte für sie sein.

Eine skurrile Situation aus Sicht der Tempelbesucher dieses Tages. Aber: Sie sehen den Geheilten. Sie sehen den Mut der Jesus-Anhänger. Und sie werden unfreiwillig Zeugen davon, wie groß die Kraft Jesu Christi ist. Egal, wie skurril moderne Menschen heute Jesus und die Kirche finden: Lasst uns daran arbeiten, dass sie sich wundern und die große Kraft Gottes in ihrem Umfeld sehen.

ANNE OBERKAMPF

Jesus Christus, zeige dich in unserer Welt!

Worin sind Juden anders zu bewerten?

Der Antisemitismus nimmt zu in unserem Land. Dr. Michael Blume, der Beauftragte für solche Fragen in Baden-Württemberg, geht davon aus »dass der Judenhass sich verfestigen und zu einer bleibenden Bedrohung werden wird« (Heilbronner Stimme, 7.9.2019). Das Internet und soziale Medien spielen eine große Rolle, meint er. Eine schlimme Entwicklung. Die Kirche hat bei der Hetze auf Juden durch die Jahrhunderte keine gute Rolle gespielt. Oft hat man sich auf die Evangelien berufen. Auch der Anfang der Petrusrede scheint dem in die Karten zu spielen. Unser Abschnitt heute lehrt uns etwas anderes. Petrus hält eine klassische Umkehrpredigt.

Mit persönlicher Anrede richtet er sich an die Juden im Tempel: »liebe Brüder« (V. 17). Er erinnert sie daran: »Ihr seid die Söhne der Propheten und des Bundes, den Gott geschlossen hat mit euren Vätern.« (V. 25) Seine Argumentation speist sich ganz und gar aus Belegen aus dem Alten Testament: Mose, die Propheten, Abraham. Petrus wirbt richtiggehend bei seinen jüdischen Zuhörern um ... Um was? Um Umkehr. So viel schiefgelaufen ist, so sehr sollen sich die Menschen besinnen und neu mit Jesus Christus anfangen. Das ist sein Werben an die Juden im Tempel. Er hatte Erfolge mit seiner Rede. Einige Juden bekehrten sich zum Christentum, das ja nichts anderes sein wollte als eine innerjüdische Reformation. Dass sich der größere Erfolg später bei den Heiden einstellte, ist gleichzeitig Fakt.

Aber, liebe Brüder und Schwestern aus allen Kirchen und Gemeinden, ist nicht eines in unserer Überzeugung für alle nötig? Egal ob Juden oder Heiden, Evangelische, Katholische, Freikirchliche, Orthodoxe: die Umkehr und der Glaube an Jesus Christus als Herrn und Erlöser. Worin sind also die Juden anders zu bewerten als die vielen Atheisten und Menschen, die sich nicht so richtig entscheiden können? Wenn die Kirche und ihre Christen vergessen, dass ihre Wurzel das Judentum ist, dann haben sie sich selbst abgeschnitten von der Verheißung des Mose und des Abraham. Denn es gilt, dass Gott für die Juden zuerst (V. 26!) den Christus erweckte, dass sie sich bekehren und in ihm den Messias sehen. Bis heute.

ANNE OBERKAMPF

Jesus Christus, du bist mein Herr und Erlöser.

Eine unbequeme Wahrheit

Da haben sie sich was eingehandelt, die beiden Jünger. Die Heilung mitten im Tempel geht ja noch, aber dann auch noch öffentlich reden über etwas, das die Tempelbehörden nicht so gerne hören? Das können die Behörden nicht zulassen.

Der Glaube an die Auferstehung an sich ist nicht das Problem, aber dass ausgerechnet dieser Jesus Grund für diesen Glauben sein könnte, ist anstößig. Ein am Kreuz Gehängter kann in ihren Augen nicht der Messias sein, für den Petrus und Johannes ihn halten. Ein von Gott Verstoßener kann für sie nicht der Retter sein, auf den sie hoffen.

Doch Petrus dreht den Spieß um und beruft sich auf den 118. Psalm. »Der Stein, den die Bauleute verworfen haben« – der ihnen zu unwichtig und untauglich erschien, zu nichts nütze, wegzuwerfen – »ist zum Eckstein geworden«, das heißt: Er ist nun der zentrale Stein, der alles zusammenhält und sichtbar den höchsten Platz einnimmt. Hier findet eine Umkehrung der Maßstäbe statt: Die Niedrigen werden erhöht, die Lahmen gehen, die Stummen sprechen und die Toten stehen auf.

Darum wird der Gelähmte in der Kraft des Auferstandenen geheilt. Auch er steht für die Steine, die »die Bauleute wegwerfen« – und das gilt bis heute. In einer Gesellschaft, in der Leistungsfähigkeit, Schnelligkeit und Funktionieren an der obersten Stelle stehen, haben Menschen, die diesen Maßstäben nicht genügen, keinen Platz. Für Gott aber gilt das gerade nicht. Er kehrt die Maßstäbe um: bekennt sich zu dem Verfluchten, weckt den Toten auf und stellt den am Boden Liegenden aufrecht hin.

Auf diese Kraft der Auferstehung zu vertrauen und sich darauf einzulassen, dass für Gott andere Maßstäbe gelten – das kann unbeliebt machen. Denn es stellt in Frage, woran wir uns so gewöhnt haben. Kein Wunder, dass man das – bis heute – nicht hören will.

CHRISTIANE QUINCKE

Heiliger Geist, hilf mir, auf dich zu vertrauen. Öffne mir die Augen, wo ich mich blenden lasse vom Recht der Starken, der Leistungsträger und der Funktionierenden. Lass mich eintreten für die, die gering geachtet werden, und erkennen: In ihnen begegnet mir mein Bruder Jesus.

Den Mund aufmachen – gerade dann

Man versucht es immer wieder: Menschen zum Schweigen zu bringen. Ob es Autoritäten sind, die Angst vor Machtverlust haben, oder einfach Menschen, die es nicht aushalten, dass eine Botschaft überzeugend sein könnte. Manchmal wird sogar das Grundrecht auf Meinungsfreiheit extra bemüht, um besonders »anstrengenden« Botschaftern und Botschafterinnen einen Maulkorb zu verpassen: Nach der Devise »das wird man ja wohl noch sagen dürfen« werden Klimaaktivistinnen mit Autostickern beschimpft oder Rundfunkredakteure mit einem »Shitstorm« überzogen – mit dem Ziel, dass die Aktivistinnen und Redakteure ihre Meinung für sich behalten.

Die Religionsbehörden gehen gegen Petrus und Johannes diplomatischer und höflicher vor. Den Erfolg der beiden können sie jedoch nicht ungeschehen machen und ihr Bekanntheitsgrad gibt ihnen zusätzlich einen gewissen Schutz. Darum müssen sie letztlich aufgeben: Sie versuchen zwar, ihnen die christliche Verkündigung zu verbieten, aber es gelingt ihnen nicht – auch wenn sie es nochmal versuchen.

Petrus und Johannes lassen sich nicht einschüchtern. Für sie steht hier Gottes Autorität gegen die Autorität der Behörden – gerade angesichts einer religiösen Behörde, die sich auf Gott beruft, ist das ein sehr scharfer Angriff.

Der Satz von Petrus in Vers 19 (vgl. auch Apg 5,29) wird oft zitiert von allen, die gegen Gesetzesregelungen oder Entscheidungen handeln, die sie nicht mit ihrem Glauben vereinbaren können. Die Bekennende Kirche hat sich 1934 darauf berufen, als sie gegen den Arierparagraphen protestierte.

Wann ist es heute richtig? »Auf Gott zu hören« – da geht es nicht darum, das menschliche Recht außer Kraft zu setzen, sondern Menschenverachtung beim Namen zu nennen – ganz im Sinne Jesu, der an die Seite der Verachteten tritt. Und das lässt sich nicht zum Schweigen bringen.

CHRISTIANE QUINCKE

Heiliger Geist, gib mir den Mut von Petrus und Johannes. Gib, dass ich mich nicht einschüchtern lasse, wo es um die Gerechtigkeit und den Frieden Gottes geht. Hilf mir, laut und vernehmlich das Wort von der Liebe für alle Menschen zu sagen. Und sag es mir auch. Bitte!

Mount Everest

»Etwas Majestätisches erfahren« – in dem Film »Das Beste kommt zum Schluss« ist das ein letzter Wunsch von Carter Chambers, als er erfährt, dass er nicht mehr lange zu leben hat. »Was soll das denn sein?«, fragt Edward Cole, sein Leidensgenosse und neuer Freund. Carter antwortet: »Warst du noch nie in den Bergen? Ich will zum Mount Everest!«

»Etwas Majestätisches erfahren« – davon spricht der Beter des 29. Psalms. Er verwendet vermutlich eine vorisraelitische Vorlage für den Gottesdienst im Tempel und lässt die verschiedenen Seiten dieser Erfahrung durchscheinen. Die eine Seite ist dieses Sich-ausgesetzt-und-ohnmächtig-Fühlen – sozusagen als Spielball einer höheren Macht: eine Erkrankung wie Krebs oder auch ein heftiges Naturereignis. Selbst unsere aufgeklärte Erkenntnis von physikalischen Erklärungen kann uns dieses Gefühl nicht ganz nehmen, wenn ein Blitz unmittelbar nebenan einschlägt. Die andere Seite ist die des Ergriffenseins: durch eine besondere Musik, durch den Ausblick auf eine Bergwelt, durch die Geburt eines Kindes, durch die Stille im Gebet.

»Etwas Majestätisches erfahren« – Carter und Edward sind in dem Moment am stärksten, als sie am verletzlichsten füreinander sind: als sie über die verpassten Chancen in ihrem Leben sprechen und genau spüren, dass sie das nicht mehr ändern können. Sie nehmen sich mit den eigenen Schwächen und Unzulänglichkeiten an, akzeptieren ihre letztliche Ohnmacht und vertrauen sich der Majestät Gottes an – auch wenn das so im Film nicht ausgesprochen wird.

Wir haben nicht alles im Griff, können nicht alles planen – und das ist gut so. Gott ist immer größer als wir. Er ist nicht zu fassen, entzieht sich uns, bleibt unverständlich. So schwer das manchmal auszuhalten ist – das Bekenntnis zu diesem Gott, der allein über wirkliche und letztendliche Macht verfügt, schützt mich vor eigenen Allmachtsphantasien sowie auch vor denen, die Macht über mich ausüben wollen. In seine Hände lege ich mein kleines wertvolles Leben.

CHRISTIANE QUINCKE

Dreieiniger Gott, wenn ich mich klein fühle, sei du groß. Ergreife mein Herz und erfülle mich mit deinem Frieden.

(Nur) Einigkeit macht stark!

Petrus und Johannes müssen im vorausgehenden Text für ihren Glauben einstehen: Weil sie ehrlich von ihrem Glauben erzählen, werden sie verhaftet und verhört. Die Situation ist gefährlich, aber sie halten stand und werden schließlich freigelassen, weil sie viele Unterstützer haben. In unserem heutigen Text färbt diese Standhaftigkeit auf die ganze Gemeinde ab: Weil sie alle einhellig Gott um seinen Beistand und Segen bitten, werden sie alle vom heiligen Geist erfüllt und erzählen alle von ihrem Glauben weiter.

Diese Erzählung ist Mutmacher und Mahnung zugleich für uns heute. Denn wir leben in einer Zeit, in der Gewalt und Hetze in bedrohlichem Ausmaß zunehmen und sich zum Teil sogar politisieren.

Wir Christen sind gefordert, Gottes Liebe zu leben und zu verkünden. Das erfordert Mut und Standfestigkeit und kann nur gelingen, wenn Christen aller Konfessionen sich auf ihre gemeinsame Basis Jesus Christus besinnen, anstatt sich untereinander in menschlichen Niederungen zu zerstreiten. Angesichts realer Bedrängnisse verlieren Streitereien und Rangkämpfe innerhalb von Gemeinden und zwischen einzelnen Kirchen ihre vermeintliche Bedeutung. Insofern ist dieser Text uns Heutigen Mahnung und Aufforderung zum Handeln. Jede(r) Einzelne von uns ist gefragt, in seinem/ihrem Leben Haltung zu zeigen.

Auch die damaligen Christen haben Angst und sie appellieren an Gott, die Drohungen gegen die Christen wahrzunehmen. Aber sie ducken sich nicht weg oder verlassen die Gemeinde, sondern bringen ihre Furcht vor Gott und bitten um Zivilcourage.

In dieser Hinsicht ist uns der Text Mutmacher und Tröster. Denn wenn wir einig sind im Glauben und ernsthaft um seinen Geist, seinen Beistand und seinen Segen beten, dann wird Gott uns all dies geben.

Das hat er versprochen. Sein Wort gilt.

CLAUDIA KOLTER

Herr, ich danke dir, dass du uns auch in dunklen Zeiten zur Seite stehst. Ich bitte dich um Weisheit zur Unterscheidung der Geister. Hilf uns, bei dir und deiner Wahrheit zu bleiben und mutig für sie einzutreten.

Ein sozialistischer Traum?

Als Westdeutsche ist mir diese »sozialistische« Geschichte fremd. Und es geht ja später auch schief: Als die Gemeinde in Jerusalem ihr Geld aufgebraucht hat, müssen die anderen Gemeinden für sie Geld sammeln, welches dann von Paulus überbracht wird. Kann ja auch nicht gutgehen, wenn alle nur in den Tag reinleben, oder?

Doch dieser rein materielle Gedankengang übersieht die Perlen, die in dem Text stecken: Einigkeit macht stark – die Gläubigen sind ein Herz und eine Seele und zerfleddern sich nicht gegenseitig in irgendwelchen belanglosen Streitigkeiten. Wie oft vergeuden wir unsere Energie daran, einander zu übertrumpfen, uns voreinander aufzublähen oder um unsere Position zu kämpfen?!

Stärke bringt Gnade – sie können ihre Energie auf das Entscheidende richten: Gottes Reich bauen und das Evangelium bezeugen. Das wiederum hat Rückwirkungen auf sie und bringt ihnen große Gnade. Gott sagt uns, wir sollen als Erstes nach seinem Reich und seiner Gerechtigkeit trachten, dann wird uns alles Andere zufallen (Mt 6,33). ER weiß, was wir brauchen, und versorgt uns mit allem Nötigen. Wo erlebe ich das? Kann ich mich mit Haut und Haar auf Gott einlassen und darauf vertrauen, dass er mich versorgt? Dann werde ich große Gnade erleben. Glaube ich das? Oder lasse ich mir ein Hintertürchen offen und behalte Teile meines Lebens für mich?

Gnade gegen Mangel – wenn ich selber aus der Gnade lebe, kann ich anderen Menschen immer etwas abgeben. Das geht weit über Geld hinaus und betrifft auch Zeit, Mitgefühl, Empathie, Zuwendung usw. Eben immer das und in dem Maß, wie es mein Mitmensch gerade nötig hat. Und wenn ich selber nicht weiß, wem ich etwas geben kann, kann ich meine Gaben der Gemeinde zur Verfügung stellen.

CLAUDIA KOLTER

Herr, mein Gott, ich danke dir für alle Gaben und die Gnade, die du mir zuteil werden lässt. Ich will sie dankbar aus deiner Hand nehmen und mich daran freuen. Hilf mir, den Blick auf dich zu richten und auch meinen Mitmenschen im Auge zu behalten. Schärfe meinen Blick dafür, was der oder die Andere nötig hat und was ich ihm oder ihr geben kann.

Hingabe oder Abgabe?

Die Geschichte um Hananias und Saphira erschreckt mich immer aufs Neue. Muss ich wirklich ALLES hergeben? Werde ich bestraft, wenn ich es nicht tue? Warum müssen die beiden Leute sterben?

Doch diese Fragen führen mich am Kern vorbei. Denn niemand hat das Ehepaar gezwungen, seinen Acker zu verkaufen (oder gab es einen gewissen Gruppenzwang?). Sie haben es aus freier Entscheidung getan. Das scheint löblich, geben sie doch einen Teil des Erlöses an die Gemeinde. So weit, so gut. Die Sünde fängt jedoch da an, wo die Ehrlichkeit aufhört. Denn sie tun nur so, als würden sie das ganze Geld abgeben, behalten aber einen Teil heimlich für sich. Wollen sie vor den Menschen oder vor Gott als großzügige Spender dastehen? Wollen sie damit nur ihr Image aufpolieren und von den anderen bewundert werden?

Wem es nur auf den Schein ankommt, der »gibt den Geist auf« – er ist nicht mehr vom Geist Gottes getrieben, sondern dem geht es nur um sein Ego.

Wenn ich anderen etwas vormache, dann bin ich ein Blender. Ich will, dass die anderen mich in einem bestimmten Licht sehen. Das mag kurzfristig (scheinbar) sogar selbstwerterhöhend wirken, doch ich brauche davon immer höhere Dosen in immer kürzeren Abständen wie bei einer Sucht. Und ich als Person gehe letztlich daran zugrunde. Das ist das Gegenteil von dem, was Gott für seine Menschen und seine Gemeinde will. Und schließlich lässt Gott sich nichts vormachen. Er kennt unser Innerstes.

Gott will, dass wir Leben in Fülle haben und keinen Mangel leiden. Das geht aber nur, wenn wir ganz wir selbst sind. Nur dann können wir uns auch anderen Menschen zuwenden und mit ihnen in Gemeinschaft leben. Und dann können wir auch Segen erfahren und weitergeben.

CLAUDIA KOLTER

Herr, mein Gott, ich danke dir, dass ich der sein darf, als den du mich geschaffen hast.

Die Auferstehung Jesu ist im Leben der Apostel wirksam

Lukas hätte kühl und sachlich berichten können, wie die Apostel trotz Widerstand, Verfolgung und Verhaftung die gute Nachricht weiter verbreiteten. Auf biblische Art erzählt er aber eine spannende Geschichte. Er gibt damit zu verstehen, dass das Ereignis eine tiefere Dimension hat. Er bezeugt, dass Gott am Werk ist. Er differenziert sorgfältig. Nicht die Juden, sondern die Partei der Sadduzäer, zu welchen die amtierenden Hohepriester gehörten, verfolgen die Apostel. Das jüdische Volk hingegen hört den Jüngern Jesu gern zu und wäre anscheinend sogar bereit, sie mit Gewalt vor der Tempelpolizei in Schutz zu nehmen.

Die wunderbare Befreiung der Apostel aus dem Gefängnis zeigt, dass Gott möglich macht, was bei Menschen unmöglich ist. Dafür steht der »Engel des Herrn«. Er führt die Apostel aus dem Gefängnis wie Gott sein Volk aus der Knechtschaft in Ägypten. Er öffnet ihnen die Tore des Kerkers, wie Gott Jesus von den Fesseln des Todes befreite. Das Gefängnis der Apostel gleicht dem Grab Jesu: Es ist fest verschlossen und bewacht – aber es ist leer! So macht Lukas deutlich, dass die Auferstehung Jesu im Leben der Apostel wirksam ist. Dic Mächtigen aber stehen nicht nur ratlos, sondern fast ein wenig lächerlich da: Das Gericht ist versammelt, aber die Angeklagten sind entkommen.

Im Tempel gefunden, lassen sich die Apostel ohne Widerstand vor den Hohen Rat führen. Sie werden angeklagt, Unheil über Jerusalem bringen zu wollen. Warum hören sie nicht auf, von Jesus zu sagen, dass er unschuldig war und zu Unrecht umgebracht wurde? Wollen sie damit nicht »das Blut dieses Menschen über uns bringen«, die Entscheidungsträger anklagen und zur Verantwortung ziehen? In ihrer Verteidigung sagen sie das genaue Gegenteil. Gott hat gegen das Unrecht des Todes Jesu nicht mit Rache und Vergeltung, sondern mit Auferweckung und Vergebung protestiert.

FRÈRE RICHARD, TAIZÉ

Christus, lass uns deine Auferstehung und deine Vergebung auch in unserem Leben erfahren.

Die Wahrheit wird sich durchsetzen

Während die Sadduzäer der Jerusalemer Aristokratie vor allem machtpolitisch denken, sind unter den Pharisäern viele engagierte Schriftgelehrte. Sie suchen in den heiligen Schriften nach Gottes Willen. Gamaliel, der Lehrer des Apostels Paulus (vgl. Apg 22, 3), ist einer von ihnen. Er versucht, im Hohen Rat die Leidenschaften zu beruhigen. Seine Vertrautheit mit der Bibel gibt ihm Weisheit und das Gespür für das Wirken Gottes in der Geschichte der Menschen.

Jesus war im ersten Jahrhundert unserer Zeitrechnung nicht der einzige, den Menschen für den Messias hielten. Messiasprätendenten wie Theudas und Judas der Galiläer, die Gamaliel erwähnt, waren anscheinend auf den ersten Blick sehr wohl mit Jesus vergleichbar. Zahlreiche Menschen folgten ihnen in der Hoffnung, das Kommen des Reiches Gottes zu erleben. Judas war Gründer und Anführer der Bewegung der Zeloten, welche bereit waren, die römische Herrschaft mit Gewalt zu bekämpfen. Von Theudas wird erzählt, dass er seine Anhänger an den Jordan führte, um dort das Wunder Josuas (Jos 3) zu wiederholen und das Volk trockenen Fußes in das Heilige Land zu führen. Sie beide starben eines gewaltsamen Todes wie Jesus. Während aber ihr Tod auch ihrem Vorhaben ein Ende bereitete, setzt der auferstandene Jesus sein Werk fort mit dem Ruf zur Umkehr und der Gabe der Vergebung.

Gamaliel sagt zwar nicht, dass in der Jesusbewegung Gott am Werk ist. Er lässt aber die Möglichkeit offen und mahnt zur Geduld. Er rechnet mit dem Durchsetzungsvermögen der Wahrheit im Lauf der Zeit. Obwohl der Hohe Rat ihm zustimmt, werden die Apostel wieder bestraft und das Verbot, Jesus als Messias zu verkünden, wird bekräftigt. Strafe und Verbot zeigen, dass tatsächlich Gott am Werk ist. Die Apostel sind gleichzeitig demütig und ungehorsam. Als Jesusjünger wenden sie keine Gewalt an und schützen sich nicht vor Leiden. Gleichzeitig halten sie sich an kein menschliches Verbot, wenn es dem Gehorsam Gott gegenüber widerspricht.

FRÈRE RICHARD, TAIZÉ

Heiliger Geist, schenke uns Geduld und Entschlossenheit.

Spannungen in der Gemeinde

Lukas nennt die Menschen, die an Jesus glauben, zunächst einfach die »Glaubenden«. Ab Kapitel 6 heißen sie auch »Schüler« oder »Jünger«. Diese Bezeichnung betont die Bedeutung der Lehre Jesu. Obwohl die Apostel die Jesusgläubigen lehren, sind diese nicht Schüler der Apostel, sondern Jünger Jesu. Er ist und bleibt für immer ihr Lehrer. Das Wachstum der Gemeinde ist in Vers 7 gleichbedeutend mit der Verbreitung des Wortes Gottes. Lukas benutzt dafür die Verben »fruchtbar sein« und »sich mehren«, die aus der Schöpfungsgeschichte kommen. Man könnte übersetzen: »Das Wort Gottes war fruchtbar und die Zahl der Jünger mehrte sich.«

In der wachsenden Gemeinde gibt es neben den hebräisch- oder aramäischsprachigen auf einmal auch griechischsprachige Jüngerinnen und Jünger. Auch sie sind ausschließlich Juden. Nachdem er von einer idealen Gemeinschaft erzählt hatte, deren Mitglieder ein Herz und eine Seele waren und alles gemeinsam hatten, musste er auch davon berichten, wie es zu den Spannungen kam. Die Zwietracht ging mit dem Sprachunterschied und mit der kulturellen Verschiedenheit einher. Aus der Diaspora nach Jerusalem zurückgekehrte Witwen wurden benachteiligt. Sprachunterschied und soziales Gefälle überschnitten sich.

Unter der Leitung der zwölf Apostel wählt die große Gemeinde sieben Männer, die für die Mahlzeiten sorgen sollen. Die Handauflegung durch die Apostel bestätigt sie als ihre Mitarbeiter. Obwohl das Wort »Diakon« nicht vorkommt, hat man diesen Abschnitt immer wieder als Einsetzung dieses Amtes gelesen. Zum »Dienst am Wort« kommt der »Tischdienst«. Es ist aber nicht einzusehen, weshalb diese beiden Dienste nach Sprachen aufgeteilt sein sollten: den Hebräern das Wort, den Griechen die Tische. Lukas korrigiert sich im nächsten Kapitel selbst: Der griechischsprachige »Tischdiener« Stephanus hält die längste Predigt der ganzen Apostelgeschichte.

FRÈRE RICHARD, TAIZÉ

Lebendiger Gott, lass uns im Hören auf dein Wort Wege finden, Spannungen und Zwietracht in tätiger Liebe zu überwinden.

Ein Rückweg zur Gemeinschaft

Eine, einer schreit. Ausgegrenzt, bedroht, abgeschrieben im Urteil der anderen. Völlig isoliert steht die Ich-Figur einer Vielzahl von Feinden gegenüber (3,2–3). Diese Isolation wird im Verlauf des Gebetes in einem Veränderungsprozess aufgebrochen. Zentrum der Wandlung ist eine Nacht (5–7). Nachts, wenn spürbar wird, dass die Stimmen der anderen auch im eigenen Kopf sind, wenn äußere Anfeindungen im eigenen Körper ein Eigenleben führen, wenn in Schlaflosigkeit sich die Zerstörung des Lebensgefüges spiegelt – erfährt die Ich-Figur Gottes Beistand. Schlafen können! In dieser einen Nacht weicht die Angst. »Vor den Vielen des Volkes fürchte ich mich nicht.« (3,7)

Am Schluss geht sie den Konflikt an (8–9). Aus gewaltvollen Bildern, die Gottes Handeln in der Vergangenheit erinnern, spricht der Ernst des Konflikts: »Du schlugst ja alle meine Feinde aufs Kinn, die Zähne der Frevler zerbrachst du.« (3,8) Gott kann doch böses Gerede nachhaltig zum Schweigen bringen! Der Psalm endet allerdings nicht mit dieser Erinnerung. Auch nicht mit einer Wunschphantasie über die Züchtigung von Hassrede. Er endet mit einer Segensbitte: »Dein Segen komme über dein Volk.« (3,9) Eine innere Wandlung ist geschehen. Während die »Vielen des Volkes« am Anfang nur Angstfaktor waren, wird das Volk am Ende ins Gebet hineingenommen. Der Psalm ist eine Intervention, damit aus Isolation nicht das Weltbild »Ich und die Anderen« wird. Er beschreitet einen Weg heraus aus Isolation hin zu neuer Verantwortlichkeit für die Gemeinschaft. Die Suche nach der eigenen Befreiung wird exemplarische Wiederherstellung der Gemeinschaft. Dabei wird die Gewalt nicht beschönigt oder verschwiegen. Der Wunsch, dass freches Reden durch Faustschläge zum Schweigen gebracht wird, wird nicht unterdrückt. Doch der Weg der Wandlung geht darüber hinaus. Am Ende steht die Einsicht, dass die Befreiung des Ewigen nichts Privates hat, sondern dem ganzen Volk gilt.

KLARA BUTTING

Du, Wort, das unserem Leben Richtung gibt, dein Segen heile, wo Hass ist – auch durch uns.

Eine gefährliche Eskalation

Aus dem Kreis der eben gewählten sieben Diakone tritt nun eine Gestalt hervor – Stephanus. Seine Geschichte wird in drei Abschnitten erzählt: zunächst sein Prozess vor dem Hohen Rat (6,8–15), sodann seine Verteidigungsrede (7,2–53), schließlich sein Märtyrertod (7,54–60). Es beginnt alles damit, dass die Gegnerschaft vor allem gegen die griechisch Sprechenden in der Urgemeinde, die sog. »Hellenisten«, wächst. Waren es zunächst nur die Sadduzäer, die Intrigen gegen die junge Gemeinde schmiedeten (5,17f.), so wenden sich nun Juden aus der Diaspora gegen Stephanus und beschuldigen ihn der Lästerung gegen Mose und Gott sowie der Missachtung des Tempels von Jerusalem. Da diese Diasporajuden gerade wegen des Kultes am Tempel und mit der Absicht eines gesetzestreuen Lebens nach Jerusalem zurückgekehrt waren, fühlten sie sich von der Tempel- und Gesetzeskritik des Stephanus besonders herausgefordert.

Die Form der Anklage gegen Stephanus erinnert in starker Weise an den Prozess Jesu vor dem Hohen Rat – vor allem der Hinweis auf das Auftreten falscher Zeugen und der Verweis auf Jesu Weissagung der baldigen Zerstörung des Tempels (vgl. Mt 26,59–61). Es scheint so, als solle durch die Parallelität beider Prozessdarstellungen Stephanus als treuer Jünger Jesu dargestellt und die Kontinuität seiner Lehre mit der Jesu aufgewiesen werden. Zugleich fordert Stephanus mit seiner Gesetzes- und Tempelkritik seine jüdischen Gesprächspartner in so grundsätzlicher Weise heraus, dass der Konflikt eine gefährliche Eskalation erfährt.

Stephanus tritt in diesem Prozess als ein vom Geist Gottes Erfüllter auf, als ein Pneumatiker. In geistgewirkter Weisheit begegnet er seinen Anklägern, ja, wie verklärt wirkt er, wie ein Engel mit einem glänzenden Angesicht (V. 15): In der Nachfolge Jesu geht er seinen Weg, erleuchtet von der Herrlichkeit Gottes (vgl. 7,55).

ULRICH FISCHER

Du Heilger Geist, bereite ein Pfingstfest nah und fern; mit deiner Kraft begleite das Zeugnis von dem Herrn.

Welch eine Verteidigungsrede!

Nach der heftigen Anklage durch das Auftreten falscher Zeugen und nach der Frage des Hohenpriesters, ob die Anklage zutreffend sei, erwarten wir eine glühende Verteidigungsrede des Stephanus. Sicherlich wäre der geisterfüllte Stephanus in der Lage gewesen, seinen Anklägern mit klugen Argumenten und mit Verweisen auf die Lehre Jesu die Stirn zu bieten. Aber nichts davon! Seine Rede, die das gesamte 7. Kapitel der Apostelgeschichte umfasst, nimmt weder die Anklage der Zeugen noch die Frage des Hohenpriesters auf. Vielmehr erfolgt ein langer Rückblick auf die Geschichte Israels, wie er etwa auch in den großen Geschichtspsalmen 105, 106 und 136 in dichterischer Form vorliegt. Da es sich im Grunde nicht um eine Verteidigungsrede handelt, sondern eher um eine Predigt, die sperrig den Verlauf der Gerichtsverhandlung unterbricht, spricht viel für die Annahme, dass Lukas hier ein Traditionsstück in die Erzählung vom Prozess gegen Stephanus eingefügt hat.

Die Rede beginnt mit der Verheißung Gottes an Abraham (V. 6f.). Im Folgenden wird zunächst die Vätergeschichte nacherzählt und dann die Geschichte des Volkes Israel betrachtet. Bedeutsam ist die Perspektive, unter der dies geschieht. Denn dem Erzähler geht es vor allem darum aufzuzeigen, wie Israel auf die Verheißungen Gottes mit Verweigerung des Gehorsams und mit Widerstand gegen Gott reagierte. So wird die Verwerfung Josefs durch seine Brüder besonders hervorgehoben, aber seinen deutlichsten Ausdruck findet der Ungehorsam Israels in der Verwerfung Moses durch sein Volk, die gleich mehrfach erwähnt wird (V. 27–29, aber auch V. 35.39f.). Damit bereitet der Autor der Apostelgeschichte die Schlusspointe der Stephanusrede vor, die im morgigen Text behandelt wird.

ULRICH FISCHER

Ich rede, wenn ich schweigen sollte, und wenn ich etwas sagen sollte, dann bin ich plötzlich stumm. Herr, hilf das Rechte sagen. Hilf uns das Gute wagen. Herr, hilf das Rechte tun!

Ihr seid's!

Der Widerstand des Volkes Israel gegen Gott – das ist das Thema der Stephanusrede. Als Gipfel des Ungehorsams Israels gegen Gott bezeichnet diese Rede in ihrem Schlussteil den Bau des Tempels von Jerusalem und die Bindung des Glaubens an den Tempelkult (V. 44–50). Damit wird nochmals Jesu Tempelkritik aufgenommen. Und damit mündet die Rede in einen direkten Angriff gegen jene, die Stephanus verklagt haben (V. 51–53). Mit scharfen Worten geißelt er den Ungehorsam seiner Ankläger, die mit ihrem Tempelkult meinen, Gott an einen Ort binden zu können, und die in der Verwerfung Jesu die lange Geschichte der Verwerfung von Gottesboten und Propheten auf die Spitze getrieben haben. Damit hat die Stephanusrede ihren Höhepunkt erreicht und mündet in eine böse Scheltrede gegen seine Ankläger: »Ihr seid's, die ihr Gottes Verheißungen missachtet habt. Ihr seid's, die ihr Gottes Propheten – und auch Jesus als den größten von ihnen – verworfen habt.« Damit nimmt die Stephanusrede ein im Alten Testament häufig wiederkehrendes Schema der Kritik an Israel auf, nämlich den Vorwurf, dass Israel immer wieder die ihm von Gott gesandten Boten abgewiesen, verfolgt und getötet hat. Die Verwerfung Moses hat ihre Entsprechung in der Verwerfung Jesu: Was jetzt Jesus zugefügt wurde, ist der Höhepunkt der Geschichte des Widerstandes Israels gegen Gott.

Kein Wunder, dass dieser fulminante Vorwurf nur eine Konsequenz haben kann: das Todesurteil gegen Stephanus. Und am Ende der Stephanusrede bleibt die Frage an uns: Kann dies das letzte Urteil über das Volk Israel gewesen sein oder muss das Gespräch mit Israel nicht anders geführt werden? Etwa so wie es Paulus in seinem Brief an die Römer in den Kapiteln 9–11 getan hat – in der Hoffnung, dass Israel nicht auf immer verworfen ist, sondern dass Gottes Bund mit seinem Volk Bestand hat.

ULRICH FISCHER

Gott, der du alle eingeschlossen hast in den Ungehorsam, erbarme dich aller!

Der Himmel offen!

Eben noch blickten wir in das Angesicht eines Engels (6,15). Und nun verliert dieser Engelsgleiche sein Leben. Ein junger, begabter Hoffnungsträger der noch jungen Gemeinde, beliebt und erfolgreich (6,8). Er versteht es, die großen Linien in der Geschichte auszuziehen und zuzuspitzen. Zu spitz für manche Herzen, die sich durchbohrt fühlen durch seine Worte und ihn vor Gericht zerren. Dort aber sieht der geistbegabte Visionär den Himmel offen und spricht aus, was er da sieht: dass nämlich ein anderer über ihn Richter sein wird, und nicht das Synhedrion und nicht der Hohepriester dort vor ihm. Da ist's um ihn geschehen. Das ist kein ordentliches Gerichtsverfahren mehr, sondern Lynchjustiz. Und sein Tod findet Gefallen in den Augen eines anderen jungen Mannes. Der Finstermann. Saulus, dem der Mob die Kleider zu Füßen legt. Eine seltsame Parallele zum Einzug Jesu in Jerusalem! Doch die, zu denen die Apostelgeschichte spricht, wissen um dessen Geschichte. Wissen, dass er die Hauptperson werden wird, mit dem die Apostelgeschichte ein offenes, Zukunft verheißendes Ende haben soll, in Rom.

Zunächst aber ist der Tod des Stephanus der Auftakt zu einem großen Pogrom gegen die zahlreich gewordenen Mitglieder der Urgemeinde in Jerusalem. Der erste »Märtyrer« Jesu (er wendet sich Apg 7,59 mit denselben Worten an Jesus, die dieser selbst sterbend auf den Lippen hatte, Lk 23,46; er bittet Apg 7,60 wie Jesus für seine Peiniger, Lk 23,34) erhält immerhin noch ein ehrbares Grab und eine ihm angemessene Totenklage. Sie werden den ganzen Psalm 22 und das Kaddisch für ihn gebetet haben. Saulus aber organisiert den Gewaltausbruch, systematisiert die Verfolgung, zieht mit seinen Häschern von Haus zu Haus. Wer nicht festgenommen wird, flieht. Nur die Apostel können in Jerusalem bleiben und in der Stadt untertauchen. Es scheint, als wäre schon wieder zu Ende, was gerade erst so hoffnungsvoll begonnen hat.

HANS-MICHAEL WÜNSCH

Aber du, Herr, sei nicht ferne; meine Stärke, eile, mir zu helfen!

Umsonst!

Die aus Jerusalem Vertriebenen verteilen sich in die unmittelbar benachbarten Landschaften Judäa und Samarien. Und mit ihnen verbreitet sich das Evangelium. So bewirkt die Verfolgung gerade das Gegenteil ihrer Absicht. Das ist vor allem Philippus zu verdanken. Der wirkt in Samaria wie einst, als Jesus selbst die Apostel ausgesandt hatte (Lk 9,1–6). Die Geschichte der Vielen und die eines Einzelnen werden hier ineinander verschränkt erzählt. Die Vielen, die sich von Philippus taufen lassen, der eigentümliche Erzählzug, dass es der Entsendung von Petrus und Johannes und ihres Gebets unter Handauflegung bedarf, damit sie nach der Taufe nun auch den heiligen Geist empfingen. Und der Einzelne, den viele für eine große Kraft Gottes hielten ob seiner »Zauberei«, der, nachdem seine »Kundschaft« sich von Philippus taufen lässt, das selbst auch tut. Immerhin, weil er selbst »gläubig« wird und nicht aus reinem Kalkül. Dieser »Zauberer« Simon will können, was Petrus und Johannes können, und bietet ihnen Geld an, um selbst diese Vollmacht der Verleihung des Heiligen Geistes zu erlangen. Aber die beiden Apostel sind nicht korrupt. Gottes Gabe ist nicht für Geld zu kaufen! Weder sein Geist noch sein Heil noch sein Wort. Weil es umsonst ist! Warum? Weil die Krake des Geldes sonst auch noch diesen elementarsten Bereich unseres Lebens an sich raffen könnte. Weil die Armen, für die das Evangelium doch da ist, sich dieses Evangelium dann nicht mehr leisten könnten. Doch eben jene, die »kein Geld haben«, sind gerufen. Wein, Milch, Brot – mit diesen elementaren Lebens-Mitteln wird das Heil Gottes beschrieben. Und den »Geldlosen« wird verheißen: »Neigt eure Ohren her und kommt her zu mir! Höret, so werdet ihr leben.« (Jes 60,1–3) Diese Geschichte setzt ein dickes Fragezeichen an unsere Zeit und die weltweite Entstehung großer Megakirchen und christlicher Events, die vor allem auf eines ausgerichtet sind: Profit!

HANS-MICHAEL WÜNSCH

Komm in unsre stolze Welt, Herr, mit deiner Liebe Werben. Überwinde Macht und Geld, lass die Völker nicht verderben.

Verstehst du auch, was du da liest?

Die Erzählung dieser Begegnung ist reduziert auf das unbedingt Notwendige. Wie viele Begleitpersonen der Kämmerer hatte, wie groß sein Tross war, ob Philippus gleich vorgelassen wurde, interessiert hier nicht. Nur die beiden Männer werden genannt, eine Begegnung ohne störendes Drumherum. Der Kämmerer liest – laut! – in der Bibel. Und Philippus hört zu und erkennt diese Worte aus dem bekannten Gottesknechtslied Jesaja 53. Und fragt: »Verstehst du auch, was du liest?«, worauf der Minister ehrlich antwortet: »Wie kann ich, wenn mich nicht jemand anleitet?«

So könnte sich der Dialog bei jedem Einzelnen unter uns wiederholen. Die Frage an uns: »Verstehst du auch, was du da liest?« und unsere ehrliche Antwort: »Wie kann ich, wenn mich nicht jemand anleitet?«

Da beginnt Philippus bei diesem Lied des Gottesknechts und erzählt das Evangelium von Jesus so, dass der im jüdischen Glauben gut unterrichtete Afrikaner »versteht, was er liest«. Nicht nur die Sprache, sondern, in dem Gelesenen einen Sinn für sein eigenes Leben zu finden. Philippus erzählt ihm eine Geschichte, die sich hinzieht bis zu Jesus, dem Gekreuzigten. An diesem leidenden Menschen wird die Gegenwart Gottes im Leben der Menschen offenbar. So hat der Äthiopier verstanden, was er da las. Und als die öde Straße nach Gaza sie an einem Wasser vorbeiführt, fragt er seltsam verwunden: »Was hindert's, dass ich mich taufen lasse?« Ja, was hindert uns nicht alles daran, dem zu folgen, was uns ergriffen hat: »Ich muss erst noch diese Aufgabe erledigen und jene Verpflichtung erfüllen. Lass uns erst mal …; Ja, wenn ich …; Sollen wir nicht warten, bis …« Vieles hindert, und manchmal das ganze Leben! Hier in dieser idealtypischen Geschichte hindert nichts. Man kann das mit ihr erst einmal ausprobieren, ob das für einen selbst etwas sein könnte. »Was hindert's, dass ich mich (!) taufen lasse.« Und der Kämmerer zog »fröhlich seine Straße«.

HANS-MICHAEL WÜNSCH

Wir nennen dich den Herren Christ, der durch den Tod gegangen ist; du willst durch Leid und Freuden mich geleiten. Ich möcht', dass du auch mit mir gehst.

Konfliktgespräch mit Gott

Einerseits wird viel geklagt: über Personalmangel, schlechte Arbeitsbedingungen, zu geringe Investitionen, Lieferausfälle, Bürokratie, Zeitdruck und so weiter. Andererseits sagen Menschen, die einem anderen ihre Sorgen anvertraut haben: »Ich will nicht klagen.« Warum eigentlich nicht? Nur zu schnell setzt man sich dem Verdacht aus, »auf hohem Niveau zu jammern«, vielleicht schon bei der kleinsten Kleinigkeit zu lamentieren. Und in manchen Gebeten im Gottesdienst sucht man die Klage vergebens. Und wer würde es wagen, Gott anzuklagen? Also, ihm mal so richtig die Meinung zu sagen. Das geht praktisch nur noch mit einem Psalm wie diesem. Davon gibt es einige. Der Alttestamentler Bernd Janowski nennt sie »Konfliktgespräche mit Gott«. Und das trifft es auf den Punkt: Wir leben – wenn wir das Leid der Welt und auch das eigene thematisieren – im Konflikt mit Gott. Glaube und Wirklichkeit stimmen nicht überein bzw. lassen sich oft überhaupt nicht in Einklang bringen.

Und wir sollten auch um den sprichwörtlich heißen Brei nicht herumreden. Gott hat ein offenes Ohr auch für die Not und den Ärger und den Frust, mit dem ich mich herumschlage. Für die Psychohygiene ist es ganz entscheidend, Dampf ablassen zu können. Ja, auch bei Gott. Die Psalmbeter waren da nicht zimperlich in ihrer Wortwahl.

Was mich überrascht: Die Klagepsalmen bleiben nicht bei Ärger und Verdruss stehen, sondern enthalten auch Lob und Dank. Für mich ist das ein Indiz dafür, dass derjenige, der klagt, seinen Glauben nicht aufgegeben haben muss. In Psalm 13 wird am Ende sogar der Freude Ausdruck verliehen, »dass du so gerne hilfst«. So führt die Klage schließlich zu einem gestärkten Vertrauen auf Gott – und nicht zum Verlust jeglichen Vertrauens. Ich finde das sehr ermutigend!

UDO HAHN

Denk nicht in deiner Drangsalshitze, dass du von Gott verlassen seist und dass ihm der im Schoße sitze, der sich mit stetem Glücke speist. Die Folgezeit verändert viel und setzet jeglichem sein Ziel.

Herr, was willst Du, das ich tun soll?

Diese Geschichte ist so bekannt, dass von »Saulus-zum-Paulus-Werden« sogar ein Sprichwort wurde. Was kann ich denn dazu schreiben, was Sie nicht alles schon hunderte Male gehört haben? Die Not, das Wesentliche nicht zu treffen, hinderte mich wochenlang, diese Andacht zu schreiben. Was ist also hier wesentlich? Was hat Paulus so völlig umgekrempelt? Saulus war Pharisäer. Er lebte untadelig nach dem Gesetz. Der Wille Gottes war für ihn oberste Priorität, alles ist diesem zu unterstellen. Sein eigenes Leben, aber auch das der anderen. So verfolgte er mit innerster Überzeugung, das Richtige zu tun, alle, die nach seiner Erkenntnis diesem Gesetz abtrünnig geworden waren. Denn nur im Gehorsam gegen Gott können wir selig werden. Er war überzeugt, i.S. des Gesetzes zu handeln, wenn er die Anhänger Jesu verfolgte. Dieser Jesus war gekreuzigt worden als Gotteslästerer und hatte damit den Tod verdient. Plötzlich aber erscheint ihm dieser Jesus als wieder Lebender: Er hört die Stimme, die sich ihm als Jesus zu erkennen gibt. Er hört die Stimme dessen, der hingerichtet wurde als Gotteslästerer. D.h. dieser Jesus lebte wieder – wirklich und tatsächlich. Da aber nur Gott selbst Leben gibt, war Jesus eben nicht nur kein Gotteslästerer, sondern Gott hatte den Tod rückgängig gemacht und sich damit zu diesem Jesus in einzigartiger Weise bekannt … Was in dem sehr biblisch geschulten Menschen Saulus da losging, kann ich nur ahnen. Ich lese aber von der blitzartigen Schlussfolgerung: sich ab sofort dem Willen Jesu unterstellen zu wollen.

Wünschen Sie sich das eigentlich, einmal tatsächlich Jesu Stimme zu hören, und damit dem lebendigen Gott zu begegnen? Und glauben Sie das wirklich, dass Jesus auferstand? Haben Sie Ihn womöglich schon einmal erlebt? Und hat das zu einem Umkrempeln Ihres Lebens geführt? Oder ist das vielleicht genau das, was Ihre tiefste Sehnsucht ist: von Gott überwunden und umgekrempelt zu werden – weil das womöglich auf eine geheimnisvolle Art »Seligsein« bedeutet?

GABRIELE HILGENSTOCK

Herr, was willst DU, was ich tun soll?

Und Ananias ging hin

Ananias kommt 2x im Neuen Testament vor, in Apg 9 und Apg 22. Dorotheus, 4. Jh. n. Chr., bezeichnet ihn als »Bischof von Damaskus«. Er ist, so die Überlieferung, wegen seiner Weigerung, heidnischen Göttern zu huldigen, gefoltert und dann gesteinigt worden, seine sterblichen Überreste sollen nach Konstantinopel überführt worden sein. Die älteste noch erhaltene Kirche aus dem 1. Jh. heißt nach ihm und liegt an der »geraden Straße« in Damaskus. Damals unter römischer Herrschaft, die jüdische Gemeinde dort unter der Leitung Jerusalems. Ananias gehörte in Damaskus zu den Anhängern Jesu. Diesem erteilt Jesus den Auftrag, zu Saulus zu gehen. Wie mag das gewesen sein, diese Vision? Ananias hatte von Saulus gehört und wird sich über ihn seine Gedanken gemacht haben. »Hoffentlich fallen wir diesem Saulus nicht in die Hände!« Die Steinigung des Stephanus wird ihm auch bekannt gewesen sein. Und nun hatte dieser Ananias ein »Gesicht«, er weiß sich von Gott angesprochen. Gott redet zu ihm, und Ananias redet mit Gott/Jesus. Es gibt eine Art innerer Auseinandersetzung, so stelle ich es mir vor. Das, was auf gar keinen Fall der Wunsch von Ananias vorher gewesen ist – genau das, so der Eindruck des Jüngers, sollte er tun. »Und er ging hin!« – Nach diesem Satz habe ich das Bedürfnis, still zu werden. Er ging tatsächlich los!!! Und trifft den erblindeten und völlig veränderten Saulus, redet ihn an mit »Bruder«, legt ihm die Hände auf – und es geschieht Unglaubliches: Paulus sieht wieder und lässt sich taufen. Wann war Ananias sicher, dass es Gott selbst war, der ihn sandte? Was denken Sie? Beim Anreden Gottes? Bei dem Auftrag? Auf dem Weg? Beim Anblick von Saulus? Der ja auch eine Vision hatte und Ananias womöglich entsprechend begrüßte? Als Paulus wieder sehend wurde? Als er sich taufen ließ? Open doors, eine Organisation, die sich für verfolgte Christen in aller Welt einsetzt, hat ein Buch herausgegeben: »Wunder und Visionen«, das ich Ihnen zum Reden Gottes in unserer Zeit sehr empfehle. Gerade, wenn Sie wie ich mit dem Hören auf Gottes Stimme manchmal Mühe haben.

GABRIELE HILGENSTOCK

Hier bin ich, Herr!

Ein unbequemer Zeitgenosse

Das Leben mit Paulus muss anstrengend gewesen sein. Und gefährlich! Erst stellen ihm die eigenen Leute nach, dann Griechen – und immer wieder muss er von der Gemeinde in Sicherheit gebracht werden auf recht abenteuerliche Weise. Weil er den Mund nicht halten kann. Und gleich ausgerechnet mit den Leuten spricht, die vor kurzer Zeit Stephanus gesteinigt hatten. Dass diese nicht begeistert sein würden, hätte er sich denken können. Zumal Saulus ja früher einer der ihren war, auf ihrer Seite stand und den Tod des Stephanus selbst unterstützte. Ausgerechnet mit diesen spricht er von seinem Glauben an Jesus. Der Erfolg: Wieder wollen sie ihn umbringen. Ob einer von ihnen dabei zum Glauben kam, wird nicht berichtet. Wenn ich damals Gemeindemitglied gewesen wäre, hätte ich die Ältesten gebeten, ihn zu bremsen. Oder mal selber mit ihm unter vier Augen gesprochen: Er möge sich doch bitte ein bisschen zurückhalten, die hätten uns sowieso schon auf dem Kieker (vielleicht hätte ich es anders formuliert). Er könne seinen Glauben gern bezeugen, aber etwas bescheidener und stiller, wenn möglich bitte. – Aber das war eben nicht möglich, so sieht es aus. Weil Saulus für Jesus brannte, weil er für den, den er als Gott erkannt hatte, alles zu geben bereit war, weil er das Diskutieren von der Pieke auf gelernt hatte, aber vor allem: weil ihn wohl Jesus genau dafür angesprochen und auserwählt hatte und jetzt seine Begabungen wie seine Schwächen einsetzte für sich. (Und was haben wir diesem Saulus/Paulus alles zu verdanken, das ganze neue Testament ist ja voll davon!) Und meine mir manchmal unbequemen Geschwister haben ihren Auftrag von Gott und werden von Ihm gebraucht.

GABRIELE HILGENSTOCK

Heiland, danke für Menschen wie Paulus, die du mit uns in die Gemeinde berufen hast!

Der Horizont weitet sich

Petrus kommt zu den Heiligen in Lydda. Dort heilt er den Äneas, der schon viele Jahre ans Bett gefesselt ist. Bald darauf weilt er in Joppe, wo er die Jüngerin Tabita wieder zum Leben erweckt.

Wenn wir von Heilern und Heilungen hören, sind wir mit Recht skeptisch. Im Text für heute macht uns die Selbstverständlichkeit nachdenklich, mit der von Krankenheilungen und von Totenauferweckungen der Apostel berichtet wird. Von Gott selber wissen wir, er ist letztlich immer ein heilender, aufrichtender und Leben schaffender Gott. An den Worten und Taten Jesu sollen wir erkennen, dass er mehr war als nur ein guter Mensch mit guten Lebensansichten. Jesus zog viele Menschen gerade deshalb an, weil sich sein Ruf als Heiler im Land verbreitete. Wenn wir auf Jesus schauen, bekommen wir es mit Gott zu tun. Mir fällt es daher nicht schwer, auch den Aposteln diese Vollmacht zur Heilung des Lebens zuzutrauen. Die heutige Theologie urteilt darüber unterschiedlich. Ich halte dagegen mit der Frage: Sollte ich klüger sein als die Menschen, die im Neuen Testament von solchen Taten erzählen?

Aber noch mehr bin ich erstaunt über die Tatsache, dass der unendlich große, barmherzige Gott mein Gott geworden ist. Er hat mich von Lähmungen befreit und mich zu einem Leben mit ihm erweckt. Welch ein Wunder! Durch Jesus und die, die mir von ihm erzählt haben, habe ich nun Zugang zu Gott. Auch darauf vertraue ich: Mein Lebensweg wird einst in Gott sein Ziel haben! Diese Aussicht weitet mein Leben über den Horizont meiner irdischen Jahre hinaus und erfüllt mich mit Staunen und Freude!

JOACHIM DANIEL JAEGER

Herr, unser Gott, lieber Vater. Du rufst uns ins Leben und willst, dass dieses Leben bleibt. Bei allen Zweifeln, mach uns gewiss, dass wir leben werden, auch wenn wir sterben. Wir können dafür nicht dankbar genug sein!

Umdenken ist nötig

Petrus, ein Jude von Geburt und ganz selbstverständlich im Judentum beheimatet, muss als Zeuge des Auferstandenen noch viel dazulernen. Zwar hatte Jesus bei seinem Weggang gesagt, dass von nun an die Jünger seine Zeugen sind: »… in ganz Judäa und Samarien und bis an das Ende der Erde.« Aber bisher hat sich Petrus nur unter Juden bewegt. Wenn Christi Botschaft weltweit bekannt werden soll, dann muss Petrus bereit sein, sich auch auf Nicht-Juden einzulassen. Die Begegnung mit dem römischen Hauptmann Cornelius und seinem Haus wird für Petrus die Wende bringen. Das sagt sich so einfach, aber für Petrus, dem wie jedem Juden der Eintritt in ein heidnisches Haus verboten ist, kann es nur auf denkwürdige Weise zum Umdenken kommen. Er muss wie wir Christen alle immer wieder einen Lernprozess durchmachen. Hätte er sich verweigert, wäre das Evangelium nicht bis zu den Enden der Erde gelangt. Merkwürdig umständlich wird von zwei Erscheinungen erzählt. Petrus muss bereit gemacht werden für die Heidenmission, und Cornelius, der Repräsentant der Besatzungsmacht, soll dazu gebracht werden, den Juden Petrus in sein Haus einzuladen.

Cornelius versteht sofort. Aber für Petrus ist die »Erscheinung« schwer verständlich. Als Jude ist er strengen Speisegeboten unterworfen. Deshalb widerspricht er. Die Stimme vom Himmel hält dagegen. Petrus ist noch ratlos, aber da kommen die Knechte des Cornelius mit ihrer Einladung, und Petrus erkennt, was Gott ihm bedeuten will. Gott unser Heiland will, »dass allen Menschen geholfen werde und sie zur Erkenntnis der Wahrheit kommen« (2 Tim 2,4).

JOACHIM DANIEL JAEGER

Herr, unser Gott, lieber Vater, du willst nicht, dass wir so weitermachen wie bisher. Du bringst uns häufig dazu, dass wir umdenken und den Weg gehen, den du uns zeigst. Gib uns die Kraft dazu!

Gott zielt aufs Ganze

Wir haben es 1989 erlebt: Die Mauer fiel. Auch in unserer Petrusgeschichte wird eine trennende Mauer überwunden.

Gott hatte dieses Volk vor allen anderen Völkern erwählt und berufen. Ein kleines Volk, zunächst ein Nomadenvolk, ohne Macht und Einfluss, den Großmächten in keiner Weise gewachsen, immer zwischen den Stühlen, immer wieder bedroht, weil seine Heimat, die Landbrücke zwischen Eurasien und Afrika, strategisch wichtig ist. In den Augen der anderen ein armseliges Volk, weil es nur einen Gott hatte und sich einen reich ausgestatteten Götterhimmel nicht leisten wollte.

Aus diesem Volk geht Jesus hervor, der wie keiner vor ihm und keiner nach ihm Unvergleichliches tut und Unerhörtes sagt. Dafür wird er getötet. Seine Getreuen machen die Erfahrung, dass er auferstanden ist und lebt. Sie sind überzeugt, diese Botschaft vom Retter muss dem Volk weitergesagt werden. So gehen sie in die Synagogen und reden von ihm. Gott aber hat mehr vor. Sein Wille zur Heilung und zur Rettung geht aufs Ganze der Welt. Er hat im Blick, was er schon dem Urvater Abram verheißen hat: »In dir sollen gesegnet werden alle Geschlechter der Erde.«

Im Hause des Hauptmanns Cornelius wird das erstmals praktiziert. Zwar bleibt Israel erwählt, aber in diese Erwählung werden nun alle Völker einbezogen. Mit der Taufe dieses Römers und seines ganzen Hauses geht das Tor auf zu allen Geschlechtern der Erde und bis ans Ende der Zeiten. Petrus hatte verstanden, was die Erscheinung in Joppe bewirken wollte. Nun predigte er allen Leuten und taufte jeden, der ihn darum bat, ganz gleich, ob Jude oder Heide. So kam das Evangelium auch zu uns!

JOACHIM DANIEL JAEGER

Herr, unser Gott, lieber Vater, wir danken dir, dass deine Botschaft auch zu uns gekommen ist. Sie öffnet unser Herz für deine Wahrheit und für deine Liebe. Lass uns auch heute wahrhaftig sein und Liebe üben!

Wider die Vergesslichkeit

Der Psalm beginnt mit einem Paukenschlag: »Lobe den Herrn, meine Seele!« Wer beim Lesen noch überlegt, was denn der Anlass für das Lob Gottes sein könnte, bekommt im Schnelldurchlauf Vers für Vers einen Grund nach dem anderen präsentiert. Und noch ehe die ganze Liste der Argumente zu Ende ist, ertönt bereits im zweiten Vers das Motiv des Psalmbeters: ein Plädoyer wider die Vergesslichkeit!

Die Aufforderung zum dankbaren Erinnern kommt wohl nicht von Ungefähr. Der Mensch scheint sie nötig zu haben. Vielleicht, weil er das Gute für den Normalfall hält und er Gott dann nicht braucht? Oder weil sich das Negative stärker ins Gedächtnis prägt? Aber Anlässe, dankbar zu sein, gibt es viele. Zum Beispiel, dass ich morgens aufwache, dass ich sauberes Wasser habe und mich satt essen kann. Und im Vergleich zu vielen Menschen in anderen Teilen dieser Welt, die unter Krieg, Terror, Vertreibung, Pandemien, Hunger- und Naturkatastrophen schwer zu leiden haben, geht es uns gut.

Der Glaubende führt sein individuelles Wohlergehen auf Gott zurück. Der Psalmbeter verharrt jedoch nicht in dieser Perspektive. Er wählt den großen – auch historischen Zusammenhang. Die Heilsgeschichte kommt in den Blick: von Mose und der Befreiung des Volkes Israel aus der Gefangenschaft in Ägypten bis auf den heutigen Tag.

Übrigens hat auch die säkulare Welt die Bedeutung der Dankbarkeit längst entdeckt. Wer dankbar ist, erkennt an, dass er oder sie nicht alles allein tun kann. Wer glaubt, alles sei »selfmade«, ignoriert den Anteil, den wir auch anderen Menschen verdanken. Viele Studien belegen, dass dankbare Menschen glücklicher sind, weniger stressanfällig, weniger depressiv, ein größeres Selbstwertgefühl haben – und zufriedener sind mit ihrem Leben. So sehen es auch die vielen Danklieder im Evangelischen Gesangbuch oder im Gotteslob.

UDO HAHN

Bis hierher hat mich Gott gebracht durch seine große Güte, bis hierher hat er Tag und Nacht bewahrt Herz und Gemüte, bis hierher hat er mich geleit', bis hierher hat er mich erfreut, bis hierher mir geholfen.

Geht Gott wirklich so weit?

Sie erleben eine Geschichte nach der anderen, die ersten Christinnen und Christen. Sie sollen verstehen, dass Gott viel weiter ist und geht, als sie ahnen. Das war schon bei Jesus so und setzt sich nahtlos fort bis heute. Gott nimmt Menschen in den Blick, die nach unserem Verständnis außen vor sind. Um Gottes weiten Horizont zu erblicken, braucht es geschickt gestrickte Geschichten. Und für Petrus eine Erscheinung, damit er diesen Horizont erkennt.

Diese göttliche Kursänderung war eine große Herausforderung für die Gemeinde aus dem Judentum in der Entstehungszeit. Nur damals? Gott schließt niemanden aus von seiner Zuwendung. Es gibt keine spirituelle oder sonstige Voraussetzung. Ich drücke meine Zugehörigkeit zu Gott durch eine bestimmte Lebensweise aus. Aber die muss niemand kopieren, wenn er zu Gott gehören will.

So erlebt Petrus diese Geschichte, bei der er dreimal schlucken muss, bevor er Gottes Grenzöffnung nachvollziehen kann. Die Zielgruppe für Gottes gute Absichten liegt auch hinter den Grenzen, die für uns undurchdringlich scheinen oder die wir sogar selbst errichten. Haben wir Gottes Liebe gepachtet? Gottes Weg mit unserer Welt endet schon gar nicht beim christlichen Abendland. Auch nicht im Morgenland, von dem der Glaube zu uns kam. Und auch »God's own country« stellt nicht den Endpunkt des Weges Gottes dar. Denn die, die nicht in unserem Blickwinkel liegen, sollen sich mitfreuen: Gottes Liebe erreicht mich.

So wird der anfangs überschaubare Horizont der Gemeinde immer größer. Ist das auch unsre Erfahrung in unseren Kirchen? Und es geht weiter.

HANSFRIEDER ZUMKEHR

Gott, deine grenzenlose Liebe erreicht Menschen, die uns fernstehen. Manchmal befremdet uns das. Du machst keinen Halt an unseren Vorbehalten. Lass uns deinen Weg mitgehen zu all jenen, die wir keines Blickes würdigen.

Gott geht weiter, als wir denken

Sie erlebt eine Geschichte nach der anderen, die junge Gemeinde in Jerusalem. Jetzt erfährt sie, dass ihr Glaube an Jesus Christus bereits in der drittgrößten Stadt des römischen Reiches angekommen ist. Das ist gewöhnungsbedürftig. Kennen diese neuen Kirchenmitglieder eigentlich Gottes Weg mit seinem jüdischen Volk? Ist die Zugehörigkeit zu ihm nicht Voraussetzung? Aber ich muss doch in der Kirche sein ...

Sie schicken einen bewährten Mitarbeiter als Weltanschauungsbeauftragten. Barnabas besitzt spirituelles Feingefühl. Kaum in Antiochia angekommen, wird ihm wie zuvor schon dem Apostel Paulus klar: Dieser Grenzübertritt in die Welt der Religionen passt. Gott macht sich auf in die Globalität. Was Jesus gelebt hat bis zum Ende, soll die Wirtschaftszentren und Kulturhauptstädte der Welt erreichen.

Das soll keine Absetzbewegung zur Folge haben. Die Christenheit hat ihren bleibenden Ursprung in Jerusalem. Darum wird sie ihre Solidarität immer wieder zeigen. Einer mit Vorausblick sieht eine Hungersnot auf die Christinnen und Christen in Jerusalem zukommen. Da ist es selbstverständlich, dass die neu hinzugekommenen Gemeindeglieder sie unterstützen. Ihre Spende ist ein Zeichen: Wir gehören zusammen. Was könnte mein Dankeschön an das Herkunftsland unseres Glaubens sein?

Die frischgebackenen Gläubigen müssen in so einer Weltstadt nicht einmal selbst ein Logo für sich überlegen. Menschen sind kreativ im Erfinden von Bezeichnungen, vor allem, wenn sie dadurch andere festlegen oder gar herabwürdigen können. Wir kennen diese Methode. So wird Antiochia zum Geburtsort des Namens, den wir bis heute tragen. Schön, wenn unsere Umgebung uns auch so taufen würde: Die zeigen, dass sie zu Jesus Christus gehören. So geht die Geschichte immer weiter.

HANSFRIEDER ZUMKEHR

Gott, für manche wird die Bezeichnung Christ fragwürdig oder zur Herausforderung. Daran wollen wir uns gewöhnen. Doch lass diesen Namen durch unser Leben dafür stehen, dass andere sich nicht abwenden, sondern eingeladen werden. Lass ihn uns tragen als Zeichen für deine umfassende Liebe.

Die Geschichte Gottes mit seinen Menschen geht immer weiter

Sie erleben eine Geschichte nach der anderen. Manche enden böse und gehen doch gut aus. So bekommen Christinnen und Christen von Beginn an mit, dass Gottes Geschichte nicht aufhört, wenn sie selbst am Ende sind. Weil Verfolgungen zunehmen. In welchen Ländern passiert das gerade? Das ist bald gegoogelt. Endet die Geschichte Gottes so, dass wir für unseren Glauben mit dem Schlimmsten rechnen müssen?

Erst wird Jakobus ermordet. Er war der Bruder Jesu und ein Hauptverantwortlicher der Jerusalemer Gemeinde. Dann sitzt Petrus, ihr überlebender Hauptvertreter, im Gefängnis. Und immer ist einer in diesen Geschichten dabei, der sich ganz groß vorkommt. Machthaber wie dieser sind Meister der Verblendung. Sie gewinnen die Massen für sich. Die laufen ihnen hinterher, weil sie versprechen, was sie doch nie halten. Man kann nur den Kopf schütteln. Er nährt unseren Zweifel, ob Gottes Friede und Gerechtigkeit sich durchsetzen.

Doch Geschichten, die böse enden, können Gott sei Dank gut ausgehen. Würde sonst weltweit bis heute Gottesdienst gefeiert?

Wunderbar: Wer ins Gefängnis geworfen wird, bloß weil er anders denkt, als die Männer an der Macht erlauben, kommt frei! Wunderbar: Ich vertraue weiter darauf, dass Geschichten, die böse enden, gut ausgehen. Auch wenn es immer wieder nicht so aussieht. Auch im eigenen Leben. Gefängnistüren oder Mauern öffnen sich. Unsere Wirklichkeit ist nicht festzementiert. Dem Autokraten wird der Personenkult zum Verhängnis. Er hält sich für Gott und wird auf seine wahre Größe zusammengeschrumpft und gestürzt. Und Unterdrückte und Geknebelte erheben sich.

Christinnen und Christen erleben von Anbeginn an eine Geschichte nach der anderen. Gottes Weg mit der Welt geht weiter, als wir denken, immer weiter. Immer gilt: Fortsetzung folgt.

HANSFRIEDER ZUMKEHR

Gott, wir hoffen darauf, dass deine Geschichte mit unserer Welt gut ausgeht. Gib, dass wir die Hoffnung nicht aufgeben, nicht das Beten, nicht unser Tun, dass Menschen und Situationen sich ändern, weil du unter uns wirkst.

Innen und außen

Was für ein Völkergemisch hat sich in Antiochien zusammengefunden: Menschen aus anderen Städten und Regionen, Menschen anderer Hautfarbe, Menschen aus unterschiedlichen Glaubenstraditionen und Religionsgemeinschaften. Was nach außen so unterschiedlich scheint, wird innen vom Heiligen Geist zu einer Gemeinschaft geeint. Seine Stimme wird hörbar im gemeinsamen Gottesdienst. Worte, die wirken und die Berufenen hinausführen, gestärkt mit dem Segen der Gemeinschaft. Es ist eine stete Bewegung zwischen Beten und Verkündigen, Bleiben und Weitergehen, Hören und Gehörtwerden. Immer ist es Gottes Geist, der führt, dessen Kraft spürbar wird in den Worten und im Handeln der Berufenen. So werden sie erkennbar Propheten und Lehrer für die Menschen, denen sie begegnen, Widerstand eingeschlossen. Nicht alle, die Gottes Geist erkennen, möchten sich ihm anvertrauen. Im Gegenüber zeigt sich, welche Kräfte wirken und wer sich welcher Macht anvertraut. Die Abgrenzung mag nicht immer einfach sein. Aber manchmal ist sie nicht nur unvermeidlich, sondern geboten. Sie verlangt öffentliche Positionierung, Klarstellung, Distanzierung, Unterscheidung: Das geht nicht zusammen! Nicht aufgrund von Äußerlichkeiten, sondern weil im Innern ein falscher Geist herrscht, erkennbar an den Worten und Taten, die Menschen auf Irrwege und ins Dunkel führen. Gottes Geist setzt sich dem mit aller Macht sichtbar und hörbar entgegen. Die Entscheidung, welchem Geist ich glaube und von welchem Geist ich mich erfüllen lasse, liegt bei mir. Jeder und jede kann sehen und hören, welche Geistkraft am Werk ist.

BARBARA JANZ-SPAETH

Im Innern erfüllt von deinem Geist, Gott, geraten wir in Bewegung. Lass uns dein Wort zu den Menschen bringen. Lass sie erkennen, dass dein Geist uns hörbar und spürbar erfüllt.

Worte des Zuspruchs

Ein Blick in die Geschichte. Sie war nicht immer nur gut und bequem, oft genug eher beschwerlich, mühsam und von Höhen und Tiefen bestimmt. Paulus erzählt diese Geschichte Gottes mit seinem Volk als Zuspruch für die Gegenwart. Das ist seine Perspektive der Verkündigung. Durch alle Zeiten, von Anfang an ist unser Gott unterwegs mit seinem Volk – auf so vielfältige Weise, wie Menschen unterschiedlich sind, wie die Lebensbedingungen sich unterscheiden und Herrschaftsverhältnisse sich verändern. Immer ist Gott wirkmächtig mittendrin. Die Herrscher seines Volkes sind von ihm erwählt. Gott rettet sein Volk aus bedrängenden Situationen. So erzählt Paulus die Geschichte seines Volkes und erzählt sie damit als Heilsgeschichte mit Gott.

Wie spannend wäre es, uns einmal gegenseitig unsere gemeinsame Geschichte als Heilsgeschichte zu erzählen auf eine Weise, dass wir diese Worte als Zuspruch verstehen! Wohin hat Gott uns auf unserem gemeinsamen Weg geführt? Welche richtungsweisenden Menschen prägten Haltungen in unseren Gemeinden, in der Kirche? Welche Worte des Zuspruchs geben wir einander weiter?

Worte des Zuspruchs heißt, schwierige Zeiten, Streitigkeiten, Zweifel und Ohnmacht als Chance der Neuorientierung zu begreifen. Es gilt, das zu beenden, was nicht gut ist, und zu glauben, dass wir miteinander den richtigen Weg finden werden. Worte des Zuspruchs bedeutet auch, einander um diese Worte zu bitten. Nicht nur in verfahrenen Situationen, sondern mitten im gemeinsamen Gottesdienst und Feiern. Manchmal ist die Außenperspektive hilfreich und verändert das eigene Reden. Es geht Paulus nicht darum, die Vergangenheit zu verklären. Er verkündet vielmehr, wie bedingungslos wir uns auf Gott verlassen können und voll Vertrauen jetzt leben und in die Zukunft gehen können. Gott ist immer dabei – was für ein Wort des Zuspruchs.

BARBARA JANZ-SPAETH

Lass uns unsere gemeinsame Geschichte mit dir, Gott, entdecken und einander davon erzählen, wie wir bestärkt wurden und wie du uns auf unserem Weg geführt hast. Wir können dir vertrauen, Gott, jetzt und in der Zukunft.

Wort des Heils

Jesus Christus ist das von Gott gesandte, uns zugesagte Wort des Heils. Das ist nicht leicht zu erkennen, schon gar nicht leicht zu verstehen. Manchmal höre ich nicht, weil ich meine, schon lange zu wissen, wie dieses Wort zu hören und zu deuten ist. Manchmal dringt dieses Wort nicht in mein Inneres, weil ich mich nicht als heilsbedürftig betrachte. Manchmal stört dieses Wort mich derart, dass ich es lieber beiseite schiebe und dem Schicksal überlasse, um weitermachen zu können wie bisher. Mit der Auferweckung Jesu wird das Heilswort Gottes neu definiert. Der Glaube an ihn als Sohn Gottes führt zu einem Leben, das von Gottes Gnade bestimmt ist. Gottes bedingungsloses Ja zum Menschsein macht es uns möglich, menschlich zu leben, heil zu werden durch die Heilsgabe Gottes. Solch ein Wort des Heils verändert grund-legend: weil es Möglichkeiten aufzeigt, wo man scheinbar am Ende ist. Weil es Wege eröffnet, die aus der Sackgasse herausführen. Weil es Umkehr ermöglicht, die die Vergangenheit integriert, indem sie aus einer anderen Perspektive gesehen werden kann. Vergebung und Versöhnung entstehen aus diesem Ja Gottes, aus seiner Heilsgabe. Diese Gnade Gottes anzunehmen und damit einzugestehen, dass Heil nicht machbar, sondern ein Geschenk Gottes ist, kehrt den Blick auf das Leben um. Vor der Sünde, vor dem Tod, vor der Erfüllung von Gesetz und Propheten steht immer Gottes Ja, das in Jesus Christus leibhaftig wurde. An ihn zu glauben heißt, der Gnade Gottes treu zu bleiben. Das Wort des Heils, Jesus Christus, führt uns gemeinsam auf den Weg der Versöhnung und der Vergebung – ein Weg in die Zukunft.

BARBARA JANZ-SPAETH

Lass uns das Wort des Heils, deinen Sohn, Gott, erkennen, darauf hören und ihm auf unserem Weg folgen. So bleiben wir in deiner Gnade und werden zu Vergebung und Versöhnung fähig.

Klage am Morgen

Haben Sie heute gut geschlafen? Ich hoffe es für Sie. Manchmal schlafen wir ja schlecht, weil es uns gesundheitlich nicht gut geht oder uns ein Problem nicht zur Ruhe kommen lässt.

Gedanken, die uns nicht loslassen, haben nicht selten Menschen im Blick, die einem Böses wollen. Der Nachbar, der mit mir Streit angefangen hat. Der Kollege, der meine Arbeit beim Chef schlecht macht. Die Vereinsmitglieder, die mich als Vorstand absägen wollen. Was ist, wenn sie Erfolg haben? Wie kann ich mich wehren, ohne dass ich mich von meinen Gefühlen überwältigen lasse? Wie kann ich zur Ruhe kommen und die Auseinandersetzung mit kühlem Kopf angehen?

Auch der Beter des Psalms hat es mit Feinden zu tun, die ihm nachstellen. Ihn treiben wütende Gedanken um. Wie gut, dass er weiß, wohin mit seiner Wut. Gleich nach dem Aufstehen klagt, ja seufzt und schreit er aus tiefstem Herzen Gott seine Not heraus. Er ist gewiss: Gott ist sein Schicksal nicht gleichgültig. Denn Gott steht auf der Seite der Gerechten. Darum geht er mit großer Zuversicht in den Tempel, um dort zu beten. Gott wird Gerechtigkeit schaffen. Die Gedanken an seine Feinde bringt er vor Gott und überlässt es ihm, sie für ihre Falschheit und ihre Missetaten zu bestrafen.

Wir tun uns wahrscheinlich schwer, Gott wie dieser Beter um die radikale Bestrafung der Gegner zu bitten. Aber dieser Wunsch entspringt seiner verzweifelten Klage. Diese Bitte bewirkt auch, dass seine starken negativen Gefühle etwas nachlassen. Das schafft Raum, dass neue Zuversicht wachsen kann. Sein Vertrauen in Gottes Möglichkeiten wird zu seinem Schild, das die giftigen Pfeile böser Menschen abwehren kann. Auch die Lebensfreude kehrt wieder, die aus dem Glauben kommt. Kein Wunder, dass man diesen Psalm zum Flötenspiel vorsingen soll.

JÜRGEN KAUFFMANN

Gott, manchmal spüre ich eine Wut in mir. Ich lege sie in deine Hände. Hilf mir, sie anzunehmen und wandle sie in Gelassenheit und Zuversicht in deine Möglichkeiten.

Den Staub von den Füßen schütteln und weitergehen

Fast die ganze Stadt kam zusammen! Was für ein toller Erfolg für Paulus und Barnabas. Manch einer und eine wünschte sich das angesichts einer spärlich besuchten Kirche. Kein Wunder, dass die Gemeindeverantwortlichen neidisch auf die Gastprediger in ihrer Synagoge sind. Mitleid bekommt man geschenkt, Neid muss man sich erarbeiten, sagt ein Sprichwort. Da haben die beiden Missionare in Antiochien ganze Arbeit geleistet. Zunächst treffen sie auch in der jüdischen Gemeinde auf positive Resonanz. Von ihrer leidenschaftlichen Rede lassen sich viele begeistern und bitten um Fortsetzung am nächsten Sabbat. Dabei ist das Thema nicht ohne Brisanz: Paulus bindet das Evangelium von Jesus Christus nahtlos in die Bundes- und Heilsgeschichte des Volkes Israel ein. Der Gekreuzigte und Auferweckte ist kein anderer als der verheißene Messias, der Davidssohn. Der Glaube an ihn macht gerecht, wo das Gesetz des Mose nicht gerecht machen kann. Das birgt theologischen Zündstoff. Aber die Gemeindeverantwortlichen sind interessiert, sie bitten die Prediger, wiederzukommen. Dann wendet sich das Blatt. Denn diesmal zieht die neue Botschaft nicht nur Menschen jüdischen Glaubens an, sondern auch die heidnische Bevölkerung. Das Haus ist voll. Die Sorge wächst, dass die eigene Religion verwässert werden könnte, wenn viele kommen, die vom Judentum kaum Ahnung haben. So wie es hier erzählt wird, verkündigen Paulus und Barnabas den christlichen Glauben zunächst ganz von seinem jüdischen Ursprung her. In den Synagogen finden sie viel Resonanz, trotz der berichteten Feindseligkeiten, und sie erreichen auch nichtjüdische Hörerinnen und Hörer. Historisch mag das vielschichtiger gewesen sein. Unbestritten ist, dass viele urchristliche Gemeinden jüdisch geprägt waren. Und Paulus und Barnabas? Zuerst werden sie in den Himmel gelobt und dann verfolgt. Da hilft nur, den Staub von den Füßen zu schütteln und weiterzugehen. Umso besser, wenn die Freude und der Geist Gottes neuen Schwung verleihen.

SABINE KAST-STREIB

Mit deinem Geist der Freude erfülle mich, guter Gott.

Menschen wie wir

Von Antiochien geht es nach Ikonion, der Hauptstadt Lykaoniens. Dort spielt sich Bekanntes ab: Predigt- und Bekehrungserfolge bei Juden und Griechen. Gemeint sind griechische Proselyten, »Hinzugekommene«, die nach dem jüdischen Glauben leben. Trotz des wachsenden Widerstandes jüdischer und heidnischer Kreise bleiben die Missionare zunächst standhaft, müssen dann aber fliehen, weil ihr Leben bedroht ist. Erzählungen wie diese haben dazu beigetragen, dass bis heute Millionen Menschen jüdischen Glaubens verfolgt und getötet worden sind. Woher kommen solche einseitigen und undifferenzierten Vorwürfe gegen »die Juden«? Systematische Christenverfolgungen durch Juden sind historisch nicht belegt. Vielmehr wurden Juden und Christen von den Römern gemeinsam verfolgt. Innerjüdisch wurden die Christen lange als Sekte gesehen, welche es interessiert oder kritisch zu beobachten galt. So handelte es sich eher um einen religiösen Geschwisterstreit und der fällt emotional oft heftig aus. Umso tragischer, dass Texte wie dieser nach wie vor antisemitische Vorurteile nähren. Nun wird aber noch eine zweite Geschichte erzählt. Hier geht es um die Begegnung von Paulus und Barnabas mit Anhängern der antiken griechischen Religion. Nach der Heilung eines Gelähmten werden die beiden Wundertäter als Götter verehrt. Indem die Menschen in Lystra auf ihre eigenen religiösen Vorstellungen zurückgreifen, finden sie Worte für das, was sie am Tun der christlichen Missionare spirituell tief berührt hat. Barnabas und Paulus erzählen vom Gott Israels und Jesu so, dass es auch Menschen verstehen können, die nichts mit dem Judentum zu tun haben. Solche Sprachfähigkeit ist eine Kunst, in der wir uns als Christinnen und Christen einüben sollen: Wie finden wir Worte für Menschen, denen unsere Botschaft und unsere Sprache fremd ist? Ein erster Schritt dazu ist die Haltung: Wir sind Menschen wie Ihr.

SABINE KAST-STREIB

Gib uns Ohren, die hören und Augen, die sehn. Und ein weises Herz, andre zu verstehn.

Stärkung in Bedrängnis

Die erste Missionsreise neigt sich ihrem Ende zu. Nach einer letzten, erfolgreichen Station in Derbe kehren Barnabas und Paulus in die Städte zurück, wo sie verfolgt und mit dem Tod bedroht wurden. Die Missionare lassen die Schwestern und Brüder nicht allein. Durch ihr Wirken hat Gott vielen, die nichts vom Gott Israels und seinem Sohn Jesus Christus wussten, »die Tür zum Glauben geöffnet«. An allen Orten sind christliche Gemeinden gewachsen. Diese haben es schwer, in einem feindlich gesinnten Umfeld zu überleben. Ihnen kommen die Gemeindegründer zu Hilfe, bringen Seelenstärkung und Ermutigung: Bedrängnisse, sagen sie, gehören zum Leben und Glauben dazu. Jesus Christus hat sie selbst durchlitten. Zu ihm können wir mit allem kommen, was uns belastet und bedrängt. Er hilft aushalten. Zugleich macht seine Geschichte Hoffnung: Gott hat Jesus nicht im Tod gelassen, sondern zu neuem Leben auferweckt. Tod, Leiden und Tränen werden im Reich Gottes überwunden sein, und die Hoffnung macht schon jetzt Mut. »Unsere Kirche erlebt Entführungen, Misshandlungen und Mordanschläge. Oft lähmt uns die Angst. Aber wenn wir versucht sind, uns der Verzweiflung und Wut hinzugeben, spornt uns die Hoffnung an. Die traurigen Ereignisse und das Böse sind Teil der Wirklichkeit unseres irdischen Lebens. Doch die Hoffnung auf Gott erneuert unsere Kraft«, so eine Christin aus Nigeria. In vielen Ländern erleben Menschen Verfolgungen, nicht zuletzt um ihrer Religion willen. Wo wir für Verfolgte und Flüchtlinge beten und eintreten, halten wir im Namen Jesu Bedrängnisse mit aus und setzen uns dafür ein, dass sich etwas zum Besseren verändern kann. Paulus und Barnabas stärken ihre Gemeinden auch durch eine organisatorische Struktur. Sie setzen Älteste zur Leitung ein und »empfehlen sie dem Herrn«. Niemand muss allein die Verantwortung tragen, Jesus Christus trägt mit. Er trägt auch unsere Kirchen und uns persönlich, wenn uns das Leben drangsaliert.

SABINE KAST-STREIB

Führst du uns durch raue Wege, gib uns auch die nöt'ge Pflege.

Wie man wichtige Fragen angehen kann

Heftiger Streit schüttelt die junge Kirche. Es geht um eine zentrale Frage ihrer Existenz. Kann man nur über den Weg des Judentums Christ werden, getauft werden nur nach vorheriger Beschneidung, oder ist der direkte Schritt in die christliche Gemeinschaft möglich? Das bedeutet: Bleiben die Christen eine jüdische Sondergruppe, oder öffnen sie sich allen, wie und woher sie auch kommen? In ungewöhnlicher Schärfe berichtet die Apostelgeschichte über die Auseinandersetzung, die zu dem sogenannten »Apostelkonzil« in Jerusalem führt.

Damals wie heute geht es um Grundfragen. Wie gehen neue Erfahrungen im Glauben zusammen mit der Heiligen Schrift und der Tradition der Kirche? Wie wird Glaube eingebracht und fruchtbar gemacht in anderen Kulturen? Wie reagiert Kirche auf die Entwicklungen der Kulturen? Wenn Gott wirklich Mensch geworden ist und sich mit Haut und Haar in menschliche Geschichte hineinbegeben hat, muss sich dann nicht auch seine Kirche immer neu der Wirklichkeit und den Zeichen der Zeit stellen?

Auch für den persönlichen Weg ist diese existenzielle Frage von höchster Bedeutung: Wie deute ich meine eigene Lebensgeschichte, die Erfahrungen meines Lebens? Fordern sie mich heraus zu neuem Nachdenken und zu neuen Schritten? Wie reagiere ich auf den Ruf Gottes durch das, was ich in Begegnungen mit Menschen und in den Wendungen des Lebens erfahre? Halte ich mich strikt fest an eingefahrenen Mustern und Regeln, oder öffne ich mich neuen Herausforderungen von außen und von innen?

So wie in Kirche diese Auseinandersetzungen unvermeidbar sind und eine echte Streitkultur erfordern, so muss jeder Einzelne sich ins Gespräch mit anderen erfahrenen Menschen bringen, in eine geistliche Begleitung oder eine Supervision seines Denkens und Handelns, damit er zu Schritten nach vorn kommt und neue Perspektiven gewinnt.

FRANZ-JOSEF BODE

Gott, unser Vater, sende mir heute neu die Kraft deines Heiligen Geistes, dass ich erkenne, welche Schritte für meinen weiteren Weg wichtig sind und wo ich mich auf Neues einlassen muss. Hilf auch deiner ganzen Kirche zu neuem Weitblick!

Wie man zu guten Entscheidungen kommen kann

»Der Heilige Geist und wir haben beschlossen.« Selbstbewusstsein spricht aus diesem Satz. Zugleich aber auch die Demut derer, die ihre Entscheidung getragen wissen vom Wirken des immer größeren Gottes (vgl. 1 Joh 3,20). Sie vertrauen darauf, dass das Zusammenwirken von Autorität, Praxis und Tradition in harter Auseinandersetzung zu einer guten Entscheidung geführt hat. Nötig war dazu freilich auch ein gesundes Maß an Kompromissbereitschaft bei Fragen, die nicht die Mitte des Glaubens betreffen. Der Weg zu den sogenannten »Heiden« ist geöffnet, und die Herausforderung für die stark aus der Tradition Lebenden ist gemindert. Keine weiteren Lasten, aber Achtsamkeit für die Überlieferung.

Das Zusammenspiel von Petrus, Paulus, Barnabas und Jakobus, das gegenseitige Hören und Abwägen führten zu diesem für die Urkirche so weitreichenden Ergebnis. Es ist ein Modell für alle wichtigen Entscheidungsprozesse der Kirche wie auch des persönlichen Lebens. Wenn »Gott uns mit der Wirklichkeit umarmt« – so heißt es oft im Zusammenhang mit dem spirituellen Auftrag, den Ignatius von Loyola seinem Jesuitenorden mitgab: Gott in allen Dingen suchen und finden –, dann spielen unsere Erfahrungen im Alltag eine erhebliche Rolle für die Deutung des Lebens. Dafür stehen Paulus und Barnabas. Aber diese Deutung geschieht eben nicht ohne eine Beziehung zur bisherigen Geschichte Gottes mit uns, für die Jakobus steht, und auch nicht ohne das Hören auf die Autorität von Menschen, die zur Entscheidungshilfe befähigt sind aufgrund von Erfahrung, Kompetenz oder Auftrag – wie Petrus.

Die Freude aller bleibt in der Apostelgeschichte nicht aus. Die Entscheidung schafft Zuspruch und Ermutigung. »Viele andere« finden sich nun ein, das Wort Gottes mit zu verkünden. Ihnen wurde eine neue Freiheit nach vorn eröffnet.

FRANZ-JOSEF BODE

Gott, oft tue ich mich schwer mit Entscheidungen und wage kaum neue Schritte. Lass mich durch die Begegnungen und Ereignisse heute sicherer werden über das, was du von mir erwartest! Steh auch deiner ganzen Kirche bei in dieser Zeit!

Wie aus Unvollkommenheit Erfolg werden kann

Mitten in der Freude über die Entscheidung des »Apostelkonzils« gibt es schon wieder Krach, diesmal zwischen Paulus und Barnabas. Die beiden trennen sich. Es ist ein zutiefst menschlicher Zug von Lukas, dass er diese sehr persönliche Auseinandersetzung nicht verschweigt. Denn auch das gehört zur Realität des Lebens. Menschliche Unzulänglichkeiten und Bindungen, Urteile und Meinungen bleiben Störfaktoren einer noch so lauteren Absicht. Von Barnabas hört man im Folgenden nichts mehr – außer, dass sich die Möglichkeiten der Verkündigung des Evangeliums durch die Trennung sogar noch erweitert haben! Gott schreibt auch auf krummen Linien gerade; er führt bei denen, die ihn lieben, alles zum Guten (vgl. Röm 8,28).

Eine weitere Erfahrung menschlicher Begrenzung zeigt sich im nächsten Abschnitt. Paulus begibt sich mit Silas auf die zweite Missionsreise und verkündet: Die Heiden können ohne Beschneidung zur Taufe kommen; Gott will das Heil für alle Menschen. Doch Paulus möchte den Juden in Lystra kein Ärgernis geben und lässt den Christen Timotheus beschneiden. Diese Inkonsequenz verwundert umso mehr, als dass Paulus andernorts wenig Kompromissbereitschaft zeigt. Geschah es aus einfühlsamer pastoraler Klugheit oder doch eher aus Feigheit? Wie dem auch sei: Die Botschaft und ihre Verkündigung stehen immer in einer Spannung, die zum Leben dazugehört und angenommen werden muss, wenn das Dasein ein lebendiger Prozess bleiben soll in Freiheit und Offenheit für verschiedene Situationen.

Offensichtlich hat das Vorgehen des Paulus in Lystra nicht zu neuer Zwietracht geführt. Im Gegenteil. Die Gemeinden fühlen sich im Glauben gestärkt und wachsen. – Der Weg der Kirche von Jerusalem über Judäa und Samarien bis an die Grenzen der Erde gelingt. Er gelingt im Zusammenspiel von göttlicher Führung und vielen ach so menschlichen Entscheidungen.

FRANZ-JOSEF BODE

Gott, nicht immer läuft in meinem Leben alles rund, schon gar nicht vollkommen. Ungelöste Fragen und Auseinandersetzungen belasten mich. Zeig mir durch deinen Geist neue Perspektiven, damit ich in Freude diesen Tag leben kann.

Verfolgt

Falsche Anschuldigungen können eine Existenz vernichten. Regelmäßig hören oder lesen wir von Anklagen, die sich nach genauer Untersuchung als haltlos herausstellen. Dann ist es aber schon zu spät. Etwas von dem Verdacht bleibt immer an dem Angeschuldigten haften.

Eine dramatische Verfolgungssituation lässt der Psalm erkennen, der David zugeschrieben wird. Über die Hintergründe erfahren wir nichts, auch wenn der Ankläger benannt wird. Aber wie sich der Beter fühlt, das wird in seiner Klage hörbar. Er spürt gleichsam den heißen Atem der Löwen im Nacken, die ihn packen und zerreißen wollen. Es sind seine Feinde, die ihn verleumden und fälschlich anklagen und so seine ganze Existenz vernichten wollen.

Der Beter ist auf sich allein gestellt. Wie soll er die Anschuldigungen widerlegen, sich seiner Ankläger erwehren? Sein Glaube hilft ihm. In seiner Verzweiflung wendet er sich an Gott. Die aufwühlende Klage wird zu einer Gerichtsverhandlung. Der Richter, der entscheiden soll, ist Gott selbst. Der Beter verteidigt sich und klagt an. Er beteuert seine Unschuld und ruft Gott als Zeugen dafür an. Er verlangt Gerechtigkeit und die Bestrafung seiner Widersacher.

Die Klage vor Gott weitet den Blick des Beters. Nach der Bitte um Vergeltung lässt der Beter am Ende einen neuen Gedankengang folgen. Gab es nicht schon Fälle, in denen das schandbare Handeln auf die Täter selbst zurückgefallen ist? Nicht immer wird das so sein. Aber immer wieder können die Konsequenzen des bösen Handelns die Täter in ihrem Leben einholen. »Wer anderen eine Grube gräbt …« Das ist ein Sprichwort, das ja durch Lebenserfahrungen entstanden ist. Der Beter erkennt hinter diesem Zusammenhang Gottes Gerechtigkeit. Das ist der Grund, warum er Gott trotz allem aus tiefstem Herzen loben kann.

JÜRGEN KAUFFMANN

Gott, manchmal merke ich, dass andere schlecht über mich reden oder mir schaden wollen. Gib mir dann die Kraft, es auszuhalten. Hilf mir, auf Vergeltung zu verzichten und auf deine Macht zu vertrauen, die Recht schafft.

Unterwegs im Namen des Herrn

Tausende Kilometer war Paulus unterwegs, um die Botschaft Jesu unter die Menschen zu bringen. Bei seiner 2. Missionsreise durchquerte er Kleinasien und Griechenland. Nicht immer stieß er auf offene Ohren, in mancher Region trug seine Arbeit wenig Frucht. Der Heilige Geist, so die Erklärung, verwehrte die Verkündigung. Wie enttäuschend muss dies für den Apostel und seine Begleiter gewesen sein. Umso spannender dann, dass Paulus eine Erscheinung hat: »Komm herüber nach Makedonien. Hilf uns!« Der Apostel nimmt den Ruf an uns und wagt sich auf das Mittelmeer, hin nach Makedonien. Was sich schnell liest, ist ein bedeutender Schritt der Kulturgeschichte, denn damit erreicht das Evangelium zum ersten Mal Europa. Grenzen zu überwinden, liegt in der Botschaft tief verankert: Die Grenzen der eigenen Vorstellungen, Grenzen, die Menschen gesetzt haben, um Gottes Schöpfung für sich zu ordnen und zu klassifizieren. Gott denkt anders. Das Evangelium gilt allen. Der christliche Glaube lässt Menschen ungeachtet ihrer Herkunft zu Gottes Kindern und damit zu Brüdern und Schwestern werden. Alles, was sie trennt, hebt sich im Glauben auf. Interessanterweise sind die ersten, die sich von dem neuen Glauben ansprechen lassen, Frauen. Lukas, der Verfasser der Apostelgeschichte, der offensichtlich ab diesem Streckenabschnitt selbst Reisebegleiter war, hält es extra fest. Die Missionare setzten sich in Philippi, einer römischen Kolonie, einfach zu ihnen und redeten mit ihnen. Es ist eine Begegnung mitten im Leben. Ein Austausch nicht ohne Folgen: Das Herz von Lydia, einer Purpurhändlerin, wird von Gott für die Botschaft geöffnet. Sie lässt sich schließlich mit ihrem Haus taufen. Ein offenes Herz für das Evangelium geschenkt zu bekommen, ist auch heute eine besondere Erfahrung. Der Glaube schenkt uns Kraft, Mut und Hoffnung für jeden neuen Tag. Er sagt uns: Das Leben ist ein Geschenk, gehe gut und sorgfältig damit um.

WIBKE KLOMP

Guter Gott, wir bitten dich. Öffne unser Herz für dein Wort. Lass uns daran arbeiten, Grenzen zwischen uns abzubauen.

Das Geschäft kaputt machen

Wenn man einem anderen das Geschäft kaputt macht, muss man sich nicht wundern, wenn dieser sich dafür rächt. Paulus befreit in Philippi eine Frau von ihrem Wahrsagegeist. Den Herren dieser Frau gefiel es gar nicht, dass Paulus der Frau diese Gabe genommen hat, denn sie hatten mit ihr viel Geld verdient. Wer möchte sich schon seine Einnahmequelle nehmen lassen? Wer möchte schon, dass »Fremde« sich in gute und bewährte Geschäftspraktiken einmischen? Also ließen sie mit höchstrichterlichem Beschluss Paulus und Silas ins Gefängnis werfen – und das nicht genug: Man nahm ihnen ihre Kleider und schlug sie. Die Missionsreise scheint am Ende. Und man fragt sich als Leser: Warum treibt Paulus der Frau den Geist überhaupt aus? Es ist ja irgendwie merkwürdig, denn die Frau verkündigt ja die Wahrheit. Der Berichterstatter Lukas gibt an, dass Paulus wohl von der Frau genervt war, da sie mehrere Tage das Wirken von ihm und seinen Mitarbeitern begleitet hat. Irgendwie kann ich das verstehen. Der Apostel versucht die Menschen für das Evangelium durch Gespräche zu überzeugen. Er geht dabei zunächst langsam vor. Einzelne Menschen, die er für den Glauben gewinnt, werden sogar mit Namen genannt. So wie Lydia, die Purpurhändlerin. Paulus ist kein Scharlatan, er weiß um die Kostbarkeit seiner Botschaft. Die Botschaft soll den Menschen als Ganzes berühren, das Leben des Adressaten verwandeln. Dazu gehört für mich auch ein gegenseitiges Kennenlernen und ein Vertrauen in das Gegenüber. Wenn dann die Botschaft von der Frau laut in der Öffentlichkeit herumposaunt wird, schadet sie trotz ihrer Richtigkeit Paulus Anliegen mehr, als dass sie Gewinn bringt – und macht auch dessen »Geschäft« kaputt, auch wenn es um ein ganz anderes geht.

WIBKE KLOMP

Guter Gott, unser Glaube ist ein Schatz für unser Leben. Lass ihn uns voller Freude und Überzeugung weitergeben.

Singen befreit nicht nur Herz und Seele

Eingekerkert im Hochsicherheitstrakt des Gefängnisses von Philippi, singen Paulus und Silas Gott, ihrem Herrn. Unglaubliches passiert: Die Mauern des Gefängnisses fallen nieder, alle Türen stehen offen. Die Fesseln der Gefangenen lösen sich. Die allermeisten würden sicher die Chance zur Flucht nutzen. Nicht aber diese Gefangenen, sie bleiben freiwillig. Gefangen in dieser Situation aber bleibt der Gefängnisaufseher. Er weiß gar nicht, was er tun soll, überlegt sogar, sich selbst zu töten. Überraschenderweise gehen ausgerechnet seine Gefangenen mit ihm ins Gespräch. Der Aufseher spürt, dass sie anders sind als die üblichen Gefangenen. »Was muss ich tun, dass ich gerettet werde?«, fragt er. »Glaube an den Herrn Jesus, so wirst du und dein Haus selig!«, ist die Antwort, die sich gleich im Leben bewahrheitet. Der, der sich eben noch selbst töten wollte, da er ob seiner Situation so verzweifelt war, kann seine eigenen Fesseln und Vorurteile lösen. Der Aufseher öffnet sich für die Botschaft, ja, er wäscht im Anschluss in seinem eigenen Haus sogar die Wunden der Verurteilten. Er lässt sich und sein ganzes Haus taufen. Später werden die Gefangenen sogar rehabilitiert. Vielleicht sollten wir uns auch öfters die Frage des Aufsehers stellen, was wir tun können, um »gerettet« zu werden. Denn es gibt sicher immer wieder Momente in unserem Leben, in denen wir uns auf eigene Art gefangen fühlen: wenn wir versuchen, allen Menschen in unserer Umgebung gerecht zu werden. Oder, wenn wir unseren eigenen Ansprüchen hinterherrennen und uns irgendwann selbst aus dem Blick verlieren. Unser Glaube befreit uns aus diesen Gefängnissen. Der Glaube gibt uns die Kraft, immer wieder neu auf unser Leben zu schauen und es dann auch zu feiern – genau wie der Aufseher seine Taufe mit einem Fest gefeiert hat.

WIBKE KLOMP

Wir bitten dich, Gott, eröffne uns einen Blick darauf, was uns in unserem Leben gefangen hält. Lass uns mutig unsere eigenen Grenzen überwinden.

Gemeindegründung in drei Wochen?

Wenn wir den heutigen Bibelabschnitt lesen, dann ist da nicht nur von Erfolg die Rede. Paulus reist und redet. Sucht in der Synagoge Anknüpfungspunkte. An drei Sabbaten hintereinander ergreift er im Anschluss an die Lesung aus der Schrift das Wort. Er legte sie aus und legt die Botschaft von Jesus Christus dar unter Berufung auf die Schrift. Für ihn haben sich die Verheißungen der Schrift in Jesus Christus erfüllt. Doch Paulus kann nicht alle überzeugen. Viele seiner jüdischen Geschwister bleiben skeptisch. Erfolg hat er bei einigen der sogenannten »Gottesfürchtigen«, Heiden, die sich vom jüdischen Glauben angesprochen fühlten und sich den örtlichen Synagogen angeschlossen hatten, und bei Frauen aus der gesellschaftlichen Oberschicht. Von wegen eine Gemeindegründung in drei Wochen. Er hinterlässt eine kleine Schar in Thessalonich und muss aufgrund der Anfeindungen weiterziehen nach Beröa. Dort hat Paulus mit seiner Verkündigung zunächst mehr Erfolg. Doch letztlich muss er dann doch aufgrund der Unruhen in Sicherheit gebracht werden. Das Evangelium von Jesus Christus den Menschen nahezubringen, ist ein mühsames Geschäft. Aber die Predigt des Paulus hinterlässt Spuren. Menschen kommen zum Glauben an Jesus als den Christus. Der Same ist gelegt, und tatsächlich entstehen Gemeinden, die wachsen und sich ausbreiten. Das ist jedoch nicht allein das Werk des Paulus. Silas und Timotheus bleiben in Beröa zurück und setzen seine Arbeit fort.

Angesichts der Prognosen über die Kirchenmitgliedschaft laufen wir Gefahr zu resignieren oder mit großem Aktionismus immer neue Projekte zur Mitgliedergewinnung zu installieren. Lassen wir uns nicht beirren und entmutigen. Suchen wir wie Paulus nach Anknüpfungspunkten bei den Menschen, geben die biblischen Geschichten weiter und suchen das Gespräch miteinander. Streuen wir mit unserem Reden und Tun Samen und vertrauen darauf, dass Gott wachsen lässt.

BÄRBEL KOCH-BAISCH

In Gottes Namen fang ich an, was mir zu tun gebühret; mit Gott wird alles wohlgetan und glücklich ausgeführet. Was man in Gottes Namen tut, ist allenthalben recht und gut und kann uns auch gedeihen.

Rede auf dem Areopag

Auch in Athen konnte Paulus mit seiner Rede keinen großen Erfolg verzeichnen. Gerade mal zwei Namen werden am Ende genannt: Dionysius und Damaris. Was mit den »Männern von Athen« begonnen hat (V. 22), findet sein Ziel in zwei konkreten Menschen.

Dabei hat alles gut begonnen. Paulus knüpft in seiner Predigt vor den Athenern an ihrer religiösen Praxis an. Er schlägt einen Bogen vom unbekannten Gott zum Gott der Bibel. Gott, der die Erde geschaffen hat, hat uns Menschen in seine Geschichte hineinverwebt (V. 28). Im Menschen Jesus Christus kommt Gott uns ganz nahe. Gott mitten unter uns. Das ist etwas unerhört Neues. Paulus mahnt eindringlich, sich auf das Neue zu besinnen, umzudenken, sich daraufhin zu verändern. Verfehlte Schritte können korrigiert werden. Wir können uns neu ausrichten, da, wo der Lebensstil dem Leben insgesamt nicht gut tut. Dass Gott den Erdkreis mit Gerechtigkeit richten wird (V. 31), ist Ausdruck der Hoffnung. Die Ungerechtigkeit wird nicht das letzte Wort haben. Mit der Auferweckung Jesu von den Toten ist die Umkehrung der Verhältnisse im Alten angebrochen. Die Welt kann anders werden.

Bei der Rede des Paulus von der Auferstehung der Toten wenden sich die meisten Athener ab und erklären Paulus für einen Spinner. So kann es mit dem Glauben an den Auferstandenen gehen. Überzeugung ist nicht inklusive. Eher Spott. Oder kritische Fragen. Und doch ist es unsere Hoffnung, dass das Wort Gottes bei den Menschen ankommt. Letztlich ist es aber Gottes Sache. Das kann uns vor Überheblichkeit bewahren und in diesem Fall vor Entmutigung. Unsere Aufgabe ist es nicht nachzuzählen, wie viele Menschen zum Glauben an Gott gekommen sind. Unsere Aufgabe ist es, wie Paulus uns mutig auf den Markt der religiösen Möglichkeiten zu begeben und dort für das einzustehen, was wir selbst als befreiende Wahrheit erfahren haben.

BÄRBEL KOCH-BAISCH

Such, wer da will, ein ander Ziel, die Seligkeit zu finden; mein Herz allein bedacht soll sein, auf Christus sich zu gründen. Sein Wort sind wahr, sein Werk sind klar, sein heilger Mund hat Kraft und Grund, all Feind zu überwinden.

Reden statt Schweigen

Der Volksmund kennt die Redewendung: Reden ist Silber, Schweigen ist Gold. Und oft hat er Recht. Von Paulus lesen wir heute, dass er die gegenteilige Aufforderung hört: Rede und schweige nicht (V. 9). Reden ist manchmal nötig. Wo Unrecht geschieht, sollen wir nicht schweigen. Wo jemand auf ein tröstendes Wort wartet, sollen wir guten Mut zusprechen. Manchmal fällt uns der Schritt zum Reden schwer. Wenn wir befürchten, dass Worte einen Konflikt entfachen und das gute Miteinander in Frage stellen. Aus Furcht schweigen wir dann lieber.

Dass Paulus die Aufforderung zum Reden hört, ist verwunderlich. Denn die Verse zuvor berichten, dass Paulus genau das getan hat: Er hat geredet. Nach einiger Zeit des Zusammenlebens und -arbeitens mit Aquila und Priszilla in seinem Beruf als Zeltmacher hat er sich nach dem Ankommen von Silas und Timotheus in Korinth ganz auf die Verkündigung konzentriert. Er hat nicht geschwiegen, sondern geredet. Im Haus des Titus Justus, in der Synagoge hat Paulus gerade nicht geschwiegen, sondern geredet, so dass viele Korinther zum Glauben an Jesus Christus gekommen waren. Eigentlich ist doch alles gut gelaufen für Paulus. Wozu dann die Aufforderung: Fürchte dich nicht, sondern rede und schweige nicht! Genau das hat Paulus doch offensichtlich getan in Korinth. Mit Erfolg sogar.

Auch in Phasen, in denen es gut läuft in unserem Leben, wo wir zufrieden auf unsere Arbeit blicken können, beschleicht uns manchmal das Gefühl, ob wir auf dem richtigen Weg sind. Ob wir noch in der Spur Gottes sind oder ob wir nicht vielmehr unser eigenes Ding machen. Gut, wenn wir da ein Wort der Bestätigung und Vergewisserung erfahren: Weiter so. Lass nicht nach. Bleib den Menschen den Grund deiner Hoffnung und Zuversicht nicht schuldig.

Wenn es um den Grund unserer Hoffnung geht, hat der Volksmund nicht Recht. Da ist reden eben besser als schweigen.

BÄRBEL KOCH-BAISCH

Wohl mir, dass ich dies Zeugnis habe! Drum bin ich voller Trost und Freudigkeit und weiß, dass alle gute Gabe, die ich von dir verlanget jederzeit, die gibst du und tust überschwenglich mehr, als ich verstehe, bitte und begehr.

Besondere Orte

Ich war von weit her an diesen abgelegenen Ort gekommen. Ich brauchte dringend eine Auszeit. Deshalb hatte ich mich zu Schweigeexerzitien in einem Kloster angemeldet. Mit mir waren noch zwölf weitere Teilnehmer da. Obwohl wir uns vorher nicht gekannt hatten, wuchs durch die gemeinsamen Gebetszeiten und Gottesdienste in der Kapelle eine starke Verbundenheit. Nach zehn Tagen Schweigen tauschten wir uns in der Gruppe aus. Wir waren alle sehr erfüllt. Jeder war in seinem Glaubens- und Lebensthema ein Stück weitergekommen. Die meisten waren so wie ich überzeugt, dass dieser Ort wesentlich dazu beigetragen hatte.

Der Tempel in Jerusalem ist für den Beter des Psalms auch ein besonderer Ort. Er ist dorthin unterwegs, um Gott nahe zu sein und zu beten. Er kann das reinen Gewissens tun. Auch wenn andere ihm ein Fehlverhalten vorwerfen, ist er sich keiner Schuld bewusst. Er pflegt einen guten Umgang und meidet alle Menschen, die ihn zu schlechten Taten verleiten könnten.

Scheinbar ist die Selbstgewissheit des Beters groß. Aber der Selbstzweifel bleibt. Darum bittet er Gott, ihn auf Herz und Nieren zu prüfen. Der Beter vollzieht das vorgeschriebene Reinigungsritual, bevor er in den Tempel hineingeht. Er spürt dort, dass Gott ihm nahe ist und sein Gebet erhört. Diese Erfahrung erfüllt ihn mit großer Freude.

Der Tempel ist ein besonderer Ort, auch wenn er immer zu klein ist, um den ewigen Gott fassen zu können. Darauf hatte König Salomo schon bei der Weihe des Tempels eindringlich hingewiesen.

Aber wir brauchen solche besonderen Orte, an denen es uns leichter fällt, die Begegnung mit Gott zu suchen und zu erfahren – allein oder in der Gemeinschaft, im stillen Gebet oder in der Feier des Gottesdienstes. Unsere Kirchen und Kapellen eröffnen Räume zur Gottesbegegnung und sind Kraftquellen für unser Leben. Wenn das kein Grund ist, sie immer wieder aufzusuchen.

JÜRGEN KAUFFMANN

Gott, ich danke dir für die Orte, an denen du mir nahekommst und du mich zu einem Leben mit dir ermutigst.

Frohbotschaft statt Drohbotschaft

Während der Apostel Paulus auf seiner dritten Missionsreise unterwegs ist, nutzt sein Chronist die Gelegenheit für einen kleinen Einschub. Damit gibt er uns einen Einblick in die Art und Weise, wie sich das junge Christentum ausbreitet. Der redegewandte Apollos fühlt sich zum Prediger berufen, hat aber etwas Entscheidendes verpasst: Er ist in seinem Denken bei Johannes, dem Täufer, steckengeblieben. Seine Vorstellung vom christlichen Weg geht von der Schuld und von der Notwendigkeit zu Zerknirschung, Buße und Umkehr aus. Von der befreienden Wirkung des Heiligen Geistes hat er noch nichts gehört. Aber weil er so redegewandt und belesen ist und sich beeindruckende Wortgefechte mit den traditionsverhafteten Juden liefert, überzeugt er die Leute. Als Paulus später nach Ephesus kommt, muss er feststellen, dass alle, die durch Apollos zum Glauben kamen, immer noch auf dieser Linie liegen. Erst durch die Taufe auf den Namen Jesu wird ihnen die befreiende Dimension des Evangeliums bewusst.

Das ist interessant, denn so richtig viel geändert hat sich bis heute da ja anscheinend nicht. Auch heute gibt es immer noch Menschen, die lieber Buße predigen als Liebe. Sie werfen gekonnt mit Bibelzitaten um sich – aber den befreienden Geist des Evangeliums haben sie nicht erfasst. Christentum ist ja kein »Sich-Wegducken« unter dem Zorn Gottes, es ist vielmehr sein liebevoller Zuspruch und das Angebot einer endgültigen Befreiung aus Schuld und Schuldgefühlen. Wer sein Leben Jesus anvertraut, braucht sich vor der eigenen Unzulänglichkeit nicht mehr zu fürchten. Wer das verinnerlicht hat, dem ist es nicht mehr so ein großes Anliegen, in strittigen theologischen Fragen »Recht« zu behalten. Das Niederknüppeln mit Argumenten hat noch selten einladend gewirkt. Aber woran erkenne ich nun, ob der Heilige Geist im Spiel ist? »Das ist ganz einfach«, hat mal ein Pastor zu mir gesagt. »Wo Jesus durch die Tür kommt, tritt auch immer die Liebe mit ein.«

DAGMAR KÖHRING

Denn der HERR ist freundlich und seine Gnade währet ewig und seine Wahrheit für und für.

Im Namen Jesu?

Paulus nimmt sich in Ephesus viel Zeit, um »frei und offen« von Jesus Christus und der befreienden Liebe Gottes zu erzählen. Damit löst er unterschiedlichste Reaktionen aus. Seine Widersacher machen ihm das Leben in der Synagoge schwer und seine Lehre schlecht. Paulus weicht mit seinen Getreuen an einen anderen Ort aus, wo er zwei Jahre lang wirkt. Besser gesagt, Gott wirkt durch ihn. So ist jedenfalls das Verständnis des Lukas, der erzählt, dass bei den Fans des Paulus sogar dessen Schweißtücher noch Wunder tun – erste Vorboten des Reliquienglaubens. Aufrichtiger Glaube, gepaart mit Hoffnung, vermag viel, und Gottes Geist wirkt, wie er will.

Aber zum Narren halten lässt er sich nicht. Das erzählt die Episode über die sieben Söhne des Hohepriesters, die mit dem Namen Jesu ein lukratives Geschäft aufmachen wollen, allerdings, ohne selbst daran zu glauben. Eine Art »Hokuspokus« also. Denn dieses Zauberwort ist ja eine Ableitung des »Hoc est Corpus« – des Hochhaltens der Hostie als Sinnbild für den Leib Jesu beim Abendmahl. Wer den Namen Jesu für eine Art Magie hält und versucht, ihn zum eigenen Vorteil zu nutzen, der wird damit scheitern. Da verstehen sogar die bösen Geister keinen Spaß! Dennoch scheint Zauberei in der Metropole Ephesus weit verbreitet gewesen zu sein, denn die verbrannten Zauberbücher haben einen Marktwert von fünfzigtausend Silbergroschen. Und das war auch damals ein Haufen Geld.

Man sollte ja meinen, mit dem Zeitalter der Aufklärung hätte sich solcher Aberglaube für immer erledigt, aber der Versuch, die Probleme des Lebens auf »magische« Art in den Griff zu bekommen, ist bis heute verbreitet. Horoskope, Hellseherei, Wunderheilung haben Konjunktur. Wie kommt das? Ich verstehe es nicht. Aber an Paulus und seinem Einsatz in Ephesus lese ich ab, was nötig ist, um dem Aberglauben die Stirn zu bieten: liebevoller Kontakt zu den Menschen, Offenheit und friedliche Präsenz – der Heilige Geist eben.

DAGMAR KÖHRING

Von Gnade und Recht will ich singen und dir, Herr, Lob sagen.

Wehe, wenn sie losgelassen …

Während ich dies schreibe, höre ich von schlimmen Konflikten zwischen Hindus und Muslimen in Indien und Pakistan: Religiös motivierte Auseinandersetzungen sind bis heute nicht aus der Mode gekommen. Da ist es schön zu sehen, dass schon in der Antike klar war, worum es dabei wirklich ging: ums Geschäft. Lukas beschreibt eindrücklich und absolut zeitlos, wie ein religiös motivierter Konflikt entsteht. Der auslösende Faktor ist meist eine diffuse Existenzangst bei Menschen, die etwas zu verlieren haben. So auch bei dem Silberschmied Demetrius. Er fürchtet den drohenden Umsatzverlust beim Handel mit religiösen Artefakten. Dieser Handel funktioniert natürlich nur, wenn auch der »Glaube« an die Heiligtümer in der Bevölkerung funktioniert. Was nun, wenn dieser Glaube durch die neue Lehre des Paulus und seiner Getreuen erschüttert würde?

Dazu kommt noch, dass Ephesus zwar eine der größten Städte im römischen Reich ist – aber es ist eben eine griechische Stadt. Eine Stadt unter Fremdherrschaft. Das Gefühl von Unfreiheit und Fremdbestimmung war schon immer gut geeignet, um religiösen oder politischen Fanatismus zu befördern. Weil die tatsächlichen Gegner zu übermächtig und zu schwer zu fassen sind, werden übersichtlichere Feindbilder aufgebaut. Was bietet sich da besser an als eine religiöse Minderheit? Einmal entfesselt, entwickelt sich der Unmut des Volkes schnell zur unkontrollierbaren Raserei. Die Gefährten des Paulus werden Opfer des Aufruhrs. Wer denkt da nicht an brennende Autos und eingeschlagene Schaufenster in unseren aktuellen Nachrichten?

Schwierige Zeiten für Realpolitiker: Dem griechischen Bürgermeister ist völlig klar, dass es hier ums Geld geht. Mühsam appelliert er an die Vernunft der Streithähne und glättet die Wogen unter Verweis auf die römische Gerichtsbarkeit. Die Flammen sind fürs erste gelöscht, aber der Schmorbrand glüht weiter. Die Anhänger des Paulus sehen ein, dass man hier kein Öl mehr ins Feuer gießen darf. Was aus seinen beiden Gefährten wird, erfahren wir leider nicht.

DAGMAR KÖHRING

Gott, hilf mir, denn das Wasser geht mir bis an die Kehle.

Wie Trost kommt

Spannend liest sich der Bericht über die Reise des Paulus. Zwischen Notizen über Besuche, Routen und Reisestationen schimmert aber noch etwas anderes durch. Es geht hier um mehr als einen Reisebericht und eine Erzählung, was wo passiert ist, so dramatisch die Ereignisse auch sind. Es geht auch um die Beziehungen, um Begegnungen, um gegenseitige Hilfe und Begleitung. Wie geht Paulus mit den Menschen um, auf die er trifft? Mir fällt auf, dass hier wirkliche Begegnung geschieht. Paulus hat offenbar einen aufmerksamen Blick für die Menschen, denen er begegnet. Zweimal ist die Rede davon, dass Menschen Trost finden durch die Begegnung mit Paulus. Paulus ist ein Tröster. Trost gibt Paulus dadurch, wie er Abschiede gestaltet. Er macht sich Gedanken darüber, was den anderen hilft, gut Abschied nehmen zu können. Er gestaltet die Abschiede und geht nicht einfach so davon. Selbst in schwierigen Situationen ist das so. Trost schöpfen Menschen aus dem gemeinsam gefeierten Gottesdienst. Auch Brot und Kelch zu teilen, gibt Trost.

Dazu passen auch die Geschehnisse um den Fenstersturz des jungen Predigthörers Eutychus. Hier passiert noch mehr als das Wunder, dass der Abgestürzte lebend in die Mitte der Gemeinde zurückkehrt. Paulus bleibt da, die ganze lange Nacht des Bangens hindurch. Er findet Worte, die durch die Nacht helfen. Paulus gibt Trost, weil er in seinem Handeln und Helfen die heilende Nähe Gottes sichtbar und erfahrbar macht. Gott ist da. Er wirkt und handelt. Das ist so, auch dann, wenn wir seine Wege nicht immer verstehen. Was für ein Trost.

MONIKA LEHMANN-ETZELMÜLLER

Guter Gott, gib mir die Gabe des Tröstens. Dass ich nicht einfach weitergehe, wenn ein Mensch einen braucht, der innehält. Gib mir ein Wort, das wirklich trägt. Lass mich da bleiben, wenn die Nacht des Bangens da ist. Lass mich Trost teilen wie das Brot an Deinem Tisch.

Dein Weg führt weiter

Paulus nimmt Abschied von den Menschen, die in der Gemeinde in Ephesus Verantwortung übernommen haben. Der Abschied fällt allen schwer, Tränen fließen und es ist viel Sorge da, wie es wohl weitergehen wird, für Paulus und für die Gemeinde. In diesem Abschied finde ich viel Anbefehlung und Anvertrauen. Dieses Anvertrauen bekommt in verschiedener Weise Raum. Paulus legt seine Mühe und sein Ringen um die Gemeinde in die Hände der Ältesten. Das ist nun eure Aufgabe, sagt er, Gott traut sie euch zu. Er befiehlt die Menschen, mit denen er eng zusammengearbeitet hat und die ihm Schwestern und Brüder sind, Gott an. Er hat viel dafür getan, die Gemeinde aufzubauen, die weitere Sorge darum legt er getrost Gott in die Hand. Auch seinen eigenen Weg legt Paulus Gott in die Hände. Er weiß nicht, was ihm in Jerusalem geschehen wird, aber er ist sich sicher, dass er die in Ephesus gewonnenen Glaubensgeschwister nicht wiedersehen wird.

Der Abschied ist schwer. Hier müssen Menschen einander loslassen und gehen lassen. Aber sie entlassen einander nicht ins Ungewisse. Auch wenn unsere Wege sich jetzt trennen, Gott bleibt bei dir. Das verbindet uns. Das bleibt, weil Gott bleibt – ja, die und der Einzige ist, der zuverlässig bleiben wird. Dieses Leitmotiv steht für mich über der Szene. Das macht mir Mut, eigene Abschiede auch mit viel Gottvertrauen zu gestalten. Die Kollegin, die die Stelle wechselt, der große Sohn, der aus dem Haus geht, der Umzug an einen anderen Ort, ja, selbst der letzte Abschied an einem Grab wird nicht nur Verlust, sondern auch ein Anvertrauen sein. Gottes Weg mit dir ist nicht zu Ende. Und sein Weg mit mir auch nicht.

MONIKA LEHMANN-ETZELMÜLLER

Ein Mensch geht weiter, geht fort und fehlt mir. Ich stelle ihn unter deinen Segen, Gott. Du erzählst seine Geschichte weiter. Du bleibst. Auch bei mir.

Gott bleibt

Die schwersten Wege sind die, die niemand mitgeht. Die niemand versteht. So geht es Paulus. Er hat einen schweren Weg vor sich und er weiß es. Menschen, denen sein Wohl am Herzen liegt, warnen ihn. Sie wünschen sich einen anderen Weg für ihn. Doch damit wird es für Paulus nicht leichter, sondern schwerer. Er sieht seinen Weg klar vor sich und folgt ihm beharrlich. Dabei bleibt er, auch wenn die Menschen, die ihm nahestehen, ihn nicht verstehen. Warum macht ihr es mir noch schwerer?, fragt er.

Mich bringt das ins Nachdenken, wie die Begleitung eines Menschen, der auf einem schweren Weg ist, gelingen kann. Offenheit gehört dazu. Die Warnungen, die die Wegbegleiter des Paulus geben, sind deutlich. Das hilft. Von kranken Menschen höre ich manchmal, dass sie darunter leiden, wenn Menschen ihnen sagen, es werde schon alles gut, und nichts ist gut. Die anderen wissen doch, wie krank ich bin, dann sollen sie mir nicht mit Das-wird-schon-wieder-Botschaften kommen, sagen sie. Eine Situation herunterzuspielen oder schönzureden, ist keine Hilfe für einen Menschen auf schwerem Weg. Da braucht es eher eine aufrichtige Tapferkeit vor dem Freund, die die Dinge auch beim Namen nennt und mit aushält. Das tun die Weggefährten. Aber sie lassen dennoch Paulus das Recht auf seinen ganz eigenen Weg. Am Ende sagen sie: Des Herrn Wille geschehe. Damit drücken sie aus: Wir verstehen dich nicht. Aber wir stellen uns trotzdem ganz nah neben dich. Auch wenn dein Weg so anders ist, als wir es uns für dich wünschen, unser Herr ist mit dabei. Die schwersten Wege werden doch nicht allein gegangen. Selbst wo alle menschliche Begleitung an ihr Ende kommt, ist Gott da und bleibt.

MONIKA LEHMANN-ETZELMÜLLER

Gott, ich will nicht immer gleich einen guten Rat haben. Genau wissen, was der andere jetzt tun soll. Ich will anderen Menschen Platz machen, damit sie ihren eigenen Weg gehen können. Ihren, nicht meinen. Und diesen Weg dir anvertrauen.

Mit Gott Freude aus Gerechtigkeit gewinnen

Psalm 9 zeichnet ein spannendes Bild. Da lobt ein Mensch Gott für alles Gute, das dieser Gott getan hat. Dann aber stellen wir fest, dass dieser Mensch in höchster Bedrängnis ist. Dass er sich umzingelt von Feinden sieht. Dass er ausweglos festsitzt. Da kommt in mir die Frage hoch: Welchen Grund hat er, Gott zu loben? Und je tiefer ich in den Psalm einsteige, desto klarer wird mir: Das Lob Gottes ist seine letzte Chance. Die Erinnerung an Gottes Taten schenkt ihm Halt. Und natürlich schwingt die Hoffnung mit, dass Gott so handelt, wie der Beter es von anderen gehört und vielleicht selbst erlebt hat. Dass Gott sich auf die Seite der Armen und Bedrängten schlägt. Hat diese Hoffnung einen Grund?

Sie hat ihn in dem Bild von Gott und Mensch, das der Psalm zeichnet. Gott wird verkündet als derjenige, der über allem thront. Er ist aber auch der, der Gerechtigkeit schafft, der für die Kleinen und Armen eintritt. Das hat er immer wieder bewiesen, daran hält sich der Beter fest. Ganz anders die Menschen, die zu Frevlern werden. Eigentlich ohnmächtig wollen sie doch ihre Macht zeigen. Bis heute wird das auf dem Rücken der Kleinen, der Armen ausgetragen. Gerade dagegen setzt der Beter, dass sie nur Menschen sind. Sie können nichts gegen Gottes Willen zur Gerechtigkeit ausrichten. Nicht Menschen, sondern vielmehr Gott soll und wird die Oberhand behalten.

An dieser Art, die Welt zu bewegen, können Menschen Anteil bekommen. Im Lob Gottes stimmen wir seinen Wegen zu und in sein Handeln ein. Wir dürfen ihn bestürmen, dass das eigene Leben zum Guten ausgeht. Dieses Gebet bleibt nicht wirkungslos. Gott wird handeln. Und er wird uns an seine Seite rufen, um Gerechtigkeit zu leben. Um gemeinsam mit ihm die Welt ein Stück besser zu machen. Die daran beteiligten Menschen schickt Gott zum Anfang des Psalms zurück: zur Freude über Gottes Wunder.

ANNE RADEMACHER

Du Gott der Gerechtigkeit, zeige dich in unserer Welt. Sieh auf die Armen und Unterdrückten, auf die, denen Unrecht geschieht. Wirke mit und an uns Gerechtigkeit!

Trilogie des Eiferns I

Du musst dein Leben ändern, Paulus! Trotz, nein, gerade wegen deines Erfolges. Du musst! Der Imperativ ist ein hypothetischer, der Befehl ein bedingter: Wenn du die Gläubigen unter den Juden nicht gefährden willst, wenn du Juden, Judenchristen und Heidenchristen zusammenhalten willst, dann musst du deine Gesetzestreue beweisen!

Du musst dein Leben ändern! Für den Philosophen Peter Sloterdijk ist das der absolute Imperativ der Moderne: »Er bestimmt das Leben als ein Gefälle zwischen seinen höheren und niederen Formen.« Keiner entgeht ihm. Der Mensch, »das Tier, von dem zuviel verlangt wird« (P. Sloterdijk), ist zu Höherem berufen, ja, verurteilt. Nach dem Tode Gottes hat er »kein Recht mehr, nichts oder wenig aus sich zu machen« – er ist sein eigenes Schicksal und daher »zur surrealistischen Anstrengung verurteilt« (P. Sloterdijk). Er muss »Größeres sowohl erhoffen als auch versuchen« (J. A. Comenius).

Und so trägt das Dasein der modernen Menschen in der Tat mit Sloterdijk Züge einer uns überfordernden globalen Fitnessübung: zum Beispiel die Fitness-App – haben Sie heute schon Ihre Schritte gezählt? – oder der »Foodamentalismus« (K. Burger) – Ernährung als Ersatzreligion, die ewige Jugend und Schönheit verheißt. Und so begegnen mir, auf meinem Weg zur Kirche, am Sonntagmorgen bei Minusgraden diverse Jogger: gestählt, fit, asketisch hager. Und der Eifer wächst, wird wütender, je mehr er uns überfordert.

Doch auch die Religionen selbst sind nicht frei vom asketischen Eifer und von dem Gedanken, dem Höchsten gebühre doch mehr. Die im heutigen Bibeltext genannten Nasiräer (vgl. Num 6) sind nur ein Beispiel. Und fordert nicht auch Jesus: Du musst dein Leben ändern, kehre um und glaube an das Evangelium? Aber was bedeutet das? Und gehört bei Jesus zum Imperativ nicht auch die Zusage? Ich kann von dir fordern, was du durch mich kannst. Im Vertrauen auf mich, Mensch, darfst du dich überfordern.

ERIK MÜLLER-ZÄHRINGER

Es ist dir gesagt, Mensch, was gut ist und was der Herr von dir fordert … Gott, gib, was du verlangst, dann verlange, was du willst!

Trilogie des Eiferns II

Eine Woche vor dem 11. September 2001 nahm der Religionskritiker Christopher Hitchens an einer Podiumsdiskussion teil. In seinem Buch »Der Herr ist kein Hirte. Wie Religion die Welt vergiftet« berichtet er darüber. Dort habe ihn ein konservativer Moderator religiöser Radiosendungen gebeten, sich folgende Situation vorzustellen: Er, Hitchens, befände sich bei Einbruch der Nacht in einer fremden Stadt, mehrere Männer kämen auf ihn zu. Würde er sich sicherer fühlen oder weniger sicher, wenn ihm bekannt wäre, dass die Männer gerade aus einer Gebetsversammlung kämen? In Belfast, Beirut, Bombay, Belgrad, Bethlehem und Bagdad habe er eine solche Situation schon erlebt und könne in jedem Fall behaupten, dass er sich unmittelbar bedroht fühlte. Eine Zusammenfassung religiös motivierter Grausamkeiten folgte.

Ich weiß nicht, ob und, wenn ja, welche Erfahrungen religiös motivierter Gewalt Hitchens in Städten mit J, wie z. B. Jakarta oder Jericho, gemacht hatte – Jerusalem gilt Kritikern wie Hitchens definitiv als »hotspot« eines gewalterzeugenden religiösen Eifertums. Dessen Bauplan gilt unter Rückgriff auf Gedankenfiguren von Jan Assmann längst als entschlüsselt: Wo in die Religion die Unterscheidung zwischen wahr und unwahr eingeführt wird, folgt die spezifischere Unterscheidung zwischen (Recht-) Gläubigen und Ungläubigen auf dem Fuß. Wo diese im Sinne von Freund und Feind interpretiert wird, entsteht zwangsläufig Gewalt. Im Bann dieser Gegenüberstellungen, von denen sie gleichsam leben, im Eifer für das Höchste seien Religionen stets zum Niederträchtigsten bereit – zwangsläufig, so die Überzeugung derer, die die Gründe religiöser Gewalt für entschlüsselt halten. Zwangsläufig? Nun, die Statik dieser Gegenüberstellungen ließe sich sehr wohl verflüssigen. Wie viel wäre bereits gewonnen, wenn aus Sicht des Gläubigen der Gegenbegriff zum Gläubigen nicht der Ungläubige, sondern der Noch-nicht-Gläubige, der Gegenbegriff zum Freund nicht der Feind, sondern der kommende Freund wäre?

ERIK MÜLLER-ZÄHRINGER

Verleih uns Frieden gnädiglich, Herr Gott, zu unsern Zeiten. Es ist doch ja kein andrer nicht, der für uns könnte streiten, denn du, unser Gott, alleine.

Trilogie des Eiferns III

Paulus kennt die beiden Formen des Eiferns. Er ist ein Getriebener – getrieben vom Gedanken, für Gott könne niemals genug getan werden. (vgl. Trilogie des Eiferns I) Und er kennt auch die dunkle, finstere Seite religiösen Eifertums, die Überzeugung, im Namen des Höchsten ist dem Un- und Andersgläubigen nie genug angetan (vgl. Trilogie des Eiferns II). Als »Eiferer für Gott« (Apg 22,3) hat er vor seiner Bekehrung christliche Gemeinden »bis auf den Tod« verfolgt (Gal 1,13).

Seit ihn Gott vor Damaskus durch seine Gnade berufen hat (vgl. Gal 1,16), ist Paulus durchdrungen von einer neuen Form des Eifers: Er soll Zeuge sein für den Herrn bei allen Menschen. Bei allen Menschen! Was für eine Überforderung! Wo doch gilt: Wer Zeuge ist, ist ein Getriebener! Denn das, was er zu bezeugen sucht, ist so mit seiner Existenz verknüpft, dass es nur durch den Zeugen und sein Zeugnis gegenwärtig bleibt. Deshalb sucht jeder Zeuge fast verzweifelt Mitzeugen, die sein Zeugnis über seinen Tod hinaus weitertragen. Kein Wunder, dass Paulus wie ein Getriebener wirkt. Aber aus dem theologischen Nachdenken über seine Berufung erwachsen ihm auch die Heilmittel gegen die Verzweiflung und die Versuchungen des Eiferns.

Als aus Gnade Berufener und Geretteter weiß er: Es liegt im Letzten »nicht an dem Wollenden, auch nicht an dem Laufenden, sondern an dem sich erbarmenden Gott« (Röm 9,16). Eben diese Erkenntnis schützt vor Verzweiflung.

Und Paulus soll allen Menschen Zeugnis geben! Er ist aufgerufen zur Überzeugungsarbeit – und das steht in schärfstem Kontrast zu Gewalt und Zwang. Wer andere zu überzeugen versucht, der begreift – mit dem byzantinischen Kaiser Manuel II.: »Der Glaube ist eine Frucht der Seele«, eine Sache des inneren Menschen und seiner Freiheit. Daher sind Gewalt, Zwang und Drohung in Glaubensdingen sinnlos. Wer andere zu überzeugen versucht, der bejaht bereits deren Würde, und ihre Würde verlangt nach Überzeugungsarbeit. Die Würde aller Menschen. Das ist des Paulus große Einsicht.

ERIK MÜLLER-ZÄHRINGER

Denn es ist kein Unterschied zwischen Jude und Grieche, denn er ist Herr über alle, und er ist reich für alle, die ihn anrufen.

Verletztes Bürgerrecht

Mein Name ist Klaudius Lysias. Als ruhmreicher Soldat wollte ich in die Geschichte Roms eingehen. Nun verdanke ich einem jüdischen Mann, dass mein Name nicht in Vergessenheit geriet. Die Begegnung mit diesem Paulus aus Tarsus hat mich verunsichert, herausgefordert und gleichzeitig beeindruckt. Aber ich berichte lieber von Anfang an. Ich bin Kommandant in Jerusalem und verantwortlich für eine Kohorte Soldaten. Es ist nicht leicht, die Anweisungen von oben umzusetzen und gleichzeitig den Untergebenen ein gerechter Vorgesetzter zu sein. Noch dazu in diesem Land. Ständig ist irgendwo eine Revolte im Gange und die politische und religiöse Elite mischt sich permanent ein. So ist der römische Frieden immer wieder in Gefahr. Ein kleiner Funke reicht aus, um alles in Brand zu setzen. Ich muss auf der Hut sein: keine Fehler! Darum hab ich diesen Paulus erst einmal aus dem Verkehr gezogen, als sich die Volksmenge gegen ihn erhob. Ich verstand nicht, warum sich die Massen so aufregten. Sie wollten seinen Tod und ereiferten sich immer mehr. Aber Selbstjustiz kann ich nicht dulden. Nicht in meinem Verantwortungsbereich. Doch irgendwas musste ja mit ihm nicht stimmen. Die übliche Methode der Wahrheitsfindung war Folter. Also ließ ich ihn auspeitschen und verhören. Doch wie groß war mein Entsetzen, als mir zugetragen wurde, dass dieser Paulus das römische Bürgerrecht besaß. Er war sogar als Freier geboren worden, während ich einen hohen Preis für dieses Bürgerrecht zahlen musste. Und nun hatte ich seine Würde angetastet und mich von der Stimmung der Masse fehlleiten lassen. Das konnte mich meinen Posten und mein Ansehen kosten. Mir wurde angst und bang. In so einer Situation hatte ich mich noch nie befunden.

ANDREA PETZOLD

Barmherziger Gott, du schenkst jedem Menschen Würde und Ansehen. Keiner muss sich das erst verdienen. Keine kann es erarbeiten. Wir aber sortieren aus und bewerten einander nach unseren subjektiven Maßstäben. Vergib uns. Lass uns hellwach und mutig sein, wenn die Menschen, die du grenzenlos liebst, ihrer Würde beraubt werden.

Glaubensvielfalt – Chance oder Gefahr?

Als oberster Kommandant in Jerusalem bemühe ich mich wirklich darum, die Menschen in meinem Veranwortungsbereich zu verstehen. Immer wieder geht es um religiöse Fragen. Damit habe ich mich nie beschäftigen müssen. Zugegeben, vor der Ernsthaftigkeit, mit der sie ihre Religion leben, habe ich höchsten Respekt. Sie glauben an einen einzigen Gott und lesen in Schriften, die für sie gemeinsam Richtschnur sind. Aber sie streiten und diskutieren bis aufs Messer. Dabei ziehen sie aus demselben Text nur unterschiedliche Schlüsse. Wie kann man sich deswegen derart bekämpfen und entzweien? Die einen zum Beispiel reden von Auferstehung und rechnen mit himmlischen Wesen, die sie Engel nennen. Die anderen legen Wert darauf, nur im Hier und Heute ihren Glauben zu leben. Warum müssen sie sich gegenseitig überzeugen und können die verschiedenen Erkenntnisse nicht akzeptieren? Nun, Paulus hat diese Unterschiede sehr gut für sich ausnutzen können. Seine Klugheit und Diplomatie haben mich stark beeindruckt. Durch sein persönliches Bekenntnis hat er die Gruppe der Pharisäer für sich gewonnen. Er gehört wohl auch dazu. Mich beschleicht aber der Verdacht, dass er mit Auferstehung etwas anderes meint als seine Zuhörer. Ich hab noch seine Rede im Ohr, in der er von der Begegnung mit einem Jesus aus Nazareth gesprochen hat, dessen Licht ihn blind werden ließ. Und dann sind ihm die Augen wahrhaft aufgegangen. Für diesen Jesus setzt er sein Leben aufs Spiel. Er hört nicht auf, von ihm zu reden, obwohl er weiß, wie zornerfüllt die Leute darauf reagieren. Trotzdem bleibt er ruhig und friedlich. Woher nimmt er diese Kraft? Ich habe immer mehr den Eindruck, dass er nicht nur ein freier Mensch ist, weil er das römische Bürgerrecht besitzt. Diese Freiheit, in der er handelt und spricht, ist von einer anderen Qualität.

ANDREA PETZOLD

Barmherziger Gott, die Christenheit ist so zerrissen. Hilflos und ratlos nehmen wir wahr, wie weit wir uns voneinander entfernt haben. Herr, erbarme dich. Sei und bleibe du die Mitte unseres Glaubens, Liebens und Hoffens.

Rettung in letzter Minute

Wie sich das Blatt doch wenden kann. Erst musste ich um meine Stellung als Kommandant in Jerusalem fürchten, weil ich einen römischen Bürger verhaftet hatte. Und nun konnte ich meine Position und meine Beziehungen nutzen, um ihn zu schützen. Ich bin so erleichtert, dass ich meinen Fehler wiedergutmachen konnte. Und ich bin stolz darauf, dass dieser Paulus offensichtlich Vertrauen zu mir gefasst hatte. Wir haben ja häufig miteinander gesprochen und ich war dabei, wenn er mit seinen Leuten diskutierte. Der Sachverhalt der theologischen Auseinandersetzung blieb mir rätselhaft. Aber eines war klar: Dieser Mann hatte den Tod nicht verdient. Vierzig Leute aus seinem Volk waren da ganz anderer Meinung. Von Hass und Fanatismus verblendet, verschworen sie sich diesem einen Ziel: Paulus umzubringen. Glücklicherweise erfuhr ein Neffe des Paulus von diesem geplanten Attentat und ich konnte es verhindern. Nun frage ich mich, ob dieser Jesus Christus, von dem Paulus immer spricht, ihm geholfen hat? Wie sonst fügen sich diese ganzen kleinen Zufälle zu einer großen Rettungsaktion zusammen? Es ist doch ungewöhnlich, dass ein Familienmitglied von der Intrige erfährt, dass die Kommunikation auf den verschiedenen Ebenen zwischen Gefangenem und Kommandantur durchlässig genug ist, dass Zeit, Ideen und Kapazitäten ausreichen, um diesen einen Mann aus dem Gefahrenbereich zu bringen. Wenn das so ist, bin ich aber auch ein Teil dieser Hilfe. Ich bin ein Werkzeug Gottes zu seiner Rettung. Ob das möglich ist? Schließlich bin ich ja nur ein Soldat des römischen Heeres und ein Fremder in diesem Land. Ich verstehe das alles nicht. Aber ich freue mich darüber, dass meine Biographie mit der des Paulus für eine gewisse Zeit miteinander verwoben war und dass ich gebraucht wurde, um ein Menschenleben zu retten.

ANDREA PETZOLD

Danke barmherziger Gott, dass du Menschen in deinen Dienst rufst, die damit nicht rechnen, die sich das nicht zutrauen oder die von anderen verachtet werden. Öffne du Augen, die vor Hass blind geworden sind. Greife ein, wo Leben bedroht ist. Leite unsere Schritte auf den Weg des Friedens.

Der unbewegte Beweger

Was für Gegensätze, die der Psalm uns zeichnet! Die Welt des Psalmbeters gerät aus den Fugen. Alles scheint in Bewegung gegen ihn. Der Raum wird ihm eng. Selbst das, was immer gehalten hat, wird brüchig. Ich stelle ihn mir hin- und hergerissen vor. Er kommt nicht zur Ruhe und er erfährt: Menschen stürzen die Welt ins Chaos.

Auf der anderen Seite: Gott. Er thront im Himmel. Er schaut sich das Ganze an. Er bleibt objektiv und sieht genau hin. Er wird nicht vom Chaos eingenommen. Dieser Unbewegte und Distanzierte wäre ein nicht sehr sympathischer Gott. Aber das hat auch gute Seiten. Gott vertritt keine Eigeninteressen, wie sie bei Menschen irgendwie immer im Spiel sind. Er ist weit genug weg, um nicht in all die Rivalitäten hineingezogen zu werden. Deshalb kann er einen unbedingten Willen zur Gerechtigkeit durchsetzen. Das aber kommt den Armen und Kleinen zugute. Sie dürfen auf ihn setzen. An ihrer Seite wird Gott dann sehr emotional. Ich frage mich, ob Gott wirklich hassen kann. Ich werde es nicht so richtig herausfinden. Es bleibt aber zu akzeptieren, dass seine Leidenschaft der Gerechtigkeit gilt. An der sollen Menschen mitwirken. Für die anderen geht es böse aus. Das Chaos, das sie anrichten, verstärkt er noch – oder vielleicht lässt er nur der aus den Fugen geratenen Welt ihren Lauf. Ein erschreckendes Bild. Es fordert mich heraus, achtsam mit den Menschen und der Welt umzugehen.

Dann darf ich hoffnungsvoll sein: Dieser Gott schenkt Ruhe. Das zeigen Anfang und Ende des Psalms. Auf so einen Gott kann man sich verlassen. Ihm will ich unsere Welt anvertrauen. An ihn auch mich selbst anbinden. So kann ich mitten im Chaos das Gute sehen und vielleicht ein klein wenig befördern.

ANNE RADEMACHER

Lass uns dich anschauen, Gott, und sieh du uns an. So geborgen lass uns losgehen in unsere manchmal chaotische Welt. Lass uns vertrauensvoll an deiner Hand das Gute tun.

Ausgangssperre

Paulus ist nun in Cäsarea. Am Mittelmeer. Die römischen Herren bringen ihn in Sicherheitsverwahrung, um ihn als römischen Bürger vor Lynchjustiz zu schützen. Die Berufung auf sein Bürgerrecht bringt ihn in die langsamen Mühlen der imperialen Justiz, die entweder aus Lust-, Belang- oder Bedeutungslosigkeitsgründen die ganze Sache über Jahre hinzieht. Oberverzögerer ist der Statthalter Felix, dessen Name, übersetzt: »glücklich«, nicht eben passend für die Situation ist. Bis 60 nach Christus bleibt Paulus in Cäsarea, unter leichten Haftbedingungen, eher so etwas wie ein Hausarrest. Der biblische Text reiht historische und biographische Details aneinander und verliert fast den geistlichen Faden, der Paulus in die Welt und dann auch in diese Halbgefangenschaft geführt hat. Wie geht es einem, der jahrelang einer Ausgangssperre unterliegt, obwohl er weiß, dass ihm etwas zu Unrecht zur Last gelegt wird? Es gibt außer einer länglichen und inhaltlich durchaus üblichen Verteidigungsrede dazu keine nennenswerte theologische Einlassung des Paulus. Der müsste, nach allem, was wir über ihn wissen, auf Kohlen gesessen haben, wie ein Tiger im Käfig herumgelaufen sein oder Brief um Brief an seine Gemeinden entworfen haben – aber davon erfahren wir nichts. Er steht im Austausch mit Gefährten und Freunden, mehr ist nicht zu vernehmen. Wie sich in den kommenden Berichten herausstellt, ist damit bereits das Ende der öffentlichen Wirksamkeit des Apostels eingeläutet. Was die Mission angeht, befindet er sich in zwangsweisem Vorruhestand. Das alles ist so ermüdend, unaufregend, irgendwie trivial und in den Mühen der Etappe. Dabei aber geht das Evangelium weiter, wird stark, fasziniert die Leute, ruft Menschen zum Glauben. Ganz ohne Paulus. Irgendwann und irgendwie scheiden wir alle aus dem Lichtkreis vorübergehender Bedeutsamkeit aus, um uns dem Himmel zuzuwenden.

HELMUT ASSMANN

Herr, unser Gott, danke für unsere Aufgabe, unsere Berufung und unseren Glauben. In guten wie in schlechten Zeiten. Und hüben wie drüben.

Ermessenssache

Nachdem der Statthalter Felix durch seinen Nachfolger Porcius Festus ersetzt worden ist, wird der Fall »Paulus« endlich wieder aufgenommen. Ohne irgendeinen inhaltlichen Fortschritt. Dieselben Vorwürfe, dieselben Verteidigungen, dieselben Ankläger, dieselben Strategien auf beiden Seiten. Einzige Veränderung ist eine neue Berufungsinstanz. Paulus nimmt über das römische Bürgerrecht hinaus die kaiserliche Rechtsprechung als Verhandlungsebene in Anspruch. Damit ist er zunächst aus den Nachstellungen des Hohen Rates heraus und befindet sich in vermeintlich wohlwollender Umgebung. Denn, wie der Gang der Geschichte bisher zeigt, haben die Römer von den innerjüdischen Quengeleien die Nase gestrichen voll. Die Rechnung des Paulus wird am Ende nicht aufgehen. Aber der Vorgang macht deutlich, dass geistliche Berufung und praktischer Verstand gute Partner sind. Paulus hat keine Ambitionen zum Märtyrertum aus Schicksalsergebenheit oder politischer Einfalt. Er versucht – um seines Auftrags willen – mit allen Mitteln, aus der Situation heraus und in die Freiheit zu kommen. Fatalismus ist seine Sache nicht. »Seid klug wie die Schlange und ohne Falsch wie die Taube«, hatte schon Jesus seinen Jüngern geraten. Und wenn man in diesem Fall durch die Berufung auf den Kaiser einen substantiellen Schritt weiterkommt, dann ist das eben der mögliche Ausweg. Wann immer es – und das ist ja doch die menschliche Regel – keine direkten himmlischen Weisungen durch Träume, besondere Ereignisse, Auditionen und derlei Interventionen gibt, dann bleiben einem der Verstand, Intuition und taktisches Geschick als Entscheidungshilfen zur Hand. Es gibt keine Gewähr für einen glücklichen Ausgang, nur den Glauben, dass Gott durch alle Winkelzüge unseres Lebens hindurch seine Verheißungen nicht revidiert. Es bleibt beim Glauben, auch wenn es um Leben und Tod geht.

HELMUT ASSMANN

Herr Jesus Christus, wenn wir nicht wissen, wie es weitergeht, stärke uns den Glauben und den Verstand, und dann hilf uns beherzt zu handeln.

Ratlosigkeit

Auch dieser Textabschnitt trägt inhaltlich zunächst nichts Neues vor. Der römische Statthalter Festus schaltet den jüdischen Vasallenkönig Agrippa samt seiner Frau Berenike in die Sache ein und bittet um Hilfe, weil er von den religiösen Auseinandersetzungen, die da betrieben werden, nichts versteht. Agrippa nimmt die Gelegenheit gerne wahr, weil er natürlich von dem Fall auch gehört hat und vermutlich sowohl seine Neugier als auch Sensationslust bedienen möchte. Ein durchaus unterhaltsames Privileg der Regierenden in allen Staatsformen. Es deutet sich aber in den Gesprächen zwischen Agrippa und Festus schon an, dass man der Sache im Grunde mit politischen Instrumenten nicht beikommen kann. Ratlos war Pilatus schon vor Jesus. Ratlos sind Felix und Festus vor Paulus. Ratlos auch Herodes, Agrippa und all die vielen nach ihnen. Wenn es um religiöse Fragen geht, wird die Politik unsicher. Sind diese Eiferer Spinner, Sozialrevolutionäre, nützliche Idioten oder Fälle für die Nervenheilanstalt? Man weiß es nicht, weil sie sich mit Fragen beschäftigen, die keine Politik regeln kann. Die einzigen, die stets ein erkennbares und materiales Interesse haben, sind die religiösen Gegner – die fürchten um ihre Macht. Darum sind sie es, die die Story vorantreiben. Am Fall des römischen Staatsbürgers Paulus lässt sich besichtigen, warum die Frage nach dem Glauben immer beides auslöst: spöttisches Schulterzucken oder energische Bekämpfung. Jenes bei denen, die keinen Sinn für die Welt hinter dieser Welt entdecken können, dieses bei den Vertretern eines anderen Glaubens, der sich in einer Machtposition befindet. Das ist ein gutes Kriterium für unsere eigene gesellschaftliche und kirchliche Situation: Wenn die Eiferer aufstehen, dann geht es um Macht, erst in zweiter Linie um Glauben.

HELMUT ASSMANN

Heiliger Geist, lehre uns unterscheiden, wann wir die Tiefen der Gottheit suchen und wo wir darum streiten, Recht zu haben oder Einfluss zu gewinnen. Und hilf uns, beim ersten zu bleiben.

Geh!

Für Lukas gilt es, die Kernthemen seines Werkes noch einmal zusammenzufassen. Dazu dient diese antik-rhetorisch brillante Rede des Paulus. Sie beginnt mit einer körpersprachlichen Geste, die die Aufmerksamkeit auf sich zieht. Es folgt auf Wohlwollen zielendes Lob für den Entscheidungsträger. Dann Tatsachen, die kaum bestritten werden können, weil sie nachprüfbar sind. Konsens wird hergestellt: Haben wir nicht alle eine gemeinsame Basis, Hoffnung auf die Verheißung unserer Väter? Verfehlungen werden eingeräumt, aber »die Oberen« hatten ja dafür sogar Vollmacht gegeben. Danach folgt das Eigentliche, die Berufung und der Auftrag. Widerspruch ist nach dieser Vorbereitung sehr schwer. Schwer ist es auch, »wider den Stachel zu löcken«, ein geflügeltes Wort aus einem Schauspiel des Euripides für die Gebildeten unter der Zuhörerschaft.

Der Stachel, eine direkte Anrede Gottes, in der Sprache, die er auch bei den großen Vätern verwandte: »Sei Zeuge, für das, was du gesehen hast, erzähle, verkündige davon und – nicht weniger wichtig – suche das Leben danach zu gestalten.« Denn es geht um alles, um das Licht, um Rettung und Hilfe in der Welt, um die Auferstehung von den Toten, um das Leben mit und bei Gott. Nicht zufällig folgt auf die Selbstoffenbarung Jesu das Auf-die-Füße-Stellen. »Ich bin es. Du kennst mich! Und jetzt: Geh!« So war es bei Abraham, so war es im Pfingstbericht, so fasst es Lukas jetzt noch einmal in dieser Rede des Paulus zusammen und so sollte es auch bei mir sein. Was bedeutet das aber in der kleinen Münze meines Alltags? Es bedeutet, die Verheißungen Gottes für die Welt nicht zu vergessen, egal wieviel Dunkelheit die Welt auch ausstrahlen mag. Licht für sein Volk und die Welt, das will Gott. Und manchmal kann ich ein bisschen dazu beitragen. Mein Leben danach ausrichten, mal hier etwas verändern, mal dort etwas lassen. Nicht viel in dem Moment, aber Buße und Bekehrung setzen sich aus vielen kleinen Momenten zusammen. Ein Prozess, der in die richtige Richtung weist.

DIRK PUDER

Guter Gott, du machst aus den Momenten meines Lebens ein Ganzes.

Steh fest!

Alles, was wir tun und lassen, zeigt Wirkung. Manchmal denken wir, unsere Worte, unsere kleinen Gesten verhallen wirkungslos. Und doch sind die Horizonte, unter denen wir leben und handeln, sehr viel weiter ausgespannt, als wir wahrnehmen. Die engagierte Rede des Paulus trifft auf harten Widerspruch. Natürlich von dem, der die Macht hat. Römisch-soldatische Besatzungspolitik. Veränderung der Welt durch direkten Gotteskontakt – ohne unsere Kontrolle und Zensur? Das hatten wir schon. Da haben wir durchgegriffen. »Paulus, deine hochfliegenden Theorien haben dich abheben lassen. Bleibe mit deinen Füßen mal schön auf dem Boden.« Doch Paulus stellt der Machtvernunft seine Glaubensvernunft gegenüber. Respektvoll und ruhig steht er da, widerspricht Festus und bezieht sich noch einmal auf das gemeinsame Erbe, die Propheten. Schon das macht Mut. Jemand widerspricht. Jemand zeichnet gegenüber der harten Machtvernunft ein Gegenbild. Es gibt mehr, als ihr uns weismachen wollt! Ein Entscheidungsmoment bahnt sich an. Doch Lukas hält den Augenblick an. Erwägungen laufen hierhin und dorthin.

Lukas zeigt damit an, wie komplex unsere Wirklichkeit ist. Wie viele Fäden die Textur unseres Lebens, aber auch des Geschehens in der Welt bilden. Aber genau das ist kein Grund zur Mutlosigkeit, sondern die Grundlage unserer Hoffnung. Weil Gott in und mit diesen Fäden wirkt. Oft nicht sichtbar für uns, obwohl wir schon etwas mehr wahrnehmen könnten, wenn wir unseren »Propheten«, den großen und den kleinen, intensiver zuhören würden. Deshalb bin ich über jeden Menschen dankbar, der scheinbar gegen »alle Vernunft« kleine, lichtvolle Hoffnungszeichen setzt. Denn das Licht scheint in die Dunkelheit, oder wie Paulus sagt: Es ist nicht im Winkel verborgen, wohin die Reise geht. Das gilt für Paulus (Lukas lässt ihn Rom erreichen), für das Ziel meines Lebens (das Zusammensein in Gottes Reich) und für den endgültigen Lauf der Welt (die Erlösung der Schöpfung).

DIRK PUDER

Ein Mosaikstein in deiner Hand. Das bin ich. Nicht groß – aber nötig für das Ganze.

Alltag – auch mal gut

Bekehrung, Konversion ist, wie wir gehört haben, ein Prozess. Er durchdringt nach und nach das ganze Leben und den ganzen Alltag. Aber er hebt ihn nicht auf. Wer dem Auferstandenen begegnet ist, wird in Bewegung gesetzt und sieht die Welt dabei mit anderen Augen. Heute spricht man oft von »Erschließungsmomenten«. Geschichten, Gestalten oder Worte werden »einleuchtend«. Sie zeigen das, was hinter der alltäglichen Wirklichkeit liegen mag. Wer so nicht sehen kann, für den dreht sich die Welt so, wie sie es immer schon tat. So lesen wir heute von einer ganz normalen Fahrt übers Meer, wie es im römischen Verkehrswesen üblich war. Es gab einen richtigen Linienverkehr von den entferntesten Punkten des Reiches nach Rom.

Trotz der Erscheinung Jesu vor Paulus und trotz seines großen Auftrages lebt der Apostel einen mühseligen Alltag, um sein Ziel zu erreichen. Vieles geschieht zu Fuß, manches mit einem Karren oder mit dem Schiff. Gott bewirkt für ihn kein übernatürliches Wunder. Das ist schon einmal bemerkenswert. Auf der alltäglichen Reise trifft er verschiedene Menschen, die korrekt ihren Aufgaben nachgehen, besucht Freunde, versucht den Fahrplan einzuhalten, Winde stehen mal gut, mal schlecht. Als es ungemütlich werden könnte, ihm ein wenig bange wird, diskutiert Paulus mit den Seeleuten – so wie es alle Menschen tun. Von Gott ist im ganzen Abschnitt nicht die Rede. Für die Adressaten des Lukas, uns inklusive, ist das recht entspannend. Nach so viel Berufung auf den Glauben, auf die Väter, auf die Begegnung mit Gott und Jesus Christus, wirkt eine Pause davon fast erholsam. Der Alltag, die Routine, sie helfen, besondere Eindrücke zu verarbeiten. Doch die Sehkraft des Glaubens sieht durch den Alltag hindurch. Sieht, wie Gott mit Hilfe des Alltags den großen Plan des Paulus durchsetzt. Rom rückt näher. Manchmal brauchen auch wir die Routine, das Alltägliche, ohne »große« Themen und tiefe Erlebnisse. Gott ist uns dann nicht fern, sondern er arbeitet mit uns und für uns im Hintergrund.

DIRK PUDER

Alle meine Tage sind in dein Buch geschrieben. So ist es gut. Danke.

Gottsuche inmitten der Welt

Psalm 63 ist vielen Gottsuchern ein wichtiger Text. Drückt er doch die Sehnsucht aus, die wohl manchen im Mühen um ein christliches Leben antreibt. Mit Gott Gemeinschaft haben. Sich in Stille bei ihm bergen. Ihn immer im Herzen tragen und so Ruhe finden. Und irgendwie ist allen klar, dass Gott frommen Seelen, die sich so mühen, Erfüllung schenken wird. Ist der Psalm also ein Plädoyer für ein zurückgezogenes Leben in Gottes Nähe?

Der zweite Teil des Psalms zeigt: Nein, so ist es nicht. Dem Psalmbeter geht es nicht darum. Gottsuche heißt für ihn: Gottes Spuren im Leben zu finden. Er ringt darum, Gottes Wirken zu erleben. Er fleht Gott an, dass er handeln möge. Dass er ganz alltäglich zu erfahren sei, indem sich alles zum Guten wendet. Die Sehnsucht des Beters ist, nicht nur theoretisch zu wissen, dass Gott wirkt, sondern es praktisch wahrzunehmen. Nicht nach geistlichen Tröstungen sehnt er sich, sondern danach, dass Gottes Tun sichtbar wird. Dass Gott die Welt zum Guten wandelt. Die Gottsuche wird so zur (leider manchmal unerhörten) Bitte um Gottes Eingreifen in der Welt.

Für Gottsucher, die diese Spur aufnehmen wollen, heißt dies: Die Welt ist der Ort, wo Gott wirkt. Wer aufmerksam hinschaut, kann ihn erfahren. Wahrscheinlich beginnt das mit der Bitte um all das, was lebensnotwendig ist für sich selbst und andere. Und es wird dann in den Dank erfahrener Zuwendung münden. So wird die stille Kammer zum Beten, das Heiligtum, sehr groß: Sie umfasst die ganze Welt und Wirklichkeit, jede Zeit und jeden Ort, an den die Gottsucher kommen. Dort ist Gott zu Hause, hier können wir bei ihm ruhen!

ANNE RADEMACHER

Gott, mein Gott bist du, dich suche ich. Es dürstet nach dir meine Seele. Darum halte ich Ausschau nach dir im Heiligtum, zu sehen deine Macht und Herrlichkeit.

Abenteuer auf See

Reisen war in der Antike ein gefährliches Unterfangen, Seereisen zumal. Wenn dies dann noch in einer Jahreszeit stattfand, in der üblicherweise die Seefahrt weitgehend ausgesetzt wurde, dann grenzte das an Fahrlässigkeit. Paulus hatte davor gewarnt – vergebens. Man stach in See: die Besatzung, die Soldaten, die mehrere Gefangene nach Rom zu bringen hatten, vermutlich noch weitere Passagiere aus dem Umfeld des Apostels.

Es folgt ein spannender und dramatischer Abenteuerbericht, der uns Einblicke in die antike Schifffahrt gibt. Aber auch die Belastung für die Menschen an Bord wird offensichtlich: 14 Tage ohne Orientierung im tobenden Meer, 800 Kilometer in einem Boot getrieben zu werden, das dem Wellengang hilflos ausgeliefert ist! Kein Wunder, dass die Menschen wegen der Seekrankheit nichts zu essen vermochten, so dass Paulus sie kurz vor dem Auflaufen auf eine Sandbank vor Malta ermutigte zu essen, um sich zu stärken.

Überhaupt: Paulus – eigentlich ein Gefangener, der unter Deck angekettet sein müsste. Er wird zum Mittelpunkt der Geschichte. Er wird als der beschrieben, der als Einziger die Situation in jeder Hinsicht überschaut; der als Einziger inmitten von Panik den Menschen an Bord Hoffnung vermittelt und sie positiv aufbaut: Auch wenn das Schiff verloren geht, die Menschen an Bord werden alle gerettet werden. Das verheißt er, nicht aus eigenem Antrieb, sondern im Auftrag Gottes.

Denn es geht um die Erfüllung des Planes Gottes: Paulus soll vor dem Kaiser Zeugnis ablegen; er soll das Evangelium in das Zentrum der Welt bringen. Das werden auch die Naturgewalten nicht verhindern können. Denn Gott selbst steht dahinter. Darauf hat Paulus vertraut; diese Gewissheit hat ihm Sicherheit und Kraft gegeben.

CHRISTIAN RENOVANZ

Herr, in deine Hände begeben wir uns. Du hast uns allen ein Ziel gesetzt. Stärke unser Vertrauen in dich gerade dort, wo wir meinen unterzugehen. Du wirst uns auf unserem Weg zu deinem Ziel führen und an unserer Seite sein!

Das Evangelium erreicht Rom

Das Ziel ist erreicht: Das Evangelium hat durch Paulus Rom erreicht; es ist im Zentrum des Weltreichs angekommen. Die Voraussetzung ist geschaffen, dass es aller Welt verkündet wird. Immer wieder stellten sich Hindernisse in den Weg: In Jerusalem wird Paulus auf Betreiben der jüdischen Führung durch die Römer aus fadenscheinigen Gründen festgenommen; man will ihn beseitigen. Er beruft sich auf sein Recht als römischer Bürger, vom Kaiser angehört zu werden. So öffnet sich der Weg nach Rom. Auch die Naturgewalten stemmen sich gegen den Plan Gottes. Die Irrfahrt über das Mittelmeer endet mit einem Schiffbruch vor Malta. Aber alle werden gerettet.

Die Rettung vor dem sicheren Tod war in den Augen der Malteser ein Beleg für die Unschuld eines Menschen. Als allerdings Paulus von einer Giftschlange gebissen wird, wendet sich ihre Stimmung gegen ihn: Offenbar ist dieser Mensch doch nicht unschuldig und die Gerechtigkeitsgöttin Dike fordert seinen Tod. Aber auch dieses Ereignis kann den Plan Gottes nicht bremsen: Paulus schleudert die Schlange in das Feuer und überlebt wiederum unbeschadet. Wer zweimal dem Tod entkommen ist, der hat in den Augen der Bevölkerung göttliche Attribute.

Schon auf der Seefahrt hatte sich angedeutet, dass weder der Kapitän noch der Vorgesetzte der Soldaten Initiativen zur Sicherheit und Rettung der Menschen ergriffen haben. Vielmehr hatte Paulus Ratschläge, ja sogar Anweisungen gegeben. Jetzt auf Malta erinnert nichts mehr daran, dass er ein Gefangener ist. Er kann sich auf der Insel frei bewegen, entscheidet, wo er unterkommt, wo er auf der Weiterfahrt wie lange Halt macht. Und schließlich zieht Paulus fast triumphal als Repräsentant des Evangeliums in Rom ein. Gottes Plan hat sich erfüllt!

CHRISTIAN RENOVANZ

Lieber Vater, wir kennen deine Pläne mit uns nicht. Auch Paulus wusste nicht, wohin du ihn führst. Aber er ist seinen Weg im Vertrauen auf dich gegangen. Das hat ihn stark und zuversichtlich gemacht. Um dieses Vertrauen bitten wir dich: Was uns auch begegnet und widerfährt, du bist an unserer Seite. Dieses Vertrauen stärkt auch uns.

Das neue Volk Gottes

Nun ist Gottes Plan erfüllt: Das Evangelium, für das Paulus steht, hat Rom erreicht. Der Auftrag des Auferstandenen an die Seinen, das Evangelium in alle Welt zu bringen, ist damit erfüllt. Allerdings ist damit eine noch viel größere Dimension verbunden: Israel ist nun nicht mehr das ausschließliche Volk Gottes; es gibt ein neues Volk Gottes, dem Menschen aus den Völkern angehören, die das Evangelium annehmen und an Jesus Christus glauben.

Der Weg zum neuen Volk Gottes hat seinen Anfang genommen mit der Zurückweisung der Verkündigung Jesu, die letztlich zu dessen Tod geführt hat. Eine solche Ablehnung hat Paulus auch immer wieder erlebt. Auf seinen vielen Reisen hat er immer zunächst in der Synagoge gepredigt. Erst nachdem er dort regelmäßig abgelehnt wurde, hat er das Evangelium allen Menschen verkündet. Auch seine Festnahme mit dem Ziel, ihn mundtot zu machen, gehört zu der Kette der Ablehnung des Evangeliums durch »Jerusalem«, wie Paulus die jüdische religiöse Führung zusammenfasst.

Nun also Rom: Im Hinblick auf seinen Prozess trägt Paulus Vertretern der jüdischen Gemeinde in Rom seinen Fall vor, mehr noch: Er verkündigt ihnen das Evangelium. Mit einem Zitat aus dem Buch des Propheten Jesaja verdeutlicht er, dass die jüdische Ablehnung des Evangeliums den Weg für ein neues Volk Gottes eröffnet und geebnet hat. Das Ergebnis ist absehbar: Nicht alle teilen seine Argumentation; sie gehen uneins auseinander. Das Evangelium geht an die Völker und die werden es hören. So endet die Apostelgeschichte.

Das Volk Gottes ist nun nicht mehr ethnisch definiert, sondern inhaltlich. Die Verkündigung des Paulus an alle Welt hatte zu Gemeinden aus den Völkern geführt. Ihnen ruft Paulus zu: Ihr gehört zum neuen, wahren Volk Gottes! Ihr steht in der Kontinuität der Geschichte Gottes mit seinem Volk. Dieser Ruf tönt bis zu uns heute herüber.

CHRISTIAN RENOVANZ

Herr, wir danken dir, dass deine Liebe und Zuwendung, die du Israel verheißen hast, nun auch den Menschen aller Völker gilt. Schenke uns Glauben und Vertrauen, damit wir dich wahrnehmen und aus deinem Wort leben.

Einführung zum 2. Buch der Könige S. 383 f.

Der Mantel des Propheten

Da liegt er vor Elisa im Staub, der Mantel des Propheten Elia. Sein verehrter Lehrer hatte ihn fallen lassen, bevor er im feurigen Wagen mit stürmischen Pferden gen Himmel fuhr. Eben hatte Elisa das erschüttert mit angesehen.

Jetzt hebt er den Mantel auf und nimmt ihn an sich. Steht ihm das zu? Soll er der Erbe des großen Propheten sein? Dieser Mantel war sozusagen Elias Markenzeichen (2 Kön 1,8), wie die Uniform eines Soldaten oder der Umhang eines Königs.

Mit ihm hatte Elia sein Angesicht verhüllt, als Gott ihm am Horeb begegnete. Er war das Wunderwerkzeug, mit dem Elia vor kurzem noch das Wasser des Jordan geteilt hatte. An ihm haftet etwas von Gottes Herrlichkeit. Darf er, Elisa, ihn jetzt tragen? Er hatte ihn schon einmal auf seinen Schultern gespürt, damals, als Elia ihn in seine Nachfolge rief (1 Kön 19,19).

Ob ihm seine Wunderkraft ebenso wie Elia zur Verfügung steht, das wird sich gleich erweisen. Elisa rollt den Mantel zusammen, schlägt aufs Wasser, ruft Gott an und siehe: Der Fluss teilt sich vor ihm. Die anderen Propheten beobachten die Tat. Sie werfen sich vor ihm nieder, weil sie den Gottesgeist wahrnehmen, der auf ihm ruht.

Elisa wird viele Wunder tun, solche, die aus der Not helfen, und auch sehr befremdliche Strafwunder. Vor allem wird er eines Tages so angesprochen werden, wie er es seinem Meister voll Trauer hinterherrief: »Mein Vater, mein Vater, Wagen Israels und sein Lenker!« (2 Kön 13,14) Für Israel wird er Schutz und Kraft gegen die Feinde bedeuten.

Es liegt eine geheimnisvolle heilige Spannung über dieser Erzählung des letzten Weges und des Abschieds. Gott selbst beruft, bestätigt und rüstet aus. Das spürt der Nachfolger, das muss die Umwelt eingestehen.

Auf einem schwachen Menschen ruht Gottes Geist und Autorität. Wie ist es heute? Wo Gott einen Menschen ergreift und beruft, da ist dessen entschlossenes Ja gefragt. Wo wir heute Zeugen einer göttlichen Berufung werden, sollen wir uns anerkennend verneigen.

ANNEGRET AHRENS

Herr, Gott, wo willst du mich einsetzen für dein Reich? Zeige es mir und steh mir bei!

Wundersame Ölquelle

»So, schnell die nächste Flasche!«– ruft die Mutter ihrem Jungen zu. Auf den Tischen, den Regalen, auf dem Boden – überall stehen Gefäße, große und kleine, schlichte und edle, gefüllt mit reinem duftendem Öl. »Keine mehr da, das war die letzte«, erwidert der Sohn. Im Akkord hatte die Witwe des Prophetenjüngers mit ihren beiden Söhnen die Krüge gefüllt, die sie von ihren Nachbarn zusammengeliehen hatte.

Nur ein kleines Fläschchen Öl hatte sich noch im Haus gefunden, alles andere hatte der unerbittliche Gläubiger ihr schon weggenommen. Aber aus diesem Fläschchen ergoss sich der goldene Strahl in Krüge und Töpfe. Als es nichts mehr zum Füllen gab, versiegte der Strom.

Wie hatten sie die Sorgen um den Schlaf gebracht! Die Schulden, die ihr Mann ihr hinterließ, waren so groß, dass man ihr die Kinder wegnehmen wollte, um sie als Sklaven für deren Begleichung arbeiten zu lassen. Jetzt aber hatte sie ausgesorgt. Sie konnte das Öl verkaufen und mit dem Geld die Schulden bezahlen. Der Rest reichte zum Lebensunterhalt.

Die arme Frau hatte nicht umsonst Elisa, den Leiter der Prophetengemeinschaft, um Hilfe angefleht. Sie hatte nicht umsonst gehorcht und die Gefäße besorgt. Sie hatte nicht umsonst vertraut und aus ihrem kleinen Rest die vielen Krüge gefüllt. Schließlich hatte ihr Mann nicht umsonst sein ganzes Leben für den Dienst Gottes eingesetzt.

Gott reagiert auf unseren Hilfeschrei und unser Vertrauen. Daran dürfen wir uns halten, denn er tut das bis heute. Elisa, der mächtige Mann Gottes, erbarmte sich der Lebensnot einer einfachen Frau. Wir können eine Linie ziehen zu Jesus, dessen Wunder nicht spektakuläre Eigenwerbung waren, sondern echte Hilfe für die Ärmsten. Er wollte, dass sie aussprechen, was sie bedrückt (Mk 10,51). Er wartete auf ihren vertrauenden Gehorsam (Mt 8,13). Er machte aus der wenigen Habe eine überreiche Fülle (Mt 14,17–18). Er handelte im Verborgenen (Mk 5,40).

ANNEGRET AHRENS

Gott, weil er groß ist, gibt am liebsten große Gaben. Ach, dass wir Armen nur so kleine Herzen haben!

Ein General muss gehorchen

Großer Auftrieb im kleinen Wohnort des Propheten. Der syrische General Naaman mitsamt seinem Tross trifft ein. Die pferdebespannten Wagen, voll beladen mit kostbaren Schätzen, die Respekt einflößenden Leibwächter, das muss den Nachbarn sehr imponiert haben. Unbeeindruckt aber bleibt Elisa, der Prophet. Er hält es nicht einmal für nötig, persönlich zu erscheinen. Dem verdatterten General lässt er durch einen Boten nur einen kurzen, seltsamen Befehl ausrichten. Der reagiert zornig: Was erlaubt sich dieser Mann? So lässt ein einflussreicher Befehlshaber nicht mit sich umspringen!

Wieder eine Klippe, an der die hoffnungsvoll begonnene Reise Naamans nach Israel zu scheitern droht. Doch am Ende findet er Heilung seiner Krankheit. Mehr noch: Er findet zum Glauben an den Gott Israels.

Was hat ihm geholfen? Nicht sein Geld, nicht Macht und Einfluss, nicht seine Beziehungen, auch nicht seine religiösen Erfahrungen. Er hat sich endlich doch auf den Befehl Elisas eingelassen und sich genau siebenmal im Jordan gewaschen. Das gehorsame Handeln führt zum Erkennen. Letztendlich aber, so lässt der spannende Bericht durchscheinen, hat ihm der lebendige Gott Israels selber geholfen. Er hat im Hintergrund die Fäden gezogen, hat Menschen für seinen Rettungsplan eingespannt: die verschleppte Sklavin, den Propheten, die Diener.

Da kehrt ein Mann heim, der nicht länger ein Feind des Volkes Israels ist. Einer, der den Glauben an den Herrn mit Israel teilt. Ja, der ein Stück Israels, zwei Wagenladungen heiliger Erde, mit nach Hause nimmt.

So macht Gott Frieden. Mit dem Wort »Schalom« endet unser Textabschnitt. Gott weitet sein Reich aus. Denn er ist nicht begrenzt auf ein kleines Territorium, sondern der Herr der ganzen Welt.

Naaman ist sozusagen der Vorfahre des Kämmerers aus Äthiopien (Apg 8,26ff.), der zum Glauben an Jesus Christus kommt, oder des römischen Hauptmanns Kornelius (Apg 10), der ins Volk Gottes eingereiht wird.

ANNEGRET AHRENS

Gott, deine Wege sind wunderbar und vollkommen!

Notrufe

Viele alte Menschen können sich heute darauf verlassen, dass ihr Ruf in einer Not dank einer technischen Hilfe gehört wird, auch wenn sie allein im häuslichen Raum sind: Es genügt, einen roten Knopf zu drücken, um fachliche Versorgung zu erfahren. Die Rufe bleiben nicht unerhört – Gott sei Dank! Nicht in jedem Land auf dieser Erde gibt es solche Möglichkeiten. In manchen Regionen beispielsweise in Afrika ist es noch immer sehr schwer, einen Kranken rechtzeitig in das nächste Hospital fahren zu lassen. Weltweit ist die Gesundheitsversorgung sehr unterschiedlich. Was tue ich, damit sich dies ändert? Verweise auf die Aufgaben von Institutionen befreien nicht von der persönlichen Verantwortung. Ratlos erlebe ich mich in dieser Situation sehr oft.

Die Bibel stellt uns in Psalm 30 einen Menschen an die Seite, der einen Notruf sendete und dann Gottes Gehör gefunden hat. Kommunikativ handelt Gott. Es gibt weitere Bilder in diesem Psalm; sie alle erzählen von einer Wende der Not: Der betende Mensch möchte aus einer tiefen Grube gezogen werden, in die Feinde ihn gestürzt haben – gleichsam schon lebendig begraben. Klagegesänge sollen zu Tanzliedern werden. Die Trauergewänder mögen abgelegt und Festkleider angezogen werden. Heilung von Krankheit erhofft sich der Beter von Gott. Der Psalm erinnert an Lebenserfahrungen: Am Abend sind die Empfindungen oft belastend; am Morgen ist eine neue Aussicht im Blick.

Niemand kennt die Wege, die Gott mit einem Menschen gehen möchte. Nicht immer werden die Notrufe erhört. Gott kann sich verbergen, sein Angesicht entziehen. Dem Beter bleibt dann nur, auf Gott zu vertrauen. Gott kann zornig sein, wenn seine Geschöpfe einander Leiden zufügen. Gottes Erbarmen ist jedoch groß. Gott wird in der Stunde des Todes den letzten Notruf eines Menschen hören und unverlierbares Leben schenken – so sind wir im österlichen Glauben gewiss.

DOROTHEA SATTLER

Lebendiger Gott, alle deine Namen verkündigen Rettung aus der tiefen Lebensnot. Die Erwartung des Todes bedrängt uns. Schuld belastet uns. Schenke du uns Zeichen der Hoffnung – heute bereits!

Hellsichtig und angstfrei

Kleine Initiativen, Genossenschaften, Foodsharing-Projekte, Repair-Cafés versuchen, dem Wachstumswahn und dem damit verbundenen ökologischen Kollaps etwas entgegenzusetzen. Seit 1972 der »Club of Rome« die Grenzen des Wachstums beschrieben hat, wissen wir, dass anderes Wirtschaften für unser Überleben auf dieser Erde unumgänglich ist. Seither ist fast nichts geschehen, um dieses Wissen umzusetzen. Nur kleine Anfänge wurden gewagt.

Da ist eine große Macht, die ihren kriegerischen Weg nimmt. Und dagegen steht nur ein kleiner hellsichtiger Prophet, der sieht, was kommt, und der eine Gegen-Idee hat. Die Mächtigen rätseln über Geheimnisverrat. Und bieten alle ihre Einschüchterungstaktiken auf, um den Widerstand zu brechen. Die dabei stehen, fürchten sich vor der Übermacht: Da kann man nichts tun! Der Prophet hat keine Angst. Er sieht die Verbündeten aus den Mächten des Himmels, die für die anderen unsichtbar sind. Wer sie aber sieht, bleibt ohne Furcht und kann die Mächtigen an der Nase herumführen, bis sie da sind, wo er sie haben will: in einem anderen Land und Leben. Er bleibt ohne Hass und Gewalt, will nicht die Vernichtung der Menschen, sondern will, dass sie anders miteinander leben und umgehen. Die Feinde werden eingeladen, Brot und Wasser zu teilen, zu essen und zu trinken, so dass es allen gut gehen möge. Und so kehrt Friede ein und alle haben, was sie brauchen. »Ganz neue Vorgehensweisen sind erforderlich, um die Menschheit auf Ziele auszurichten, die anstelle weiteren Wachstums auf Gleichgewichtszustände führen. Sie erfordern ein außergewöhnliches Maß von Verständnis, Vorstellungskraft und politischem und moralischem Mut. Wir glauben aber, dass diese Anstrengungen geleistet werden können...«, so der »Club of Rome«.

Wie der Mann Gottes können wir das glauben und hellsichtig und ohne Furcht unsere Schritte dahin tun.

ANNE RESSEL

Mach uns hellsichtig, Gott, und nimm uns die Angst, die entsteht angesichts derer, die Macht haben und Waffen und Einfluss. Öffne uns die Augen, dass wir die Mächte deines Himmels um uns sehen.

Der andere Altar

Einer wird bedrängt. Krieg bedroht das Land. Er sucht sich Verbündete, die nicht seine Freunde sind. Macht Geschenke, kopiert ihren Kult. Ganz wie es das Tagesgeschäft so erfordert.

Da ich das schreibe, haben CDU und FDP in Thüringen mit Hilfe der AFD einen Ministerpräsidenten ins Amt gehoben. Unsägliche Allianz wurde Realität. Bis das den Beteiligten aufging, dauerte es. Die Demokratie nimmt großen Schaden.

Die AFD freut sich. Die Maße ihrer Altäre haben sie durchgegeben. Die demokratische Grundordnung und die Menschenrechte sollen zur Seite geschoben werden und schwinden.

Die Frage ist, ob wir an ihrem Altar stehen oder ob wir doch am zur Seite geschobenen bronzenen Altar anbeten. Der ist scheinbar nicht so schillernd. Der fordert, das harte Brot der Demokratie zu brechen. Der Altar Gottes mahnt, dass unsere Freiheit den Menschenrechten gewidmet ist, dass Rassismus, Frauenverachtung und Nationalismus die Altäre der anderen sind.

Der Altar Gottes ist zur Seite gerückt und keiner weiß so recht, was mit ihm geschehen soll.

Die Altäre nationaler Macht werden allenthalben nachgebaut und vervielfältigt. Sie locken, indem sie den einen ein Vorrecht vor den anderen geben. Sie geben das Gefühl, am Erfolg und dem Glanz von Siegern teilzuhaben. Aber sie stehen auf wackligem Grund, weil sie auf Unrecht, Gewalt und Unterdrückung basieren.

Ist da nur ein käuflicher Priester, kein Prophet weit und breit?

Wir können ohne Propheten wissen, wo unser Platz ist: am zur Seite gerückten Altar, von dem aus allen Menschen die Würde zugesagt wird, als Kinder Gottes zu leben. Unser Platz ist an der Seite und womöglich am Rand. Dort, wo für die Würde der Schöpfung gebetet und gestritten wird, die aller Zerstörung entgegensteht – und für die Schönheit der Vielfalt, die der Schöpfung Gottes innewohnt, ist unser Platz.

ANNE RESSEL

Gott des Friedens und des Lebens, gib nicht zu, dass wir uns blenden lassen vom Glanz der Macht. Lass uns fest stehen am Ort deiner Gegenwart und Barmherzigkeit, damit unsere Schritte gelenkt werden von deiner Liebe und deinem Geist des Friedens.

Freiheit ist nicht bequem

»Ach, woher kommt das Elend?«, fragen sich alle. Sie haben die Freiheit nicht verstanden und die Freiheit verraten, in die hinein sie geboren wurden, seit sie aus der Hand der absoluten Macht herausgeführt wurden. Sie schlossen die falschen Allianzen, mal mit der Macht im Norden, dann mit den Gewaltigen im Süden. Hier ein wenig Abgaben sparen wollen, dort es ein wenig bequem haben, alte Einsichten hin oder her. Was gilt schon, dass irgendwann einer sagt: »Das sollt ihr nicht tun!«? Bequem wollen es die Menschen, alles hier und jetzt und handhabbar. Dafür standen früher die neuen Altäre, fußläufig und nicht im fernen Jerusalem, mit Statuen für die Augen und zum Begreifen. Lieber Nichtiges tun, als sich zu sehr mit Bedenken plagen.

Inbegriff des hier und sofort und bequem heute ist Amazon. Der Konzern machte 2019 10 Milliarden Gewinn, wobei Aktionäre sich über 6,50 € je Aktie freuen durften. Das ist ein ähnlich lukratives Geschäft, wie es in der Antike die Kultstätten waren. Dazu da, Menschen glücklich zu machen. Heute bestellt, heute geliefert, kostenfrei natürlich, soll doch den Fahrer oder die Fahrerin zahlen, wer will. Ca. 11 € Stundenlohn bekommt ein Fahrer pro Stunde. Es gibt keine Angaben darüber, wie viele unbezahlte Überstunden gefahren werden. Eine Familie wird so niemand ernähren können. Nach 45 Jahren vollzeitiger und ununterbrochener Tätigkeit werden das ca. 1000 € Rente pro Monat sein. Das ist knapp über dem Existenzminimum und bedeutet, im Alter arm zu sein. Da stehen dann alle und fragen: »Ach, woher kommt das Elend?«

Und Gott sagt: Ihr habt meine Freiheit nicht verstanden. Freiheit ist nicht bequem, aber kostbar.

ANNE RESSEL

Du ewiger Gott, ich bin ein Kind meiner Väter und Mütter, die haben mich Wirtschaftswunder gelehrt, nicht aber deine Wunder! Ich stehe in ihren Schuhen und weiß nicht viel mehr als konsumieren, und dass alles immer schnell gehen muss und dass Bequemlichkeit nichts kosten soll. Deine Weisung lass meine Sehnsucht werden und die Freiheit, wie du sie meinst, meinen Horizont.

Suche nach Klarheit

Der Text berichtet von schweren politischen Zeiten. Die Assyrer haben das Nordreich Israel eingenommen und nur das Südreich Juda bestehen lassen. Die biblische Geschichtsschreibung begründet es mit dem Ungehorsam der Menschen Gott gegenüber. Im Norden mit seiner Hauptstadt Samaria werden fremde Menschen angesiedelt, wie es die assyrische Eroberungspolitik vorsieht. So ergibt sich ein Religionsgemisch, das die eigene nationale Identität schwächt.

Fremde Völker bringen ihre Kultur und ihre Weltanschauung mit. Das sorgt für Unsicherheit und Unruhe. Die Eroberer greifen tief in das Leben der Menschen ein. Sie entziehen ihnen den Boden, der sie hält und trägt. Sich im eigenen Land nicht mehr beheimatet fühlen – das ist eine schreckliche Erfahrung, und es ist verständlich, dass die Kultur der vermeintlich Stärkeren sich durchzusetzen beginnt. Der Glaube an den Gott, der sein Volk aus der Sklaverei in Ägypten befreit hat, bleibt zwar bestehen, aber er tritt in Konkurrenz zu Glaubensformen und Religionen mit sichtbaren und anfassbaren Göttern. Für das Alte Testament unerträglich. Denn der Glaube an den rettenden und befreienden Gott duldet keine Konkurrenz. Er erfordert das ganze Vertrauen der Menschen.

Für mich ist es die Suche nach Klarheit, die der Text ausdrückt und spiegelt. Es ist wie in einer Ehe: Sobald ich nicht mehr mit ganzem Herzen dabei bin, stelle ich alles in Frage. Es gibt in bestimmten Fragen des Vertrauens kein Sowohl-als-Auch, sondern nur ein Entweder-Oder: Entweder du vertraust dem Gott, der deine Vorfahren aus Ägypten rettete, der die Welt erschaffen hat und der auch dich hält – oder du bist mit dem Herzen schon nicht mehr bei ihm, sondern bei den Göttern, die du dir selbst machst und die dir in der Not nicht helfen werden. Klarheit ist gefragt, und an dieser Stelle auch Kompromisslosigkeit.

SIBYLLE ROLF

Befiehl du deine Wege und was dein Herze kränkt der allertreusten Pflege des, der den Himmel lenkt. Der Wolken, Luft und Winden gibt Wege, Lauf und Bahn, der wird auch Wege finden, da dein Fuß gehen kann.

Neubeginn

Mit dem neuen König Hiskia ändert sich alles. Er erkennt, dass es in der Frage des Vertrauens zu Gott keine Kompromisse gibt. So entfernt er die Statuen und Bilder und ermutigt das Volk, ihrem Gott treu zu bleiben. Die Geschichtsschreibung spricht voller Anerkennung von ihm. Weil er Gott vertraut und ihm treu ist, werden die Einwohner des Südreiches, über das Hiskia herrscht, vom Exil verschont. Hiskia stellt sich zwar gegen den mächtigen König von Assyrien, aber kommt davon. Das Nordreich aber wird eingenommen, die Hauptstadt Samaria zerstört und die Menschen ins Exil nach Assyrien geführt.

Für die biblische Geschichtsschreibung liegt die Begründung auf der Hand: Hiskia hat mit seiner Gottesfurcht und seinem Einsatz für den Gott Israels dazu beigetragen, dass das Volk von der assyrischen Eroberung verschont bleibt.

Wenn es doch in der Geschichte immer so wäre, dass Gottesfurcht und Vertrauen dafür sorgen, dass man vom Krieg verschont bleibt. Genügend Beispiele gibt es, die anderes erzählen. Hat Gott dann seine Menschen verlassen und vergessen? Könnte er nicht auch heute im Nahen und Mittleren Osten helfend eingreifen? Gibt es nicht auch heute verantwortungsvolle Regierende? Warum sehen wir dann immer noch so viele Kriege, Deportationen und Flüchtlinge?

Ich finde auf diese Fragen keine einfache Antwort. Die Kriege der jüngsten Vergangenheit und der Gegenwart sind komplex. Die Unterscheidung von richtig und falsch ist nicht ohne weiteres zu treffen. Mich ruft die Erzählung von heute dazu auf, mein eigenes Verhalten zu überprüfen und zu hinterfragen. Bin ich bereit zur Klarheit? Wem vertraue ich? Und welche Konsequenzen ziehe ich daraus? Wie gehe ich in den Bereichen, in denen ich verantwortlich bin, mit meinem Grundvertrauen um? Und was sehen die Menschen an meinem Verhalten? Hiskia wird mir zur Person, die mich hinterfragt. Er hat etwas als richtig erkannt und lebt danach.

SIBYLLE ROLF

Führe mich, o Herr, und leite meinen Gang nach deinem Wort; sei und bleibe du auch heute mein Beschützer und mein Hort. Nirgends als bei dir allein kann ich recht bewahret sein.

Vertrauen gegen Einflüsterungen

Der König von Assyrien lässt sich Hiskias Verhalten nicht ohne weiteres gefallen. Wer ihm nicht folgt, muss mit Folgen rechnen. Er fordert zunächst hohe Reparationszahlungen, von denen er vermutlich erwartet, dass Hiskia sie nicht leisten kann. Der aber findet Mittel und Wege, wie er dem assyrischen König Genüge tun kann. So wie er auch Mittel und Wege findet, die Wasserversorgung von Jerusalem zu sichern. Der Hiskia-Tunnel, der Jerusalem unterirdisch mit Wasser versorgt, ist bis heute erhalten und begehbar.

Der König von Assyrien, immerhin der mächtigste Mann der damaligen Zeit, muss andere Wege finden, den in seinen Augen abtrünnigen und ungehorsamen König zu besiegen. Er schickt Botschafter, die dem Volk den Himmel auf Erden versprechen, buchstäblich das Land, in dem Milch und Honig fließen. Sie sollen nur ihr Gottvertrauen ablegen und die assyrischen Götter annehmen. In immer neuen Anläufen versuchen sie das Volk zu überreden – das seinerseits schweigt.

Mich beeindruckt die Entschiedenheit des Assyrers. Er scheint in seiner Ehre gekränkt zu sein, dass dieses kleine Volk sich seiner expansiven Religionspolitik einfach verweigert. Viele Register zieht er, um doch noch Land und Krieg zu gewinnen – und blitzt wieder ab.

Mich beeindruckt noch viel mehr der passive Widerstand der Unterhändler Judas. Um das Volk vor den Einflüsterungen zu schützen, wechseln sie in die Sprache der Eroberer. Trotzdem spüren die Menschen die Atmosphäre und bilden mit ihrem Schweigen eine schützende Verteidigungsmauer um die Propagandisten. Es ist, als wollten sie sagen: So leicht lassen wir uns nicht fangen. Versprechungen haben noch niemanden langfristig überzeugt. Auch wenn die Assyrer blühende Landschaften verheißen, so geht es doch im Leben um anderes, nämlich um die Frage, worauf ein Mensch sein Vertrauen gründen kann.

SIBYLLE ROLF

Lass uns in allem, unser Gott, auf dich vertrauen und uns daran festhalten, dass du zu allen Zeiten dein Volk bewahrt und geleitet hast. Lass uns alles aus deiner Hand nehmen in der Gewissheit, dass du alles wohl hinausführen wirst.

Urteilen übereinander

Wer wird nicht skeptisch, wenn ein Mensch nur Schlechtes über andere Menschen erzählt und zugleich sich selbst lobt? Ich werde es. Ich frage mich dann, ob es nicht eigene Anteile im Leben des urteilenden Menschen gibt, die zu der entstandenen Situation beigetragen haben. Dürfen wir überhaupt übereinander urteilen? Wer von uns ist vertraut mit den tiefsten Empfindungen eines oft nur scheinbar bekannten Menschen, dem wir Böses anlasten?

Es kann jedoch sein – und es darf und muss dann auch wahr bleiben –, was der Beter von Psalm 17 beklagt. Der Beter hat nach seiner Wahrnehmung Feinde, die lebensfeindlich handeln; sie lassen keine Gelegenheit aus, ihn zu bedrängen; arglistig sind sie; sie wollen ihn zu Fall bringen; in Todesnot erfährt sich der Beter. Gott allein ist seine Hoffnung. Auffällig ist, wie stark der Beter empfindet, sich vor Gott für seine Klage erst einmal rechtfertigen zu müssen. Geprüft und erprobt hat Gott ihn, so weiß er. Zugleich ist der Beter sich sicher, im Recht zu sein. Der reflektierte Umgang des Beters mit den Gründen für sein (an)klagendes Handeln lässt ihn sympathisch erscheinen.

Wie könnte es gelingen, dass verfeindete Menschen nicht nur übereinander sprechen, vielmehr miteinander ihre unterschiedlichen Wahrnehmungen der Wirklichkeit austauschen? Der Beter von Psalm 17 bringt die besten Voraussetzungen für ein versöhnendes Gespräch mit: die Bereitschaft, die eigene Person nicht als frei von jeder Versuchung zum Bösen zu betrachten; zugleich die Suche nach Ehrlichkeit und Offenheit; schließlich der Dank für das unverdient von Gott geschenkte Leben.

Können Gespräche zwischen Menschen, die sich als Feinde erfahren, gelingen? Ja, das meine ich. Oft ist ein erstes Wort nach einem langen Schweigen wichtig. Die Atmosphäre sollte stimmen: Bereitschaft zum Eingeständnis von eigenen Versäumnissen und Offenheit für unterschiedliche Wahrnehmungen der Situation – auf Zukunft hin.

DOROTHEA SATTLER

Lebendiger Gott, führe Menschen zusammen, die sich als Feinde empfinden. Lass sie gute Worte miteinander finden! Möge Friede sein unter uns Menschen!

... er breitete das Schreiben vor dem HERRN aus und betete

Eine scheinbar hoffnungslose Situation: Der assyrische König steht mit seinem riesigen Heer vor Jerusalem und fordert den judäischen König Hiskija zur Kapitulation auf, wohl um das Jahr 701 v. Chr. Der assyrische König Sanherib lässt einen Brief überbringen, in dem die aussichtslose Lage für die Heilige Stadt ins Wort gebracht wird. Er beschreibt alle Eroberungen seiner Weltmacht und fragt dann: »Und du solltest gerettet werden?« (V. 11)

Was soll der König angesichts der durch die lange Belagerung schon entkräfteten Bewohner Jerusalems und der riesigen Übermacht der Assyrer und dieser niederschmetternden Auskunft tun? Hiskija geht in den Tempel. Er weiß, dass es um das Schicksal Jerusalems und um sein Leben geht. Im Tempel breitet er das Schreiben des Sanherib vor dem HERRN aus. Diese Geste ist der Anfang seines Gebets. Was ihn umtreibt, gehört vor Gott. Er geht zu dem, der der HERR des Himmels und der Erde ist. Damit rückt er zuerst die Maßstäbe zurecht: Der HERR allein ist es, der Hilfe bringen kann, nicht Sanherib!

Was für eine Beschreibung des Gebetes: sein Leben vor Gott ausbreiten! Hiskija lässt es nicht bei der Geste. Ihr folgt ein sprechendes Gebet. Seine Worte sind schon Antwort auf den Gott, der sich offenbart hat in der Schöpfung und in der Geschichte. Das stellt der König voran. Und dann erst folgen die Bitten: »Höre, sieh, rette!« Erst dann kommt die konkrete Situation zur Sprache, die Bedrohung durch die Assyrer. Das geschieht im Blick darauf, dass der HERR der einzige Gott ist, dass alle anderen Götter »Werke von Menschenhand« sind. Immer neu beteuert Hiskija: »Du allein bist der Gott aller Reiche der Erde.« Sein Notschrei im Gebet hat diese eine Adresse. Und am Ende steht sein Herzensanliegen, dass »alle Reiche der Erde erkennen, dass du, HERR, Gott bist, du allein«! Wird er eine Antwort bekommen?

PAUL DESELAERS

HERR, auf tausend Wegen werden wir geführt, geschleppt, getrieben, auf dass wir einmal die Kraft haben, zu dir als dem Einzigen mit allen Sinnen Ja zu sagen.

Er wird nicht in diese Stadt eindringen ...

Auf seinen Notschrei bekommt Hiskija Antwort. Sie kommt von Gott selbst, jedoch vermittelt durch die Worte des Propheten Jesaja, am Ende durch das Tun eines Engels, Boten des HERRN. In dieser Abfolge von Gebet und Rettung zeigt der Verfasser auch eine Intention seiner Darstellung: Das Verhalten gegenüber Gott bestimmt die Geschichtsabläufe mit. Hiskijas Gottvertrauen spielt eine besondere Rolle.

In seiner Rettungsverheißung vermittelt der Prophet ein Spottlied über Sanherib. Darin wird deutlich, dass der sich in Hiskija mit einem Gegner angelegt hat, um dessen Stärke er nicht weiß. Es ist sein Vertrauen in Gott, den Herrn der Welt. Ihn hat er abgewertet und sich selbst mit Eigenlob überschüttet. Das wird sich als fatale Fehleinschätzung erweisen. Als Folge der Verhöhnung wird der HERR den Sanherib wie ein gebändigtes Tier heimführen – mit einem Haken in der Nase und mit Zaumzeug an den Lippen. Darin wird er selbst jetzt zu einem Spottbild.

Durch die Antwort Gottes zieht sich wie ein roter Faden, dass er alles hört und sieht, dass er entsprechend reagieren kann. Diese Übersicht über das Weltgeschehen hilft dazu, seinen Plan auszuführen. In diesen Plan gehört auch, dass er Sanherib wie ein Werkzeug benutzt. Denn dessen Ziele kennt Gott genau. So kann er ansagen, dass der König der gefürchteten Großmacht Assyrien nicht in die Stadt Jerusalem eindringen wird. Das Innerste des Gottesvolkes bleibt unversehrt. Es ist der Ort, an dem Menschen sich rückhaltlos diesem Gott anvertrauen können, an dem sie jeweils neu erfahren können, wer sie sind, woher sie kommen und wohin ihr Weg weist. Das meint der Hinweis auf die Geschichte Gottes mit David, der sein Knecht genannt wird.

Wie verlässlich das Gotteswort ist, erweist der Abschluss des Abschnitts. Der HERR bewirkt, was er sagt. Damit reiht sich die Erzählung in zahlreiche Darstellungen ein, wie Vertrauen in den unsichtbaren Gott wachsen kann.

PAUL DESELAERS

HERR, befreie dich aus unseren Vermutungen und Andeutungen, komm heraus, gib uns Antwort.

... wegen dieses Buches, das aufgefunden wurde

Wenn ein Mensch »gradlinig« genannt wird, dann weicht er nicht »nach rechts oder links« vom Weg ab. Vermutlich kennt er die Gefahren der seitlichen Straßengräben. So wird der König Joschija in der Linie der Könige von David her gezeichnet. Er wird zum Vorbild. In seine Regierungszeit, in deren Sichtweite schon der Untergang des Südreiches Juda liegt, fällt ein besonderes Ereignis. Es bildet den Auftakt zur Geschichte von König Joschija, hat also besonderes Gewicht.

Im Zuge von Renovierungsarbeiten am und im Tempel macht man einen besonderen »Fund«. Bis heute werden Menschen hellhörig, wenn es einen überraschenden und außergewöhnlichen »Fund« gibt, der plötzlich alle Vorstellungen verändert. Hier verleiht schon der Fundort, der Tempel, dem Fund, einem Buch, besonderes Gewicht: Es muss ein altes, kostbares Buch von geheimnisvoller Herkunft sein. Die lüftet sich, als der König es sich vorlesen lässt. Es ist »das Buch der Weisung«, die Basisurkunde des Gottesvolkes.

Die Reaktion des Königs Joschija ist helles Entsetzen. Im Hören mag in ihm geradezu ein Film abgelaufen sein: wie es von der Missachtung dieses Buches zu seinem Vergessen gekommen ist – und zu einer Lebenspraxis, die den Weisungen dieses Buchs grundsätzlich widerspricht. Aus diesem Entsetzen ergreift er eine Initiative. Er verschafft dem Buch Geltung in einer tiefgreifenden Reform des Gottesvolkes. Seine Reaktion ist ein Musterfall für das Handeln und die Haltung eines wahren Königs. Dazu gehört, was ihm später im Gotteswort mitgeteilt wird: »Durch die Worte, die du gehört hast, wurde dein Herz erweicht.« (2 Kön 22,18f.)

Joschija beginnt eine Reform, »wie sie im Buche steht«. Sein Engagement wird durchsichtig auf jede Renovierung und jede Reform hin. Immer geht es darum, sich durchzuarbeiten zum Fundament der Hoffnung, orientiert am unverfügbaren Gott und seiner Lebensweisung.

PAUL DESELAERS

HERR, dein Wort fällt hinein in das Menschenleben und wird ... ein heilendes Feuer in der Seele.

Ich habe einen Traum

Joschija kann es nicht glauben: Das Buch mit den Gesetzen Gottes wurde gefunden, weil er die Renovierung des Tempels veranlasst hatte! Das ist nicht zu glauben, das kann doch gar nicht sein. Stimmt das wirklich? König Joschija schickt seine Priester zur Gottesfrau Hulda. Jetzt ist es an uns, sich zu wundern: Joschija schickt zu einer Frau, um die Richtigkeit des Fundes bestätigen zu lassen? Obwohl Jeremia doch in dieser Zeit auch seinen Dienst als Prophet versieht und um einiges bekannter ist? Aber König Joschija sucht Hulda aus. Hofft er bei der unbekannteren Prophetin auf ein milderes Urteil, wie es die Tradition des Talmuds spekuliert? Wenn ja, wird er bitter enttäuscht. Das, was er selber schon geahnt hat, bewahrheitet sich: Schlimmes steht den Menschen bevor, weil sie sich so wenig an die Weisungen in diesem heiligen Buch halten.

König Joschija hat den Ernst der Lage verstanden. Er erkennt, dass die Menschen das mit ihren eigenen Ohren hören müssen. Und zwar alle: Priester und Propheten und auch das »normale« Volk. Alle müssen es hören – und zwar sozusagen im Original. Auch beim abschließenden Bundesschluss nimmt Joschija alle mit: Und alles Volk trat in den Bund.

Stellen wir uns vor: Die ganze Gemeinde versammelt sich am Sonntag, wirklich die ganze (!) Gemeinde, weil der Pfarrer/die Pfarrerin sie gerufen hat; weil er, weil sie den Ernst der Lage verstanden hat. Und sie kommen tatsächlich und dann hören sie keine wortgewaltige, charismatische Predigt, sondern es wird ihnen »nur« die Bergpredigt vorgelesen. Nichts anderes. Keine Lieder, keine Gebete, keine Bußübungen. Und doch geschieht das Unglaubliche. Sie schließen einen Vertrag: dass sie Gott nachfolgen wollen, seine Gebote halten wollen von ganzem Herzen und von ganzer Seele

Ich stelle mir vor, die Menschen gehen hinaus aus der Kirche und beginnen mit ganzer Kraft zu tun, was sie da gehört haben. Ich habe einen Traum: Die Kraft Seines Wort leuchtet taghell in unser Alltagsdunkel.

ANNETTE RÖHRS

Guter Gott, lehre mich neu, der Kraft deines Wortes zu vertrauen.

Aufräumen wie Joschija

Mein Leib ist ein Tempel Gottes, sagt Paulus. Doch nicht nur mein Leib ist Tempel Gottes, sondern mein ganzes Ich. So denkt es das Erste Testament, das die Trennung von Leib und Seele nicht kennt. Und so gehe ich hinein in meinen Tempel, in mein Inneres. Ich schaue, was sich dort alles gegen die Weisung Gottes angesammelt hat, und beginne aufzuräumen.

Ich räume hinaus die Trophäen der Welt, das »Das-haben-Sie-aber-gut-gemacht, genauso-wollten-wir-es«, das Lob der Vorgesetzten, den Triumph über den Kollegen und was sich alles so angesammelt hat an Auszeichnungen, weil ich den weltlichen Weisungen vorbildhaft gefolgt bin. Ich verbrenne alles draußen vor den Toren der Stadt, bringe die Asche vor das Kreuz Christi.

Ich breche ab die inneren Kammern, wo die Geister gegen die Liebe sitzen, die »Das-bringt-doch-nichts«, die »Was-kannst-du-schon bewirken«, die »Pass-auf-sonst-wird-dir-wehgetan«. Ich werfe die Geister hinaus, vertreibe sie aus meinem Haus.

Ich setze die Götzenpriester ab, die andere eingesetzt haben, damit wir alle – auch ich – in den Konsumtempeln huldigen, Freundschaftslisten anbeten oder uns vor den Laufstegen dieser Welt verneigen: Schön musst du sein und jung und schlank und angesehen. Ich vertreibe sie aus ihren Tempeln, reiße ihre Heiligtümer in meinem Inneren nieder.

Dann will ich die Liebe Gottes feiern so wie Joschija! Will feiern! Endlich mal wieder! Wirklich feiern, aus der Tiefe meines Herzens. Lange hatte das Volk Israel kein Passa gehalten, das Fest der Befreiung aus der Knechtschaft, das Bundesfest der Liebe Gottes – so beschäftigt waren sie mit anderem gewesen. Und auch ich: So beschäftigt bin ich gewesen. Aber jetzt! Wo mein Herzenstempel aufgeräumt ist, will ich feiern. Aus der Tiefe meines Herzens will ich das Fest der Versöhnung, der Liebe Gottes feiern – in Brot und Wein, in Tanz und Gesang, mit Menschen, die mit mir daran glauben, dass es gilt: Nichts kann uns trennen von der Liebe Gottes!

ANNETTE RÖHRS

Lebendiger Gott, sei mir Besen und Putzschwamm bei der Säuberung meines Inneren. Mit deiner Liebe reinige mich und führe mich zum Fest der Liebe.

Und er tat, was in den Augen Gottes gut war, genauso wie es seine Vorfahren getan hatten

»Und er tat, was in den Augen Gottes schlecht war, genauso wie es seine Vorfahren getan hatten.« Dieser Satz zieht sich wie ein roter Faden durch die Geschichten um die Richter und Könige Israels. Ja, dieser Satz scheint sich durch die ganze Weltgeschichte zu ziehen. Immer und immer wieder weichen Menschen von den guten Weisungen Gottes ab. Immer und immer lernen sie aus den Erfahrungen ihrer Vorfahren nichts, aber auch gar nichts. Man könnte resignieren angesichts der Unbelehrbarkeit des Menschengeschlechts.

Ratlos bin ich aber auch über Gott: Warum muss Joschija, der doch alles recht gemacht hat in den Augen Gottes, so unter dem Zorn Gottes leiden? Warum kommt er am Ende doch im Kampf um, wo ihm doch prophezeit war, dass er in Frieden in sein Grab kommt? Man könnte resignieren angesichts der Unverständlichkeit Gottes.

Gegen alle Resignation will ich die Unverständlichkeit des liebenden Lebens halten: Was hat Joschija dazu getrieben, am Bund Gottes festzuhalten trotz der schlechten Diagnose, die die Prophetin Hulda für das Volk Israel gab? Was bringt Menschen heute dazu, sich wie der kleine David gegen den großen Goliath zu stellen und sich einzusetzen für ein friedliches Miteinander der Religionen und Nationen? Was hat die Prophetin Hulda dazu getrieben, sich als Prophetin ganz dem Wort Gottes hinzugeben – wissend, dass das kein Zuckerschlecken ist? Was bringt Menschen heute dazu, nicht zu schweigen, wenn vor ihren Augen Unrecht geschieht und alle anderen weggucken? Wie kommt es, dass wir Feste der Versöhnung feiern können, oft nach vielen Jahren voller Unglück, Unheil, Unverständnis? Wie kommt es, dass die Hoffnung immer wieder größer ist als die Resignation?

Es ist die Unverständlichkeit der Liebe, die immer wieder dazu führt, dass Menschen tun, was gut ist in Gottes Augen. Gott sei Dank!

ANNETTE RÖHRS

Der Frieden Gottes, der unser Verstehen übersteigt, bewahre unsere Herzen und Sinne in Christus Jesus, dem Friedensbringer.

Doppelherzig sein

Wer hat nicht in manchen Situationen zwei Herzen in einer Brust? Soll ich beispielsweise einem Menschen, der sich wieder tief verschuldet hat, erneut mit Geld helfen? Das Empfinden, im Augenblick die Not zu lindern, lässt dazu neigen, es zu tun; die Sorge, auf struktureller Ebene das Elend dann möglicherweise größer werden zu lassen, bewirkt Zögerlichkeit im Handeln. Innere Kämpfe folgen. Die Motivation ist dabei nicht immer eindeutig – suche ich denn nicht auch nach Gründen, das eigene Geld behalten zu können, wenn ich nicht helfe? Geht es mir mehr um mein Ansehen bei anderen Menschen als um die zu lindernde Not, wenn ich von meiner Geldgabe erzähle? Bei uns Menschen ist in der Regel von einer Mischmotivation im Handeln auszugehen: Vieles spielt zusammen.

Der Beter von Psalm 12 ist Menschen begegnet, die mit glatter Lippe und mit doppeltem Herzen sprechen. Eindeutig ist dagegen die Botschaft von Gott, der nur eines immerzu im Sinn hat: das Stöhnen der Armen zu hören, die Schwachen zu stärken und sich der Gemeinheit unter den Menschen zu widersetzen. Seine Rede ist beständig dieselbe: Barmherzigkeit soll sein. Immer wieder fordern die alttestamentlichen Schriften ein Leben in sozialer Gerechtigkeit ein. Alle Christinnen und Christen bleiben weit hinter dem Anspruch zurück, der Gottes Herzenswunsch entspricht: Bewahrt die Schöpfung und seid einander auch dann noch zugewandt, wenn es Grund zur Klage übereinander gibt.

Menschen bleiben Menschen – doppelherzig mit vielen Anliegen gleichzeitig befasst. Zugleich handeln wir nicht selten halbherzig – wir kalkulieren den möglichen Verlust und geben nicht alles. Gott handelt offenkundig anders: Gott erniedrigt sich selbst und wird Mensch. Jesus bleibt seinem Herzen treu. Er verschenkt sich bis zum bitteren Ende im grausamen Tod. Aus einem ganzen Herzen sprach Jesus. Kostbar ist, dass wir manches noch erinnern, was er gesagt hat. Auch jenes Wort: »Selig, die rein sind im Herzen; denn sie werden Gott schauen.« (Mt 5,8)

DOROTHEA SATTLER

Lebendiger Gott, schenke uns Klarheit in unserem Handeln! Lass uns ein Herz für die Armen weltweit haben!

Versagen mit Folgen

Jojakim ist kein König im Sinne Gottes. Das hat Folgen für ihn und sein Volk. Die Rede von Gottes Zorn erschreckt. Zorn – wann steigt er in mir auf? Oft, wenn ich an einem Thema, an einer Person ganz besonders interessiert bin, wenn dann etwas geschieht, was das Thema oder den Menschen ganz in Frage stellt, dann steigt in mir Zorn auf. In der Ratgeberliteratur wird der Zorn auch als die »andere Seite der Liebe« benannt. Der Zorn Gottes und seine Liebe, seine unendliche Leidenschaft für seine Menschen hängen ganz tief zusammen. Gott erlebt mit den Königen eine fast durchgängige Enttäuschungsgeschichte. Die Unfähigkeit der Könige hat katastrophale Folgen. Die Elite des Landes wird deportiert. Der neue König ist ein König aus Fremdherrschaftsgnaden. Der eingesetzte König bekommt einen anspruchsvollen Namen: Zedekia, der Gerechte. Aber auch er versagt als König, auch er tut, was in den Augen Gottes nicht recht ist. Er wird der letzte König auf dem Thron Davids sein. Die Könige taten, was in den Augen Gottes nicht recht war und das hat Folgen: die beschriebene politische und menschliche Katastrophe. Die Könige versagen in ihrem Amt und das hat Folgen. Mir gehen so manche politische Situationen in den vergangenen Monaten und Jahren durch den Kopf: der Brexit oder die eine oder andere Entscheidung eines amerikanischen Präsidenten. Manche Staatenlenker versagen auch heute in ihrem Amt. Auch das hat bis heute Folgen, nicht nur in Europa, sondern an so vielen Orten auf dieser Welt. Damals wie heute bleibt die Frage: Was treibt die Verantwortlichen, welche Ethik leben sie, wem dienen sie, vor wem müssen sie sich (irgendwann) verantworten? Das Urteil über die Könige fällt in diesem biblischen Buch heftig aus, und vor allem werden ungeschminkt die Folgen benannt. Mutig, aber eben auch lehrreich – vielleicht auch für heute?

SUSANNE SCHNEIDER-RIEDE

Unser Gott, was ist dein Maß für gute Politik, für lebensfördernde Politik? Ich will nicht einfach nur auf »die da oben« zeigen, in mir und durch mein Tun und Lassen will ich deine lebensermöglichende Spur suchen und leben. Schenk mir dafür deinen Geist!

Die Tragödie geht weiter

Die Folgen des Versagens der Könige hallen nach. Jerusalem wird erobert, König und Soldaten fliehen. Eigentlich pure Verzweiflung, denn eine Chance zu entkommen hatten sie nicht! Der König wird gefangengenommen, und die Strafe ist zutiefst grausam. Die Thronfolge ist beendet, das Königtum Davids beendet. Wieder bleibt aber auch etwas Positives: Die Babylonier exilierten, anders als die Assyrer, nicht das ganze Volk. Der Palast, der Tempel ist zwar zerstört, aber das Volk wurde nicht gänzlich ausgelöscht, die meisten dürfen im Lande bleiben. Die Priester, das Tempelpersonal sowie die Hofbeamten, die »Elite« wird deportiert. »Die Armen« dürfen bleiben. In dem ganzen Zerstörungsszenario zumindest eine gute Botschaft. Mir gehen aktuelle Bilder aus dem zerstörten Syrien durch den Kopf. Es ist doch eigentlich unfassbar, dass sich diese Szenarien immer wieder wiederholen. Zerstörung, Vertreibung – warum greift »der Mensch« immer wieder auf diese Form der Konfliktlösung zurück? Das 2. Königsbuch hat eine theologische Erklärung: Das Versagen der Könige hat den Zorn Gottes zur Folge. Der Zorn Gottes steckt hinter dem geschichtlichen Drama. Diese Erklärung hilft mir, hilft uns in unseren Tagen nicht wirklich. Aber ich bleibe doch an dem Gedanken hängen: Muss Gott nicht furchtbar zornig sein über das immer wiederkehrende Versagen nicht nur der »Könige«, der »Mächtigen«? Es ist in unserer Zeit doch eher das Versagen »der Menschen« – sei es in weltpolitischen Konflikten oder auch in Sachen Klima. Da kann ich dann nicht mehr auf »die da oben« zeigen. Wie gut, dass Gott nicht zornig geblieben ist. Sein Weg in Jesus Christus, sein Weg der Liebe und Verwandlung – er steht uns offen, so ist Gott schließlich mit seinem Zorn umgegangen. Gott sei Dank!

SUSANNE SCHNEIDER-RIEDE

Unser Gott, das alles, was ich heute lese, es ist vergangen, und doch muss ich gestehen, es geschieht auch heute – nicht nur in den Kriegsschauplätzen der Welt, sondern auch in meiner Lebenswelt: dieses Versagen! Ich bitte dich um deinen Heiligen Geist – denn sonst wiederholt es sich immer neu zu jeder Generation!

Ein Hoffnungsschimmer

Das Ende des Königtums ist besiegelt. Die Babylonier bauen eine zivile Verwaltung auf. Gedalja wird als Statthalter eingesetzt. Es ist eine echte Sandwichposition zwischen dem König von Babylon und seinen Landsleuten. Er versucht vertrauensbildende Maßnahmen. Aber es gibt immer noch einige, die die politische Lage und die Machtverhältnisse falsch einschätzen. Gedalja wird von einer kleinen Rebellengruppe umgebracht. Ein sinnloser politischer Mord, der der Großmacht letztendlich nichts ausmacht. Noch heute wird an dieses Geschehen am »Fasten des Gedalja« am 3. Tischri in der jüdischen Gemeinde gedacht. Und dann hören wir von einem fast »hoffnungsvollen« Schluss: Jojachin wird im babylonischen Exil begnadigt. Wie die Begnadigung ausgesehen hat, wissen wir nicht. Aber dass sie am Schluss des 2. Königebuches genannt wird, ist wie ein Hoffnungsschimmer: Das Königtum ist nicht ganz und gar vernichtet. Der Untergang Judas wird als Folge des Versagens der Könige gegenüber Gott und den Menschen verstanden und beschrieben. Und am Ende steht dann dieser kleine Hoffnungsschimmer: Jojachin, der König, lebt, es könnte nicht alles aus sein! »Die Hoffnung stirbt zuletzt« – das ist am Schluss des 2. Königbuches zu spüren. Der Enkel Jojachins wird später Statthalter von Juda – da keimt noch mehr die Hoffnung auf die Wiederherstellung des Königtums zu Beginn der persischen Vorherrschaft auf. Der Schluss des Buches erinnert an alte Hoffnungsschimmer, die mir fremd sind, die ihre Zeit gehabt haben. Aber ich ahne, wie lebensnotwendig sie waren. Was sind für Sie und für mich Hoffnungsschimmer, wenn vieles in Trümmern liegt? Damals war die Hoffnung, dass das Königtum doch nicht ganz untergeht. Was könnte für uns heute ein Hoffnungsschimmer sein? Vielleicht ist es die Zusage, dass Gott sich in Jesus Christus für den Weg ins Leben entschieden hat und das Versagen nicht mehr alle Macht behält!

SUSANNE SCHNEIDER-RIEDE

Unser Gott, Hoffnungsschimmer – wie sehr brauche ich sie, gerade, wenn manches verfahren ist, vieles in Trümmern liegt. Schenke mir am heutigen Tag Hoffnungsschimmer!

Einführung zum Buch Esra S. 385 ff.

Die Mitte finden

Mit der Rückkehr aus dem babylonischen Exil verbindet sich für das Buch Esra die Hoffnung darauf, dass auf die belastende Zeit in der Fremde erneut eine wunderbare Zeit im Eigenen folgt. Das erste Kapitel ist durchweht von einem ansteckenden Optimismus. Auf Jahre der Vermischung und Verwirrung sollen Jahre der Klarheit und Eindeutigkeit folgen. Der Tempel, das Gotteshaus, wird wiederaufgebaut; was in den Mittelpunkt gehört, soll auch wieder der Mittelpunkt sein. Möglich wird dies, weil der König von Persien, der zu jener Epoche herrschenden Großmacht, eine andere Religionspolitik verfolgt als seinerzeit Babylon. Während Babylon die Religionen der besiegten Völker als potenzielle Gefahr betrachtete und deshalb ihre Ausübung nur beschränkt erlaubte, ging der persische König davon aus, dass ein Volk sich dann besser ins Großreich einfügte, wenn es die Traditionen weiterpflegen durfte, die ihm heilig und lieb waren. Deshalb unterstützte sogar er das, was wir heute eine »Fundraisingaktion« zugunsten des Tempelbaus nennen würden.

Natürlich lädt unser Text auch dazu ein, über die Frage nachzudenken, die uns in den Kirchen gegenwärtig wohl eher zu sehr beschäftigt: Wie können wir angesichts der abnehmenden Mitgliederzahlen unser Kirchenleben finanzieren? Doch zur persönlichen Betrachtung bieten noch andere Fragen sich an: Was ist das »Gotteshaus« im Zentrum meines Lebens? Welche Schätze, welche Gaben bin ich bereit, dafür hinzugeben? Oder auch: Kann und will ich wie Esra in diesem oder jenem Mächtigen ein Werkzeug Gottes sehen oder bin ich eher skeptisch, wenn jemand in politischen Ereignissen gradlinig Gottes Hand zu erkennen meint?

BENEDICT SCHUBERT

Zeig mir den Ort, wo ich dir begegne, gnädiger Gott. Schenk mir den Mut und die Freiheit, ihn zu bewahren, mich dafür einzusetzen. Lass mich dich gegenwärtig erkennen, damit ich deine Spuren wahrnehme und ihnen folgen kann.

Jauchzen und weinen

Freudenjauchzer und Klageschreie ließen sich nicht mehr unterscheiden. Nach der Katastrophe des Exils, kommt das Leben wieder in Ordnung: Es darf wieder im vertrauten Rhythmus der Heiligen Zeiten gestaltet werden, Gottesdienste dürfen wieder in der überlieferten und gebotenen Form gefeiert sein. Fremde Herren geben zwar noch den großen Rahmen vor, doch diejenigen, die über die Fragen des täglichen Lebens bestimmen, die den Wiederaufbau organisieren und die nötigen Projekte umsetzen, gehören dem eigenen Volk an. Dass Gottes Haus im Zentrum stehen sollte, war schon längst entschieden; nun wird es tatsächlich errichtet: Der Grundstein wird endlich gelegt. Das löst heftige, aber einander scheinbar widerstreitende Emotionen aus, höchste Begeisterung und tiefste Betrübnis. In dem Moment, in dem der Neuanfang nicht mehr bloß versprochen ist, sondern sichtbar wird, mischen sich Freude und Schmerz.

Das lässt sich leicht nachvollziehen und ist zugleich modellhaft. Wenn es im Leben eines Menschen oder auch einer Gemeinschaft zu einem tragischen Bruch kommt, wenn ein hoffnungsvoller Beginn in einem katastrophalen Scheitern endet – und wenn sich dann aber ein Ausweg auftut, und wir stehen wieder auf sicherem Grund, dann darf und soll beides sein, und es könnte sich fatal auswirken, wenn das eine oder das andere ausgeblendet und verdrängt wird: Es soll unbändig, expressiv gejubelt werden darüber, dass die Krise ausgestanden, das Schlimmste überstanden ist und dass es wirklich wieder bergauf geht. Es soll aber auch der Schmerz über das Raum haben, was verloren ging, was zerstört wurde, worin wir uns schuldig gemacht oder andere uns Unrecht getan haben. Wir sollten uns weder zu früh freuen noch zu lange trauern – doch wirklich heil werden wir, wenn im Moment des Neuanfangs beides Platz hat.

BENEDICT SCHUBERT

Du Gott des Neubeginns, wir danken dir, dass du uns nicht behaftest bei dem und festlegst auf das, was war. Wir danken dir, dass du unsere Füße auf festen Grund stellst, wenn wir gestrauchelt und gefallen sind. Leg dann dein Lob in unseren Mund, aber lass auch die Tränen der Reue fließen. Heile uns, in Jesu Namen.

Ausgebremst

Der hoffnungsfrohe Neubeginn gerät ins Stocken, der Wiederaufbau wird unterbrochen. Auf doppelte Weise wird das Projekt sabotiert. Zunächst durch eine Gruppe von Israeliten aus dem Nordreich (den »Samaritanern« aus dem Neuen Testament). Sie beriefen sich auf dieselbe Tradition und denselben Gott wie die aus dem Exil Zurückgekehrten. Diese jedoch erkannten, dass ihr Glaube sich in den Jahren in der Fremde weiterentwickelt und auch geklärt hatte. Sie befürchteten eine Vermischung und Verwässerung. Mit dem juristischen Argument, nur ihnen habe Kyros den Bau erlaubt, wiesen sie das Ansinnen aus dem Norden zurück – doch die vermeintliche Klärung führt zu einer Lähmung; sie werden mutlos und hören auf zu bauen.

Der Wunsch nach einer eindeutigen, unvermischten Identität – ein Grundthema im Esrabuch – mag verständlich und nachvollziehbar sein. Das Esrabuch meint, »das Volk des Landes« habe Juda mutlos gemacht, aber könnte es nicht auch sein, dass dieses konservative, exklusive Streben nach Reinheit lähmend wirkt (und faktisch zu jahrhundertelangen Konflikten geführt hat)?

Ein zweiter Angriff erfolgt durch eine Intrige persischer Beamter. Ihnen gelingt es in einem Schreiben an den persischen König, das Projekt des Wiederaufbaus als Gefahr für den Zusammenhalt des Großreichs darzustellen. Sie verweisen auf historische Präzedenzfälle und betonen, mit dem Tempelbau werde die Grundlage für eine zukünftige Rebellion gelegt. Der König schenkt seinen Beamten Glauben, und der Wiederaufbau wird von höchster Stelle ausgebremst.

Die intriganten Beamten haben schon recht. Wo viel dafür eingesetzt wird, dass die Feier von Gottes Gegenwart ins Zentrum des Lebens gerückt wird, ist die Befürchtung durchaus berechtigt, dass das die bestehenden Machtverhältnisse nicht zementieren, sondern eher subversiv wirken wird. Die Gottes Wort ernst nehmen, sind in der Regel keine devoten Untertanen.

BENEDICT SCHUBERT

Lass uns deinen Willen erkennen, du großzügiger Gott. Erfülle uns mit deiner furchtlosen Liebe.

Felsenfest

»Felsenfest« sagen wir, wenn wir etwas bekräftigen möchten: unsere Überzeugungen oder eine Aussage, unsere Verlässlichkeit und Treue. »Felsenfest« zu stehen und nicht wie ein Grashalm im Wind hin und her zu schwanken, danach sehnt sich der Mensch. Aber stehen wir so fest? Sind unsere Überzeugungen, unsere Worte und Maßstäbe fest und unverrückbar oder schwanken auch sie? Ehrlicherweise müssen die meisten Menschen von sich sagen, dass sie keine Felsen sind, schon gar nicht in der Brandung von Auseinandersetzungen. Aber stark, fest, unanfechtbar und unerschütterlich möchten wir doch sein.

Selbst Petrus, der von Jesus »Fels« genannt wurde und seither unter diesem und kaum noch unter seinem ursprünglichen Namen Simon bekannt ist, war nicht immer fest und standhaft, wie die Evangelien berichten. Er schwankte und ängstigte sich, er leugnete, verriet und schwor falsch aus Angst und in der Bedrängnis des Augenblicks.

Vor dem Hintergrund dieser menschlichen Erfahrungen wird verständlich, was es bedeutet, wenn der Beter von Psalm 28 Gott als »mein(en) Fels(en)« (V. 1) bezeichnet. Er ergänzt dieses Bild durch andere Vergleiche, die allesamt von Festigkeit und Beständigkeit sprechen: Gott ist eine sichere »Bergfeste« (V. 8), zu der man Zuflucht nehmen kann; er ist ein festes »Schild« (V. 7), das vor den gefährlichen Waffen des Gegners schützt.

»Felsenfest« möchten wir sein, unerschütterlich, stark und beständig. Aber wie oft sind wir wankelmütig und unsicher? Der Beter von Psalm 28 ist überzeugt: Unsere Sehnsucht nach Sicherheit findet ihren letzten Grund in Gott. Er ist ein starker und treuer Gott, der zu uns steht in »guten und bösen Tagen«. Unsere Treue und Verlässlichkeit sind aufgehoben in seiner Treue und Verlässlichkeit. Auf diesem Felsen kann man stehen und sein Lebenshaus bauen (vgl. Mt 7,26).

PETER SEUL

O mein Christ, lass Gott nur walten, bete seine Vorsicht an. Liebreich wird er sich erhalten, er, der nichts als lieben kann. Wer auf ihn sich ganz verlässt, dessen Glück steht felsenfest.

Neuanfang in Gottes Namen

Befinden wir uns in der Gegenwart – oder haben wir ein rund zweieinhalbtausend Jahre altes Stück der Geschichte Israels vor Augen? Die Auseinandersetzung um den Wiederaufbau des Tempels und das Bestreben, Jerusalem erneut zur befestigten Hauptstadt Judas auszubauen, muss uns seltsam gegenwärtig anmuten. Es gibt offenbar große Widerstände von den benachbarten Völkern. Angst und Sorge wachsen, es könne erneut ein Großreich wie zu Zeiten Davids entstehen. Schon zuvor war deutlich geworden, dass Israel allein im alten Juda repräsentiert ist. Hier wird der Neuanfang des Bundesvolkes Israel sichtbar. Die alten Fehler sollen vermieden werden. Alle Treulosigkeit gegenüber ihrem Gott muss diesmal ausgeschlossen bleiben. Das Bundesvolk wird die reine Braut sein, die ihrem Bräutigam, dem Gott JHWH, unverbrüchlich die Treue hält und sich nicht mehr mit fremden Göttern einlässt!

Das war die Lehre aus der babylonischen Gefangenschaft. Sie wird als Zeit der Besinnung und Läuterung verstanden. Dort büßten die Israeliten nach diesem Verständnis für die Untreue der Väter gegen ihren Gott. Im Exil war es schwer genug, den Glauben an den eigenen Gott über Generationen am Leben zu erhalten. Das gelang nur, weil in der Fremde das Idealbild eines unverbrüchlich zu seinem Bund mit Gott stehenden Israel immer größere Wirkkraft entfaltete. Nach der Rückführung kommt jetzt die Zeit der Bewährung.

Der Bericht des Esrabuches knüpft bewusst an das Bild einer idealen, vielleicht so nie existenten Vergangenheit an. Sein Stil erscheint auf den ersten Blick seltsam leidenschaftslos – fast wie ein Stück objektiver Geschichtsschreibung, allein schon durch die eingestreuten Zitate aus den Archiven. Das Ziel des Berichts wird offenbar: Jerusalem, die durch Mauern geschützte Stadt, wird nicht aus Selbstzweck errichtet. In ihrem Zentrum soll wieder der Tempel stehen, Gottes ewiger Wohnsitz bei seinem Volk. Allein aus diesem Grund war Gottes Auge über den Ältesten von Juda und ihrem großen Plan.

KLAUS SCHWARZ

Herr, bewahre mich in deiner schützenden Hand.

Werkzeuge JHWHs

Die wahre Macht des Gottes Israels erweist sich an den Großkönigen des Persischen Reiches. Sie werden im eigenen Umfeld fast gottgleich verehrt und bleiben doch Werkzeuge des Herrn. Wie sonst könnte es sein, dass der verstreute Rest Israels aus dem Exil in Babylon wieder in das verheißene Land der Väter zurückkehren kann. Der Schöpfer bleibt der Herr der Geschichte. Die persischen Großkönige sind seine Geschöpfe und Vasallen. Sie geben aus ihren Einkünften alles, was zum Wiederaufbau und für den täglichen Gottesdienst am Tempel notwendig ist. Ihre Dotationen für Bau und Gottesdienst sind fast vergleichbar mit den Stiftungen von Adeligen des Mittelalters und der Neuzeit. Dem Stifter und seiner Familie soll fürbittend vor Gott gedacht werden.

Zugleich wird ein Fluch- und Gerichtswort gesprochen. Wer sich nicht an den königlichen Erlass hält, wird samt seines Clans unter schärfste Sanktionen gestellt. Das Wort gilt bis in die Gegenwart. Wer seine Hand gegen Israel erhebt, dessen Haus soll vollständig zerstört werden. Der Übeltäter selbst wird an einem herausgerissenen Balken »aufrecht angeschlagen«. Verflucht ist, wer am Holze hängt.

Der Neubau des Tempels ist endlich fertiggestellt. Nur reine Mitglieder des Bundesvolkes können an seiner Einweihung teilnehmen. Das waren vor allem die aus dem Exil Zurückgekehrten und ein paar wenige, gesetzestreue Fromme, die im Lande noch übrig waren. Bei der Feier des Passafests im Tempel wird erneut sichtbar, wie stark die Suche der Rückkehrer nach Identität an den eigenen vorexilischen Wurzeln anknüpft. Einst war der Auszug aus der ägyptischen Sklaverei zugleich der Auftakt für den Bundesschluss zwischen dem Gott der Väter und seinem Volk am Sinai. Das Siegel dieses Bundes war die Übergabe des Gesetzes an Mose. Die Rückkehr der Gefangenen aus Babylon wird in gleicher Weise gedeutet. Das von Gott zur Grundlage des Bundes geschenkte, ewige Gesetz hat seine Geltung und Kraft bei den reinen Israeliten wiedererlangt. Das soll in Ewigkeit bewahrt bleiben.

KLAUS SCHWARZ

Herr, lass mich nach deinem Willen leben.

Doppelte Legitimation

Erst jetzt tritt Esra auf. Er ist gewissermaßen durch einen doppelten »Dienstausweis« legitimiert. Dies ermöglicht ihm, Judas Zukunft als wiederhergestelltes Israel zu organisieren.

Esras Ahnenreihe liest sich wie das »Wer-Ist-Wer?« des alten priesterlichen, vorexilischen Israel. Sie knüpft an bei Seraja, dem letzten Hohepriester am salomonischen Tempel vor Zerstörung und Exil und führt zurück auf den Ahnherrn Aaron, Moses Bruder und ersten Hohepriester. Damit ist das ungebrochene Band zu den Wurzeln geknüpft. Esra repräsentiert das wahre, reine Israel. Seine Herkunft bedeutet die unverbrüchliche Verbindung zum Bundesschluss am Sinai. Deshalb muss diesem Esra ein umfassendes Wissen und die innige Verbindung zum Gesetz des Bundes beigeschrieben werden. Die unmittelbare Abstammung von Seraja stellt zudem die Verbindung des neuen Israel und seines wiedererbauten Tempels zum Gottesdienst am Tempel Salomos sicher.

Zugleich ist Esra legitimiert durch den eindeutigen, umfassenden Erlass des persischen Königs Artaxerxes. Esra soll die neue Verwaltung des nachexilischen Juda gemäß den Geboten des Gottes Israels schnell und effizient wieder aufbauen. Das Gesetz des Mose muss in allen Lebensbereichen verbindlich eingehalten werden. Dazu braucht es grundlegende Unterweisung und die Einsetzung von kundigen Richtern und Rechtspflegern.

Esra führt neben einer grenzenlosen Finanzierungszusage des Königs überdies große Zustiftungen als freie Verfügungsmittel mit sich. Selbst die einst geraubten Tempelgeräte kommen zurück. Sein größter Schatz ist jedoch nicht materieller Art. Aus dem Exil bringt er die unschätzbare Erfahrung mit, wie der Glaube an den Gott Israels über Generationen bewahrt werden kann. Dem Kult am Tempel kommt die Funktion des sinngebenden, einigenden Zentrums zu. Die Tempelbediensteten, vom Priester bis zum Tempeldiener, haben nur ein Ziel, das Haus des Herrn in Jerusalem wieder herrlich zu machen! Deshalb werden sie von allen Steuern und Abgaben befreit.

KLAUS SCHWARZ

Herr, schenke mir festen Glauben in allen Anfechtungen.

Einführung zum Buch Haggai S. 397 f.

Der Tempel als Zeichen von Gottes Macht

Im zweiten Jahr des Königs Darius, im 6. Monat, am 1. Tag des Monats, geschah Gottes Wort durch den Propheten Haggai zu Serubbabel, dem Statthalter von Juda, und zu Jeschua, dem Hohenpriester. Nach unserer Zeitrechnung im Jahr 520 v. Chr. Als Ort müsste wohl Jerusalem dort stehen. Mehrfach lesen wir in diesem kleinen Prophetenbuch solche Sätze, wenig poetisch, nüchtern, sachlich. Es geht um den Bau des Tempels. Eigentlich ein Sehnsuchtsereignis, hatten die Menschen doch Jahrzehnte um den im Jahr 586 zerstörten Tempel getrauert. An den Wassern von Babylon hatten sie viele Tränen geweint. Zwar hatten dann 536 v. Chr. die ersten aus dem Exil Zurückgekehrten schon einen Altar gebaut, so dass sie die Wallfahrtsfeste dort feiern konnten, aber eben nicht den Tempel. Und nun nach der großen politischen Wende unter König Darius stand der Bau des Tempels an, wurde geradezu vom Perserkönig Darius verlangt. Die Perser nämlich setzten sich ein für Toleranz. Religiös gewährten sie allen ihren Ländern großen Freiraum. Anders als Babylon vorher. Der Prophet und die beiden für Jerusalem eingesetzten Verantwortlichen, Statthalter und Hohepriester, sollten den Bau des Tempels vorantreiben. Zuerst der Tempel, dann erst eure eigenen Häuser! Gottesliebe hat vor Nächsten- und Eigenliebe zu stehen! Soziales und Privates hat zurückzustehen, auch wenn in der Wirtschaft, in der Natur, im Rechtlichen vieles bedrängend ist. Alle, wirklich alle, hätten sich auf den Tempelbau zu konzentrieren. Thron und Altar, Kirchenbauten statt Wohnungen – vieles kommt mir in den Sinn, was mich zum Buch Haggai auf Abstand hält, was mich geradezu ärgert und doch nicht loslässt, unser und mein Verhalten in Frage stellt. Die Dürre, die Klimakatastrophe, die Schere zwischen Arm und Reich – sind das nicht auch Folgen unseres verkehrten Lebens? Woran hängt mein Herz, unser Herz?

MARIA JEPSEN

Gott, lehre uns, deine Gedanken zu verstehen und anderen verständlich zu machen. Sei in unserer Mitte, wie und wo auch immer.

Gott wohnt in unseren Herzen und in seiner ganzen Schöpfung. Und doch brauchen wir Gottes-Häuser

Sieben Wochen sind vergangen. Mit dem Tempelbau geht es nicht schnell genug voran. Es war der siebente und letzte Tag des Laubhüttenfestes, des größten Wallfahrtsfestes. Den Schöpfungsmythos und die Erlösung aus Ägypten hatten sie gefeiert, das Königtum Gottes und seine Herrschaft über die ganze Welt. Das Fest hätte doch erneut Ansporn zum Tempelbau sein müssen. Warum nur sind sie immer noch so zögerlich und halbherzig und dazu so sparsam? Alle sollten Gottes Macht vor Augen haben und ihm Ehre erweisen. Ich werde erinnert an gewaltige Kathedralen des Mittelalters und schmucke Dorfkirchen. Ihre Kunstwerke vermitteln bis heute etwas von Gottes Macht und Treue und Barmherzigkeit, nicht nur an Festtagen. Unsere Gotteshäuser sind auch heute Orte, die nicht vernachlässigt werden dürfen. Kirchliche und staatliche Aufgabe bleibt es, solche Räume zu ermöglichen und zu schützen. Unsere Gesellschaft lebt nicht von der Wirtschaft und von politischen Parolen allein, sondern von der Zusage Gottes, die weit über unsere gegenwärtigen Probleme hinausreicht. Deshalb dürfen wir nicht träge sein und schweigen, wenn die Frage nach Gott und dem Glauben kaum noch gestellt und gehört wird. Oder wenn vorschnell die Forderung gestellt wird, dass in Notzeiten die kirchlichen Gremien das Geld nicht für Gebäude ausgeben sollten, dass dieses vielmehr Menschen gegeben werden sollte. Für solche Situationen gibt es keine pauschalen Antworten. Haben Wohnungen und Arbeitsplätze immer Vorrang? Wir müssen jeweils neu um eine gute Lösung ringen, darum, wie wir Gott recht dienen und erkennbar machen. Das betrifft jüdische, christliche und islamische Häuser des Gebets. Ebenso müssen andere Religionsgemeinschaften bei uns die Möglichkeit haben, ihren Glauben öffentlich zu leben – und zwar ohne Scheu und Angst und Gefahr.

MARIA JEPSEN

Gott, du bist nicht fern von uns. Hilf uns, deine Gegenwart zu spüren und deinem Segen zu vertrauen.

Die Bibel ist kein Märchenbuch. Sie fordert auch uns heute heraus

Wieder die genaue Datumsangabe. Es ist kein Märchen, keine ausgedachte Geschichte. So geschah es damals, als ein großes politisches Ereignis. Diese klare Datierung erinnert mich an die Geburts- und Taufgeschichte Jesu: »das Gebot des Kaisers Augustus zur Steuerschätzung – das 15. Jahr der Herrschaft des Kaisers Tiberius, als Pontius Pilatus Statthalter in Judäa war«. In den Geschichten werden keine Winkelereignisse erzählt. Was wir in biblischen Texten lesen, ist ganz unterschiedlicher Art: Gebete, Visionen, Erzählungen, Offenbarungen – und oft klare geschichtliche Bezüge zur näheren und fernen Umwelt. Die Texte stammen aus alter Zeit, aber sie behalten ihre Gültigkeit über alle Grenzen hinaus. Sie können auch mich heute und hier berühren und bewegen. Dabei verlangen sie nicht nur unser »Ja und Amen«. Wir dürfen widersprechen. Das tun wir beispielsweise bei den Reinigungsvorschriften und auch bei der Gemeinschaft mit Angehörigen anderen Glaubens. Andere Kultur und anderen Kultus zu tolerieren und sogar zu fördern, das ist für uns heute angesagt. Wenn Haggai auf »dieses Volk und diese Leute« hinweist, so ahnen wir, wie er mit dem Zeigefinger auf sie hinwies, abschätzig und kompromisslos. »Die da« – waren es Samariter oder die Juden, die nicht in Babylon im Exil gewesen waren? Mit denen wollte Haggai keine Gemeinschaft pflegen, schon gar nicht beim Tempelbau. Da sind mir andere Prophetenworte wichtiger: dass alle Völker auf dem Tempelberg willkommen sein werden, dass Gott allen Menschen seine Liebe und Barmherzigkeit schenken will. Das glaube ich Haggai zum Trotz. Seine Mahnungen, gerecht und fromm zu leben, Gott vorrangig die Ehre zu geben, das nehme ich mit. Und vertraue darauf, dass Gott seinen Geist und seinen Segen mir und allen anderen Menschen schenken will – gerade dann, wenn Ängste und apokalyptische Visionen sich ausbreiten, in uns und unserer Welt. Gottes Siegelring zu sein, etwas, was er nicht loslässt, das ist eine ermutigende Vorstellung.

MARIA JEPSEN

Gott, schenke uns Glaube und Liebe und Hoffnung und die Kraft, daraus zu leben.

Seinen Verpflichtungen gerecht werden

Es gibt wohl weniges in unserem Leben, das uns so erregt wie die Momente, in denen wir uns ungerecht behandelt fühlen: wenn Leistung, die wir erbracht haben, nichts gilt; wenn wir ein schlechtes Zeugnis nur deshalb bekommen, weil der Lehrer oder Vorgesetzte uns nicht mag oder andere uns vorgezogen werden. Gerecht – so empfinden wir alle – gerecht ist ein Urteil, eine Bezahlung, ein Verhalten nur dann, wenn ein jeder das empfängt, worauf er einen Anspruch hat. »Jedem das Seine«, lautet unsere Devise.

In Israel verstand man unter Gerechtigkeit seit alters her freilich etwas ganz anderes. Hier maß man die Gerechtigkeit eines Menschen nicht daran, ob er sich anderen gegenüber korrekt verhielt und ob er jedem das Seine gewährte, sondern daran, ob er treu jenen Verpflichtungen nachkam, die er entweder einmal freiwillig eingegangen war oder die er bereits in seinem Leben vorgefunden hatte. Und das war auch dann der Fall, wenn die Menschen von Gottes Gerechtigkeit sprachen: Gott war für die Menschen in Israel ja nicht einfach nur das »höchste Wesen«, von dem man glaubte, dass es einen jeden Menschen für das Gute belohnen und für das Böse bestrafen wird. Er war für die Israeliten jener eine (unter den vielen Göttern), der sie aus allen Völkern erwählt und der sie machtvoll aus der Hand der Ägypter befreit und am Sinai zu seinem Volk gemacht hatte. Er hatte sich dort ihnen als Herr und Bundespartner zugesagt. Und er hatte ihnen dementsprechend im Land Kanaan Raum geschaffen und ihnen immer wieder Ruhe vor den feindlichen Nachbarn geschenkt. Stets war Gott den Verpflichtungen seines Bundes nachgekommen.

Um diese »Bundesgerechtigkeit« (Erich Zenger) kreist auch die vorliegende Strophe von Psalm 119: »Gerecht bist du, HERR.« (V. 137) Der Beter weiß sich massiv bedroht, er weiß aber auch, dass er sich in dieser leidvollen Situation ganz auf seinen gerechten Gott verlassen kann.

PETER SEUL

Mein Herz hängt treu und feste an dem, was dein Wort lehrt. Herr, tu bei mir das Beste, sonst ich zuschanden werd.

Einführung zum Buch Nehemia S. 387 f.

Berührt mich die Not anderer?

Berühren mich die Sorgen anderer? Lösen die Missstände, in denen andere sich befinden, bei mir Aktivität aus? Führen mich die Nöte anderer zum Beten? Oder verharre ich gleichgültig und teilnahmslos in meiner Situation gegenüber Zukunftsängsten?

Nehemia erfährt durch seinen Bruder von dem Unglück und der Schande seiner Landsleute, die in Jerusalem leben. Er selbst und ein großer Teil des jüdischen Volkes leben weiterhin im Exil, das vor über 140 Jahren begonnen hat. Nehemia (sein Name bedeutet: Gott tröstete) ist Mundschenk am persischen Königshof unter König Artaxerxes I. (465–424 v. Chr.) Dieses Amt war im Altertum im Vorderen Orient weit verbreitet und erforderte unbedingte Zuverlässigkeit und uneingeschränkte Treue gegenüber dem König, war der Mundschenk doch verantwortlich für die Verwaltung der königlichen Weinvorräte, das Auswählen, Vorkosten und Darreichen des Weins, um eine Vergiftung des Königs zu verhindern. In der Winterresidenz der persischen Könige in Susa (heute im Südwesten des Irans nahe der Grenze zum Irak) erfährt er die Nachrichten über die Nöte der Juden in Jerusalem wohl im Jahre 445 v. Chr. Er reagiert emotional und beginnt zu weinen als Ausdruck seines seelischen Schmerzes, gefolgt von tagelangem Fasten als Ausdruck von Trauer, Verzweiflung und Selbstdemütigung. Er wendet sich im Gebet an den »Gott des Himmels«. Nehemias Gebet charakterisiert Gott einerseits als groß und furchtbar, andererseits als huldvoll und treu. Nehemia nennt keine konkreten Einzelsünden, sondern erwähnt allgemein die Übertretung von Geboten, Ordnungen und Rechtssatzungen und erinnert Gott an seine Zusage gegenüber Mose (Dtn 30,1–4). Nehemia strebt Hilfe für die in Jerusalem lebenden Juden bzw. die aus dem Exil bereits wieder dorthin Zurückgekehrten an und bittet um Gehör (1 Kön 8,28). Nehemias Reaktion zeigt die tiefe Verbundenheit der Juden im Exil mit der Stadt Jerusalem.

STEFAN DURST

Du nährst uns durch dein Wort und stärkst uns durch deine Güte, Gott. Lass uns Menschen finden, denen wir und die uns Halt und Freude schenken.

Gott als Urheber und Lenker

Bei einer persönlichen Veränderung und dem Planen eines neuen Projekts: Was bedeuten mir Gebet und Vertrauen auf Gott?

Wie schon im vorangegangenen Kapitel stellt Nehemia die Ereignisse und Vorgänge im Ich-Stil dar. Die Verse 1–6 bestehen aus einem im Frage-Antwort-Stil gehaltenen Gespräch zwischen Nehemia und König Artaxerxes I. Dem fällt der Kummer seines engen Vertrauten auf, gilt doch: Ein frohes Herz macht das Gesicht heiter, wenn aber das Herz leidet, wird der Lebensmut getrübt (Spr 15,13). Nehemia nennt als Grund eine persönliche Angelegenheit: die Sorge um die Gräber seiner Familie. Damit wird deutlich: Er stammte aus einem angesehenen alten Geschlecht Jerusalems. Zunächst zögert er, den Namen der Stadt zu nennen, weil er weiß, dass derselbe König wenige Jahre zuvor einen Wiederaufbau der Mauern Jerusalems untersagt hat (Esra 4,7–23). Für Nehemia bedeutet seine Reise nach Jerusalem und die Arbeit dort eine völlige Veränderung seiner eigenen Lebensweise und seiner Tätigkeit. Ihm ist bewusst, dass diese persönliche Veränderung und der Aufbau der Mauern Jerusalems nur gelingen kann dank dem Eingreifen und der Hilfe Gottes. Deshalb weist er auch im Kreise der führenden Männer Jerusalems auf Gott, als er um deren Zustimmung zu den Plänen und ihre Mitarbeit wirbt. Damit macht er auch deutlich: Es geht ihm nicht um persönliche Ruhm- und Geltungssucht bei dem Vorhaben.

Auch auf die ablehnende Haltung bedeutender Personen außerhalb Jerusalems ist er vorbereitet. Sanballat als der Statthalter der Provinz Samaria, zu der Jerusalem damals gehörte, und Tobija als sein Unterbeamter für Jerusalem und Geschem missbilligen die Pläne zum Wiederaufbau der Mauern Jerusalems, indem sie Nehemia mit Spott und Hohn überhäufen und ihn als Aufrührer gegen den persischen Staat verleumden. Doch Nehemia kann auf die Zustimmung des Königs verweisen. Gott als Urheber und Lenker schenkt Nehemia Vertrauen für das Vorhaben.

STEFAN DURST

Du, Gott, bist mein Licht in Nacht und Zweifel. Du trägst mich, wo ich nicht mehr gehen kann. Dafür danke ich dir.

Wider Resignation und Bedrohung

Konkurrenz und Rivalen können einem das Leben schwer machen. Der Umfang und die Schwierigkeit der Arbeit können zu Mutlosigkeit, Zweifeln und Müdigkeit führen. Ähnlich erging es den Arbeitern Nehemias.

Der Wiederaufbau der Mauern Jerusalems schreitet voran. Die Arbeiten sollen so schnell wie möglich ausgeführt und beendet werden. Die Gegner von Nehemia außerhalb Jerusalems wollen das verhindern, weil sie ein gestärktes Selbstbewusstsein der Bewohner in einem erstarkten Jerusalem zu fürchten scheinen. Die Völker rings um die Stadt planen einen nächtlichen Überfall: die Ammoniter (östlich von Jerusalem), die Araber (südlich von Jerusalem), die Asdoditer = Philister (westlich von Jerusalem) und die Samaritaner (nördlich von Jerusalem). Nehemia erfährt durch die Juden, die außerhalb Jerusalems wohnen und am Bau beteiligt sind, von der Bedrohung und lässt Wachen aufstellen und den Heerbann zusammenrufen. Daraufhin kommt es nicht zum Angriff durch die Gegner. Im weiteren Verlauf der Restaurierung der Mauer arbeitet nur die Hälfte der Beteiligten (bewaffnet) weiter, die andere Hälfte schiebt Wache.

Die Arbeitsbelastung ist enorm. Von Sonnenaufgang bis zum Erscheinen der ersten Sterne wird gearbeitet. Des Nachts muss es ausreichend Wachdienste geben. Ein Arbeitslied (Vers 4) ist ein Zeugnis für die von Zweifeln und Verzagtheit geprägte Haltung der Mauerbauer. Das Lied beklagt die Schwere der Arbeit der Lastträger und die Mut- und Hoffnungslosigkeit, den Wiederaufbau der Mauer in Anbetracht der großen Schuttmengen und der schwindenden Kräfte vollenden zu können.

Nehemia versteht es, den Arbeitern Mut zu machen und in ihnen Zuversicht zu wecken. Er betet mit ihnen: Wie Gott die Pläne der Gegner vereitelte, so wird er auch weiterhin auf eurer Seite sein. Fürchtet euch nicht.

STEFAN DURST

Bewahre uns, Gott, vor Übermut und befreie uns von dem, was uns lähmt und niederdrückt. Steuere das Schiff unseres Lebens hin zu dir.

Gelebte Gerechtigkeit?

Wir leben in einem reichen Land, die soziale Gerechtigkeit ist trotz manchmal gravierender Mängel im Detail auf einem Niveau, um das uns viele beneiden. Versicherungen und Profis aus Sozialverbänden sorgen dafür, dass aus dem Netz, das uns verbindet, so wenig Menschen als nur möglich herausfallen. Was für ein Unterschied zum heutigen Text. Hier einfache Leute, die die eigenen Kinder verpfänden müssen, damit sie zu essen haben, dort Reiche, die sich nicht schämen, die größte Not auszunutzen. In der Mitte der Statthalter Nehemia, der für Gerechtigkeit sorgen muss und will. Wenn man diesen Text nur als total fremdartig wahrnimmt, dann ist er für unser Leben unfruchtbar. Meine Schülerinnen und Schüler im Religionsunterricht würden sagen: »Die Bibel ist so alt – was soll die mit meinem Leben zu tun haben?«

Die Frage ist berechtigt!

Was aber, wenn Nehemia aktuell wäre? Schauen wir doch einmal nur auf Afrika, Südamerika und Ostasien – wieviel Elend gibt es da, wieviel Ausbeutung von Mensch und Natur! Soviele Menschen müssen ihre Kinder, ihre Gesundheit, ihre Freiheit und Heimat opfern, um sich irgendwie durchzuschlagen. Und plötzlich ist der Text gar nicht mehr so fremd. Wer sich ein Herz bewahrt hat, den bedrückt dies Elend. Dabei dürfen wir nicht stehenbleiben: In unserem wohlhabenden Land profitieren wir von der Misere der anderen und der Umwelt. Ebenso wie seinen reichen judäischen Brüdern sagt Nehemia daher auch uns: »Was ihr tut, ist nicht recht. Wollt ihr nicht das Gebot unseres Gottes einhalten?« (Neh 5,9) Wir können nicht wirklich fromm oder spirituell sein, wenn uns die Not des Nächsten nicht berührt. Berührt sie uns aber, haben wir Gott auf unserer Seite. Vielleicht nehmen wir in die nächsten Tage Nehemias Aufforderung mit: »Erlassen wir ihnen doch die Schuldforderungen« (5,10) und überlegen, wie man das konkret werden lassen könnte.

MICHAEL HAUBER

Barmherzig ist er allen, die ihm in Ehrfurcht nahn; die Stolzen lässt er fallen, die Schwachen nimmt er an. Es werden satt aufstehen, die arm und hungrig sind; die Reichen müssen gehen, ihr Gut verweht im Wind.

Gott vollbringt sein Werk

Unsere Bibelstelle möchte ich zwischen zwei Zitaten gleichsam »ausspannen«. Das erste Zitat ist die auf den ersten Blick befremdliche Drohung »Mein Gott, vergiss dem Tobija und dem Sanballat nicht, was sie getan haben...« (Neh 6,14). Viele denken hier sicher daran, wie Kirchenvertreter einst mit der Hölle gedroht haben, manche haben das auch selbst erlebt. Wie kann dies Gottes Wort sein? So zu reden, ist indes erst einmal psychologisch verständlich – man tut Gottes Werk und wird sabotiert. Was wie eine Drohung aussieht, ist nichts anderes als ein Hilferuf. In Bedrängnis und Not darf, ja muss man so den Beistand Gottes erbitten. Niemand wird deswegen böse sein, wenn man so betet. Das ist eine Entlastung!

Das zweite Zitat lautet: »Unser Gott war es, der dieses Werk vollbracht hat.« Bei Nehemia geht es um den Wiederaufbau Jerusalems. Nehemia, ein hoher Beamter des persischen Großkönigs, hätte allen Grund gehabt zu sagen: »Schaut, ich habe das getan.« Nein, er lässt sich ganz heraus. Gott hat uns doch geschaffen, um mit uns diese Welt zu vollenden. Wir müssen uns doch nicht selber kleinmachen! Solch ein Textzugang versperrt uns den Blick auf die Pointe unseres Textes: Wir müssen gar nichts tun. Auch wenn das unserem Selbstverständnis widerstrebt: Gott setzt den Anfang, er vollendet – und er begleitet sein Werk mit seiner Gnade. Wir müssen unsere kleine Umwelt im Alltag, aber auch nicht die große Welt aus eigener Kraft vollenden. Auch das entlastet.

Und damit sind wir beim dritten, bei Ihnen, angelangt. Denn »Jerusalem« in unserem Text, das sind Sie! Sie sind Gottes Werk und vor allem: Sie sind der Ort seiner Gegenwart in der Welt. Sie sind von Anfang bis zum Ende gewollt und getragen von IHM.

MICHAEL HAUBER

Nimm, Herr, meine ganze Freiheit. Nimm an mein Gedächtnis, meinen Verstand, meinen ganzen Willen. Was ich habe oder besitze, hast du mir geschenkt. Ich gebe es dir ganz zurück und überlasse es deinem Willen, dass du es lenkst. Nur Liebe zu dir schenke mir zusammen mit deiner Gnade und bin ich reich genug und erbitte nichts weiter.

Die Freude an Gott ist unsere Stärke

Haben Sie schon einmal die ersten fünf Bücher der Bibel vollständig gelesen? Ich gestehe, dass ich in Genesis und Exodus durchaus von den fesselnden Erzählungen über die Erzeltern und über den Auszug aus Ägypten mehrfach in Bann geschlagen wurde, aber die Gesetzesvorschriften in Levitikus und Deuteronomium ermüdend fand. Diese fünf Bücher werden den Judäern in Jerusalem vorgelesen. Warum weinen diese daraufhin? Weil sie merken, dass niemand das ganze Gesetz des Mose halten kann? Oder weil sie sich z.B. in Josef in Ägypten versetzt haben, als er sich seinen Brüdern zu erkennen gibt? Wir wissen es nicht, der Text schweigt sich dazu aus. Aber Esra und die Leviten fordern ausdrücklich zur Freude, ja zum Lebensgenuss auf (dafür steht das festliche Mahl und der süße Wein). Und Esra schließt an: »Die Freude am HERRN ist eure Stärke.« (Neh 8,10)

Haben wir schon einmal darüber nachgedacht, dass unsere Stärke die Freude am Herrn ist? Ich meine nicht eine vordergründige Freude, die ich manchmal geradezu maskenartig in eher evangelikal angehauchten Kreisen erlebt habe. Die Krankenschwester, die, selber alt geworden, immer noch ein aus ihrem Herzen kommendes Lächeln für ihre Patienten hat; eine Frau, die ihren unmöglichen Mann aushält, obwohl sie gehen könnte; Eltern, die ihre Kinder nicht mehr verstehen und trotzdem zu ihnen stehen; ein todkranker Priester, der nicht verzweifelt und in seiner letzten Predigt sagen kann: »Ich hatte ein gutes Leben.« – All diese Leute strahlen eine Tapferkeit für mich aus, die ich mir nur aus einer grundlegenden Haltung der Freude erklären kann. Eine Freude, die selbst das Scheitern noch aushält, weil sie (ob man es weiß oder nicht) von Gott kommt. Sie lebt nicht von einer Himmelsverheißung, sie stammt aus der Gegenwart Gottes im Herzen des Menschen. Diese Freude macht stark. Jede und jeder kann sie haben, weil sie schon da ist. Bitten wir darum, dass wir ihrer inne werden!

MICHAEL HAUBER

Meine Hoffnung und meine Freude, meine Stärke, mein Licht, Christus meine Zuversicht, auf dich vertrau ich und fürcht mich nicht.

Hunger und Durst nach Gottes Wort

Die Bibel ist zwar auch heute noch das auf der Welt am meisten verbreitete Buch, das in fast alle Sprachen übersetzt worden ist. Und dennoch können solche Statistiken uns nicht über die Tatsache hinwegtäuschen, dass die Bibel ungeachtet der weltweiten Verbreitung zumindest in Westeuropa nicht mehr das am meisten gelesene Buch ist. Sie wird immer wieder von Bestsellern verdrängt oder fällt dem Fernseh- oder Internetkonsum zum Opfer. Wenn wir also achtlos am größten Reichtum unseres Glaubens vorbeigehen, dürfen wir uns dann wundern, dass unser Glaube so kraftlos geworden ist und so wenig Tiefgang besitzt?

Der Psalm 119 ist ein »Lobgesang auf Gottes Wort« (Erich Zenger). Man spürt seine Begeisterung über das Wort Gottes, seine Liebe zu ihm. Der Beter kann und will nicht ohne das Wort Gottes leben. Er bittet schon früh am Morgen, dass Gott ihm sein rettendes »Machtwort« senden möge (vgl. 119,147). Denn er weiß: Dieses Wort gibt ihm in seiner Bedrängnis die Gewissheit, dass Gott ihm »nahe« (119,151) ist.

Es ist für mich ein untrügliches Zeichen des geistlichen Aufbruchs, wenn das Verlangen nach dem Wort Gottes wächst: »Fanden sich Worte von dir, so verschlang ich sie; dein Wort wurde mir zum Glück und zur Freude meines Herzens« (Jer 15,16). Hunger und Durst nach Gottes Wort sind Zeichen dafür, dass der Heilige Geist das Herz bewegt, Gott zu suchen und auf ihn zu hören. Das gilt für den Einzelnen wie für die ganze Kirche. Durch das betende Betrachten der Heiligen Schrift, durch das unablässige Studium des Wortes Gottes spricht Gott immer wieder neu zu uns, zu seiner Kirche. Wir kommen nie an ein Ende mit der Bibel. Wer sich glaubend, hörend, betend auf sie einlässt, gleicht »einem Hausherrn, der aus seinem Schatz Neues und Altes hervorholt« (Mt 13,52).

PETER SEUL

Lehr mich den Weg zum Leben, führ mich nach deinem Wort, so will ich Zeugnis geben von dir, mein Heil und Hort. Durch deinen Geist, Herr, stärke mich, dass ich dein Wort festhalte, von Herzen fürchte dich.

Neue Heimat – Alte Heimat

Beim Lesen dieses Textes blieben meine Gedanken bei den Versen 29–31 hängen. Ich fühlte mich an die Zeit erinnert, als ich mit unserer Familie in Indien lebte. Unsere Kinder waren dort geboren. Ihre Kindheit war von dem dortigen Umfeld und von einer fremden Sprache geprägt. Wir entschieden uns nach 12 Jahren, wieder nach Deutschland zurückzukehren, weil wir der Ansicht waren, dass es gut wäre, ihnen die Möglichkeit zu geben, in unserer Heimat einen Beruf zu erlernen und ihn dort auch auszuüben. Der Entscheidung damals lag auch eine gewisse Angst zugrunde, dass unsere Kinder ihre eigene Identität verlieren könnten. Diese bestand für uns nicht nur, aber durchaus auch im Deutsch-Sein.

Seit unserer Rückkehr kann ich sehr gut nachvollziehen, wie sich Menschen, die aus anderen Ländern zu uns kommen, fühlen müssen. Denn sie haben ihre Heimat verlassen und müssen nun zusehen, wie ihre eigenen Kinder eine fremde Kultur und Sprache mit großer Selbstverständlichkeit in sich aufnehmen. Ich kann Eltern verstehen, die sich bemühen, ihren Kindern die ihnen vertraute Kultur und den ihnen vertrauten Glauben zu vermitteln. Es fällt mir leichter, zu verstehen, warum Integration ihre Grenzen hat, weil wir diese Grenzen damals selbst auch erfahren haben.

Das Volk Israel grenzt sich in unserem Abschnitt von den Fremden ab, weil es gelernt hat, dass die Alternative, nämlich dem Gott Abrahams, Isaaks und Jakobs den Rücken zu kehren, für die eigene Identität fatale Folgen haben kann. Doch gleichzeitig vertreiben sie die Fremden nicht, sondern sind bereit, mit ihnen zusammenzuleben.

Wie wäre es, (nicht nur) heute die Menschen, die ihre Heimat verlassen mussten und nun bei uns wohnen, nach ihrer Heimat zu fragen und das, was ihre Identität ausmacht, besser kennenzulernen? Den ersten Schritt zum Kennenlernen müssen wir machen.

MARTIN SENFTLEBEN

Hilf mir, meinen Nächsten so anzunehmen, wie er ist, und gib mir den Mut, ihm mit Verständnis und Offenheit zu begegnen.

Freude!

Lässt sich Freude verordnen? Ich denke an die Worte des Engels: Siehe, ich verkündige euch große Freude, die allem Volk widerfahren wird… Aber nur dem kann es zur Freude werden, der das Geschehen glaubend in seinem Herzen aufnimmt.

Wir haben den Abschnitt von der »Einweihung« der Mauer um Jerusalem gelesen. Mauern grenzen ab, sie trennen innen von außen, diesseits von jenseits. Gewiss, sie schützen auch, und das ist vielleicht der erste Gedanke gewesen, als Nehemia zum Bau der Mauer den Auftrag erteilte. Aber das hatten die Erbauer der Mauer, die Deutschland so lange geteilt hat, auch gedacht.

Die Mauern Jerusalems weisen aber über diese »materielle« Funktion hinaus. Sie stehen gerade angesichts des Exils vielmehr für Gottes Treue zu seinem Volk. Darum ist es Nehemia so wichtig, die Stadt mit ihren Mauern wiederherzustellen. Denn nur mit Mauern ist sie ganz, ja, man könnte sagen, heil. Und darum ist die Einweihung der Mauer Anlass zu einem großen Fest, in dem allerdings nicht, wie meist, die Erbauer bejubelt werden, sondern das Gotteslob erklingt. Denn das Werk der Erlösung, der Neuanfang wird nur durch Gott möglich.

So kann uns dieser Abschnitt Anlass sein, darüber nachzudenken, wann wir Menschen die Ehre geben, obwohl sie eigentlich Gott (allein) gebührt, und wie oft wir vergessen, ihm zu danken, wenn etwas gelingt.

Es bleibt das Abgrenzende der Mauer. Da ist es gut zu wissen, dass es Tore gibt. Man kann also hindurchgelangen durch diese Mauer. Und das ist die Regel. Die Tore schließen sich erst, wenn Gefahr für die Bewohner der Stadt droht. Wenn die Gefahr vorüber ist, öffnen sie sich wieder. Auch hier muss aber klar bleiben: In Wahrheit bietet nicht die Mauer den nötigen Schutz, sondern Gott. Auch darum kann das Fest der Dankbarkeit nur ein Fest für Gott, ein Gottesdienst, sein.

MARTIN SENFTLEBEN

Macht hoch die Tür, die Tor macht weit; es kommt der Herr der Herrlichkeit!

Heiligung

Brauchen wir verkaufsoffene Sonntage? Eigentlich gibt es sie ja schon lange, zumindest in den Bahnhöfen und Tankstellen, die kleinen (und manchmal auch großen) Supermärkte, wo man sich zu jeder Tag- und Nachtzeit, auch sonntags, etwas kaufen kann. Also braucht man sich doch nicht über die verkaufsoffenen Sonntage aufregen, oder?

Nehemia ist entsetzt, weil die Oberen der Stadt den Händlern, die nicht zum Volk Gottes gehören, erlauben, auch am Sabbat Waren zu verkaufen. Denn das Angebot bestimmt in diesem Fall die Nachfrage: Weil man einkaufen kann, tut man es auch, ohne daran zu denken, dass der Sabbat ein Tag der Ruhe ist, an dem man sich an die großen Taten Gottes erinnert und ihm dafür die Ehre erweist. Weil das nicht funktioniert, lässt Nehemia die Stadttore am Sabbat verschließen.

Da in unserer Gesellschaft die Entwicklung der Wirtschaft der entscheidende Faktor für (fast) alle politischen Entscheidungen ist, dürfen wir wohl davon ausgehen, dass verkaufsoffene Sonntage nicht wieder aus dem Kalender gestrichen werden. Es liegt also an uns, ob und wie wir Gott die Ehre geben.

Ich muss zugeben, dass mir persönlich das Festlegen einer bestimmten Zeit, so gesetzlich das sein mag, eine große Hilfe ist. Diese Zeit reserviere ich, sie ist der Betrachtung des Wortes Gottes, dem Gebet und dem Gotteslob gewidmet. Es ist jeden Tag etwa eine halbe Stunde am Morgen, durch die ich Kraft gewinne und Zuversicht für alles, was vor mir liegt. Dazu braucht es eine gewisse Selbstdisziplin, aber nach einiger Zeit wird einem diese Zeit so wichtig, dass man sie schmerzhaft vermisst, wenn man sie einmal aus irgendwelchen Gründen nicht wahrnehmen kann.

Wir sind ein Tempel des Heiligen Geistes, hat Paulus einmal formuliert (1 Kor 6, 19). Ein Tempel ist ein heiliger Ort. Wenn wir uns das bewusst machen, fällt es uns vielleicht auch leichter, Wege zur Heiligung zu finden.

MARTIN SENFTLEBEN

Heilig, Herr Gott Zebaoth! Heilig, Herr der Himmelsheere! Starker Helfer in der Not! Himmel, Erde, Luft und Meere sind erfüllt von deinem Ruhm; alles ist dein Eigentum.

Einführung zum Hebräerbrief S. 425 ff.

Gott redet zu uns

»Der Brief an die Hebräer«, so lautet die Überschrift in unseren Bibeln. Freilich, gleich zu Beginn fällt auf, dass die für neutestamentliche Briefe üblichen Angaben zu Absender und Empfänger sowie die Grußformel fehlen. Die literarische Form erschließt sich vom angefügten Briefschluss. Der Schreiber ermahnt die Predigthörer (13,22): Nehmt das »Wort tröstlicher Ermahnung« an. Diese Wendung steht für die Predigt der antiken Synagoge (Apg 13,15). Wer die »Hebräer« waren, wissen wir nicht so genau. Obwohl die Überschrift in einen jüdischen Kontext zu weisen scheint, deutet vieles auf eine bedrängte und glaubensmüde christliche Gemeinde in Rom.

Ihr stellt der Schreiber zu Beginn seiner fast 2000 Jahre alten Predigt das vor Augen, was er für das Wichtigste hält: »Gott redet.« Vorzeiten, vielfach, auf vielerlei Weise, zu den Vätern und Müttern durch die Propheten. Jetzt, in der Gegenwart des Predigers, in der »Endzeit«, redet er zu uns »durch den Sohn«. Wie das geschieht, wird die Predigt über zwölf Kapitel entfalten.

In dichter Sprache, ja, in Dichtersprache erklingen die Eingangsverse wie die Ouvertüre eines Konzerts. Poetische Klänge entführen uns in himmlische Sphären und stellen uns den Sohn vor: Er ist der Erbe des Alls, Schöpfungsmittler, Abglanz der Herrlichkeit Gottes und Ausdruck göttlichen Wesens. Er trägt das All mit seinem kraftvollen Wort. Als himmlischer Hoherpriester ist er Versöhner und Erlöser. Er sitzt zur Rechten Gottes im himmlischen Thronsaal. Feierlicher geht´s nicht.

Der Name Jesu freilich wird vorerst nicht erwähnt. Aber dieser Sohn, das Wort Gottes in Person, ist etwas ganz Besonderes. Durch ihn will Gott unser Herz erreichen. Leidenschaftlich ermahnt der Prediger die Hörer von einst und die Leserinnen von heute: Achtet auf das Gehörte, haltet es fest mit Herz und Verstand. Hört auf die eine Stimme, die uns den Weg zum Ziel weist. Das ist das Wichtigste.

CHRISTIAN ROSE

Ewiger Gott, du redest zu uns. Hilf uns, im Stimmengewirr unserer Zeiten auf dich zu hören, auf den ewigen Sohn, der uns dich erkennen lässt.

Jesus, der Brückenbauer

Im ersten Kapitel hat der Prediger die Gottheit des Sohnes besungen. Im zweiten Kapitel beschreibt er vor allem dessen (Mit-) Menschlichkeit. Zum ersten Mal wird der Name des Sohnes genannt (2,9). Jesus wurde für eine kurze Zeit unter die Engel erniedrigt, danach mit Herrlichkeit und Ehre gekrönt.

Es sind uralte Fragen, denen der Prediger nachgeht. Vielleicht hat er sie sogar mit ausgelöst. Seit Jahrhunderten fragen die Kirchen, die Theologie und die Philosophie: Warum wird Gott Mensch? Warum stirbt Jesus am Kreuz? Der Glaube sucht zu verstehen. Der Verfasser antwortet mit einem schlichten kleinen, leicht überlesbaren Satz: »Es ziemte sich für Gott.« So schlicht der Satz ist, so schwer ist er für uns moderne Menschen nachvollziehbar.

Hebr 2,10 ist einer der Schlüsselsätze der uralten Predigt. Er bereitet Bibellesern Kopfzerbrechen: Gott »musste« so handeln, er hat sich selbst gebunden (vgl. 7,26). Aus zwei Gründen. Er zeigt darin sein Schöpfungs- und sein Rettungshandeln. Er will von allen Geschöpfen als Schöpfer erkannt und anerkannt werden. Er will durch sein Gnaden- und Heilshandeln »viele Kinder« zur Herrlichkeit führen. »Viele« meint in der biblischen Sprache: Gott will alle Töchter und Söhne in die Gemeinschaft mit ihm ziehen. Er will sie »retten«. Deshalb »musste« er Christus, den »Urheber des Heils«, durch Leiden vollenden.

Wie geschieht das? Indem Jesus, der ewige Sohn, den Töchtern und Söhnen gleich wird und sich als Hoherpriester hingibt. Wir können diese Hingabe mit unserem Verstand »nicht ergründen, sondern ihr nur nachdenken, sie erkennen und anbeten« (H.J. Iwand). Manchen ist diese göttliche Notwendigkeit zu wenig, anderen unerträglich. Mag sein. Für den Hebräer ist Jesus, der Hohepriester (lateinisch »Pontifex«), »Brückenbauer« zwischen himmlischer Herrlichkeit und irdischem Leiden. Dieses Geheimnis können wir nur anbeten.

CHRISTIAN ROSE

Ewiger Gott, durch deinen Sohn Jesus Christus, den himmlischen Hohenpriester, werden wir deine Töchter und Söhne, Jesu Schwestern und Brüder. Hilf uns, dieses Geheimnis zu ergründen, anzunehmen und anzubeten.

Was nun, ihr Heiligen?

Das Geheimnis Gottes ist ausgebreitet. In Kapitel 3 wendet sich der Prediger an die Hörer und Leserinnen, damals und heute. »Ihr heiligen Brüder und Schwestern, schaut auf Jesus, den Hohenpriester, den Brückenbauer zwischen Himmel und Erde.«

Die Adressaten aller Zeiten sind Teilhaber der himmlischen Berufung. Jesus hat den Himmel geöffnet. Der Weg in die Gottesgemeinschaft ist frei. In geheimnisvoller Bildersprache malt der Hebräer dies in seiner Predigt vor Augen: Ihr könnt in den himmlischen Thronsaal eintreten, durch den Vorhang hindurch. Dort habt ihr einen Anker für eure Seelen (6,19f.; 10,19f.). Vielleicht tut es gut, das zu hören in Zeiten der Verunsicherung und des Zweifels.

Viele Menschen tun sich schwer mit dem Himmel. Wir sehen über uns das Firmament (sky). Was aber ist mit der himmlischen Welt Gottes (heaven)? Es liegt doch viel näher, sich an das Sichtbare, das Beweisbare und das Erfahrbare zu halten. So ging es einst auch dem »wandernden Gottesvolk«. Der Weg durch die Wüste war mühsam und endlos lang. Da kann es passieren, dass das Gottvertrauen wegrutscht. Da liegt das Murren näher als das Vertrauen. Verhärtete Herzen und Rebellion des Zweifels. Ja, Glaube und Zweifel sind Nachbarn im Herzen. Israels Wüstengeneration konnte der Verheißung Gottes nicht (mehr) vertrauen (3,7ff.). Hätte sie doch auf die »Wolke ihrer Glaubensgeschwister« geschaut, auf Abel und Henoch, auf Noah und Abraham. Ja, vor allem auch auf Mose, der sie durch die Wüste geführt hat (Kap. 11).

Was nun, ihr Heiligen? Haltet fest am Wort der Verheißung. Werft euer Vertrauen nicht weg (10,35). Denkt an eure himmlische Berufung, an den Anker eurer Seele in Gottes himmlischer Ruhestatt. Unterwegs auf der Erde, verankert im Himmel. In jedem Gottesdienst, sei die Gemeinde noch so klein, dürfen wir das feiern. Gibt es etwas Schöneres, als etwas von der ewigen Gottesgemeinschaft jetzt schon zu erleben?

CHRISTIAN ROSE

Ewiger Gott, hilf uns auf deine Verheißungen zu vertrauen, auch in Wüstenzeiten. Lenk die Blicke auf unsere himmlische Berufung. Schenk uns einen Anker bei dir.

Aussprechen

Sich aussprechen tut gut. Gerade dann, wenn ich mich verkämpft habe und nicht mehr weiß, wie es weitergehen soll. Gerade dann tut es gut, ein Gegenüber zu haben, das einfach nur zuhört, ohne Kommentare meine Klage kennenlernt. Besserwisserei ist fehl am Platz. Tröstende Worte sind dann eine Wohltat, wie ein erfrischendes Getränk an einem heißen Sommertag, wie eine behutsam aufgelegte Hand, die meinen Rücken stärkt.

Manchmal ist es so, dass ich keinen finde, dem ich mein Leid klagen kann. Betend wendet sich die Glaubende an Gott und Gott hört zu. Die Betende fühlt sich gleich geborgen in Gottes Weisungen für das Leben. Die erquicken das Leben, den Alltag, die Seele. Gott richtet das Leben neu aus und hilft weiterzugehen. Vielleicht erinnert sie sich an die Nächstenliebe oder an den Feiertag, der zu heiligen ist. Das hilft, die Herzensgedanken hin auf den Nächsten, auf Gott zu lenken. Die Betende geht in ihren Worten ganz auf.

Zugegeben, die Weisungen Gottes als unbedingt angenehm zu empfinden, erfordert schon ein hohes Maß an Zuversicht im Glauben. Da kann ich schon ins Grübeln und Zweifeln kommen. Zumal andere den Zweifel offensiv leben und den Glauben überhaupt in Frage stellen. Das war damals so, das ist heute so.

Aber doch ist es gut, mir sagen zu lassen, von Gott sagen zu lassen, wie mein Leben aussehen kann. Zwei faszinierende Schlüsselworte prägen das Gebet: Deine Barmherzigkeit. Es wird deutlich, dass Gott keiner ist, der letztlich verfügbar ist. Er ist einer, der nach seiner Gnade und Wahrheit mein Leben in Barmherzigkeit zurechtbringt. So ist es am Ende aufrichtend, bei vielleicht scheelem Blick auf die anderen, die Verfolger und Gottlosen, wie es eben die Betende tut, mich vor Gott zu sehen und seine Wohltat für mich zu erkennen.

CHRISTIAN STALTER

Weit, barmherziger Gott, mache mein Herz, damit ich dich in meinem Leben erkenne und deine Wahrheit in die Welt trage.

Das Ziel vor Augen

Die Leser des Briefes werden eindringlich ermahnt, ernsthaft um ihr Heil besorgt zu sein. Mehrfach wird in diesem Text das Heil als »Eingehen in das Land der Ruhe« ausgesagt, als Ruhe Gottes, an der die Menschen teilhaben sollen. Auch Gott ruhte schließlich nach dem Sechstagewerk der Schöpfung am siebten Tag. Ein gewisses Unbehagen könnte uns diese Ausdrucksweise von der »Ruhe« als Ziel unserer Gottesbeziehung verursachen. »Herr, gib ihnen die ewige Ruhe!«, beten wir in der katholischen Kirche noch vielerorts für unsere Verstorbenen. Ist das alles, was wir erhoffen: Ruhen, Nichtstun? Und ist Gott seit dem großen Werk der Schöpfung zur Ruhe gegangen und nicht mehr in der Welt tätig? So kann die »Ruhe Gottes« und unsere Teilnahme an ihr wohl nicht gemeint sein. Wenn wir den Hebräerbrief einmal auf Worte und Bilder durchsehen, die für das gemeinte Heil stehen, dann entdecken wir eine Fülle von Ausdrücken, die das Heil bezeichnen: zur Herrlichkeit Gottes kommen (2,10); das Leben gewinnen (10,39; 12,9); Anteil an Gottes Heiligkeit erlangen (12,10). Besonders schön ist die in 12,22f. zu findende Aufzählung: Zugang zum Berg Zion, zur Stadt des lebendigen Gottes, dem himmlischen Jerusalem, zu einer festlichen Versammlung usw. Ein solches Ziel ist wohl aller Mühen wert.

Ein weiterer wichtiger Aspekt dieses Textes ist der Akzent, der auf das »Heute« des Heiles gelegt wird (4,7). Denn für Gott ist immer »Heute«. Jeder Tag ist eine neue Chance, das Heil zu gewinnen.

Der letzte Abschnitt unseres Textes spricht vom Wort Gottes, das wie ein zweischneidiges Schwert alles durchdringt und aufdeckt. Diese Sätze sollen wohl aufrütteln und uns ermahnen, die Worte Gottes ernst zu nehmen. Das schlägt den Bogen zurück zum Anfang unseres Textes: »Darum lasst uns ernsthaft besorgt sein ...«

BERTRAM PITTNER

Wir sollen dich loben, Herr, aus fröhlichem Herzen; denn du hast uns auf dich hin geschaffen. Und unruhig ist unser Herz, bis es Ruhe findet in dir.

Habemus Papam

Für gläubige Menschen am Ende des 1. Jahrhunderts mögen diese Ausführungen vielleicht verständlich und wichtig gewesen sein. Aber was fangen wir Menschen des 21. Jahrhunderts damit an? Wozu brauchen wir Priester und gar noch einen Hohenpriester? Eine Hilfe zum Verständnis könnte uns der Vers 16 sein. Dieser sagt, um welche existentielle Frage es geht: Wie bekommen wir einen Zugang zum »Thron der Gnade«, das meint: zu Gottes erbarmender und helfender Liebe?

Gott ist uns zwar näher, als wir uns selbst sind. »Er ist keinem von uns fern; denn in ihm leben wir, bewegen wir uns und sind wir.« (Apg 17,28) Und doch bleibt er uns verborgen; wir sehen und spüren ihn nicht. Wir wissen oft nicht, ob wir ihm nahe sind, ob wir ihm nahen dürfen mit allen unseren Grenzen, Schwächen und Sünden.

Den Freimut und die Zuversicht, zu Gottes Nähe und Liebe zu gelangen, schenkt uns allein sein Sohn. Er ist für uns Mensch geworden; er kennt unsere Schwachheit; er hat für uns im Tod am Kreuz alle Schuld auf sich genommen. So dürfen wir im Vertrauen auf unseren Bruder Jesus Christus zu Gott kommen, um Erbarmen, Gnade und Hilfe zur rechten Zeit zu erlangen.

Christus ist als Gott und Mensch zugleich »Priester«, das bedeutet: Er ist Mittler zwischen Gott und uns Menschen. Von Gott selbst ist er zum »Hohenpriester« bestellt worden, das bedeutet: zum alleinigen Mittler für alle Menschen.

Wenn nach einer geglückten Papstwahl in Rom ausgerufen wird: »Habemus Papam«, dann brechen die Menschen in Jubel aus. In unserem Text (und auch in 6,19; 8,1; 10,21) steht: »Habemus Pontificem magnum – Wir haben einen Hohenpriester.« Das ist für uns alle Grund zum Jubel, zu großer Dankbarkeit und Zuversicht.

BERTRAM PITTNER

Herr Jesus Christus, Sohn des lebendigen Gottes und unser Bruder, du bist unser Weg zum Leben. Du hast uns gezeigt, dass wir einen Vater haben, dem wir uns restlos anvertrauen dürfen. Erfülle uns mit deiner Liebe und deinem Gehorsam zu Gott, damit wir von ihm angenommen werden.

Herr, stärke unseren Glauben!

Der Text vergleicht die Adressaten des Briefes mit Kindern, die außer Milch noch keine festen Speisen vertragen. Dieser Hinweis ist auch eine Anfrage an uns, wie weit wir in unserem Glauben über die Anfänge hinaus gewachsen und gereift sind. Spüren wir, was uns im Glauben – in Wort und Tat – noch fehlt? Oder sind wir selbstgenügsam und »schwerhörig« geworden für Anregungen zu einem vertieften und erwachsenen Glauben? Können wir über unseren Glauben anderen Auskunft geben (vgl. 1 Petr 3,15) und drängt uns unsere Freude an Gottes Botschaft dazu, darüber zu sprechen? (vgl. Apg 4,20) Der Verfasser weist auf die Elementarstücke des christlichen Glaubens hin: die Abkehr von toten Werken (gemeint ist wohl der Götzendienst), der Glaube an Gott, die Auferstehung und das ewige Gericht. Auch die Kreuzigung Christi, des Gottessohnes, gehört dazu wie auch die Gaben des Geistes und das »gute Wort« des Evangeliums. Das sind Kernstücke des christlichen Glaubens, ohne die man nicht Christ sein kann.

Auch diese Ausführungen sind eine Anfrage an uns, inwiefern wir wirklich die zentralen Punkte unseres Glaubens für wichtig erachten und sie uns immer neu aneignen oder ob wir uns mehr für Randfragen interessieren, die uns von Christus, der Mitte unseres Glaubens, wegführen. Schließlich weist der Text mit einem auch aus der Verkündigung Jesu bekannten Bild vom Fruchtbringen (vgl. das Gleichnis vom unfruchtbaren Feigenbaum, Lk 13,6–9) darauf hin, dass unser Glaube kein bloßer Bekenntnisglaube sein darf, sondern sich in Werken der Liebe auswirken muss. Unser Glaube ist wie eine lebendige Pflanze, die wachsen und reifen kann, die aber auch verkümmern kann, wenn sie nicht richtig gepflegt wird.

BERTRAM PITTNER

Herr Jesus Christus, unser Glaube ist das Samenkorn, das du in unser Herz und in unser Leben gesenkt hast. Lass es aufgehen und wachsen und Frucht bringen, damit es uns und unseren Mitmenschen zum Segen wird.

Segen – unwiderruflich!

Wieder einmal hat ein guter Vorsatz nicht zum Ziel geführt. Auf halber Strecke ist die Anfangsmotivation still verwelkt, ist fast unbemerkt eingegangen. Gleichgültig, ob es sich um das Lernen auf eine anstehende Prüfung hin handelt, das Aufräumen von Dachboden oder Keller – wenn Durchhaltevermögen gefragt ist, wird der Kampf mit der eigenen Trägheit oft zur schier unbezwingbaren Herausforderung. Und doch: Auch das Gegenteil ist wahr. Es gelingt immer wieder, Durststrecken geduldig auszuhalten, der Verlockung zum Aufgeben zu widerstehen und stattdessen Schritt für Schritt eine anstehende Aufgabe zu erledigen. Den Frust über das noch nicht Erreichte zu überwinden und durchzuhalten. Wie schön, wenn dadurch das Selbstvertrauen aufblüht und die eigenen Kräfte als verlässliche Ressourcen erfahren werden. Eine solche Erfahrung ist nicht begrenzt auf die rein »weltlichen« Bereiche; sie gilt genauso für geistliche Prozesse und spirituelles Wachstum. Die Motivation, im Glauben zu wachsen, darf sich abstützen auf die Zusage Gottes, bedingungslos an der Seite des Menschen zu sein und zu bleiben, bis das Ziel erreicht ist. Mehr noch: Wenn der Weg zu geistlicher Tiefe verstellt ist und nichts gut werden will, gilt seine unverbrüchliche Bereitschaft erst recht, mitzugehen und uns in kritischen Phasen unter die Arme zu greifen. Diese vorausliegende Hoffnung aus göttlicher Gnade dürfen wir ergreifen als den rettenden Strohhalm. Denn es hat den Einen gegeben, der genau das getan hat, als ihm alles aus den Händen gerissen wurde und ihn nur noch der letzte Schrei am Kreuz als fester und sicherer Anker in der Liebe hielt.

AURELIA SPENDEL OP

Gott, von dir kommt Segen, unwiderruflich. Er soll in mir fließen, übervoll, heute und immer, zu deiner Ehre, zu meiner Erquickung, zum Heil der Menschen und aller Kreatur.

Gerechtigkeit und Frieden – vollendet

Wie kommen Gerechtigkeit und Frieden in die Welt? Manche der Mächtigen aller Jahrtausende, aller Kulturen und Religionen meinten und meinen, sie könnten nur mit Gewalt durchgesetzt werden. Von sich aus sei der Mensch egoistisch, neidisch und wenn überhaupt, dann auf das Wohl der eigenen Gruppe und nicht auf das der anderen bedacht. Sie haben nicht unrecht. Auch so ist der Mensch. Wo gehobelt wird, fallen Späne, sagen sie. Um des Höheren willen muss man das Niedrigere in Kauf nehmen. Aber wenn es erst einmal geschafft ist, werden sich die Zeiten schon ändern und alles wird gut. Sie haben unrecht. Nichts wird sich auf diese Weise zum Guten wenden. Gewalt zeugt immer nur Gewalt. Unterdrückung, Hass und Erniedrigung geben dem brennenden Drang nach Rache und Vergeltung stets neue Nahrung. Kampf nach der Ordnung des Unseligen richtet die Welt zugrunde. Es gibt eine andere Ordnung, die das Wunder des Lebens immer wieder schenkt und sein Bestehen garantiert. Sie speist sich aus Empathie, damit Freude und Hoffnung, Trauer und Angst der anderen die meinen werden. Sie lebt aus Erinnerung, damit das Böse nie wieder festen Grund unter den Füßen bekommt und jede und jeder im Herzen weiß, dass der erste Schritt ins Verderben die folgenden nach sich ziehen will. Diese Ordnung ist die Ordnung des höchsten Gottes, dem der Eine diente, der sich bis zum Schluss weigerte, einer anderen als dieser göttlichen Ordnung Anerkennung und Zustimmung zu zollen. Er bezahlte den Preis dafür und gab noch so viel dazu, dass es für alle reicht und niemand mehr vergeblich um Frieden und Gerechtigkeit weinen muss.

AURELIA SPENDEL OP

Wenn du, Gott, Frieden gründest und Gerechtigkeit säst, kann Leben keimen und Hoffnung aufblühen. Beginne heute damit auch bei mir, damit Friede werde in meinem Herzen und Gerechtigkeit in meinen Gedanken, in meinem Tun und Lassen.

Gerettet – für immer

In unseligen Blut-und-Boden-Zeiten war es für viele Menschen lebensgefährliche Pflicht, ihre Abstammung nachzuweisen. Politische Ideologien, religiöse Vorstellungen, soziale Ordnungen leben auch davon und damit, dass es Unterschiede gibt, die ausschließen und die die freie Entscheidung des/der Einzelnen, wie er/sie leben will, einschränken oder sogar verhindern. Gott spricht anders: Sei frei, lebe deine Begabungen, schau nicht zurück, denn es ist Rettung geschehen für alle und für immer. Durch Geburt, Leben, Tod und Auferstehung Jesu werden alle vorhandenen Ordnungen auf den Prüfstand gestellt, ob sie taugen für die Pflege und das Gedeihen von Leben. Leben ist göttliche Gabe. Es ist zwar gezeichnet von Endlichkeit, wird immer wieder zerbrochen und mit Füßen getreten. Gott aber wendet sich ihm zu mit seiner unzerstörbaren Kraft. Er hält aus, leidet mit, weint und freut sich in dem Maß, in dem Menschen weinen und sich freuen. Das ändert die so oft menschengemachten elenden Verhältnisse dieser Welt nicht, aber bietet denen, die sie erleben und unter ihnen leiden, die Chance einer besseren Hoffnung. Nicht die, die vertröstet, sondern die tröstet. Nicht die, die sagt: Es ist doch nicht so schlimm, sondern jene, die darauf vertraut, dass mit Gott und in ihm alles enden und gut werden wird.

Beweisen lässt sich das nicht. Wir können es jedoch ablesen an Menschen, die für die Botschaft des Einen bürgen, der alles gab und der Menschen auch heute anstiftet, aus dieser Quelle Kraft und Mut zu schöpfen. Wenn es gut geht, lässt sich seine Stimme erlauschen, sobald wir still werden. Und wenn Gott nicht zu erfahren ist, sind immer noch die da, die unerschütterlich jeden und jede in ihre Zuwendung einschließen, gleichgültig wo er/sie herkommt.

AURELIA SPENDEL OP

Heilung der Schöpfung, Vernunft und Barmherzigkeit werden nur durch deinen Geist, Gott. Schenke in diesen Tagen die Rettung, die aus diesem Neugeist kommt. Lass mich ihn willkommen heißen und aus ihm beten, handeln, lieben.

Ansprechen

Warum nicht sagen, das verstehe ich nicht? Warum seine Verwunderung darüber verbergen, dass diese Worte die meist zitierten Psalmworte im Neuen Testament sind? Warum bezieht ausgerechnet Jesus diese Worte – so Matthäus 22, 41–46 – auf sich? Am ersten Tag der Woche, am Tag der Auferstehung Jesu, am Sonntag, diesen Machtanspruch zu hören, fordert heraus.

Wenngleich davon auszugehen ist, dass der Jude Jesus mit seinem Selbstverständnis fest in der messianischen Tradition des Alten Testamentes verankert war, sind diese Worte über den kommenden Messias geradezu ein Gegenbild zu dem Gott, der gnädig und barmherzig handelt – auch durch seinen Sohn. Denn in vielen Erzählungen des Neuen Testaments ist von der Güte des allversöhnenden Gottes die Rede. Die prophetischen Worte über den Messias, der ein Herrscher und Richter über die ganze Welt sein wird, bringen ein unverklärtes, aber auch verstörendes Selbstverständnis des Sohnes Gottes ins Spiel.

Vorsichtig nur kann ich mich dem nähern. Der Anspruch, der darin formuliert wird, ist nur zu verstehen, wenn ich glaube, dass Jesus als der ewige Sohn Gottes und als der Heiland der Welt zu uns gesandt ist. Kein christlicher Fanatismus und keine Selbstgerechtigkeit können damit verbunden sein. Es darf nicht sein, dass dieser Jesus anderen drübergezogen wird – gar noch mit Gewalt unter Verachtung anderer Kulturen und wertvoller individueller Lebensgeschichten.

Es ist ein Selbstbekenntnis, das auch auszusprechen vermag, dass Gott schon lange für mich war, ist und sein wird. So wie Gott seinen Sohn begleitete und stützte, mit ihm Augenblicke von erfreulicher Gemeinschaft und tiefer Erholung teilte, so ist er für mich da. So wie er für seinen Sohn da war, der Verachtung, Schmach und den Tod erlitten hat, so ist er für mich da.

CHRISTIAN STALTER

Herr, hilf meinem Glauben, sei du in meinen Fragen, in meinem Herzen, in meinem Glück, erfülle du mich in meinen Begegnungen und geleite mich auf dem Weg des Friedens.

Wider die Besserwisserei

Von all den Gelehrten und Hohenpriestern, von den Pfarrern und Theologinnen, den Gottesdenkern und denen, die das Heilige feiern, ist keine und keiner im Besitz der ewigen Wahrheit. Das ewige Maßregeln und Um-die-Wahrheit-Feilschen, das Besserwissen und Übertrumpfen, selbst der Wettstreit um die schönsten und bestbesuchten Gottesdienste hat irgendwann ein Ende. Erst recht das Moralisieren, mit dem einer seine Mitbürger maßregelt und lehrt. Dann, wenn der eigentliche Hohepriester, der, der im Himmel sitzt und zugleich fest in der Erde verankert, wenn Gott selbst die Herrschaft hat, wenn der neue Bund Wirklichkeit ist. Dann steht das Gesetz nicht mehr in Folianten, sondern ist in die Herzen eingeschrieben, dann steht nichts mehr zwischen Gott und den Seinen. Aber jetzt, hier und heute, gibt es einen heilsamen Abstand zwischen dem Gottesdienst auf Erden und dem himmlischen Gottesdienst, ist das eine Feiern – wie prächtig, stärkend und gründend es auch sein mag – ein Abbild und Schatten des Himmlischen. Das schafft allem Perfektionswahn und aller Besserwisserei hier eine heilsame Grenze. Es richtet mein Tun aus auf den himmlischen Dienst, weil ich weiß: Es gibt einen Gott, und ich bin's nicht. Es wartet noch mehr als das, was ist, ein anderer Bund, eine neue Schöpfung, der Himmel des Himmels und nicht nur der Himmel auf Erden. Niemand von uns wird ihn errichten. Niemand von uns muss ihn errichten. Und am Ende, wenn zwischen Gott und sein Volk kein Blatt Papier mehr passt, dann wird er heilsam vergessen, dann wird sie all dessen, was uns von Gott trennt, all unserer Überheblichkeit und priesterlicher Schlaumeierei nicht mehr gedenken. Dann erst. Jetzt noch nicht. Jetzt braucht es noch die Hoffnung auf die besseren, wahrhaft himmlischen Zeiten. Die Hoffnung auf den göttlichen Hohenpriester, der mehr ist als ein Mensch. Der mehr kennt als Erdenschwere. Der mehr weiß als wir in all unserer Weisheit und Klugheit.

HEIKE SPRINGHART

Gott, hilf mir, die Grenzen meines Horizonts zu sehen, schenke mir die Herzensweisheit des Himmels und öffne neue Weiten für mich. Nahe dich mir Menschenkind, du Göttlicher.

Erben für immer

Was bringen wir nicht alles dar, um unsere Gewissen frei zu machen. Kompensationszahlungen als Ausgleich für den Transatlantikflug, einmal im Jahr eine Großspende oder einen Scheck bei der Wohltätigkeitsveranstaltung, das besonders üppige Geburtstagsgeschenk für das Patenkind, weil wieder ein Jahr vergangen ist, ohne dass man sich gesehen hat. Die Gaben sind reichhaltig, für manche muss ich, wenn schon kein Geld, dann doch meinen Stolz opfern und über meinen Schatten springen. Immer ausgeklügeltere geschriebene und ungeschriebene Gesetze helfen mir dabei. Plattformen im Internet und Spendenkonten, Amazon-Wunschlisten und Geburtstagskisten. Und wenn es nicht um die anderen geht, dann bringe ich die Opfer für mich und mein Wohlergehen. Versuche auszugleichen, was mir und anderen nicht gut tut. Und doch bleibt das schale Gefühl, dass es nicht reicht. Dass es kaum möglich ist, alle Versäumnisse auszugleichen, dass ich andere so viel unwissentlich und unabsichtlich verletze, dass ich das gar nicht wiedergutmachen kann. Auch wenn wir schon lange nicht mehr im konkreten Sinn blutige Opfer darbringen – die Versuchung, mit gekauften Ausgleichleistungen das in Ordnung zu bringen, was nicht mal eben schnell in Ordnung zu bringen ist, ist groß. Die Diskussion um Entschädigungszahlungen für Opfer von sexualisierter Gewalt hat diese Frage neu aufgerissen. Geht das überhaupt – Entschädigung zahlen? So oft bleibt bei allen Ausgleichsbemühungen das Eigentliche offen. Weil Wunden nicht heilen. Weil der Ausgleich fremd bleibt. Aber dann, wenn mir einer mit Haut und Haar begegnet, wenn er mir sein Herz öffnet – wenn er sich gar ganz und gar hingibt, dann wird wahr, was mir verheißen ist. Das Leben in Fülle. Erbin zu sein für das Reich Gottes. Auf ewig. Geheilt. Christus hat sein eigenes Blut vergossen, um das ewige Blutvergießen zu beenden. Der Erbstreit tobt aber noch. Möge er an ein Ende kommen.

HEIKE SPRINGHART

Gott, so oft wäre ein Ausgleich und eine Entschädigung ein Anfang für die Gerechtigkeit. Stärke du denen den Rücken, die um ihr Recht kämpfen und öffne denen die Herzen, die mit Unrecht und Leid konfrontiert sind.

Ein für alle Mal

Wenn ein Mensch stirbt, wenn es darum geht, ein für alle Mal Abschied zu nehmen, dann drängt sich in den Blick, was offen geblieben ist, was unversöhnt bleibt und abgebrochen ist. Das macht die Brutalität des Abschieds aus, wenn wir an Gräbern stehen. Abschiedsbriefe und Testamente, geöffnet erst nach dem Tod ihrer Verfasser, gehen tief und sind Worte, ein für alle Mal. Letzte Worte. Worte von Gewicht. Nicht erst angesichts des Todes bin ich damit konfrontiert, dass Vergebung nicht leicht zu haben und nicht leicht zu gewähren ist. Wo tiefe Verletzungen im Raum stehen, kann es schwer sein zu vergeben. Ja, sogar unmöglich. Der Bitte um Vergebung nachzukommen, kostet mich etwas. Es kostet meinen Stolz. Sie verlangt, dass ich mich der Verletzung aussetze, die ich dem anderen angetan habe. Sie verlangt, dass ich mich mit Haut und Haar verletzlich mache und offen für den anderen. Dass ich etwas von meinem Leben gebe, man könnte sagen: dass ich Blut ausgieße. Und doch: Manchmal geht das nicht. Manchmal bleibt es unmöglich, diesen Schritt zu gehen. Wie gut, dass am Ende aller Zeiten und am Ende aller meiner mehr oder weniger gelungenen Bemühungen um Wiederherstellung der Gemeinschaft Christus ein für alle Mal erscheint. Ein für alle Mal hebt er die Sünde auf. Alles, was mich von Gott und dem Nächsten trennt, all meine Selbstgerechtigkeit und Überheblichkeit, all mein Hadern und Verzweifeln – es steht nicht zwischen Gott und mir. Ein für alle Mal. Auch wenn ich selbst scheitere an der Vergebung, ich kann das Unfertige und Abgebrochene getrost in Gottes Hand legen. Ich muss mich nicht aufopfern und selbst verleugnen, schon gar nicht zum Opfer machen lassen, denn Christus hat sich an die Seite der Opfer gestellt. Ein für alle Mal. Wir sind zum Leben bestimmt, auch dann, wenn wir vor uns die grausame Tiefe eines Grabes sehen. Ein für alle Mal.

HEIKE SPRINGHART

Gott, ich lege dir heute ans Herz, was ich nicht vergeben kann. Wo ich so tief verletzt bin, wo alte Narben und Wunden nicht heilen können, wo mich Scham und Angst immer wieder überfluten. Schenk du Leben und Segen.

Dankopfer sind gefragt

Für die Menschen in Israel mag es ein tröstlicher Gedanke gewesen sein, dass jedes Jahr am Versöhnungstag der Hohepriester ins Allerheiligste ging und es mit dem Blut der vorher geopferten Tiere besprengte und so das Heiligtum und das Volk von aller Unreinheit und Sünde befreite. Und es mag beruhigend für sie gewesen sein, dass jeden Morgen und jeden Abend zwei Lämmer im Tempel geopfert wurden, was ebenfalls sühnende Wirkung hatte. So konnte man sich immer aufs Neue gewiss sein, dass die Verbindung mit Gott hergestellt war.

Aber – so fragt der Verfasser des Hebräerbriefs – hatte Gott nicht verheißen, dass er das Verhältnis zu seinem Volk ein für alle Mal bereinigen würde und die Menschen von dem Zwang, immer wieder neu Vergebung bewirken zu müssen, befreien würde? Er zitiert die Aussage von Psalm 40,7–9, dass Gott keine Opfer verlangt, und die Worte des Propheten Jeremia von einem neuen Bund, in dem die Last von Sünde und Schuld ein für alle Mal bewältigt sein würde (Jer 31,33f.). Diese Verheißung sieht er in dem erfüllt, was Gott in Jesus Christus getan hat. In der Hingabe seines Lebens hat Gott selbst das entscheidende Opfer gebracht, hat die Folgen menschlicher Schuld auf sich genommen und darum das Verhältnis zwischen Gott und Mensch für immer bereinigt.

Viele Menschen, auch Christen und Christinnen, haben heute Schwierigkeiten mit dem Opfergedanken, auch wenn er auf den Tod Christi bezogen wird. Aber er hält ein Doppeltes fest: Schuld und Sünde lassen sich nicht zum Nulltarif bewältigen. Hier ist der Einsatz des ganzen Lebens gefragt. Den aber hat Gott für uns erbracht. Darum ist die Notwendigkeit, Opfer für Gott und die Beziehung zu ihm zu fordern, ein für alle Mal beendet. Das hat man in der Geschichte der Kirche allzu lange nicht beachtet. Man hat immer wieder Sündenböcke gesucht und geopfert. Aber die einzigen Opfer, die noch in Frage kommen, sind Dankopfer. (Röm 12,1)

WALTER KLAIBER

Gelobet seist du, Jesu Christ, dass du ein Mensch geboren bist und hast für mich und alle Welt bezahlt ein ewig Lösegeld.

Die Tür steht offen

Es war der Höhepunkt im Jahreskreis der Feste im Tempel, wenn der Hohepriester am Versöhnungstag das Allerheiligste betrat und sein Inneres mit dem Blut der geopferten Stiere besprengte und so Heiligtum und Volk reinigte und heiligte. Einmal im Jahr wurde der trennende Vorhang geöffnet und der unmittelbare Zutritt in Gottes Gegenwart möglich.

Für den Hebräerbrief ist dieser Vorgang Vorbild für das, was Gott in Jesus Christus ein für alle Mal getan hat. Durch seinen Tod ist der Zugang zu Gott für immer frei. Wer sich auf Jesus beruft und sich in der Taufe in Gottes Liebe hineinnehmen lässt, hat immer Zutritt zum Allerheiligsten. Die Tür zum Herzen Gottes steht immer offen.

Das aber soll Konsequenzen für das Leben der Christen haben. Vier nennt der Verfasser: »Lasst uns hinzutreten« und wirklich die Nähe Gottes suchen mit der Bereitschaft, unser Leben von ihm durchdringen und bestimmen zu lassen. »Lasst uns festhalten an dem Bekenntnis der Hoffnung«, dem Bekenntnis zu dem, was Gott in Christus getan hat und darum Grund unserer Hoffnung ist. »Lasst uns aufeinander achthaben«, uns umeinander kümmern und zu einem Leben in der Liebe anspornen. Die Nähe zu Gott bringt uns auch einander nah! Und nicht zuletzt: »Lasst uns nicht unsere Versammlungen verlassen«, denn wenn wir gemeinsam beten, auf Gottes Wort hören und uns für die täglichen Herausforderungen Mut machen, erfahren wir die Nähe Gottes.

Aber auf diese Ermutigung folgt eine ernste Warnung: Wer das alles erkannt hat, sich dann aber mutwillig davon abwendet und das Erkannte mit Füßen tritt, für den bleibt nur das Gericht. Kommt nach der Frohbotschaft die Drohbotschaft? Luther tat sich wegen dieser Aussagen schwer, den Brief als Teil des Neuen Testaments zu akzeptieren. Mit Blick auf die Botschaft Jesu und des Paulus dürfen wir hoffen, dass die Gnade Gottes auch in solchen Fällen größer ist als unser Versagen. Aber die Warnung, dass der Glaube ein kostbares anvertrautes Gut ist, bleibt wichtig.

WALTER KLAIBER

Gott ist gegenwärtig. Lasset uns anbeten und in Ehrfurcht vor ihn treten.

Vertrauen bewahren

Es ist schwer zu entscheiden, was gefährlicher für den Glauben ist: die Erfahrung von Verfolgung und Ausgrenzung oder das öde Allerlei täglicher Routine, bei dem weder Positives noch Negatives geschieht. In der Situation, die der Hebräerbrief anspricht, scheint die zweite Problematik sehr viel ernster zu sein. Der Verfasser erinnert die Gemeinden, an die er schreibt, daran, wie sie ihren Glauben auch unter sehr schwierigen Umständen bewahrt haben. Hier hat er sich bewährt. Aber jetzt sind sie in Gefahr, in der Mühle des Alltags ihren Glauben zu vernachlässigen. Hatten sie voll Spannung darauf gewartet, dass Jesus bald kommt, so erlahmte jetzt ihr Eifer. Es blieb doch alles, wie es war.

Dagegen setzt der Verfasser den Aufruf: »Werft euer Vertrauen nicht weg!« Haltet an eurem Glauben fest, was immer geschieht. Es lohnt sich! Und damit sind nicht irgendwelche Reichtümer gemeint, die man im Himmel bekommen würde, sondern die Gewissheit, dass unser Leben sein Ziel in der vollendeten Gemeinschaft mit Gott finden wird. Also: Geduld und Dranbleiben an der Verheißung!

Die weltweite Christenheit findet sich zurzeit in sehr unterschiedlichen Situationen vor. Es gibt Länder, in denen die Gemeinden heftig verfolgt werden. Und es ist bewundernswert, wie viele Christen dennoch an ihrem Glauben festhalten. Wir konnten auch beobachten, wie manche Kirchen gestärkt aus einer Zeit der Verfolgung hervorgegangen sind. Anderen Christen und Kirchen geht es dagegen äußerlich sehr gut. Aber gerade sie scheinen in Gefahr, innerlich schwach zu werden und den Glauben nicht mehr ernst zu nehmen. Es geht ja auch so ganz gut. Hier trifft uns der Weckruf des Hebräerbriefs: Lasst nicht nach, auf Gott zu vertrauen und nach seinem Willen zu fragen. Das bleibt das Wichtigste – in schwierigen und in guten Tagen.

WALTER KLAIBER

Auf ihn will ich vertrauen in meiner schweren Zeit; es kann mich nicht gereuen, er wendet alles Leid. Ihm sei es heimgestellt; mein Leib, mein Seel, mein Leben sei Gott dem Herrn ergeben; er schaff's, wie's ihm gefällt!

Story for future

Wieder einmal beweist es sich: Das Lob ist die Quelle der Kraft. Der unverstellte Blick der Beterin auf Gott, den Schöpfer und seine Schöpfung ist eine betörende Liebeserklärung. So zu leben, verändert den Alltag, das Leben, die Zukunft überhaupt. Denn nur so erkenne ich die Weite der Wirklichkeit. Leben wir doch von dem, was uns geschenkt ist und wird, auch von dem, was die vielfältige Buntheit der Welt ausmacht. Allein mit dem unvorstellbar wilden und beunruhigenden Herzklopfen der ganzen Schöpfung gelingt das Leben. Dafür lohnt es, auf die Straße zu gehen. Eben öffentlich zu werden, neben dem Gebet im Stillen.

Was wäre, wenn nur ein Vers fehlen würde, wenn das Netz, das die Schönheit des Ganzen ausmacht, einen Riss bekäme? Es wäre erschreckend. Alles würde anfangen zusammenzubrechen.

Das Lob Gottes ist die Quelle der Kraft. Das gibt Energie, die Schöpfung zu bewahren und sich dafür einzusetzen, die Seele alles Geschaffenen zu erhalten. Begeistert und begeisternd muss ich mich geradezu für die Schöpfung einsetzen.

Bei aller Freude, für das Leben da zu sein, gehört aber auch die Erkenntnis dazu, dass es Dinge gibt, die ich nicht verstehen werde. Immer wieder tauchen im Psalm Bilder auf, die die Aufmerksamkeit wecken: die Feuerflammen als Dienerinnen Gottes, der Leviatan, der mit den Schiffen spielt, der Odem, der vergeht. Es sind Bilder, die von Zerstörung und Vergehen erzählen. Das ist eben auch das Leben, dass ich an meine Grenzen komme mit meinem Herzklopfen, meiner Begeisterung und meinem Protest für das Leben.

CHRISTIAN STALTER

O Gott, wenn doch alle Menschen jeden Moment deine wunderbare Kraft erkennen würden. Eine Kraft, die Leben bewahrt und dem Miteinander von allem Geschaffenen eine Zukunft gibt. Eine Kraft, die auch dann da ist, wenn ich keine mehr habe.

Was heißt glauben?

»Glauben heißt nicht wissen«, so lautet das berühmte Zitat aus Wilhelm Weitlings 1845 erschienenen Werk »Das Evangelium des armen Sünders«.

Stimmt das auch für Sie? Wie würden Sie Ihren Glauben auf einer Skala von 1–10 taxieren, wobei 1 für »völligen Unglauben« und 10 für »völlig überzeugten Glauben« steht?

Wenn man in den griechischen Text des Hebräerbriefes schaut, dann wird klar, dass für den Autor »Glaube« eine Mischung aus festem Vertrauen und einem Überzeugtsein von Dingen darstellt, die man nicht sieht. Um diesem Glauben Ausdruck zu verleihen, führt er auf Basis seiner fundierten Kenntnisse des Alten Testaments in der Folge eine Reihe von Glaubenszeugen an. Im heutigen Abschnitt werden Abel, Henoch und Noach genannt, die ihm als Referenzen hierfür dienen sollen.

Wenn Sie auf Ihr Leben schauen, wer waren Ihre Referenzen in Sachen Glauben? Wessen Vorbild woll(t)en Sie nacheifern bzw. wen fanden Sie glaubwürdig? Aber auch, für wen sind bzw. wollen Sie eine Referenz-Person des Glaubens sein? Woran würden Sie hierbei Ihren Erfolg ablesen?

Glauben braucht Zeugen und Überzeugung, nicht nur sonntags. Er ist mehr als ein Vermuten, sondern auch ein Wissen und eine Gewissheit. Es geht um Inhalte und Haltungen ebenso, wie um Ergriffensein. So gesehen ist Glaube nicht nur Herzens-, sondern auch Kopfsache. Entscheidend ist, sich im Leben immer wieder neu auf Gott und seine (An-)Fragen einzulassen: Wer bist du? Woher kommst du? Wohin willst du? Er hält mir einen Spiegel vor, den ich selbst nicht allein halten könnte. Durch ihn kann ich mich und die Welt sehen lernen, wie ich es nie für möglich gehalten hätte. Und schließlich kann ich dadurch ihn in vielem mehr entdecken, als ich jemals zu träumen gewagt hätte.

THOMAS STEPHAN

Herr, unser Gott, hilf mir, Zeugen des Glaubens und eigene Überzeugungen zu finden. Hilf mir, mit Herz und Kopf zu glauben. Hilf mir, mich selbst und die Welt mit neuen Augen sehen zu lernen.

Abraham. Glaube. Und viele Fragen

Abraham. Ein Name. Eine Geschichte. Ein Programm. Heute im Hebräerbrief. Er steht für Gottvertrauen. Und sich auf einen unbekannten Weg zu machen. Allein. Allein aus dem Vertrauen auf den Beistand Gottes.

Unstet. Ohne festen Wohnsitz. Immer bereit. Bereit, jederzeit die Zelte abzubrechen. Bereit, sie wieder woanders aufzuschlagen. Das, auf was er zusteuert, in weiter Ferne. Ob er es je erreichen wird? In seinem Alter. Welche Sicherheiten hat er? Keine. Doch! Seinen Glauben. Aber reicht das?

Mobilität. Flexibilität. Integrität. Die Schlagworte von heute. Die Dogmen unserer Zeit. Hinterfragen, kritisieren nicht gewollt. Das ist eben so. So! So? Wie es gebraucht und gefordert wird. Von wem? Der Wirtschaft, dem Markt, der Zeit? Spielt keine Rolle. Taugt Abraham dann nicht besonders gut für heute? Für Sie? Ist er, wie wir sein sollen?

Vertrauen ist schwer. Glauben ist schwer(er)!? Was ist Ihre Kurzformel? Für das Leben. Ihres. Welche gemeinsamen Nenner kennen Sie? In der Familie. Im Freundeskreis. Am Arbeitsplatz. Oder ist alles gleich-gültig? Gleichgültig? Viele Fragen ohne Antworten. Oder doch?

»Aufgrund des Glaubens«, heißt es heute mehrfach für die Hebräer. Und auch für uns. Aufgrund des Glaubens hat sich viel getan. Abraham hat gehorcht, ausgehalten, Kraft bekommen, Probe bestanden und schließlich Segen erhalten.

Und Ihr Glauben? Was tut er? Was ist er? Kommt er zu kurz? Wieviel Platz räume ich ihm ein? Ist er eine Kindheitserinnerung, ein Wegweiser, ein Begleiter? Was Abraham tat, tat er aus Glauben. Auch unser Tun sollte einen Grund haben. Einen guten.

THOMAS STEPHAN

Leben heißt, auf dem Weg zu sein. Doch wohin? Mit wem? Wofür? Herr, unser Gott, schenke uns Glauben. Besonders, wenn wir nicht mehr weiterkönnen. Besonders, wenn uns die Fragen des Lebens den Kopf verdrehen. Besonders, wenn wir drohen, verlorenzugehen.

Das Herz(-stück) entscheidet

An einer Weiche werden im Bahnverkehr Gleise vereinigt oder getrennt. Sie sind richtungsentscheidend und damit von maßgeblicher Bedeutung. Im Weichenbau wird das zentrale Bauelement ganz offiziell »Herzstück« genannt. Hier findet das Entscheidende statt. An diesem Punkt treten aber auch die größten Verschleißerscheinungen auf.

Weichenstellungen sind ein zentrales Thema im Leben des heute im Hebräerbrief vorgestellten Propheten Mose. Schon kurz nach seiner Geburt nehmen seine Eltern die Weichenstellung vor, ihn vor dem Pharao zu verbergen, um sein Leben zu retten. Als Grund wird aber auch seine »Schönheit« angeführt, die nach biblischem Verständnis des Buches Exodus darauf zurückzuführen ist, dass auf ihm Gottes Wohlgefallen ruht und Gott Großes mit ihm vorhat.

Die zweite erwähnenswerte Weichenstellung nimmt der herangewachsene Mose aufgrund seines Glaubens selbst vor, in dem er sich weigert, weiterhin als Sohn der Tochter des Pharaos gehalten zu werden. Bewusst tauscht er damit ein sorgloses Leben gegen ein Leben voller Entbehrungen und schlimmen Erleidens ein, das ihm an der Seite seines Volkes bevorsteht.

Weichenstellungen sind eine Frage des Herzens, nicht nur im Bahnverkehr. Wofür schlägt Ihr Herz? Wie bequem oder unbequem dürfen Ihre Wege verlaufen? Auf welcher Grundlage treffen Sie Ihre Entscheidungen, auf Herzensgrundlage? Wie gesund ist Ihr Herz, wie sieht es mit Verschleißerscheinungen aus, die nur Sie und kein Kardiologe feststellen kann?

Mose ist sicher nicht den bequemsten Weg gegangen. Er hätte die Weichenstellung seiner Eltern fortführen können. Einfach so weitermachen. Doch das wollte er nicht. Er hat seinem Leben eine neue Richtung gegeben. Er hat sein Herz für sein Volk und seinen Gott entdeckt und es zu seinem Kompass gemacht.

THOMAS STEPHAN

Herr, unser Gott, rühre mein Herz an, damit es wieder lebendiger wird. Lebendig, um besser sehen zu können, wo mein Platz im Leben ist. Lebendig, um den Mut aufzubringen, schwierige Entscheidungen treffen zu können.

Eine fromme »Leistungsbilanz«?

Beachtlich, diese »Heldenliste«: von der Richterzeit noch vor Saul bis zum grausigen Martyrium der sieben makkabäischen Brüder mit ihrer Mutter unter Antiochus IV. Epiphanes im 2. Jahrhundert vor Christi Geburt. Auch die Opfer der ersten Christenverfolgungen im römischen Reich und den gewaltsamen Tod einiger Apostel hat der Hebr offensichtlich vor Augen. Wir Heutigen ahnen etwas von dieser grausamen Zeit, wenn wir ihre Abbilder in den Kirchen mit ihren Attributen betrachten. Doch uns befällt dabei vermutlich ein ambivalentes Gefühl. Wir, nach der Erfahrung tausendfachen Missbrauchs von Heldentum und Opfertod durch Diktaturen, lesen das vermutlich nicht ohne Skepsis, auch wenn wir natürlich zwischen der Mitverstrickung in vermeintliches Heldentum im Krieg und den Blutzeugen und ihrer Hingabe im Glauben im römischen Reich unterscheiden werden. Für die Christinnen und Christen, an die sich der Hebr richtet, waren diese Verfolgungssituationen – vielleicht zur Zeit des Despoten Domitian – brutale Gegenwart und eine ernste Anfechtung. Doch von einer echten Heroisierung ist der Hebr weit entfernt, wenn er am Ende feststellt: »Sie alle, die aufgrund des Glaubens (von Gott) besonders anerkannt wurden, haben das Verheißene nicht erlangt.« (V. 39) Aber genau dieses »aufgrund des Glaubens« lässt die Schar zu stärkenden Vorbildern, eben zu Zeugen – griechisch martyroi – werden. Und damit wird klar: Dem Hebr geht es nicht um eine »fromme Leistungsbilanz«, sondern um die Wahrnehmung, dass der Glaube an Gott mit der Erfahrung von Verfolgung und Leid verbunden sein kann. Das Wissen darum, in einer solchen Zeit nicht allein bzw. der oder die Erste zu sein, ist auch eine Vergewisserung in der Anfechtung und soll dazu anspornen, selber fest im Glauben zu stehen und sich darin zu bewähren.

HANS-CHRISTIAN NEIBER

Fällt's euch zu schwer? Ich geh voran, ich steh euch an der Seite, ich kämpfe selbst, ich brech die Bahn, bin alles in dem Streite. Ein böser Knecht, der still mag stehn, sieht er voran den Feldherrn gehn.

Die »cloud des Glaubens«: You'll never walk alone

Heute sind »clouds« – also virtuelle Datenspeicher – etwas Selbstverständliches. Der Hebr listet ausführlich Glaubenszeugen über Jahrhunderte hinweg auf – die »cloud des Glaubens« sozusagen. Diese Wolke von Zeugen umgibt uns als unsere virtuellen Begleiter. Sie zeigen uns: Was dir auch zustößt, in welche Not du auch gerätst, immer ist eine/r da, der dein Schicksal teilt: You'll never walk alone ... Wir haben Abraham im Rücken, der im neuen Land mit Gott neu anfängt. Wir haben den listigen Jakob mit uns, dem Gott selbst auf Irrwegen nicht seinen Segen entzieht. Wir haben Noah als Zeugen, der zum Retter von Mensch und Tier wird. Wir haben Josef, der erst von seinen Brüdern verraten und verkauft wird und dann die ganze Familie rettet. Vor allen aber haben wir den »Zeugen der Zeugen« für Gottes Liebe schlechthin: Jesus den Christus. Mit diesem Bild vor Augen, so sieht es der Hebr, lässt sich der Anfechtung in der Gegenwart leichter begegnen, gewinnt man Ausdauer wie ein Läufer beim Wettkampf.

Doch wozu dieses Leid? Die Deutung des Hebr ist für uns Heutige eher schwer anzunehmen: »Wen der Herr liebt, den züchtigt er« – wie oft musste dieser Satz als missbräuchliche Begründung für elterliche oder im Raum der Kirche geübte Gewalt herhalten. Zur Zeit des Hebr war körperliche Gewalt so selbstverständlich wie Sklaverei. Die Vorstellung, dass auch Gott Leid als »pädagogisches Instrument« einsetzt, war für den Hebr darum nicht abwegig. Sie steht für die Überzeugung, dass gerade im Leid die Verbindung zu Gott nicht abreißt. Das einmalige Opfer Jesu, das im Zentrum der Theologie des Hebr steht, zeigt dies. Im Leiden erweist sich Jesus selbst als ein Angefochtener (Ps 22!), eben ein Hohepriester, der »in allem wie wir in Versuchung geführt worden ist, aber nicht gesündigt hat« (4,15), er hat gelitten im Vertrauen auf die Treue seines himmlischen Vaters (Hebr 5,8). Seine Auferstehung hat dieses Vertrauen bestätigt.

HANS-CHRISTIAN NEIBER

Lass uns erfahren Gott, dass du auch in größter Einsamkeit an unserer Seite bist.

Gott: näher, als es scheint

Unser Text enthält einige Anspielungen und Zitate, die uns heute vielleicht zunächst dunkel erscheinen. Lassen wir sie erst einmal beiseite und schauen auf die Mitte des Abschnittes: die Verse 22–24. Das Bild des himmlischen Jerusalem ist uns vielleicht schon aus der Offenbarung vertraut – zur Zeit des Hebr war es offensichtlich gängig. In einer Zeit der Anfechtung enthält es die Verheißung eines Raumes, der unangefochten wie eine Stadt mit Mauern und Türmen Sicherheit und Geborgenheit mit Gott in der Mitte bietet. Christinnen und Christen zur Entstehungszeit von Hebr und Offb haben sich erlebt wie Schafe unter Wölfen: eine Minderheit, kulturell, religiös und politisch abgegrenzt und angegriffen, mürbe geworden. Ihrem Glauben droht die Kraft auszugehen. In diese Situation hinein redet die Schrift von einem Gott, der die Nähe der Menschen zulässt, ja, der in ihrer Mitte wohnt – eben nicht ein Gott, der sich hinter Naturgewalten verbirgt, einen Zaun des Schreckens um sich zieht wie bei Mose am Sinai, worauf die Verse 18 bis 21 anspielen, sondern ein Gott inmitten einer festlichen Versammlung von Menschen und Engeln mit einem – im Gegensatz zur politischen Realität jener Zeit – unerschütterlichen Reich (V. 28), dessen Teil man sein darf. Wie auch in Offb 21 verheißt der Hebr einen Schutzraum, in dem alle bedrohliche Gewalt und alle Sündenverstrickung aufgehoben sind – denn das Blut Jesu ruft mächtiger als das Blut Abels (V. 24). Was für eine starke Ansage! Im Leiden Jesu, so ein zentraler Gedanke des Hebr, ist Gott den Leidenden näher gekommen als alle menschlichen Opfer, die versuchten, Gott näher zu kommen und seine Gunst zu erwirken.

Im Vertrauen auf diese verheißene Nähe gilt es, sich nicht von diesem Gott abzuwenden und dem Glauben treu zu bleiben.

HANS-CHRISTIAN NEIBER

Da wohnt ein Sehnen tief in uns, o Gott, nach dir, dich zu sehn, dir nah zu sein ... Um Frieden, um Freiheit, um Hoffnung bitten wir. In Sorge, im Schmerz – sei da, sei uns nahe, Gott.

Offenheit befreit

Der Psalm beginnt mit zwei Seligpreisungen: »Wohl dem Menschen« übersetzt Martin Luther. »Selig ist«, heißt es ursprünglich. Heute würde man sagen. »Welch' ein Glück!« Denn vom Glück erzählt der Beter dieses Psalms.

Welch' ein Glück, dass er alles, was ihn bedrückt, losgeworden ist. Er hat alles bei Gott abgeladen, was ihm Angst gemacht hat, was ihm den Schlaf geraubt hat, was ihm jede Lebensperspektive verbaut hat.

Einfach war das nicht. Er hat gekämpft, mit sich, mit Gott. Bis ihm die Augen aufgegangen sind, über sich und über Gott; bis er aufgehört hat, sein Verhalten zu begründen, zu erklären, zu entschuldigen und zu verteidigen; bis er sich dazu durchgerungen hat, sich der Wahrheit über sich zu stellen und in aller Offenheit zu dieser Wahrheit zu stehen. Es war ein hartes Ringen!

In diesem Kampf erfährt er eine ganz andere Wahrheit: Gott selber befreit von allen Trugschlüssen und nimmt weg, was belastet. Gott befreit zu der Einsicht, dass ein Neuanfang nicht durch eigene Anstrengungen zu erreichen ist. Gott selber befreit dazu, sich dem Leben und den Mitmenschen in aller Offenheit zuzuwenden.

Diese von Gott geschenkte Offenheit vertreibt das tägliche Klagen, schützt vor der alles bestimmenden Angst und vor störrischer Rechthaberei. Sie eröffnet einen weiten Raum, um mit realistischem Blick zuversichtlich nach vorne zu schauen. Überwältigt von dieser Güte Gottes, erzählt er seinen Freunden von den Erfahrungen mit der geschenkten Freiheit. Er muss sich und anderen nichts mehr vormachen. Er kann sich jetzt wieder richtig freuen. Das Leben kann neu beginnen. Welch' ein Glück! Wohl dem Menschen!

HEIMO LIEBL

Hab Lob und Ehr, hab Preis und Dank für die bisher'ge Treue, die du, o Gott, mir lebenslang bewiesen täglich neue. In mein Gedächtnis schreib ich an: Der Herr hat Großes mir getan, bis hierher mir geholfen.

Aus Liebe oder zuliebe?

Gastfreundschaft ist mir wichtig, sehr wichtig. Ich schätze es sehr, Gäste zu haben, ich brauche die Unterbrechung vom Alltag, auch um innezuhalten, zu reflektieren, Neues zu hören und mich selbst wieder auszurichten nach dem was mir wichtig ist, nach demjenigen, der über meinem Leben steht und mich geschaffen hat. Dazu hilft mir der Dialog mit Gästen, besonders mit solchen, die ganz anders leben als ich und ganz andere Werte haben. Aber manches Mal ist es doch lästig mit den Gästen, schon wieder jemand, der klingelt, schon wieder jemand, der auf der Fahrt in den Süden eine Pause braucht und gerne zum Mittagessen eingeladen werden will, schon wieder jemand, der die Hotelkosten sparen will und eine Fortbildung in der Nähe hat. Schon wieder eine, die kostenlose Lebensberatung in Anspruch nehmen will und selbst nicht zuhören kann. Betten beziehen, Handtücher richten, einkaufen, extra kochen, Termine schieben, so dass auch noch quality time bleibt für Begegnung und Gespräch. Tue ich das also aus Liebe zu meinen Gästen oder den Gästen zuliebe? Eine Frage, die sich auch in Beziehungen stellen lässt. Was tue ich aus Liebe zu dem anderen und was tue ich dem anderen zuliebe? Wenn das Verhältnis aus Liebe und zuliebe ins Wanken gerät, wenn mehr als die Hälfte zuliebe statt aus Liebe geschieht, wird es eng. Dann wird es Zeit für Besinnung auf das Wesentliche und die Frage: Was ist mir Gott, was ist mir der Nächste und was bin ich mir selbst wert? Das ging auch denen so, an die sich der Hebräerbrief richtet. Es geht um Neuausrichtung und darum, das Wesentliche an Jesus Christus und seiner Botschaft nicht zu vergessen. Bleibt in der Liebe zueinander, zu euch selbst und zu Gott! Da darf es Ungleichgewichte und Verschiebungen geben, aber wenn einer der drei ganz rausfällt, kommt das ganze Gefüge ins Wanken.

KATHARINA GARBEN

Gott, hilf mir in Liebe meinen Tag heute als Geschenk anzunehmen und zu leben.

Draußen vor dem Tor

Jesus starb draußen vor dem Tor. Er starb da, wo er gelebt hat. Draußen! Bei denen, die auf Grund ihrer Krankheit ausgegrenzt sind, bei denen, die sich einen guten Lebensstandard und gesundes Essen nicht leisten können, bei den Ungebildeten, bei denen, die keinen richtigen Job haben. Er starb draußen, bei denen, die es nicht schaffen, die religiösen und gesellschaftlichen Lebensregeln zu befolgen, die irgendwie nie richtig dazu gehören, egal was sie machen. Da können sie sich die gleichen Klamotten kaufen wie die angesagten Leute, das gleiche Auto fahren und dieselbe Musik hören und sind doch nie drin. Sie können sich anstrengen, wie sie wollen, sie sind und bleiben für immer draußen. Und oft wissen sie gar nicht warum. Es gelten offensichtlich V.I.P.-Regeln für den Erfolg, die ihnen keiner sagt. Und je mehr sie um Anerkennung ringen, desto weniger wird sie ihnen zuteil. Aber dann das: Jesus stirbt draußen vor dem Tor, er will gar nicht rein und so heiligt er alle, die immer schon draußen waren oder sich draußen fühlen. »Heiligen« – das bedeutet, die Menschen in Gottes Nähe rufen. Jesus gibt ihnen das Gefühl: Bei mir seid ihr richtig. Ihr gehört dazu, ihr seid Söhne und Töchter Gottes. Für diese Botschaft tritt Jesus mit seinem Leben ein. Er stirbt dafür, aber er kommt durch den Tod hindurch und macht den Weg frei zu Gott. Durch ihn kann es jeder wissen, dass wir Suchende sind auf der Erde, dass es gar nicht sein kann, dass ein Mensch mit allem fertig ist, alles erreicht hat, jedes Ziel unter seinen Füßen liegt, die bleibende Stadt schon erreicht hat, weil er das perfekte Leben hat und schon immer drin war. Alle bleiben Suchende und sind in der Suche nach Sinn, nach Leben, nach dem, was bleibt, aufeinander angewiesen. Aufeinander angewiesen, aber nicht ohne Hoffnung darauf, eines Tages zu finden, was sie gesucht haben.

KATHARINA GARBEN

Gott, ich bitte dich, begleite mich bei meiner Suche und heilige mich.

Gruß und Kuss

Das war es. Das ist das Ende. Der Abschluss einer langen Predigt, mit Briefmarke versehen und abgeschickt, endet an dieser Stelle. Zwar meint der Verfasser oder die Verfasserin, er und sie haben nur kurz geschrieben, aber in meinen Augen und Ohren ist das schon eine riesige Untertreibung. Immerhin umfasst sein Brief nach unserer Zählung dreizehn Kapitel. Noch einmal wird jetzt zum guten Schluss das Wesentliche auf den Punkt gebracht: Tut Gutes, lebt recht, gehorcht euren Lehrern. Seid fähig und kompetent, das Böse zu lassen und das Unsinnige und Dumme auch. Seid fähig, das Gute zu erkennen, herauszufiltern aus dem Wust aus Gut und Böse und allen Halbwahrheiten und Ambivalenzen dieser Welt. Handelt gut und meint es nicht nur gut! Seid effizient und steht anderen hilfreich bei. Oha! Das sind ganz schön hohe Anforderungen, finde ich, das ist schon eher unbequem und anstrengend, das klingt herausfordernd und irgendwie nicht nach einem Leben in der »Komfort-Zone« mit ein bisschen Glauben zur Garnierung der Feiertage. Das fordert mich schon als ganzen Menschen. Zum Glück gibt es aber auch noch eine Zusage, nicht nur Gesetz, auch Evangelium: Ihr wisst doch, dass ihr es könnt, denn Gott macht euch tüchtig dazu. Er ertüchtigt euch, er macht euch fähig. Gott ist wie ein Hirte für euch – wie ein echter Hirte, nicht wie eine romantische Krippenfigur, sondern wie einer, der Wölfe vertreiben kann und nachts draußen schläft, auch wenn es kalt ist. Der das Feuer anmacht und sich kümmert, der mich zurückholt, wenn ich im dunklen Tal verlorengegangen bin oder mich versteckt habe. Gott ist wie ein Hirte für euch. Damit kann ich leben und es immer wieder versuchen, Gutes zu tun und auf meine Lehrer im Glauben und im Leben zu achten.

KATHARINA GARBEN

Gott, du bist mein guter Hirte, führe mich auf einen guten Weg und lass mich wieder aufstehen, wenn ich hingefallen bin.

Zwischen Lebensangst und Gottesfurcht

Angst ist eine natürliche Dimension unseres Lebens. Ihr Spektrum ist weit und vielfältig. Es gibt globale Ängste, die mit Klimawandel oder Pandemien verbunden sind. Wir können persönliche Ängste aufzählen, die uns immer wieder überfallen. Jesus benennt hier die Heuchelei. Auch dahinter steckt die Angst, in einer Gemeinschaft nicht anerkannt zu werden. Sie verführt den Menschen, mehr zu scheinen als zu sein. Aus ihr wachsen dann nicht selten Hass und Gewalt gegenüber denen, die solche Heuchelei aufdecken. Wir sehen es nur allzu oft in den Medien. Und das ist dann wirklich zum Fürchten. Angst ist ein schlechter Ratgeber. Sie trübt den Blick, verengt das Herz und lässt die Hände sinken. In solchen mit Angst durchtränkten Situationen heißt es dann immer in der Bibel: Fürchtet euch nicht! Nicht, dass dann die Ängste einfach verschwinden. Aber es wachsen Gegenkräfte, die einen klugen und beherzten Umgang mit der Angst ermöglichen. Den Lebensängsten stellt Jesus die Gottesfurcht gegenüber. Hinter diesem Zuspruch »Fürchte dich nicht« steht Gott selbst mit seiner grenzenlosen Liebe zu uns Menschen. Er umschließt mit seiner Liebe unser Leben und unsere Welt. Deshalb dürfen wir auch in allen Ängsten auf ihn vertrauen. Je mehr wir in dieser Vertrautheit mit Gott (Gottesfurcht) wachsen, desto leichter können wir mit unseren Ängsten umgehen. Weil wir bei Gott Subjekt sind, brauchen wir nicht mehr länger Objekt unserer Ängste zu sein. Wir erkennen zwar den Ernst der Lage, aber wissen auch, dass im Vertrauen auf Gott nichts hoffnungslos ist. Das gibt uns einen klaren Blick und ein weites Herz. Die Fesseln der Angst werden gesprengt und neue Kräfte in uns freigesetzt, die uns zum Handeln ermutigen. Da hat auch das Bekenntnis seinen Platz. Wer von seinen Ängsten befreit wurde, kann gar nicht anders, als davon zu erzählen, wie das geschehen ist!

BEATE STÖCKIGT

Sing, bet und geh auf Gottes Wegen, verricht das deine nur getreu und trau des Himmels reichem Segen, so wird er bei dir werden neu. Denn welcher seine Zuversicht auf Gott setzt, den verlässt er nicht.

Der Mensch denkt, Gott lenkt

Der reiche Kornbauer macht doch gar nicht so einen üblen Eindruck. Er hat nichts unrechtmäßig erworben und niemandem etwas weggenommen. Er hat nur das getan, was man von einem guten Landwirt erwartet: gearbeitet und vorgesorgt. Der reiche Kornbauer ist ein Mann, der mitten im Leben steht, einer aus unserer Mitte. Vorsorge treffen und sich dann an dem Erwirtschafteten freuen. Das ist nicht verwerflich! Und doch wird er von Gott als Narr bezeichnet. Im griechischen Urtext steht für »Narr« ein Wort, das einen Menschen beschreibt, der in seinem Denken einen wesentlichen Faktor übersehen hat. Der Kornbauer meint nämlich, seine Zukunft in der Hand zu haben, nur weil er volle Hände hat. Da liegt der Trugschluss. Im Angesicht des Todes muss er erkennen, wie wenig er über sein Leben verfügen kann. Mit diesem Gleichnis will uns Jesus einen Spiegel vorhalten. Wenn wir in diesen Spiegel hineinsehen, dann werden wir feststellen, dass wir dem reichen Kornbauern in seinem Streben nach absoluter Sicherheit und perfekter Lebensplanung sehr ähneln. Wie er machen auch wir unsere Pläne oft ohne Gott. Wie er erkennen wir oft nicht, dass unser Leben mit allem, was dazugehört, Gabe und Geschenk Gottes sind. »Reich für sich selbst« ist der Kornbauer im Gleichnis, aber nicht »reich für Gott«. »Reich für Gott« sind wir dann, wenn wir Gottes Reich suchen, wenn wir seine Nähe suchen im Gebet und im Gottesdienst, wenn wir ganz im Vertrauen auf Gott leben, der uns unser Leben schenkt und erhält. »Trachtet zuerst nach dem Reich Gottes ... so wird euch solches alles (was ihr zum Leben braucht) zufallen.« (Mt 6,33) Erst wenn wir begreifen, wie wenig unsere eigene Leistung unser Leben garantiert und wie sehr wir im Leben von dem abhängig sind, was uns geschenkt ist, können wir das, was wir haben, dankbar genießen. Und mehr noch: Wir werden bereit, es mit anderen zu teilen. Aus Dankbarkeit wachsen Zufriedenheit und Barmherzigkeit.

BEATE STÖCKIGT

Herr, schenke mir eine dankbare Zufriedenheit für das, was ich habe, und lass mich davon etwas abgeben an die, die weniger haben als ich.

Falsches und rechtes Sorgen

Der preußische König Friedrich der Große ließ sich in Potsdam ein Schloss bauen und gab ihm den französischen Namen »Sanssouci«. Das heißt übersetzt »ohne Sorge« oder »Sorgenfrei«. Dort wollte er sorgenfrei und fern der Regierungsgeschäfte seinen Alltag genießen. Wünschen wir uns nicht auch manchmal solche Orte und Zeiten, wo wir aller Sorgen ledig sind? Meist aber fängt es morgens schon an mit den kleinen Sorgen des Alltags. Bekomme ich den Bus noch? Werde ich heute alles schaffen? Ganz zu schweigen von den großen Sorgen, die manche unter uns bewegen. Werde ich wieder gesund? Wie werde ich nach dem Tod meines Ehepartners zurechtkommen? Was wird einmal aus meinen Kindern werden? Und dann die globalen Sorgen. Wie geht es mit dem Klimawandel weiter? Hat die Menschheit eine Zukunft, wenn wir weiter so wirtschaften wie bisher? Sorgen sind bedrückend und belastend. Jesu Aufruf zur Sorglosigkeit klingt da etwas weltfremd. Andererseits hat Jesus die Sorgen der Menschen auf seinem Weg durch Galiläa kennengelernt – Hunger, Durst, Armut, Krankheit, Tod. Wie kann er da so reden? Ganz sicher will er nicht, dass wir die Hände in den Schoß legen und uns um nichts mehr kümmern. Er zeichnet vielmehr ein Gegenbild von einem Leben, wo Menschen sich von ihren Sorgen gefangen nehmen lassen. Diese Art von Sorge kann Letztes nicht von Vorletztem unterscheiden. Sie verliert das Wesentliche im Leben aus dem Blick. Wir tun viel, um unser Leben zu sichern, aber wir haben keine Sicherheit, dass unser Leben bewahrt bleibt. Es gibt einen Unterschied zwischen Sicherheit und Gewissheit. Sicherheit ist Menschenwerk, aber Gewissheit ist ein Geschenk des Glaubens. Sie wächst im Vertrauen auf Gottes Fürsorge. Das will Jesus uns sagen: Ihr seid in guten Händen, deshalb müsst ihr nicht mehr alles selbst in die Hand nehmen. Eine solche Zuversicht schenkt die nötige Gelassenheit im Umgang mit unseren Sorgen.

BEATE STÖCKIGT

Herr, befreie mich von falschem Sorgen, das ein Zeichen meines Kleinglaubens ist. Lass mich dankbar alles aus deiner Hand nehmen und deiner Fürsorge gewiss sein.

Still werden

Nachdem er die Predigt beendete hatte, war der Pastor einfach still. Vermutlich waren es nur zwei bis drei Minuten, in denen weder geredet noch gesungen noch auf Musik gelauscht wurde. Ich hörte die Geräusche, die von außen in den Gottesdienstraum drangen. Und es ging mir vieles durch den Kopf, nicht nur in Bezug auf die Predigt. Sogar im Gottesdienst fällt es mir schwer, innerlich zur Ruhe zu kommen. Der Beter des 62. Psalms hatte wohl viele Gründe, aufgewühlt und hektisch nach Hilfe zu suchen. Er hatte Feinde, die ihm bös mitspielten und denen vermutlich jedes Mittel recht war, um ihm zu schaden. In seiner Bedrängnis suchte er den Tempel oder eine Gebetsstätte auf. In einem heiligen Raum konnten ihm seine Feinde nichts anhaben. Dort hielt er inne und erinnerte sich selbst daran: »Nur zu Jahwe hin wird still meine Seele; von ihm kommt mir Hilfe!« So übersetzt der Alttestamentler Hans-Joachim Kraus Vers 2 des Psalms. Das kleine Wörtlein »nur« ist in vielen deutschsprachigen Übersetzungen nicht zu finden. Es gibt mir zu denken. Der Beter konzentriert sich also ganz auf Gott. Von ihm allein erwartet er Hilfe. Zu einem solch festen Vertrauen lädt er auch seine Mitmenschen ein. Schutz und Gnade sind bei Gott allein zu finden, davon ist der Beter überzeugt. Vertrauen fällt schwer, gerade in unruhigen Zeiten, wenn uns Unrecht geschieht oder wenn wir keinen Ausweg sehen. Ob wir im Gespräch mit Gott zu einem solchen »nur zu dir hin wird meine Seele still« durchdringen? Die innere Unruhe wird zunächst lauter, wenn wir aufhören, uns krampfhaft selbst zu retten. Diese Unruhe darf Teil unseres Betens sein. Gott hört auf das, was uns umtreibt. Nach und nach überlassen wir uns Gott. So wächst uns Hoffnung zu für das, was vor uns liegt.

ROSEMARIE WENNER

Gott, in Jesu Namen suche ich deine Nähe. Dir allein will ich vertrauen und dich fürchten und lieben. Wehre meinen Ängsten. Leite meine Schritte. Lass mich tun, was dir gefällt.

Überraschung

Auf einmal ist er da. Auf der Autobahn, beim Shoppen, beim Gebet, in der Sauna, in der Straßenbahn, bei der Arbeit und selbst in einem langweiligen Gottesdienst. Auf einmal ist Jesus bei uns. Zeit und Ort sucht er aus. Wir müssen einfach nur wach sein, offene Augen und wache Herzen für sein Kommen haben.

Jesus ermahnt seine Jünger dazu, jederzeit mit seinem Kommen zu rechnen. »Denn der Menschensohn kommt zu einer Stunde, in der ihr es nicht erwartet.« (V. 40)

Hier klingt die Vorstellung der Wiederkunft Christi an. Auch sie geschieht, wenn wir nicht mit ihr rechnen. Viel wichtiger aber ist es, für die vielen kleinen Wiederkünfte Jesu in unser Leben bereit zu sein. Immer wieder will er in unser Leben treten, nur um bei uns zu sein. Oder rechnen wir gar nicht mehr mit seinem Kommen, mit seiner wirklichen Gegenwart in unserem Leben?

Jesus kommt zu uns zu Zeiten, in denen wir gar nicht mit ihm rechnen. Er kommt, wann und wo er will. Manchmal sind das altbekannte Orte und Zeiten, wie bei der Lektüre der Bibel, beim Hören der Predigt und beim Feiern der Eucharistie. Aber oft überrascht er uns. Er kommt, wenn wir vielleicht am wenigsten mit ihm rechnen.

Und was geschieht, wenn er kommt? Er, Jesus Christus, »wird sich gürten, sie am Tisch Platz nehmen lassen und sie der Reihe nach bedienen.« (V. 37) Wenn er kommt, wird der Herr unser Diener, um unser Leben zu erfüllen. Deswegen lohnt es sich, für sein Kommen wach zu bleiben.

Schwierig bleibt am Ende die Androhung von Schlägen. (V. 47f.) Hier geht es um die Verantwortung, die Gott zusammen mit seinen Charismen schenkt. Wer von Gott etwas bekommen hat – gemeint sind vor allem die Trägerinnen und Träger eines kirchlichen Amtes –, soll damit verantwortungsvoll umgehen. Auch im kirchlichen Dienst darf und soll mit seiner Gegenwart gerechnet werden.

FRANK EWERSZUMRODE OP

Gott, unser Vater, immer wieder trittst du in unser Leben, weil du ein menschenfreundlicher Gott bist. Öffne unsere Herzen, damit wir dein Kommen erkennen. Dank sei dir für deine Nähe, die du uns immer wieder schenkst.

Troublemaker

Jesus bringt alles durcheinander, er ist kein Traumschwiegersohn. Er bringt manches durcheinander und auch manchen Menschen gegen sich. Nicht jedem passt Jesu Evangelium. Daran scheiden sich die Geister, damals zur Zeit des Lukas und auch heute.

Jesus sieht seine Mission darin, Feuer auf die Erde zu werfen. Im damaligen apokalyptischen Denken ist damit das große Weltgericht gemeint, mit dem sich Gottes gute Welt endgültig durchsetzt. Als Menschen, die nach Pfingsten an Jesus Christus glauben, glauben wir, dass dieses Feuer am Pfingsttag auf die Welt gekommen ist. Es ist der Heilige Geist, der in Feuerzungen auf die Jünger herabkommt. Dieses Feuer soll in jedem Menschen brennen.

Dort wo es brennt, werden Menschen anders leben. Sie wissen sich selbst von Gott geliebt. Deshalb können sie in jedem Menschen Gottes Ebenbild erkennen, das zu lieben sie aufgerufen sind. In der Kraft des Geistes werden sie für Schwache und Ausgegrenzte, für Fremde und Heimatlose, für Kranke und Arme eintreten. Gerade dann kann es aber geschehen, dass »fünf Menschen im gleichen Haus in Zwietracht leben« (V. 52). So wird auch der Geist zum Troublemaker, und zwar zum Heil aller Menschen.

Wer sich von Gottes Geist erfüllen lässt und Gottes Menschenfreundlichkeit konsequent lebt, wer der Kraft von Gottes Reich mehr vertraut als der Logik des Was-auch-immer-first, der trifft gerade in unseren Tagen auf Widerstand. So kommt es zu Zwietracht um des Reiches Gottes Willen. Gottes Geist aber macht uns stark. Er hilft uns, mutig, engagiert und auch fröhlich bei Jesus Christus und bei Gottes Liebe zu ausnahmslos allen Menschen zu bleiben, denn er ist unsere Kraft.

FRANK EWERSZUMRODE OP

Himmlischer König, du Tröster, du Geist der Wahrheit, Hort der Güter und Spender des Lebens, der du überall bist und alles erfüllst! Komm und nimm Wohnung in uns und reinige uns von allem Makel und rette, Gütiger, unsere Seelen.

Kairos

Wenn die Blätter bunt werden, wird es Herbst. Wenn die erste Weihnachtsdeko – natürlich viel zu früh – herausgeholt wird, dann nahen die Feiertage. Und wenn mich auf einmal ein Wort der Bibel völlig aus der Bahn wirft oder mitten ins Herz trifft?

Jesus weist den Gesprächspartnern ihre Beschränkheit auf. Die Phänomene des Himmels können sie deuten. Sie sind aber blind für das, was Gott in ihrer Gegenwart bewirkt. Sie sehen nicht, dass Gott in Jesus seine Verheißungen für die Menschen erfüllt. Sie haben keine Augen für den kairos.

Kairos ist das griechische Wort, das in V. 56 steht. Von der Einheitsübersetzung wird es mit »diese Zeit der Entscheidung« und von der Lutherbibel einfach nur mit »diese Zeit« übersetzt. Beides passt nicht so wirklich. Kairos meint im Griechischen »den rechten Zeitpunkt«. Das ist etwas ganz anderes als die Zeit, die einfach vergeht. Der kairos ist der Augenblick, in dem Gott etwas Entscheidendes macht oder bewirkt. Der kairos ist der Moment, in dem Gott etwas ganz Konkretes für uns macht. Jeder kairos ist einmalig. Deswegen kann man ihn auch verpassen.

Der Gott, den Jesus verkündet, hat sich nicht aus unserer Welt verabschiedet. Er ist immer noch am Werk, Gott sei Dank! Er handelt nicht mit großen Zeichen und Wundern, sondern oft verborgen, leise und still, aber mit großer Wirkung, wenn wir es denn bemerken und zulassen. Es passiert dann, wenn ein Wort uns nicht mehr loslässt, wenn ein Mensch unsere Hilfe braucht, wenn Vergebung gefragt ist oder wenn eine innere Unruhe uns zum Gebet treibt. Das ist unser kairos. Das ist unsere Chance, weil Gott vor der Tür steht. Verpassen wir ihn nicht und lassen sein gutes, heilbringendes und heilendes Werk an und für uns geschehen.

FRANK EWERSZUMRODE OP

Gepriesen bist du unser Gott, unser Begleiter und Weggefährte! Du bist der »Ich bin, der ich bin«. Du gehst an unserer Seite. Wir danken dir für deine Nähe. Schenke uns einen wachen Geist und ein offenes Herz, damit wir erkennen, wenn du uns rufst, sendest und stärkst. Dank und Lob sei dir, du Gott der Menschen!

Buß-fertig

Es tut uns ja sehr leid, dass unserem Freund so ein Unglück passieren musste, er selber hatte doch gar keine Schuld an dem Unfall. Die Sturmböe kam so unvermittelt, sein Auto wurde geradezu von der Straße gefegt! Aber warum trifft es gerade ihn? So fragen wir uns und kommen ins Grübeln. Irgendwie und irgendwann muss er sich doch verkehrt verhalten haben. Und überhaupt – sein Lebensstil ist ja nicht der beste. Ist das vielleicht ein Fingerzeig von oben? Eine Strafe, die musste ja mal kommen. Wie oft ertappen wir uns dabei, solche Gedanken im Geheimen zu erwägen, wir selber sind ja nicht betroffen.

Ein zweites. Zwar haben wir keinen Feigenbaum in unserem Garten, aber ein alter Baum mit besonderen Äpfeln unserer Landschaft macht uns seit Jahren Sorgen. Die gut gemeinten Beratungen unserer Freunde halfen bis jetzt nichts. Jahr um Jahr trägt er weniger Früchte. Sollen wir ihn doch absägen? Schließlich nimmt er ja durch seinen Blätterschatten den Pflanzen rund umher die Sonne, die sie zum Gedeihen gebrauchen. Nun hat er eine besondere Baumpflege erhalten, diese Fürsorge muss doch wirken! Und wenn wieder nur ein paar schrumpelige Äpfel herunterfallen? – Wie aber passen die zwei Texte zusammen? Beide Abschnitte sind wie zwei Fäden, die zusammengebunden einen Gedanken ergeben. Schuld und Buße, diese Worte lösen bei vielen von uns oft Unbehagen aus. Wann und wie oft werde ich schuldig? Buße tun verlangt so viel von mir. Durch Jesu Worte spricht Gott zu uns, »verändert euer Verhalten«. Wir können uns öffnen und Gottes Wirken in unserem Leben wieder mehr Raum geben; dann können wir auch befreit singen

SIEGHILDE VON HOERSCHELMANN

Schaffe in mir, Gott, ein reines Herze und gib mir einen neuen, gewissen Geist. Verwirf mich nicht, verwirf mich nicht von deinem Angesicht, von deinem Angesicht und nimm deinen Heiligen Geist nicht von mir.

Ist Ordnung alles?

Was bewegt diese Frau, in die Synagoge zu gehen, sie muss doch wissen, dass sie nicht gerade willkommen ist! Frauen, wenn sie sich überhaupt in eine Synagoge wagten, hielten sich im Hintergrund. Es waren zumeist Männer, die sich dort trafen zu Austausch und Auslegung der alten Schriften, die Jesus ihnen an diesem Sabbat auslegte. Aber gerade diese kümmerliche kleine Frau dort hinten wird von Jesus wahrgenommen. Er erkennt ihr großes Leiden und ruft sie zu sich. Sie selber hätte es wohl nie gewagt, sich Jesus zu nähern und um Hilfe zu erbitten. Sie humpelt durch die Gruppe der Männer zu Jesus. Durch die Berührung seiner Hände löst sich die Verkrüppelung, ihr gebeugter Rücken richtet sich auf, sie kann aufrecht stehen und frei gehen. Wie herrlich klingt ihr dankbarer Lobgesang durch die Synagoge!

Ein Ärgernis für den Leiter der Synagoge. Dieser Jesus missachtet mehrmals die wohlgehüteten Vorschriften, die die Schriftgelehrten einst festgelegt hatten. Zuerst heilt er am Sabbat, da es doch geboten war, nach sechs Arbeitstagen einen Ruhetag einzuhalten, alle Tätigkeiten zu vermeiden. Er aber legt noch dieser unscheinbaren und kranken Frau die Hände auf, erlöst sie von ihrem quälenden Leiden, das ist nun wirklich nicht am Sabbat angebracht. Seinen Unwillen Jesus gegenüber kleidet der Leiter in Ermahnungen an die versammelte Synagogengemeinde, den Sabbat zu heiligen. Doch Jesus nimmt diese Heuchelei auf und beschämt sie, indem er den Schriftgelehrten ihren engstirnigen Umgang mit der Ordnung aufzeigt. Wie tröstlich: Die Menschen, die dies alles miterlebt haben, erkennen die segnende Kraft Jesu. So hat dieser Abschnitt für mich in seinem letzten Satz ein versöhnliches Ende.

SIEGHILDE VON HOERSCHELMANN

Ich danke dir von Herzensgrund und tue deinen Namen kund vor allem Volk in der Gemeind, die sich zu deinem Lob vereint.

Grenzenlos

Der Begriff Reich ist in unserer Zeit normalerweise fest umgrenzt. In den Grenzen eines Reiches lebt das Volk, das sich zu einer Nation bekennt. Meistens unterscheidet es sich durch Sprache und Regierungsform von den Menschen auf der anderen Seite der Staatsgrenze. In unserem Text erleben wir ein vollkommen anderes, neues Reich; es kennt keine Grenzen, Völker und Nationen sind nicht voneinander getrennt. In unserem Garten blüht jedes Frühjahr die Akelei in wunderschönen Farben, und ihre winzig kleinen Samen werden durch den Wind verteilt, sodass im nächsten Jahr überall in den Beeten und an der Hausmauer ihre Blüten in vielen Farben erstrahlen. Nur wenn wir sie ausreißen, weil sie unsere Gartenordnung stört, verkümmert diese Pracht.

Vor Jahren gab es in unserem Freundeskreis den »Hermann«. Es war eine Art Sauerteig, den eine von uns, nachdem sie etwas vom Teig zum Backen abgenommen hatte, einer anderen weitergeben musste. Diese verfuhr nach gleicher Art, immer wurde von dem durchsäuerten Teig etwas abgenommen und weitergegeben; die Kette sollte nicht unterbrochen werden. So wurden aus einer kleinen Schüssel Teig überall bei den Nachbarn und Freunden Brote und Kuchen gebacken.

In beiden Gleichnissen zeigt uns Jesus ein anderes, neues Reich, wie wir es selber gestalten und weiterleben sollen, ohne Grenzen und verwirrende Sprachen. Ich selber habe erlebt, wie Gottes Reich sich ausbreitet über Länder und Meere hinweg. Menschen lassen sich rufen und ausbilden, um durch Gottes Wort und Taten der Nächstenliebe das Evangelium von Jesus Christus in viele Länder zu bringen. So breitet sich das Reich Gottes über alle nationalen Grenzen hinweg aus und kann nicht aufgehalten werden.

SIEGHILDE VON HOERSCHELMANN

Mach in mir deinem Geiste Raum, dass ich dir werd ein guter Baum, und lass mich Wurzel treiben. Verleihe, dass zu deinem Ruhm ich deines Gartens schöne Blum und Pflanze möge bleiben, und Pflanze möge bleiben.

Einsichten

Psalm 19 vermittelt uns unterschiedliche Perspektiven auf die Welt und das eigene Leben. Wir blicken zunächst ins Universum. Im Weltbild des Psalmbeters wölbt sich das Himmelszelt über der Erde, die Sonne bestimmt den Lauf der Tage, der Mond und die Sterne geben nachts Orientierung. Heute wissen wir, dass die Erde um die Sonne kreist und dass die Sonne Teil des Milchstraßensystems mit Milliarden von Sternen ist. Menschen haben das Universum erforscht und entdecken ständig Neues. Groß und wunderbar ist das, was wir am Himmel sehen und was wir darüber hinaus wissen oder auch nur erahnen. Der Beter des Psalms 19 sagt: Das Universum zeugt von der Herrlichkeit Gottes und die Erde kündet von Gottes Schöpfungswerk. Hören wir auf diese Botschaften? Dann wechselt der Beter die Blickrichtung und spricht von der Thora mit ihrem Zuspruch und ihren Regeln. In ihr teilt sich Gott uns Menschen mit, denn Gott will, dass unser Leben gelingt. Herrlich ist auch die Thora, vollkommen, gut, richtungsweisend, rein und klar. Wer Orientierung sucht, wird sie in Gottes Weisungen finden. Zum Schluss spricht der Beter von sich. Er will zu denen gehören, die sich von der Thora den Weg zu einem glücklichen, erfüllten Leben weisen lassen. Doch er weiß auch um seine Versäumnisse. So, wie er ist, wendet er sich Gott zu und vertraut sich seiner Güte an. Wer sein Leben von Gott her und auf Gott hin denkt, staunt über die Wunder der Schöpfung, sieht sich eingebunden in Gottes gutes Handeln und findet im Wort Gottes Orientierung für das eigene Tun und Lassen. Wohl uns, wenn wir so auf die Welt blicken und uns so in Gott festmachen können.

ROSEMARIE WENNER

Dein Wort, Herr, nicht vergehet, es bleibet ewiglich, soweit der Himmel gehet, der stets beweget sich; dein Wahrheit bleibt zu aller Zeit gleichwie der Grund der Erden durch deine Hand bereit'.

Wie viele werden gerettet?

Mit dem Bild der engen Pforte und der verschlossenen Tür aus den Reden Jesu stellt der Evangelist Lukas die Brisanz der Glaubensentscheidung heraus. Jesus wird als Lehrer beschrieben, der sich den Grundsatzfragen seiner Zuhörer stellt. Wer wird gerettet? Wie viele werden ins Reich Gottes kommen? Die ernüchternde Antwort lautet: Viele werden es nicht können!

Der Grund liegt auf der Hand: Ohne beständiges Ringen, ohne Kampf bleibt die enge Pforte verschlossen. Bedingung für den Eintritt ins Reich Gottes ist das radikale Engagement für andere. Im Horizont des nahenden Gottesreiches reicht es nicht aus, tatenlos dabei zu sein. Das Bild der verschlossenen Tür verweist dramatisch darauf, dass es ein Zu-Spät gibt.

Dem Hausherrn obliegt es schließlich, eine Entscheidung zu treffen. Die Übeltäter werden zurückgewiesen. Menschen, die Unrecht tun, können im Gericht nicht bestehen. Andere, »Letzte«, werden ihre Plätze im Reich Gottes einnehmen.

Während Jesus im Lukasevangelium vielfach als Retter der Verlorenen erscheint und sich insbesondere Zöllnern und Sündern zuwendet, wird mit dem Bild der engen Pforte ein notwendiger Kontrapunkt gesetzt. Der Glaube ist in der Ethik Jesu stets verbunden mit dem radikalen Ruf in die Nachfolge. Wird dieser Ruf nicht gehört, verkommt das Evangelium zur »billigen Gnade« (Bonhoeffer). Die »Teure Gnade« weicht den Konsequenzen des Christseins nicht aus.

KLAUS EBERL

Vater im Himmel, es ist uns bezeugt in der Heiligen Schrift, dass dein Sohn Jesus Christus das eine Wort Gottes ist, das wir zu hören und dem wir im Leben und im Sterben zu vertrauen und zu gehorchen haben. Herr, wir bekennen: Der Dreischritt fällt uns schwer. Hören ist ganz einfach ohne Vertrauen. Aber was ist Hören ohne Vertrauen? Hören und Vertrauen ist ganz einfach. Aber was ist Hören und Vertrauen ohne Gehorchen? Herr, wir bitten dich: Sieh uns an in unserer ganzen Erbärmlichkeit. Und erbarme dich unser um Jesu Christi willen. Und lass uns den Dreischritt froh wagen: Hören, Vertrauen und Gehorchen.

Endstation Jerusalem

Der Evangelist Lukas macht deutlich: Endstation der Wanderungen Jesu ist Jerusalem. Alles läuft darauf zu. Aber die Stadt ist ein Ende, in dem zugleich ein Anfang wohnt. Hier findet die Heilsverheißung Israels ihre Erfüllung, hier wird Jesus gekreuzigt und auferweckt, hier empfangen die Jünger den Geist Gottes und der Weg der Kirche beginnt.

Noch ist Jesus in Galiläa, wo Herodes staatliche Obrigkeit von Roms Gnaden spielt. Herodes will Jesus töten. Ob er sich durch die Predigt Jesu und die völlig andersartige Autorität des Mannes aus Nazareth bedroht fühlt, wird von Lukas nicht näher erläutert. Ausgerechnet einige Pharisäer warnen Jesus vor seinem Feind. Aber Jesus hat keine Angst. Vielmehr schickt er die Pharisäer zu Herodes zurück. Sie sollen ihm sagen, dass Jesus seinen Weg der Zuwendung zu den Menschen gehen wird, bis er ans Ziel kommt. Davon lässt er sich nicht abbringen.

Jesus bringt der Welt Heil und Heilung, um die Menschenfreundlichkeit Gottes zu leben und erlebbar zu machen. In der Bildrede von Henne, Küken und Fuchs wird das entfaltet. Die Rollen sind klar verteilt. Jesus ist die Henne, die sich vor dem schlauen Fuchs nicht fürchtet. Unter den Flügeln einer Henne können sich die Küken versammeln und Schutz und Geborgenheit suchen.

Aber genau diese Möglichkeit wird nicht wahrgenommen. Jerusalem, die Stadt des Heils, ist zugleich die Stadt, die ihre Propheten mordet. Sie verweigert sich dem Weg Jesu mit schrecklicher Konsequenz. Eine Stadt ohne Gott ist schutzlos der Zerstörung preisgegeben. Wenn hier vom »Haus« die Rede ist, spielt der Evangelist wohl auf die Zerstörung des Tempels 70 n. Chr. an. Erst im Zusammenhang mit der Wiederkunft Christi entsteht eine neue Perspektive.

KLAUS EBERL

Gott. Dass wir Schutz finden. Im Schatten deiner Flügel. Dafür danken wir dir. Der Abend sei uns gnädig. Und der Morgen erwarte uns fröhlich. Denn du machst alles neu.

Sabbat und Vernunft

Im Kern des Textes geht es um den Sabbat. Die Heilung spielt nur eine Nebenrolle. Jesus wird am Sabbat von einem der leitenden Pharisäer eingeladen. Feindseligkeit schlägt ihm entgegen. Dass ein Mensch dabei ist, der an Wassersucht leidet, wirkt wie arrangiert, um Jesus eine Falle zu stellen. Jesus lässt sich auf die Auseinandersetzung ein und stellt selbst die Grundsatzfrage: Ist es erlaubt, am Sabbat zu heilen oder nicht? Und provokativ ignoriert er die Sabbatgesetze und heilt den erkrankten Menschen.

Jesus argumentiert, indem er seinen Gegnern eine rhetorische Frage stellt. Würden sie nicht auch den eigenen Sohn oder ihren Ochsen am Sabbat aus einem Brunnen herausziehen, wenn sie hinein gefallen wären? Keine Antwort der Gegner. Sie wissen, dass Jesus eigentlich Recht hat.

Die Frage Jesu erinnert daran, dass es nötig ist, im Blick auf das Sabbatgebot vernünftig zu handeln. Es ist ein Gebot der Vernunft, dem Leben zu dienen. Ganz gleich, ob es sich um einen kranken Menschen, ein Kind in Lebensgefahr oder die Bewahrung der Schöpfung handelt. Es ist Aufgabe der Vernunft zu entscheiden, was wichtiger ist: die Einhaltung der im Prinzip guten, weil lebensdienlichen Sabbatregel oder die Rettung derer, die in Not sind. Für Jesus ist die Entscheidung eindeutig. Und den Gegnern gehen die Argumente aus.

Es fällt auf, dass in der Argumentation Jesu vom eigenen (!) Sohn bzw. eigenen (!) Ochsen die Rede ist. Es könnte sein, dass Jesus hier zugleich die Selbstbezogenheit seiner Zuhörer kritisiert. Sie sind lediglich bereit, ihr Eigentum am Sabbat zu retten. Ihre Verantwortung und ihre Liebe sind begrenzt. Jesus aber geht es im Horizont des Reiches Gottes um grenzenlose Nächstenliebe. Und diese fragt allein danach, was not-wendig ist. Nicht nach abstrakten, wirklichkeitsfernen Regeln.

KLAUS EBERL

Gott, schicke unseren Verstand in die Schule des Evangeliums. Öffne unsere Augen und lass' sie sehen das Glück jedes Tages, das Leid des Bruders, die Angst der Schwester, die Armut des Nächsten. Belebe unser Herz und erfrische unseren Verstand.

Gehöre ich dazu?

Ein Fest feiern, das klingt so einfach. Aber wer zum Beispiel eine Hochzeit plant, weiß schnell, welche Probleme sich da auftun. Die Sitzordnung für den »schönsten Tag des Lebens« birgt Fallstricke. Wer kommt an den Tisch des Brautpaares? Wo sitzen die zerstrittenen Onkel? Wer nimmt sich der dementen Oma an? Luxusprobleme unserer Tage?

Sicher nicht. Schon zu Jesu Zeiten konnten Einladungen zu Herausforderungen werden. Vor allem dann, wenn die Einladung dem Reich Gottes galt.

Jesus bemüht in seinem Gleichnis den Gast und den Gastgeber und hat für beide einen Verhaltenskodex. Als Gast sich nicht in den Vordergrund drängen, nicht nach dem Ehrenplatz schielen, sondern zurückhaltend und bescheiden sein. Denn »wer sich selbst erniedrigt, soll erhöht werden«. Als Gastgeber über sich hinauswachsen, ein Fest mit Menschen feiern, die nicht zum »inneren Kreis« gehören, ein Fest mit Menschen feiern, die damals am Rand der Gesellschaft leben.

Mit beiden Rollen habe ich so meine Schwierigkeiten. Wenn sie der Maßstab für mein Mitfeiern im Reich Gottes sind, dann bin ich mir nicht sicher, ob ich dazu gehöre. Als Gast: Sich erniedrigen, sich kleinmachen, sich verstecken – das ist nicht meins. Als Gastgeber: Nur die einladen, die anscheinend keiner will, von denen nichts zurückkommt – auch das entspricht mir nicht.

Und hier wird die Geschichte spannend. Denn Jesus hat es geschafft, wieder einmal geschafft, mich aus der Reserve zu locken, mich zu konfrontieren mit mir selbst. Und dabei entdecke ich: Es gibt so viel mehr Möglichkeiten! Leben ereignet sich in Vielfalt und Unterschiedlichkeit. Nicht alles muss mir entsprechen. Doch lasse ich ausreichend Raum für das andere? Gestehe ich Umdenken und Umkehr zu?

Bin ich mutig, in Rollen zu schlüpfen, die bisher fremd und abständig waren? Diese Konfrontation mit mir selbst nehme ich gerne an. Und hoffe darauf, dass es die berühmten kleinen Schritte sind, die zum Reich Gottes und zum Dazugehören führen.

CHRISTINE WOLF

Gott in Jesus Christus, du traust mir Veränderung zu; du machst mir Mut, neue Wege zu gehen. Danke dafür!

Der Tisch ist gedeckt

»Liebe geht durch den Magen.« Vielleicht finden sich deshalb so viele Geschichten ums gemeinsame Essen in unserer Bibel.

Abraham hört die unglaubliche Nachricht, dass er Vater wird, als er mit den drei Fremden isst. Murrende Israeliten werden in der Wüste mit Manna und Wachteln versorgt und der Psalmbeter kennt den bereiteten Tisch und den vollen Kelch.

Jesus feiert in Jerusalem die Befreiung aus Ägypten, feiert Tod und Leben mit Lammfleisch und Matzen und schließlich erkennen die Emmausjünger beim gemeinsamen Brotbrechen den Auferstandenen in ihrer Mitte.

Gottes Liebe zu uns Menschen wird am gedeckten Tisch erfahrbar. Seine Liebe lädt uns Menschen an diesen Tisch. Sein bedingungsloses JA zu seinen Geschöpfen füllt uns die Teller, seine Gerechtigkeit und sein Friede für diese Welt schmecken süß in unseren Gläsern. Seine Liebe gilt allen, am Tisch ist Platz. Es wird kein Dresscode und keine Einlassgebühr verlangt. Auch muss keiner seinen Platz durch Leistung oder Fleiß, durch Gesundheit oder Ansehen verdienen. Jede und jeder ist willkommen.

Ob ich hingehe? Bin ich bereit und in Festlaune? Lasse ich mich an diesen gedeckten Tisch einladen? Wird mir die aufgetischte Speise schmecken? Und bin ich neugierig auf die, die ebenfalls eingeladen sind? Oder habe ich Gründe, warum es gerade nicht passt ...

Wie ich mich auch entscheide, die Einladung steht. Die Einladung, Gottes Liebe zu uns Menschen zu feiern. Und wenn ich nicht zu den ersten Gästen gehöre, dann ist sicher auch später noch etwas für mich da. Darauf vertraue ich. Denn Gottes Liebe verbraucht sich nicht, im Gegenteil, sie wird mehr, wenn wir sie teilen. Gottes Liebe hat auch kein Verfallsdatum. Deshalb können auch die letzten Festgäste noch aus dem Vollen schöpfen.

»Liebe geht durch den Magen.« Und der Tisch bleibt gedeckt.

CHRISTINE WOLF

Mein Gott, auch wenn ich manchmal keinen Hunger und Durst verspüre, weiß ich doch, dass an deinem Tisch die Quelle der Liebe und des Lebens sprudelt.

Nachfolge hat ihren Preis

Nach dem Sommer, vor dem Winter, in den Schaufenstern der großen Ketten prangen sie wieder, die SALE-Plakate. Und versprechen uns die berühmten Schnäppchen. Alle zum halben Preis. Immer wieder lasse ich mich verführen und jage den guten Stücken nach.

Hinter Jesus waren sie auch alle her. Eine faszinierende Ausstrahlung muss er besessen haben. Er zog die Menschen in seinen Bann. Die Menschenschar, die ihm folgte, wurde größer und größer. Mal begegnete er ihnen liebenswürdig und zugewandt, dann aber konnte er schroff und abweisend sein. Sicher war er nicht der weichgezeichnete Heilandstyp, den später die fromme Gebrauchskunst hervorgebracht hat. Und sicher gab es ihn nicht zum halben Preis.

Ganz oder gar nicht – so seine Worte an die Menschenmenge. Wenn ihr wirklich mich meint, wenn ihr in meinem Namen unterwegs sein wollt, dann geht das nur radikal. Dann geht das an eure Wurzeln. Ihr werdet aufgeben müssen, was euch bisher ausgemacht hat. Ihr werdet euch verändern, ihr werdet euch neu erfinden. Das fordert euch. Deshalb überlegt gut, ob ihr dazu bereit seid. Prüft euch! Schaut euch ins Herz und befindet, ob ihr diesen Weg gehen könnt!

Seit dieser Zeit betreiben die Menschen Herzensschau in Jesu Namen. Fragen sich, woran sie ihr Herz hängen und ob das dann Gott sei, ihr Gott sei, dem sie ihr Leben widmen. Es werden sehr unterschiedliche Betrachtungen dabei herauskommen. Wichtig dabei wird bleiben: Bin ich bereit, mich auf meine Nachfolge ansprechen zu lassen, sie spürbar zu leben? Bin ich bereit, von mir abzusehen und auf Gott und meine Mitmenschen zu schauen? Will ich Salz sein, das würzt und das die Welt mit Nächstenliebe, Gerechtigkeit und Frieden weiterhin genießbar macht?

Mein JA wird auf alle Fälle begleitet, denn im Preis inbegriffen ist auch die Zusage: »Wo zwei oder drei in meinem Namen versammelt sind, da bin ich mitten unter ihnen.«

CHRISTINE WOLF

Mein Gott, so vieles kann ich kaufen, deine Liebe nicht. Sie ist mir geschenkt. Gib mir den Mut, dein Geschenk auszupacken.

Ein gute Wehr ...

Psalm 20 nimmt uns mit in eine andere Zeit und Welt. Israel wurde wohl von feindlichen Mächten bedroht. Angesichts dieser Gefahr fand man sich vor dem Tempel ein und betete insbesondere für den König. Ein Priester sagte dem König Gottes Hilfe zu. Schließlich mündet der Psalm in das Bekenntnis ein: »Jene verlassen sich auf Wagen und Rosse; wir aber denken an den Namen des HERRN, unsres Gottes.« Am heutigen Reformationstag erinnern sich viele Menschen an Martin Luther. Er stand für seine Glaubensüberzeugungen ein, obwohl er sich damit Feinde schaffte. Martin Luther schrieb ein Glaubenslied, das von evangelischen Gläubigen oftmals als trutziges Bekenntnis gesungen wurde: »Ein feste Burg ist unser Gott, ein gute Wehr und Waffen. Er hilft uns frei aus aller Not, die uns jetzt hat betroffen ...« Dieses Lied lädt ein, sich auch dann ganz auf Gott zu verlassen, wenn man angefeindet und bedroht wird. Eine solche Haltung fällt schwer. Entgegen mancher Beteuerungen, dass man Gott mehr zutraue als »Wagen und Rossen«, schützen sich auch Christen mit Waffen. Oft wurden diese gar eingesetzt, um durch Angriffe auf andere die eigene Macht auszubauen. Auch in den Auseinandersetzungen zwischen den Konfessionen, die dem Wirken Martin Luthers folgten, gab es Krieg und Gewalt. Allein Gott zu vertrauen, fällt uns schwer. Wir setzen gern auf eigene Kräfte. Ob Beten zur inneren und äußeren Abrüstung beitragen kann? Ich rechne damit. Denn im Gebet treten wir bewusst vor Gott und werden gewahr, dass Gott uns zum Recht verhilft und dass Gott in Christus Versöhnung stiftet. So können wir uns hineinbegeben in das »wir aber ...«. Wir, die wir Gott vertrauen, wir rechnen mit Gottes Kraft, die Leben schafft. Im Kraftraum der Liebe Gottes suchen wir das, was Leben schützt und fördert. Wir lassen uns ein auf Jesu Weg der Liebe und der Verletzlichkeit. Dieser Weg führt zu Einheit und Frieden.

ROSEMARIE WENNER

Ich befehle mich, meinen Leib und Seele und alles in deine Hände. Dein heiliger Engel sei mit mir, dass der böse Feind keine Macht an mir finde.

Ändert euren Sinn!

Zwei Gleichnisse und zwei Stolperstellen: In den Versen 7 und 9 wird von der Umkehr eines Sünders geredet (EÜ), davon, dass er Buße tut (Luther). Wenn wir den Text lesen, merken wir vielleicht, dass beide Schlussverse nicht recht zum Erzählten passen: Weder das Schaf kehrt um, noch das verlorene Geldstück. Beide werden einfach vom Hirten/ von der Hausfrau gefunden.

Oft wird das mit der Schlussredaktion des Lukas erklärt: Er passe beide Jesus-Gleichnisse an das folgende Gleichnis vom verlorenen Sohn an, Brüche in der Logik sind ihm nicht wichtig.

Wenn ich mir das Erzählte nochmals ansehe, bin ich mir nicht mehr so sicher, ob das stimmt. Zum Gleichnis gehört auch der Rahmen. Hier wird erzählt, wie sich zwei Gruppen zu Jesus verhalten: Zöllner und Sünder kommen, um ihn zu hören. Die Pharisäer und Schriftgelehrten empören sich über ihn. Ihnen erzählt Jesus die folgenden Gleichnisse, verwickelt sie in ein Geschehen. Es entstehen Fragen bei den Zuhörern: Wo bin ich im Gleichnis? Wer ist gemeint? Wie soll ich mich verhalten? Jesus lässt all diese Fragen unbeantwortet. Sicher ist aber: Das verlorene Wiedergefundene ruft Freude hervor. Sowohl der Hirte als auch die Hausfrau feiern ein Fest. So wird es auch im Himmel sein, wenn einer seinen Sinn ändert – so kann das Verb in Vers 7 und 9 auch übersetzt werden. Ob Jesus mit ganz feiner Ironie hier vielleicht sogar die Empörten meint?

Wir brauchen nicht viel zu tun. Wir dürfen uns finden lassen, es gibt einen/eine, die uns nachgeht und sucht. Die Zöllner und Sünder scheinen das verstanden zu haben. Sie kommen zu Jesus und wollen mehr hören. Und die Schriftgelehrten und Pharisäer? Ihre Antwort steht aus.

Das Fest Allerheiligen lädt – wie die Gleichnisse – ein, die eigenen Maßstäbe zu überprüfen. Vielleicht sind ja wir diejenigen, die sich in die Wüste und das Dunkel verloren haben, wenn wir andere bewerten?

BETTINA ELTROP

Guter Gott, alle Menschen sind dir heilig. Lass mich dieses Geheimnis deiner großen Liebe immer tiefer verstehen.

Wer ist eigentlich der verlorene Sohn?

Das Gleichnis bekommt oft als Überschrift »Vom verlorenen Sohn«. Meist ist der erste, der jüngere Sohn in der Erzählung gemeint. Er fordert vorzeitig seinen Erbteil, zieht in die Ferne, verschleudert sein Vermögen und kehrt schließlich reumütig zurück. Verlorengegangen, Sinn geändert und wieder daheim – so könnte man seinen äußeren und inneren Weg umschreiben.

Es gibt aber noch einen zweiten Sohn im Gleichnis. Er tritt später auf und nimmt weniger Raum in der Erzählung ein, prägt dafür den Schluss. Er ist der Ältere, der in den altorientalischen Gesellschaften in der Rangfolge gleich nach dem Vater kommt, der eigentliche Erbe (s. V. 31). Im Gegensatz zum jüngeren Sohn ist er beim Vater geblieben und hat zuverlässig gearbeitet. Als der jüngere Bruder zurückkehrt und ein Fest für ihn ausgerichtet wird, platzt ihm der Kragen: »Da wurde er zornig und wollte nicht hineingehen.« (V. 28) Der ältere Sohn steht draußen vor dem Haus, wo das Fest schon im Gang ist, und kann nicht teilnehmen. Was jetzt?

Ähnlich wie beim jüngeren Sohn wird der Vater initiativ: Er läuft hinaus zu seinem Kind und redet ihm gut zu. Doch er bekommt nur Vorwürfe zu hören. Abermals redet der Vater liebevoll. Und dann?

Das Gleichnis endet mit einem offenen Schluss. Wir erfahren nicht, wie sich der ältere Sohn entscheidet. Folgt er der Einladung des Vaters? Hört er den fragend-bittenden Ton? Oder wählt er den Platz draußen vor der Tür?

Wenn wir uns die Frage stellen, wer von beiden Söhnen im Gleichnis der verlorene Sohn ist, dann sind wir auf der richtigen Fährte. Denn auch für dieses Gleichnis gilt der Rahmen in 15,1–2. Und so stellt sich am Ende des Kapitels die Frage: Wer sind die eigentlich Verlorenen? Die Zöllner und Sünder? Oder die, die nicht mitfeiern und nicht mitessen wollen? Die sich nah beim Vater wähnen, es innerlich aber nicht sind? Und auch uns gilt die Frage: Welche Parallelen in meinem Leben fallen mir zu all dem ein? Welche Antwort gebe ich auf das Gleichnis?

BETTINA ELTROP

Gott, du mütterlicher Vater. Danke für deine immer wieder neue Einladung und wertschätzende Liebe, dein Zugehen auf mich.

Das Gleichnis vom Verwalter der Ungerechtigkeit

Das Gleichnis ist einer der explosivsten Texte des Lukasevangeliums in Sachen Ökonomie, Ausbeutung, Ungerechtigkeit und Reichtum. Es verursacht oft Missverständnisse und Fragen wie: Worum geht es beim Teilerlass der Schulden? Wie kann Jesus betrügerisches Handeln loben?

Der Schlüssel zum Verständnis liegt bei der richtigen Übersetzung von Vers 8: »… und der Herr lobte den ungerechten Verwalter, weil er klug gehandelt hatte.« So übersetzen EÜ und Luther. Wörtlich übersetzt heißt es: »und der Herr lobte den Verwalter der Ungerechtigkeit …« Das klingt schon anders. Der Verwalter scheint Teil eines ungerechten Systems zu sein. Was muss man sich da genau vorstellen?

Ein antiker Verwalter hatte freie Hand beim Wirtschaften. Er konnte z.B. die Höhe von Zinsen bestimmen. Bemerkenswert am Gleichnis ist, dass die Beträge einen gängigen jährlichen (Wucher-)Zinssatz inklusive Versicherung für geborgten Weizen und Öl darstellen. Weizen wurde mit 25 % Zinsen, Öl sogar noch höher in Rechnung gestellt, da es schneller verdarb.

Diese Praxis gerät für Juden in Konflikt mit den Gesetzen in der Tora: Diese verbieten jüdischen Geld- und Warenverleihern, von ihren Glaubensgenossen Zinsen zu verlangen: »Wenn du Geld verleihst an einen aus meinem Volk, an einen Armen neben dir, so sollst du an ihm nicht wie ein Wucherer handeln; ihr sollt keinerlei Zinsen von ihm nehmen.« (Ex 22,24 u. ö.)

Die erlassenen Beträge im Gleichnis lassen sich als Wucher beschreiben. Solche Zinsen machen Arme ärmer und Reiche reicher. Wenn wir das Gleichnis vor dem Hintergrund der alttestamentlichen Gottesgebote lesen, dann erzählt es die Abkehr des Verwalters von den Gesetzen des ungerechten Reichtums und seine Hinwendung zu den Gesetzen Gottes. Darum lobt Jesus den »klugen« Verwalter: Er handelt in der Perspektive Gottes, die zu Großzügigkeit, Verzicht auf Eigennutz und ungerechte Geldwirtschaft anhalten will. Solch ein Handeln beschenkt alle.

BETTINA ELTROP

Gott, ich gehe mit offenen Augen durch den Tag: Wo bin ich Teil des ungerechten Systems? Wie kann ich zu einer gerechteren Welt beitragen?

Geld regiert die Welt?!

Unser heutiger Leseabschnitt bietet weitere Folgerungen aus dem Gleichnis vom »ungerechten Verwalter«. Er steht damit auch unter der Frage, wie die mit Jesus hereinbrechende Herrschaft Gottes und der Umgang mit den zeitlichen Gütern zusammenhängen.

Dabei verweist Jesus zunächst auf sehr praktische Lebenserfahrung. Als Eltern haben wir unseren heranwachsenden Kindern kleine Aufgaben mit überschaubarer Verantwortung gegeben, so zum Beispiel kleinere Einkäufe. Hatten sie diese gut bewältigt, haben wir ihnen mehr Verantwortung übertragen. Auch in der Gemeindearbeit habe ich junge Menschen oft über kleine Aufgaben an die Mitarbeit herangeführt. Waren sie darin engagiert, dann waren sie es auch immer, so meine Erfahrung, in weitergehender Verantwortung.

Jesu Sätze sind aber noch grundsätzlicher. Er sieht unser ganzes Leben unter dieser Frage, ob wir mit den uns anvertrauten Gütern verantwortlich umgehen. Dazu zählt sicher alles Materielle, aber darüber hinaus auch die Fähigkeiten, die in uns liegen, und die Möglichkeiten, die sich uns eröffnen. Dazu hat er später das Gleichnis von den anvertrauten Talenten erzählt (Lk 19,12–26). Alles das ist fremdes Gut, uns nur anvertraut und nicht unser Eigentum. Das, was uns zu eigen sein, zu eigen werden soll, ist die Teilhabe an der Herrschaft Gottes.

Am Ende spitzt Jesus zu auf die Frage, welchem Herrn wir dienen wollen. Es ist für ihn keine Frage, ob wir Menschen nicht auch ohne einen Herrn, also frei sein könnten. Sind Menschen auf die Herrschaft Gottes ausgerichtet, sind Gottes Maßstäbe bestimmend in ihrem Leben, oder lassen sie sich von den materiellen Gütern und den Gesetzen des Marktes leiten? Geld regiert die Welt, aber wer beherrscht das Geld? Jesus fordert zu einem kritischen Umgang vor allem auch mit den materiellen Gütern auf. Eine bleibende Herausforderung, im Kleinen wie im Großen!

DIRK ZIMMER

Guter Gott, du hast uns diese Schöpfung und unser Leben anvertraut. Es ist nicht leicht, verantwortlich in deinem Sinne zu leben. Hilf uns, deinen Willen zu erkennen und zu tun.

Es kommt auf die Beziehung an

Kein freundlicher Kommentar, den der Evangelist Lukas zu den Pharisäern abgibt. Dass sie in den Evangelien überwiegend schlecht wegkommen und dass uns viele kritische Worte Jesu über die Pharisäer oder zu ihnen gesprochen erzählt werden, das hat einen guten Grund. Stehen doch auch Christen immer wieder in der Gefahr, sich ähnlich zu verhalten. So brandmarkt Jesus hier, dass sie selbstgerecht sind und zugleich glauben, dass ihr Reichtum, ihre vermeintliche Wohlanständigkeit und ihr Ansehen bei den Menschen ihre Nähe zu Gott unter Beweis stellen. Sie vergessen dabei, dass Gott jedem Menschen ins Herz schaut; wer sich selbst überschätzt, braucht Gott nicht.

Die Pharisäer bauten dabei ganz auf die 613 Ge- und Verbote der Thora und dass diese, inklusive der von ihnen zusätzlich eingeführten Regeln, minutiös einzuhalten sind. Jesus zerschlägt ihnen ihr System mit diesem einen Satz, dass die Zeit des Gesetzes mit Johannes dem Täufer zu Ende war. Er hat damit begonnen und Jesus dies fortgesetzt, die gute Nachricht vom Reich Gottes zu verkünden. In dieses Reich kann man aber nicht aus eigener Kraft kommen, so sehr man sich auch bemüht. Zum Reich Gottes erhält Zutritt, wer Gott vertraut und ihm die Herrschaft in seinem Leben überlässt.

Doch zugleich wehrt Jesus den Gedanken ab, dass das Alte Testament überflüssig sei. Die Ge- und Verbote machen konkret, wie Menschen ihr Leben gestalten können, wenn sie Gott vertrauen. Als Beispiel führt Jesus den Umgang der Männer mit Frauen an. Diskutiert wurde damals von den Schriftgelehrten allein, aus welchem Grund ein Mann sich scheiden lassen durfte. Dass Jesus gerade dieses Gebot hier anführt, hat seine Ursache wohl darin, dass Frauen nach den Gesetzen der Zeit als Besitz galten. Jesus macht deutlich: Wesentlich sind respekt- und liebevolle Beziehungen – zum Partner, zum Mitmenschen und zu Gott! Auch sie sind bleibende Herausforderungen

DIRK ZIMMER

Danke, Jesus Christus, dass du uns liebst, wie wir sind. Hilf uns, dir zu vertrauen und den Vater im Himmel zu ehren. Lehre uns, Geist Gottes, liebevoll miteinander umzugehen.

Der Glaube – eine bleibende Herausforderung

Jesus erzählt eine Beispielgeschichte von irgendeinem Reichen. Er wird näher identifiziert dadurch, dass ein Armer namens Lazarus vor seiner Tür liegt. Dieser Name ist Programm: Gott hilft. Er ist völlig hilflos und hat keinen Menschen, der ihm hilft. Auch nicht der reiche Mann, der geradezu karikiert wird: Er tut nichts, tagaus, tagein, als in seinem Reichtum zu schwelgen, während Lazarus nicht nur hungert, sondern auch schwer krank und nackt daliegt.

Beide sterben am gleichen Tag. Da verkehren sich die Verhältnisse: Der Arme erlebt paradiesische Zustände, der Reiche leidet. Ausgleichende Gerechtigkeit, so könnte man denken. Doch ich glaube, Jesus wollte mehr damit sagen. Im Anschluss an das Gleichnis am Anfang des Kapitels 16 fordert er als Frucht einer Umkehr zu Gott dazu auf, mit den materiellen Gütern Gutes zu tun. Beides, Umkehr und Gutes tun, ist möglich, so lange wir leben. Die Frucht fehlte bei dem reichen Mann. Er blieb ganz bei sich, bleibt es selbst in dieser neuen Situation: Der Arme, der vor seiner Tür gelegen hatte und von ihm keinerlei Hilfe erfuhr, er soll ihm jetzt sein Leid lindern. Und auf die ablehnende Erklärung Abrahams sorgt er sich nur um seine fünf Brüder. Wie sehr Reichtum Menschen an der Umkehr zu Gott hindern kann, drückt Jesus kurze Zeit später nach seiner Begegnung mit einer reichen Führungspersönlichkeit mit einem Bildwort so aus (18,25): Es ist leichter, dass ein Kamel durch ein Nadelöhr gehe, als dass ein Reicher in das Reich Gottes komme.

Doch Umkehr ist möglich. Das Wort Gottes kann den Menschen zum Glauben aus Freiheit überwinden. Doch dass selbst die Auferstehung Jesu Umkehr und Glauben nicht zu einem Selbstläufer gemacht haben, musste und muss die Gemeinde Jesu Christi bis heute erfahren. Der Glaube ist eine – bleibende – Herausforderung.

DIRK ZIMMER

Gott, es gibt so vieles, was uns davon abhalten kann, dir zu vertrauen. Dabei hat dein Sohn dich uns als Vater gezeigt, und dein Wort kann durch deinen Geist unsere Herzen berühren.

Krone richten

Ein König singt dieses Lied. Jemand mit Geld und Macht, vielleicht mit einem Schloss, prachtvoller Kleidung und vielen Bediensteten, die die alltäglichen Arbeiten übernehmen. Ist so ein König oder eine Königin gütig, großzügig und weise und lässt sich nicht zu Machtmissbrauch verführen, genießt er bzw. sie großes Ansehen.

Stellen Sie sich vor, SIE wären der König aus dem Psalm. Oder die Königin. Sie sind glücklich. So vieles ist Ihnen gelungen! Sie danken Gott dafür, singen ihm ein Loblied. Sie sprechen von sich in der 3. Person. »Der König freut sich an deiner Macht!« »Du kommst der Königin entgegen mit Segen und Glück, du setzt auf ihr Haupt eine goldene Krone.« Sogar Gegner oder Gegnerinnen können Ihnen nichts antun. Sie wurden vertrieben und kommen nicht zurück. Alles Gute, das Ihnen geschehen ist, führen Sie auf Gott zurück. Denn Sie sind nicht nur eine glückliche Königin oder ein glücklicher König, sondern auch ein gläubiger Mensch.

Vielleicht ist es ungewohnt, sich in solch eine königliche Rolle zu versetzen. Wer ist schon König oder Königin? Wer hat schon Macht und Einfluss? Auch passt die Idee einer Monarchie nur schwer zusammen mit unserem Ideal von Demokratie.

Gott wird König genannt und auch Jesus Christus. Aber Gottes Königreich ist anders. Da sitzen die Niedrigen auf dem Thron und alles Leid hat ein Ende. Das Großartige ist: Als Getaufte sind wir alle Könige und Königinnen. Im letzten Buch des Neuen Testaments heißt es »Christus hat uns zu Königen gemacht und zu Priestern vor Gott seinem Vater.« (Offb 1,6) Durch die Taufe erhalten wir umfassend Anteil an Jesu Würde und werden selbst zu Königskindern.

Nehmen Sie also eine königlich würdevolle Haltung ein, richten Sie Ihre (Tauf-) Krone und denken Sie an das Gute, das Gott Ihnen getan, und an das Böse, vor dem er Sie bewahrt hat. Lesen Sie aus dieser königlichen Perspektive Psalm 21: »Gott, an deiner Macht freue ich mich; ich, ein König, eine Königin, jubele laut über deine Hilfe.«

ANDREA REHN-LARYEA

Gott, an deiner Macht freue ich mich; ich, ein König, eine Königin, jubele laut über deine Hilfe!

Frag nicht, fang einfach an!

»Stärke uns den Glauben«, bitten die Jünger und hoffen wahrscheinlich auf eine einfache Antwort. Stattdessen bekommen sie dieses Bildwort zu hören. Eine heftige Antwort, fast so etwas wie eine Abfuhr. Wobei ich für mich gelernt habe: Wenn einer eine so heftige Antwort gibt, setzt er eine Grenze. In diesem Fall scheint mir Jesus zu sagen: »Ich kann euch euren Glauben nicht stärken. Das müsst ihr selber tun. Jeder und jede muss seine eigenen Erfahrungen sammeln. Die Arbeit des Glaubens und die Verantwortung für den Glauben liegen bei jedem Einzelnen von euch.« Und dann schenkt Jesus den Fragenden eben doch ein Bild. Das Bild von der Kraft des Glaubens. Wobei wir uns vorstellen müssen: Das Senfkorn ist extrem klein und der Maulbeerbaum ist ein Tiefwurzler. Den hebt so schnell nichts davon. Klar ist: Das ist kein Rezept zum Nachmachen. Wer es versuchen würde, würde kläglich scheitern. Und trotzdem sagt mir das Bild etwas. Es spricht aus ihm ein großer Mut, der Wille zur Veränderung und die Kraft, sich nicht abzufinden mit dem, was ist. Und es sagt mir: Es gibt keinen großen oder kleinen Glauben. Es gibt nur den Glauben, sich nicht abzufinden mit dem, was ist, die Kraft zu bewegen und zu verändern. Will heißen: Die Jünger hatten vielleicht gedacht: »Was, siebenmal an einem Tag vergeben. Das ist aber schwer.« Und Jesus meint: »Sag nicht, das braucht einen großen Glauben. Tu's einmal und das Ganze ist in dem einen Mal schon enthalten.« Oder: »Es ist so schwer zu vertrauen.« Und wieder: »Mag sein. Ja, es ist schwer zu vertrauen, aber tu's einmal und das Ganze ist darin schon enthalten.« Denn Glauben ist, das lerne ich daraus, eine bewegende Kraft. Zuerst einmal in uns: Nicht aufgeben, mich nicht und den anderen nicht; mich nicht abfinden mit dem, was ist und unverrückbar scheint, das ist Glaube nach innen. Und nach außen ist er die Kraft, sich zu zeigen, sich hinzustellen und den Mund aufzumachen und darauf zu vertrauen, dass dieser Anfang Wunder wirkt.

EVA BÖHME

Großer Gott, lass mich nicht sagen: wie schwer. Lass mich anfangen und tun, was gerade nötig ist.

Bewusst leben

Der ehemalige Leiter eines Klinikums erzählt: »Es ist seltsam und für mich unverständlich. Aber da kommen Menschen in die Klinik, sind krank, immer wieder sogar lebensbedrohlich krank. Sie erfahren sich auf eine ganz neue Weise, kommen an ihre Grenze, erfahren Hilfe, werden entlassen – und was passiert. Sie tauchen wieder ein in ihren Alltag. Als ob nichts gewesen wäre, leben sie ihr altes Leben weiter. Dabei ist doch so vieles passiert, und gar nicht so selten wäre es gut, etwas zu ändern und Neues zu denken.« Die Wahrnehmung des Klinikleitenden bringe ich zusammen mit der Geschichte von der Heilung der zehn Aussätzigen. Zehn sind krank. Zehn Männer leben als Ausgesonderte, weil Aussatz in der damaligen Zeit als unheilbar gilt und noch keiner genau weiß, wie der Weg der Ansteckung verläuft. Vielleicht ist es der Mut der Verzweiflung, der die Zehn noch einmal rufen lässt. »Jesus, lieber Meister, erbarme dich unser.« Und es geschieht das eigentlich Unmögliche. Erhofft zwar, aber eigentlich unmöglich. Die Krankheit fällt von ihnen ab. Und sie kehren – so zumindest sieht es aus – in ihr altes Leben wieder zurück. Das Leben hat sie wieder. Nur einer, nach dem damaligen Verständnis einer, der sich mit Gott nicht auskennt, hält inne – um dann zu dem zurückzukehren, mit dem er seine Heilung in Verbindung bringt. Er fällt vor Jesus auf die Knie. Er dankt Gott für das Wunder neu geschenkten Lebens. Etwas in ihm treibt, ja nötigt ihn zu diesem Tun. Es ist, als ob der Schritt hin zum Dank überhaupt erst wirklich ins Bewusstsein hebt, was dem eben noch Kranken widerfahren ist. Dankend, so könnte man auch sagen, öffnet sich unser Bewusstsein auf Gott hin. Weshalb glauben, ohne zu danken, nach dem Lukasevangelium schlicht unmöglich ist. Dass es ausgerechnet ein Samaritaner ist, der so positiv auffällt, muss all denen zu denken geben, die Menschen auf ihre Herkunft festlegen und darüber blind sind für die Lebensäußerungen ihres Glaubens.

EVA BÖHME

Großer Gott, ja, ich danke dir für die Momente in meinem Leben, in denen geschah, was ich für unmöglich hielt.

Auch das geht vorüber

Naherwartung nennt sich das. Und eigentlich verbindet sich damit die Hoffnung auf einen großen Moment. Auf Frieden, Freude, gute Zeit.

Auf Reich Gottes eben. Nur zuvor, so glaubte man zu Jesu Zeiten, kommen die Endzeitwehen. Tage, vielleicht sogar Wochen oder Monate, die einen das Fürchten lehren und den eigenen Glauben ins Wanken bringen können. Bis hin zu der Gefahr, sich in den Schrecken zu verlieren und damit auch sein Leben. Was sollen wir heute mit diesen Vorstellungen anfangen? Was sagen sie uns angesichts der Tatsache, dass das Ende, so wie es angekündigt war, ganz offensichtlich nicht kam?

Ich möchte erst sagen, was mir fremd ist und bleibt. Apokalyptische Vorstellungen gibt es auch heute viele und Weltuntergangsszenarien auch. Aber die Vorstellung, dass Gott die treibende Kraft in dem allen ist, irritiert mich. Ist es nicht der Mensch, der den möglichen Untergang in Szene setzt? Und ist es nicht eher Gott, der immer wieder neu einen Anfang setzt und diejenigen, die sich verloren glauben, aufstehen lässt zu neuem Leben? Dieses »und brachte sie alle um« hat keinen Platz in meinem Glauben. Und dass Gott auch nur einen preisgeben könnte, bestreite ich mit den Worten des Kinderliedes: »Weißt du wieviel Sternlein stehen? … Gott, der Herr, hat sie gezählet, dass ihm auch nicht eines fehlet an der ganzen großen Zahl, an der ganzen großen Zahl.«

Etwas anderes dagegen spricht mich an. Die neuen Medien machen es möglich, sich in einer bis dahin ungekannten Weise das Leid ins Haus zu holen und ins Gemüt. Und dieses weiß sich dann manchmal nicht mehr anders zu helfen, als den Kopf in den Sand zu stecken und sich der Gegenwart und dem Morgen zu verweigern. Was helfen würde, wäre, genau hinzuschauen und in all dem Bösen den Anbruch des Neuen zu entdecken. Nach dem Motto. »Viel Böses geschieht. Aber dieses, dieses ist gut.«

EVA BÖHME

Großer Gott, lass uns nicht starren auf das, was nach unten zieht. Lass uns hoffen und warten auf das, was schon im Werden ist. Lass uns sehen, was schon heute gut ist.

Gebetseifer führt zum Erfolg

Schon der Einstieg im Vers 1 dieses Evangelientextes deutet das himmlische und lichtvolle Aussagepotenzial an. Gebetseifer führt zum Erfolg und wird somit belohnt. Im diesbezüglichen Gleichnis, das Jesus vorträgt, bleibt die Witwe mit impulsiver Vehemenz »am Ball« und schafft das göttliche Wunder, dass der Richter, dem sie schutzlos ausgeliefert scheint, ihr in seiner richterlichen Pflicht zum Recht verhilft. Der Richter wird wachgerüttelt, denn er hatte eine klare Linie, Gott und die Menschen nicht zu fürchten. Diese Linie verließ er nicht, ja verfolgte sie gar starr und konsequent (V. 4). Jedoch durch das hartnäckige Dranbleiben und Nicht-Locker-Lassen der Witwe gibt der unbarmherzige Richter nach und hilft ihr. Also übersetzt: Wenn dieser Richter schon umkehrt und hilft, um wieviel mehr hilft dann Gottvater.

Die unsagbar große Gebetskraftquelle, verbunden mit dem besagten Gebetseifer, gibt Hoffnung, welche der Atem des Lebens ist. Und daraus münden Licht und Heil, die zum Ziel führen.

Dies gibt Ansporn und Ermutigung zum Gebet, denn davon sang auch die bereits verstorbene Sängerin Hanne Haller in ihrem Song »Vater unser«: »… Gebete haben ihre eigene Kraft, kommen sie von Herzen, kommen sie von innen, haben sie Macht.«

Dies ist auch Gott sei Dank meine Gebetserfahrung, resultierend aus meinem Gebetsverhalten und Gebetsleben. Ein Gebet, das also von innen aus tiefstem Herzen und tiefster Seele kommt, kann wunderbare Hilfe bewirken, denn für Gott ist nichts unmöglich auf Erden.

Diese Lebensgeschenke gilt es dankend vor Gott zu ehren, so dass Gott wieder mehr Glauben vorfindet (V. 9). So öffnen Glaube, Gebet und erfahrene Hilfe Tür und Tor für ein gelingendes Leben! Glaube und Gebet formen eine himmlische Symbiose.

MANFRED KÖHN

Guter Gott Vater, lass uns im Gebetseifer wachsen und darin, die große Chance erkennen, auf dieser Kraftquelle gedeihend, zum Ziel zu kommen.

Auf die Barmherzigkeit Gottes und die innere Reinheit kommt es an

In sehr beeindruckender Weise kristallisiert dieser Evangelienabschnitt die Blickrichtung auf die Barmherzigkeit Gottes und die inneren Werte heraus, welche gedeihend auf den 10 Geboten die Leitpfosten des Lebens sind. Mir kommt hier das bekannte Bild vom Barmherzigen Jesus in den Sinn, dessen göttliche Strahlen aus seinem Herzen unsere Herzen erreichen und uns Hoffnung, Trost, Mut und Zuversicht schenken wollen.

Der selbstgerechte Pharisäer ergießt sich in Selbstlob, hebt sich in den Himmel, verachtet und missachtet den Zöllner und die Mitmenschen, die nicht so sind wie er. Seine Maßstäbe liegen auf der höchsten Ebene und er zeigt damit eine äußere prunkvolle Fassade, die aber im Inneren bröckelt.

Der Zöllner ist dem Pharisäer voraus. Der Zöllner erfasst in vollem Umfang, dass er auf die Barmherzigkeit Gottes angewiesen ist, und strahlt damit Bescheidenheit und Demut aus (V. 14). Der Zöllner weiß, dass er nicht ohne Sünde ist.

Der Pharisäer dagegen wird blind für die wahren Lebenswerte, die von innen heraus zum wahren Lebensglück führen! Aber unterliegen wir selbst nicht mitunter auch der Gefahr, dass wir diesen Bazillus der Überheblichkeit gegenüber unseren Mitmenschen in uns tragen? Erwarten wir nicht auch den Lohn Gottes für unsere guten Taten? Davon müssen wir frei werden und im Urvertrauen auf Gott schauen. Dieses Urvertrauen haben, neben dem Zöllner, auch die Kinder (V. 15–17). »Nimm dich nicht so wichtig, Johannes«, sagte schon der Heilige Papst Johannes XXIII. zu sich selbst. Einfachheit und Bescheidenheit sind angesagt.

MANFRED KÖHN

Himmlischer Gott Vater, lass uns in Bescheidenheit und Selbstreflexion sowie im großen Urvertrauen betend auf dich zugehen.

Reichtum für die Seele und das Herz

Dieses Evangelium schenkt uns einen wunderschönen Blick, wie das Ziel zum Ewigen Leben erreicht werden kann, sowie den Blick auf den wahren Reichtum der Seele, so u.a. auch in Verbindung des Umgangs mit materiellem und finanziellem Reichtum!

In der Sehnsucht nach dem Ewigen Leben von einem der führenden Männer stellt Jesus diesbezüglich die Einhaltung der entsprechenden Gebote anheim. Im Glauben, diese Gebote eingehalten zu haben, gerät der Mann in eine Grenzsituation, als er noch zusätzlich seinen Reichtum verkaufen und den Erlös verschenken soll (V. 20–23). Auch Petrus und seine Jünger erhalten eine lichtvolle Aussicht für das Dies- und Jenseits.

Es wird schrittweise deutlich, wo die wahren Reichtümer liegen, nämlich im Reichtum für die Seele. Und hier ist zu beachten, wonach unsere Herzen und Seelen verlangen: Wovon lassen wir uns ergreifen und beherrschen sowie gefangen halten? Freilich darf man reich sein, wenn es ehrlich erarbeitet und erworben ist, und seinen Wohlstand genießen, aber man muss verantwortungsbewusst damit umgehen! Dies kann u. a. bedeuten, dass man schenkend und teilend mit Besitz, Wohlstand und Reichtum umgeht. Den materiellen und finanziellen Reichtum konzentriert einsetzen und damit zu helfen, bringt doppelte Freude: zum einen die Hilfe für die Bedürftigen und zum anderen geholfen zu haben.

Dies zeigt auch auf, dass für Gott alles auf Erden möglich ist, so dass auch reiche Menschen in das Reich Gottes gelangen können, indem der Reichtum der Seele und des Herzens primär ist.

Sich an Jesus Christus und den christlichen Geboten zu orientieren, kann vor der Selbstherrlichkeit des Reichtums schützen und die Blickrichtung für das wahre Leben im Helfen und Schenken, beispielsweise für Kranke und Arme, öffnen. Und zudem widersteht man, in der Kürze des Lebens sich im Haben und Sein zu verlieren, und erkennt in der Relation zwischen irdischem und himmlischem Reichtum den wahren Reichtum und damit die Wunder Gottes.

MANFRED KÖHN

Himmlischer Gott Vater, danke für den wahren Reichtum für das Herz und die Seele, der Himmel und Erde verbindet.

Depression

Da geht es jemandem richtig schlecht. Wir erfahren nicht, was konkret passiert ist. Aber wir können den inneren Gedanken dieser Person folgen. Es geht ihr umfassend mies. Sie führt das auf die Beziehung zu Gott zurück. Aus irgendeinem Grund muss Gott verärgert sein und lässt es die betende Person jetzt spüren, denkt sie. Sie hat Schmerzen. Der Leib tut ihr weh und die Seele. Das soll aufhören! Gott soll wieder zu demjenigen werden, der heilt und aufrichtet! Aber im Moment ist die Erfahrung eine ganz andere.

Etwas stimmt nicht mehr in der Beziehung zu Gott. Sie ist zwar nicht abgerissen, aber zu anderen Zeiten muss sie besser gewesen sein. Wie der Versuch einer emotionalen Erpressung klingt der Vers: »Denn bei den Toten denkt niemand mehr an dich. Wer wird dich in der Unterwelt noch preisen?« Welch seltsame Vorstellung, Gott sei auf unser Lob angewiesen! Aber wenn es einem richtig schlecht geht, denkt man schon mal seltsame Sachen, und manchmal spricht man sie auch aus.

Die Person hinter dem Psalm spürt, dass sie vor lauter Schmerz und Tränen den Durchblick verloren hat. Denn nicht nur Gott scheint sich gegen sie gewendet zu haben. Auch andere, ihr übel gesonnene Menschen, rauben ihr jegliche Kraft. Oder überträgt sie da möglicherweise etwas, das sie real mit anderen Menschen erlebt hat, auf Gott?

Auf jeden Fall sollen sich diese negativen Menschen aus dem Staub machen, die betende Person endlich in Ruhe lassen. Am besten wäre es (so als geheimer Wunsch, ganz tief drinnen), dass es diesen Menschen ebenso schlecht gehen möge. Oder sogar noch viel schlechter! Was vor Menschen nicht sagbar ist: Vor Gott darf ich es denken und im Gebet sogar aussprechen. Denn trotz allem Schmerz, den Gott scheinbar verursacht, trotz mancher schmerzlichen Erfahrung, dass er nicht nur der Liebevolle, Aufrichtende ist, es bleibt ein Wunsch nach Vertrautheit und Nähe. Ich glaube, Nähe ist Gottes Wunsch und Sehnsucht in unserem Schmerz.

ANDREA REHN-LARYEA

Verlass mich nicht, Gott! Zeig dich mir in denen, die meinen Schmerz aushalten und mich trotz allem tragen.

Einführung zum 1. Thessalonicherbrief S. 420 ff.

Von Nachahmern und Vorbildern

Die junge, sehr kleine Gemeinde in Thessaloniki macht mit Paulus' Hilfe erste Schritte im Christsein. Auf den Fußspuren der Apostel und den Fußspuren Jesu Christi tastet sie sich hinein in die Nachfolge. Das ist kein leichter Weg. Wer sich in diese Fußstapfen begibt, der wird anecken und Anstoß erregen. Eine solche Gemeinde wird sich nicht unscheinbar in ihre Umgebung einpassen können, sondern auffallen, vielleicht sogar unangenehm auffallen. So haben es die Apostel, so haben es Gemeinden von Beginn an immer wieder erfahren, so hat sich das Evangelium seinen Weg gebahnt.

Christliche Gemeinde in der Nachfolge Christi sein, beinhaltet auch heute in unseren volkskirchlichen Strukturen eine eigene Herausforderung. Wie werben wir für das Evangelium so, dass es seine Kantigkeit und Schärfe und Konsequenz behält und trotzdem eine Einladung für alle ist?

Landauf, landab gibt es viele engagierte Versuche, die Menschen anzusprechen – zielgruppenorientiert, milieuspezifisch, missionarisch. Und trotzdem wirkt dabei die Botschaft oft so harmlos, dass sie scheinbar niemanden mehr treffen kann. Wie sieht das konkret aus, wenn wir uns in den Fußstapfen der Apostel und Jesu Christi bewegen? Wie gestalten und leben wir in der Gemeinde und in der Welt das, was uns durch sie vorgelebt ist: Gott die Ehre geben, aus seiner Gnade leben, Nachsicht üben, vergeben, dem Frieden dienen, einander annehmen, wie Christus uns angenommen hat?

»Ihr seid zum Vorbild geworden« (V. 7), bescheinigt Paulus der Gemeinde – Typos, steht da im Griechischen. Mit Vorbild ist dabei nicht in erster Linie das leuchtende Beispiel gemeint, dem man nacheifern soll. Typos ist der Prägestempel, der einer Sache etwas aufdrückt, was sie dadurch unverwechselbar macht. Paulus vergleicht die Gemeinde mit einem solchen Prägestempel. »Ihr seid ein solcher Typos«!

Das ist ein wunderbarer Gedanke. Wer von Jesus Christus seinen Prägestempel hat, der ist unverwechselbar gezeichnet und hat selbst wiederum prägende Kraft.

DAGMAR ZOBEL

Gib den Boten Kraft und Mut, Glaubenshoffnung, Liebesglut, lass viel Früchte deiner Gnad folgen ihrer Tränensaat. Erbarm dich, Herr.

Und jedem Anfang wohnt ein Zauber inne

Gleich fünfmal in diesem kurzen Abschnitt wird die Gemeinde an die ersten Begegnungen mit Paulus und den Mitarbeitern erinnert. (V. 1.2.5.9.11)

»Ihr wisst doch«, »ihr erinnert euch doch« – dieses eindringliche Erinnern an das Kennenlernen, die gemeinsam verbrachte Zeit, hat eine besondere Kraft. Es stellt Verbundenheit her und stärkt die Freundschaft. Die liebevolle Zuneigung (V. 8) hat Bestand auch über Entfernungen und ist die Grundlage für die Aufmunterungen und den Trost des Apostels an die junge Gemeinde, die jetzt alleine zurechtkommen muss.

Thessalonich war kein leichtes Pflaster für die Verbreitung des Evangeliums. In der quirligen, lebendigen Stadt an einer großen Handelsstraße gab es eine bunte Mischung von Leuten. Eine pluralistische Gesellschaft, die offenbar empfänglich war für zahlreiche Prediger, Propagandisten, Verführer, Heilsversprecher, die mit einigem Hokuspokus die Götter günstig zu stimmen vorgaben, den Menschen ihr Seelenheil versprachen und dabei eifrig Gewinne machten.

Der lebendige Gott seines Herrn Jesus Christus war keiner, dem man so geartete Opfer zu bringen hatte, sondern der wahre Gott der Gnade und des Erbarmens. Dafür war er, Paulus, das beste Beispiel.

Die Integrität von Paulus, Silvanus und Timotheus entlarvt die Wanderprediger und Verführer und ihre Irrlehren, weil nicht der eigene Vorteil und Gewinn die Motivation ist, sondern ihr Auftrag. Gott hat sie als würdig erachtet, sie mit dem Evangelium zu betrauen, und nur darin besteht die Glaubwürdigkeit ihres Zeugnisses. Das »Bodenpersonal Gottes« wird auch an seinem redlichen und glaubhaften Verhalten geprüft.

In Thessalonich ist so eine Gemeinschaft gewachsen in der Freude und Erwartung auf die Wiederkunft des Herrn: eine Gemeinschaft im Geist Jesu Christi, dem Geist der Liebe und Vergebung, an seinem Handeln orientiert, und auch eine Gemeinschaft im Aushalten aller Anfeindungen und übler Beschimpfungen und der Verachtung durch die Umgebung.

DAGMAR ZOBEL

Schenke uns, Gott, immer wieder neu die Freude an deinem Evangelium, dass es in uns leuchtet und wir in die Welt ausstrahlen, wovon wir erfüllt sind.

Göttliche Predigt

Dem großen englischen Baptistenprediger des 19. Jahrhunderts, Charles Haddon Spurgeon, wird folgende »Predigtlehre« zugeschrieben: »Hat sich jemand bekehrt? Hat sich jemand beschwert? Nein, dann war die Predigt wohl nichts wert.«

Auch wenn diese Kriterien vielleicht nicht ausreichen, um dem Predigtgeschehen gerecht zu werden und es so eindeutig zu beurteilen, trifft es doch den Kern dessen, was »das Wort der göttlichen Predigt« (V. 13) vom Menschenwort unterscheidet.

Es wirkt! Es rührt an, es rührt auf, es reizt zum Widerspruch oder ergreift mich, es betrifft mich und sagt mir das, was ich mir selbst nicht sagen kann. So versteht der Apostel sein Predigen allein als Weitergabe dessen, was ihm offenbart ist, und rechnet den Erfolg ganz allein Gottes Wirken zu. Sein göttliches Wort wirkt und bewirkt, dass die Gemeinde in ihrer Freude und Hoffnung gestärkt und in ihren leidvollen Erfahrungen gehalten wird. Denn Anfeindung, Verfolgung und sogar Tötung, wie sie die christlichen Gemeinden in Judäa erlitten, erfahren auch die Christengemeinden in heidnischer Umgebung in Griechenland und Kleinasien.

Den harten und verurteilenden Worten des Paulus gegen die Juden muss allerdings heute widersprochen werden. Welch unheilvolle Wirkung solche undifferenzierte Rundumverurteilung der Juden im Lauf der Geschichte gerade hier in unserem Land und auch durch theologische Lehrer hatte, muss am heutigen Buß- und Bettag auch bedacht und betrauert werden.

Sie sind ein unrühmliches Beispiel dafür, wie das »Menschenwort« den Horizont des göttlichen Wortes verschatten kann. Und doch strahlt das lebendige Wort Gottes, Jesus Christus, auch durch unsere Schatten und unsere Schuld hindurch. Gott baut die Gemeinde. Glaube und Gemeinde geschieht, weil Gott es will, weil er erwählt und dazu ermächtigt und die Fußstapfen vorgibt, in denen die Gemeinde wachsen und gehen kann. Gott sei Dank.

DAGMAR ZOBEL

Gib dem Wort, das von dir zeuget, einen recht gepriesnen Lauf, dass noch manches Knie sich beuget, sich noch manches Herz tut auf, eh die Zeit erfüllet ist, wo du richtest, Jesu Christ.

Gemeindeentwickler im Auftrag des Paulus

Große Firmen investieren viel Geld, damit ihr Weg in die Zukunft erfolgreich verläuft. Berater nehmen die Strukturen in den Blick und schauen, was sich bewährt und wovon man sich besser verabschieden sollte. Es ist erstaunlich, dass Paulus seine Strategien erfolgreicher Kirchenentwicklung schon vor 2000 Jahren mit ganz ähnlichen Konzepten vorantreibt. Er hat Informationen erhalten, dass sich die von ihm gegründete Gemeinde in Thessaloniki in einer schweren Krise befindet: von innen, weil die theologischen Grundlagen in Zweifel gezogen werden, und von außen, weil die Gemeinde immer wieder in Bedrängnis gerät. Paulus reagiert sofort. Er schickt Timotheus – und damit den besten Mitarbeiter in seinem Beratungsteam – nach Thessaloniki. Erstaunlich ist das Ergebnis, mit dem Timotheus zu Paulus zurückkehrt. Der Glaube der Gemeinde hat sich als stabil erwiesen. Sie hat sich unter schwierigsten Bedingungen vorbildlich weiterentwickelt und kann anderen auf diese Weise sogar als Beispiel gelungener kirchlicher Organisationsentwicklung vor Augen gestellt werden. Kein Wunder, dass sich die Sorge des Paulus unter der Hand in Dank verwandelt!

Von solchen Ergebnissen können Unternehmensberater unserer Tage nur träumen. Sie müssen vor allem auf die Qualität der Arbeit vertrauen. Diese Perspektive ist auch in der Kirche keinesfalls unnötig. Es kommt aber ein zweiter Aspekt hinzu. Gemeindeaufbau gelingt nicht allein mit dem richtigen Konzept, dessen Erfolg sich in Zahlen messen lässt. Am Ende kommt es entscheidend darauf an, dass nicht der Ruhm des Gemeindegründers gemehrt wird, sondern dass der Geist der Menschenfreundlichkeit Gottes in der Welt wirksam wird und Heimat findet – nicht selten unter schwierigsten Rahmenbedingungen und wider alle Regeln der Vernunft.

TRAUGOTT SCHÄCHTELE

Wenn wir am Aufbau deiner Kirche mitwirken dürfen, Gott, lass uns dabei nicht nur sorgen, sondern auch trösten, nicht nur machen, sondern auch lassen, nicht nur unserem Verstand und unseren Konzepten, sondern vor allem deinem Geist Raum geben.

Glaubwürdig leben – mitten in der Welt

Wer glaubt, lebt anders. Paulus erinnert die Gemeinde in Thessaloniki nicht nur an diesen Anspruch, er hat auch keine Scheu, die Messlatte noch um einiges höher zu legen. Aus heutiger Sicht erscheinen mir eine Warnung, eine Verstärkung und eine Anfrage angebracht. Die Warnung: Dass Paulus auf einen glaubwürdigen Lebenswandel im Umgang mit dem eigenen Körper hinweist, überrascht nicht. Dass in der Geschichte der Kirche daraus nicht selten eine Verächtlichmachung der uns zusammen mit unserer Körperlichkeit und Geschlechtlichkeit geschenkten Gaben verbunden gewesen ist, dürfen wir hier nicht aus den Augen verlieren. Hier gibt es auch eine Geschichte der Schuld, die wir noch lange nicht aufgearbeitet haben. Die Verstärkung: Die Gier, vor der Paulus beim Ausleben der geschlechtlichen Möglichkeiten warnt, gibt es auch bei einem anderen Thema, nämlich im Bereich der Ökonomie. Wenn ich meinen Mitmenschen nicht übervorteilen soll, bedeutet das doch nichts anderes, als dass das System unseres Wirtschaftens vom Wohl aller und nicht vom Vorteil einzelner bestimmt sein darf. Dieser Aspekt paulinischer Theologie ist einer, der nicht selten an den Rand gedrängt und übersehen wird. Dabei ist er unter den Bedingungen einer globalisierten Weltwirtschaft eher noch wichtiger als zu Lebzeiten des Paulus. Bleibt die Frage: Dass Paulus zu einem »stillen Leben« rät, erscheint plausibel, wenn das Gegenteil am Ende nur zur Verfolgung führt. Womöglich würde Paulus heute anders formulieren – oder so, wie er es an anderer Stelle sonst auch tut: Er würde Mut dazu machen, mit dem Glauben an Gott nicht hinterm Berg zu halten, weil wir unseren Glauben doch immer wieder neu ins Leben ziehen sollen. Das kann auf Dauer nie nur »im Stillen« geschehen.

TRAUGOTT SCHÄCHTELE

Glaubwürdig leben, Ungerechtigkeiten beim Namen nennen und dem Bösen öffentlich Paroli bieten – dazu willst du uns immer neu Mut machen, Gott. Leicht ist das nicht. Aber es lohnt sich, wenn wir andere Menschen für den Glauben gewinnen wollen.

Leben diesseits und jenseits des Todes

Kein Zweifel – Paulus ist hier so spannend wie kaum an einer anderen Stelle. Und das aus einem doppelten Grund. Zum einen: Paulus tritt hier selbstsicher auf als einer, der den Fahrplan Gottes kennt. Theologisch bedient er sich im Denk-Baukasten der zu seiner Zeit vorherrschenden apokalyptisch geprägten Theologie. Mit dem Ton der Posaune wird ein Ablauf in Gang gesetzt, dessen Regeln schon jetzt klar sind: erst die Toten, dann die Lebenden – und am Ende alle gleich würdig und gleichwertig bei Gott. Zum zweiten: Dass unser Glaube fest mit unserer Lebensgeschichte verwoben und gerade deshalb auch immer im Wandel ist – für uns ist diese Einsicht eine Selbstverständlichkeit. Hier ist aber auch Paulus als Theologe wahrnehmbar, für den dies zutrifft. Paulus beschreibt hier seine Gewissheit, selber Zeuge des Wiederkommens Christi zu werden, also zu denen zu gehören, die noch zu ihren Lebzeiten von Gott »entrückt« werden. In späteren Briefen revidiert er diese Position. Er ahnt, dass sein hier noch so gewiss vorgetragener Fahrplan der letzten Dinge zu dem gehört, was allein in Gottes Händen liegt – und dort auch gut aufgehoben ist.

Was für Paulus womöglich eine bittere Lernerfahrung war, ist für uns eine Quelle des Trostes im Angesicht der Realität des Todes – und Grund genug, dass dieser Text auch häufig bei Beerdigungen Verwendung findet. Die Auferstehung Christi wird zum Grund der Hoffnung, dass auch mein Leben und das meiner Lieben in Gott bewahrt bleibt – unabhängig davon, wann, wie und unter welchen Umständen sich mein zeitlich begrenztes Sein auf dieser Erde in das Sein ohne Ende bei Gott wandelt. Was für tröstliche Aussichten angesichts der Turbulenzen, innerhalb derer sich mein Leben jetzt abspielt!

TRAUGOTT SCHÄCHTELE

Manchmal überfordert mich mein Leben. Aber trotzdem halte ich an ihm fest, vertraue darauf, dass für mich noch etwas aussteht. Beides will ich können, Gott: gut und gerne auf dieser Erde leben und zugleich getröstet sein im Angesicht des Todes. Auch dann bist du da!

Blöder Tag

Es gibt Tage, die sind einfach Mist. Das merkt man bereits beim Aufstehen, und es wird nicht besser. Verschlafen, Zeitdruck, das Kind verschüttet den Saft. Stau, Zugverspätung, Fahrradkette springt ab, Hundesch… am Schuh. Anschließend Stress bei der Arbeit, Missgeschicke, Streit, unglückliche Worte. Essen angebrannt und so weiter.

Dann ist es endlich Nacht geworden. Der blöde Tag geht zu Ende. Zeit für einen Rückblick, vielleicht nicht mit den liebevollen Augen Gottes, aber doch sich wissend in seiner Gegenwart. Sich noch mal erinnern, den Tag dann loslassen und alles das, was schiefgelaufen ist.

Die den Psalm betende Person spricht von Mächtigen, die sie nicht wertschätzen und unehrlich zu ihr sind. In Gedanken kann sie diese Autoritäten zurechtweisen und sich selbst als einen besseren Menschen hinstellen. »Erschreckt und sündigt nicht! Bedenkt es auf eurem Lager und werdet still!«, würde heute vielleicht eher heißen: »Haltet einfach mal die Klappe und verzieht euch«, um nicht drastischere Worte zu bemühen. Und eine Art trotziges »Ätsch« liegt in dem Gedanken, dass die Gegenwart Gottes eh viel schöner ist als deren große Party.

Für einen Moment sind solche Gedanken gut für die eigene Seelenhygiene. Vielleicht klingen sie ein wenig selbstgerecht, überzogen, nicht sehr fromm. Aber es hört sie ja niemand außer Gott, und vor ihm darf ich alles aussprechen. Vor allem, wenn es mir hilft, meine Bitterkeit und meinen Schmerz zu verflüssigen und loszulassen. Damit sie sich nicht festsetzen in mir und mich verhärten. Das können wir von diesem Psalm lernen.

So findet auch die den Psalm betende Person endlich zu innerem Frieden. Es tut gut, vor dem Schlafengehen den ganzen Mist des Tages vor Gott abzulegen. »Wandle du, was war, in Segen«, heißt es in einem Abendgebet. Ja, auch das Misslungene, den Ärger, meine Wut und meinen Schmerz. Bei Gott weiß ich es in guten Händen und kann mich im Wissen um seinen Schutz abends zur Ruhe legen. Morgen beginnt ein neuer Tag. Mit Gottes Hilfe wird der wieder besser.

ANDREA REHN-LARYEA

Du verstehst mich, Gott. Danke!

Wann ist es soweit?

»Mama, wann ist mein Geburtstag?« Diese Frage beherrscht seit zwei Wochen unseren Sohn. Und dann muss ich nachrechnen: »In zwei Wochen« – »In 10 Tagen« – »In 5 Tagen«. Dann strahlt er mich an: »In 5 Tagen habe ich Geburtstag!«

Kinder fiebern freudigen Ereignissen entgegen. Und klar, ein Geburtstag ist ein freudiges Ereignis. Es wird herbeigesehnt, jeden Tag mehr, bis zur Nacht vor dem Ehrentag, in der an Schlaf kaum mehr zu denken ist. Dabei ist es ganz wichtig, genau zu wissen, wann denn der Geburtstag ist; es reicht nicht zu wissen, *dass* er schon irgendwann kommen wird.

Paulus gehörte der Generation von Christen an, für die die Frage nach dem »Wann« ebenfalls entscheidend war: »Paulus, wann ist der letzte Tag? Wann kommt Christus wieder auf die Erde?« Mit dieser Frage wurde Paulus immer wieder konfrontiert; voller Sehnsucht und Erwartung. Und man erhoffte eine klare Antwort von ihm. »In 10 Jahren, 2 Monaten und 8 Tagen« – das wäre doch mal eine Aussage gewesen, mit der man etwas hätte anfangen können. Stattdessen musste Paulus feststellen, dass all seine eindeutigen Äußerungen zu dieser Frage sich als haltlos erwiesen. Am Beginn seines Wirkens konnte er noch mit Gewissheit verkünden: »Viele von euch werden Christus noch zu ihren Lebzeiten hier auf der Erde sehen.« Schon in unserem Brief aber hat er seine Aussage relativiert: »Wir wissen es nicht – aber keine Sorge, die Stunde kommt schon! Bis dahin haltet eure Sehnsucht wach!«

Die Sehnsucht wach zu halten – das ist eine große Aufgabe vor einem Ereignis, von dem wir nicht wissen, wann es denn eintreten wird. Aber es lohnt sich, wachsam und sehnsuchtsvoll zu bleiben, so Paulus, denn freudig wird das Ereignis mit Sicherheit sein. Schließlich erwartet uns dann ein Leben mit Christus, und das wollen wir doch nicht verschlafen!

EVA ZÄHRINGER

Hilf mir, Herr, nicht müde zu werden, sondern voller Sehnsucht auf dich zu warten und alles von dir zu erwarten.

Herzliche Grüße!

»LG«, so sind viele Emails unterzeichnet, die ich bekomme. »LG«, kurz für »Liebe Grüße«. Für die Langform reichte offenbar die Zeit nicht mehr. Und häufig finden sich noch nicht einmal Grüße in dieser Kurzform. Die E-Mail besteht nur aus nüchternen Informationen, und ebenso nüchtern bricht sie grußlos ab.

»LG« – Liebe Grüße. Viel Liebe kann ich in diesen beiden Buchstaben nicht erkennen. Im Gegenteil: Ich sehe, da hat sich jemand nicht viel Mühe gegeben für die Kommunikation mit mir. Da war es jemandem nicht wichtig, über die reine Sachebene noch eine Beziehungsebene zu setzen.

Ganz anders verhält es sich hier im 1. Brief an die Thessalonicher. Da nehmen die »Ermahnungen und Grüße« (so die Überschrift in der Lutherbibel) 17 Verse ein, ein ganzes halbes Kapitel. Paulus liegt es offenbar am Herzen, seinen Brief nicht nur zu einem theologisch guten Ende zu bringen, sondern eben auch, nochmals auf eine persönliche Ebene zu kommen. Hier versammelt er darum alles, was noch schnell gesagt werden muss. Und er signalisiert den Lesern so: Ich kenne euch doch! Ich habe euch genau vor Augen, ich weiß, wo es vielleicht zu Konflikten kommt, z. B. wenn es um die prophetische Rede geht. Ich weiß aber auch, wo es gut läuft und wo ihr Grund habt zur Dankbarkeit; den Dank solltet ihr darum nicht vergessen. Und so versucht der Apostel, in diesen 17 Schlussversen den Briefempfängern seine Zuneigung und seine Sorge auszudrücken.

Reine Beziehungsarbeit ist das allerdings nicht, sondern auch hierin kommt immer wieder das Grundanliegen von Paulus zum Tragen, nämlich die Thessalonicher im Glauben an Christus zu bestätigen und zu erhalten. Das ist schließlich das Kernanliegen von Paulus: die Menschen glaubensfest zu machen. Und so schließt er in Vers 28 mit dem Verweis auf denjenigen, von dem alles Gute kommt: Die Gnade unseres Herrn Jesus Christus sei mit euch. Das ist besser als »LG«!

EVA ZÄHRINGER

Herr Jesus Christus, hilf mir, meinen Nächsten wahrzunehmen und mich ihm zuzuwenden, auch in den vielfältigen Anforderungen meines Alltags.

Einführung zum 2. Thessalonicherbrief S. 423 f.

Gottes gerechtes Gericht?

»Denn darin wird offenbart die Gerechtigkeit, die vor Gott gilt, welche kommt aus Glauben in Glauben; wie geschrieben steht: ›Der Gerechte wird aus Glauben leben.‹« So heißt es in Römer 1,17. Was für ein wunderbarer, befreiender Satz! Der Glaube verhilft zum Leben; mein Glaube spricht mich gerecht!

Die befreiende Wirkung des Satzes hat wohl niemand so tief empfunden wie Martin Luther, der auf diesen Vers von Paulus seine Rechtfertigungslehre aufbaute. Paulus hat ihn zu der wunderbaren Erkenntnis geführt: Vor Gott gilt als gerecht, wer an Christus glaubt; die Taten eines Menschen sind nicht entscheidend für sein Heil.

Wunderbar ist die Erkenntnis zumindest für den, der glaubt. Was aber erwartet die, die nicht glauben? Bedeutet »Gerechtigkeit durch Glauben« im Umkehrschluss, dass von vorneherein keine Chance hat, wer kein Christ ist?

Paulus hält sich ansonsten in seinen Briefen zurück, was Aussagen zu dieser Frage angeht. Hier ist das anders: Da wird denen, die Gott nicht kennen, Vergeltung angedroht; da werden Strafen in Aussicht gestellt für die, die dem Evangelium nicht gehorchen. Ja, da wird eine Umkehrung der Verhältnisse angekündigt: Wer heute die christliche Gemeinde in Thessaloniki bedrängt, wird am jüngsten Tag selbst bedrängt werden.

Das klingt nicht nach »christlicher Nächstenliebe«, und das klingt nicht nach paulinischer Theologie. Und in der Tat wird der 2. Thessalonicher heute trotz seiner Überschrift nicht Paulus zugerechnet, sondern späteren Autoren. Autoren, die sich beim Verfassen dieses Briefes mehr von ihrer gegenwärtigen Verzweiflung haben leiten lassen, von Zorn und Hass, als von ihrem Glauben. Das ist menschlich und verständlich, wenn man die Situation der Verfolgung der Urgemeinde bedenkt; dennoch hätte man den Autoren gewünscht, mehr auf die Gnade Gottes und auf den Glauben der Gemeinde in Thessaloniki zu schauen und weniger auf die Anfeindungen von außen. Denn die Entscheidung, was am jüngsten Tag mit Nichtchristen passiert, sollte man Gott überlassen.

EVA ZÄHRINGER

Gott, gib mir den Mut, alles in deine Hand zu legen, und von deiner Gnade zu lernen.

Gefährdetes Leben

Auffallend häufig ist in diesem Textabschnitt von »Gesetzwidrigkeit« die Rede. Offenbar gibt es in Thessalonich Menschen, die das Recht in die eigene Hand nehmen und instrumentalisieren. Der Erfolg scheint ihnen Recht zu geben, denn als Handlanger des »Menschen der Gesetzwidrigkeit« haben sie es sich sogar im Tempel Gottes bequem bemacht. Scheint sich hier eine Aufspaltung in »die da oben« und »wir da unten« anzudeuten?

Die Gemeinde in Thessalonich leidet unter der Gesetzlosigkeit und hat sich zu falschen Schlüssen verleiten lassen: In den Augen der Verfasser Paulus, Silvanus und Timotheus (1,1) haben falsche Propheten die massiv empfundene Heterogenität in der Gesellschaft als Zeichen der Endzeit gedeutet und Zweifel gesät: Die Endzeit ist nahe. Der Tag des Herrn ist da. Nicht wenige haben sich durch diese irreführenden Prophezeiungen täuschen und regelrecht »aus der Fassung« bringen lassen. Im (Irr-)Glauben, die Endzeit stünde unmittelbar bevor, haben manche von ihnen sogar ihre Erwerbsarbeit aufgegeben (3,11) und leben nun auf Kosten anderer.

Beeindruckend für mich ist, dass die Briefeschreiber die Situation weder beschönigen noch klein reden. Im Gegenteil: Sie halten die Situation aus und unterliegen nicht der Versuchung, diese euphemistisch umzudeuten. Sie wissen um die Ungerechtigkeiten im Leben und darum, dass menschliches Leben Gefährdungen unterliegt. Manchmal so sehr, dass Menschen sich ein baldiges Ende geradezu herbeisehnen. Leben ist gefährdet und unterliegt der Gefahr der Fehldeutung.

Was die Briefeschreiber dem entgegensetzen, ist die Aufforderung zu einem besonnenen und differenzierten Urteilen und Handeln: »Lasst euch nicht täuschen!«

Vermutlich sind uns die Gefühle, die uns in den Zeilen des Briefs begegnen, nicht unbekannt: Das Empfinden, ungerecht behandelt und ohnmächtig zu sein, kennen bestimmt viele von uns. Besonnen zu handeln und keine übereilten Urteile zu fällen, ist hierbei ein guter und weiser Rat.

ULRIKE KOERTGE

Gott, mache mich zu einem Werkzeug deines Friedens.

Betet für uns

Ein wichtiger Teil des sonntäglichen Gottesdienstes ist das Fürbittgebet. In der Fürbitte denkt die betende Gemeinde an die, die einen guten Gedanken und Empathie besonders gut gebrauchen können: Kranke Gemeindeglieder, trauernde Angehörige, das frischvermählte Brautpaar oder das gerade getaufte Kind. In manchen Gemeinden ist es Brauch, Namen laut in den Raum hineinzusprechen. Mehr braucht es oft nicht. Die betende Gemeinde holt diejenigen, für die gebetet wird, mitten in den Raum des gottesdienstlichen Geschehens hinein. Oft sind es auch Politikerinnen und Politiker, vor allem angesichts von herausfordernden politischen Entwicklungen.

Auch hier im zweiten Thessalonicherbrief kommt dem Fürbittgebet eine wichtige Rolle zu. Mit einer Besonderheit: Nicht Paulus, Silvanus und Timotheus sind es, die für andere beten, sondern andersherum. Die Drei erbitten die Fürbitte der Gemeinde für ihre Arbeit und für sich selbst: »Betet für uns … Betet auch darum, dass wir vor den schlechten Menschen gerettet werden.«

Ein Perspektivwechsel im Vergleich zur sonst üblichen Praxis der Fürbitte: Wer andere bittet, im Gebet an ihn und sie zu denken, räumt eigene Grenzen ein. Meine Kraft reicht möglicherweise nicht aus. Ich bin auf Unterstützung und gute Gedanken angewiesen. Deshalb: Betet für mich.

Ist das ein Zeichen von Unzulänglichkeit und Schwäche? Nein. Eher von Stärke. Von Stärke und der Gabe, anderen etwas zuzutrauen und damit: teilen zu können. Das Reformationslied Martin Luthers kommt mir in den Sinn: »Mit unsrer Macht ist nichts getan, wir sind gar bald verloren.« (EG 362, 2)

Mir gefällt dieses partizipatorische Verständnis von Gemeinde: Alle sind aufeinander angewiesen. Jede vermag etwas für die andere zu tun und jeder hat eine Gabe, die den anderen stärkt.

»Betet für uns« ist Zeichen dafür, dass meine Kraft Grenzen hat. Und: dass Gottes Kraft in jedem Menschen mächtig ist.

ULRIKE KOERTGE

Gott, deine Kraft ist in den Schwachen mächtig – das entlastet mich davon, stark sein zu müssen. Es macht mir Mut, loszulassen und abzugeben.

»Wer nicht arbeiten will, soll auch nicht essen«

»Wer nicht arbeiten will, soll auch nicht essen« – diese Regel aus den Zeiten der Frühchristenheit findet auch heutzutage noch viele Sympathisanten. Grundsätzlich stimme ich dem zu, jedoch plädiere ich dafür, den Gründen nachzugehen: Wie kommt es, dass an sich fleißige und arbeitswillige Menschen mit einem Mal anfangen, dem Müßiggang nachzugeben?

Kehren wir noch einmal an den Anfang des 2. Kapitels zurück. Falsche Propheten hatten in der Gemeinde die Irrlehre verbreitet, die Endzeit sei schon eingetreten. Offenbar haben Einige dies zum Anlass genommen, ihre Erwerbsarbeit aufzugeben. Stattdessen führten sie – so der Wortlaut – »ein unordentliches Leben«.

Meine Überzeugung ist: Arbeit ist ein hohes Gut. Arbeit ist in der Lage, Sinn und Würde zu verleihen. Menschen, die aufgrund einer Krankheit oder ihres Alters nicht mehr arbeiten können und stattdessen zu Untätigkeit verurteilt sind, fühlen sich oft unnütz und überflüssig. Hingegen stärken Kreativität und Produktivität uns in unserem Selbstwertgefühl und in unserer Selbstwirksamkeit. Also muss es Gründe haben, wenn Menschen es ablehnen zu arbeiten.

Diese können vielfältig sein: zu hoher Erwartungsdruck und das Empfinden, den Anforderungen nicht gerecht zu werden; zu viel Bürokratie und das Gefühl, dass mein Tun bei den Adressaten gar nicht mehr ankommt. Eine mögliche Folge davon ist: Anstatt sinnstiftend zu wirken, macht Arbeit krank.

Ich halte es für wichtig, einen differenzierten Blick auf Arbeit zu wahren und ebenso auf die Gründe, die Menschen daran hindern, mit Freude und Motivation ihrer Arbeit nachzugehen. Manchmal sind tatsächlich nur ein paar Korrekturen nötig, um die Freude an der Arbeit wiederkehren zu lassen.

ULRIKE KOERTGE

Drum, komm, Herr Jesu, stärke mich, hilf mir in meinen Werken, lass du mit deiner Gnade dich bei meiner Arbeit merken; gib dein Gedeihen selbst dazu, dass ich in allem, was ich tu, ererbe deinen Segen.

Sehnsucht

Viele Bilder malt Psalm 24. Jemand singt ein Lied, stellt Fragen und beantwortet sie sogleich. An den Schöpfer und seine wunderbare Schöpfung mit Meeren und Strömen erinnert sie oder er. Das Bild eines Berges wird gezeichnet, der mit seinem Gipfel in die Wolken reicht und so das Oben mit dem Unten, Himmel und Erde verbindet.

Viele Menschen zieht es hoch auf den Berg. Vielleicht springen die einen und singen noch dabei. Andere atmen schwer und kommen keuchend an ihre Grenzen. Ihr Ziel und Sehnsuchtsort ist eine heilige Stätte auf dem Gipfel. Ein König wohnt da. Nicht alle dürfen dort hin. Dieser besondere Ort darf nicht wie der Mount Everest von lauten Touristen auf der Suche nach schnellem Fast-Food-Glück überrannt und zugemüllt werden. Nur Suchende, solche, die sich um ein gutes Leben bemühen, bekommen Zutritt zu diesem besonderen Ort.

Ich stelle mir vor, wie auch der König – unerkannt – mitten in der Menge den Berg besteigt. Wie er mit den Leuten über Gott und die Welt redet, mit Kindern Quatsch macht und Müden immer wieder Mut zuspricht. Gott selbst ist so und dieser König. Denn Jesus hat uns in seinem Reden und Handeln seinen Vater immer wieder als einen Gott gezeigt, der nicht fern ist, sondern direkt bei uns Menschen.

Plötzlich wird dieser besondere König am Berg als der erkannt, der er ist: als der König selbst, in dessen Nähe alle sein wollen. Sogar so unbelebte Gegenstände wie uralte, schwere Tore scheinen ihn zu (er)kennen und machen ihm den Weg weit und frei.

Manche Leute weichen zurück. Weil sie sich einen König doch unnahbar vorstellen. Aber viele ahnen, dass der, der das Ziel ihrer Sehnsucht ist, gar nicht unnahbar sein will und bereits an ihrer Seite geht. Sie fühlen sich reich beschenkt und zutiefst gesegnet. Weil sie selbst ihm ihre inneren Pforten geöffnet haben.

ANDREA REHN-LARYEA

Meine inneren Pforten, Gott, sie klemmen oft und lassen sich nur schwer bewegen. Wenn ich sie endlich geöffnet habe, warte ich ungeduldig, dass du kommst. Befürchtend, dass der nächste Sturm des Lebens sie wieder fest ins Schloss fallen lässt.

Einführung zum Buch Sacharja S. 399 ff.

Kehrt um zu mir!

Johannes der Täufer ist eine der beeindruckendsten Gestalten des Neuen Testaments. Seine Verkündigung ist im Kern eine radikale Aufforderung zu Umkehr und Buße: »In jenen Tagen trat Johannes der Täufer auf und verkündete ...: Kehrt um!« (Mt 3,1f.). Und wenig später (Mt 3,11): »Ich taufe euch mit Wasser zur Umkehr.« Johannes tritt hier in die Linie der alttestamentlichen Propheten. Er fordert von seinen Zuhörern nicht mehr oder weniger als die radikale Neuausrichtung des Lebens auf Gott hin mit allen Konsequenzen. Gottesbeziehung und Lebenspraxis sind untrennbar miteinander verbunden.

Mit einem ebenso radikalen Aufruf zur Umkehr beginnt auch das Buch Sacharja. Sein erster Teil (Kapitel 1–8) enthält Visionen und Worte, die der Prophet zwischen 520 und 518 v. Chr. in Jerusalem verkündet. Zunächst wird der Beginn der Berufung Sacharjas datiert: zwischen Mitte Oktober und November des Jahres 520 v. Chr. (V. 1). Ausgangspunkt der in sich geschlossenen Textpassage (V. 1–6) ist der große Zorn Gottes mit den Vätern (V. 2), gemeint ist damit wohl die Zerstörung Jerusalems und das Exil der Juden 586 v. Chr. (Deissler, NEB.AT 21, 270). Vor diesem Hintergrund wird der scharfe Bußaufruf Gottes verkündet, der in der Tradition der vorexilischen Propheten steht (V. 4). Sein Inhalt: »Kehrt um zu mir ..., – dann kehre ich um zu euch« (V. 3). Gefordert wird konkret die Abkehr von heillosen Wegen und Taten (V. 4). Bei all dem geht es um die Existenz des Menschen. Deshalb auch die spöttische rhetorische Frage in V. 5: Jene, die den prophetischen Weckruf missachteten, sind trotz ihres Hochmuts ins Verderben gestürzt. Wer Buße tut, dem wendet sich Gott zu (V. 6b).

Unser Text verweist auf eine Grundbedingung des Christseins: Die stete Überprüfung der Lebenspraxis an der Botschaft des Evangeliums, die Umkehr und Buße einschließt. Damit erhält der Alltag Sinn und Formung, verbunden mit der Zusage der Zuwendung Gottes: Kehrt um, dann ist euch Gott nahe.

JOSEF RIST

Ich taufe euch mit Wasser zur Umkehr. Der aber, der nach mir kommt, ist stärker als ich ... Er wird euch mit dem Heiligen Geist und mit Feuer taufen.

Alles fließt, Gott aber bleibt treu

Je älter wir werden, desto stärker bemerken wir Veränderungen unserer Umgebung und in der Welt allgemein. Aber auch Jüngere haben heute zunehmend das Gefühl, einer Umwelt gegenüberzustehen, die als unübersichtlich, ja zuweilen auch als bedrohlich wahrgenommen wird. Heraklit kleidete diese allgemeine Erfahrung in einen einprägsamen Aphorismus: »Alles fließt« (Panta rhei). Wenn sich aber alles verändert, was bleibt dann?

Im Buch Sacharja folgen auf den Bußaufruf acht Visionen (1,7–6,8). Besonders ist, dass es sich dabei um »authentische Schau- und Hörerfahrungen« (Deissler, NEB.AT 21,271) handelt, wobei das vom Prophet Geschaute und Verkündete nicht selbst sofort transparent ist. Sacharja muss die Deutung erfragen. Die Antworten erhält er von einem Engel, der als Deuter und damit Übersetzer der Botschaft fungiert. Ausgangspunkt unserer im Februar 519 v. Chr. (V. 7) verorteten Vision ist das Bild einer großen Reiterschar mit verschiedenfarbigen Pferden, die einen Erkundungsritt über die Erde durchführt (V. 10f.). Sie stehen für das gewaltige Perserreich, dessen Vasall Israel weiterhin ist. In dieser Situation erfährt es die neue Zuwendung Gottes (V. 16: »Erbarmen«) mit dem Wiederaufbau Jerusalems und des Tempels sowie der zerstörten Städte im Land (V. 16f.). Diese Zusage des Herrn geht auf die Bitte des »Engels des Herrn« zurück, der als Fürsprecher des Gottesvolkes auftritt (V. 11). Gott hatte Israel gestraft, jetzt aber erneuert er seine ursprüngliche Zusage in feierlicher Form (V. 16).

Die biblischen Schriften sind ein einzigartiges Zeugnis der Treue und Verbundenheit Gottes mit seinem Volk durch die Zeit. Die einmal gegebene Zusage, bei und mit den Menschen zu sein, kündigt er nicht auf. Auf Gottes Erbarmen und Treue können die Zeitgenossen des Sacharja ebenso zählen wie die Christen heute.

JOSEF RIST

Gepriesen sei der Gott und Vater unseres Herrn Jesus Christus, der Vater des Erbarmens und Gott allen Trostes. Er tröstet uns in all unserer Not, damit auch wir die Kraft haben, alle zu trösten, die in Not sind, durch den Trost, mit dem auch wir von Gott getröstet werden.

Jerusalem: die offene Stadt Gottes

Kaum eine andere Stadt wird von so vielen Religionen und Konfessionen für sich beansprucht wie Jerusalem. Dies führte und führt zu einer Fülle von Streitigkeiten und blutigen Auseinandersetzungen. Und doch steht keine andere Stadt ebenso für die große Friedensverheißung von Gott für alle Menschen. Wenn es hier keinen Frieden gibt, wo so viele Menschen sich in ihrem Tun auf Gott berufen, wo soll es ihn denn anderswo geben?

Unser Lesetext vereint zwei Visionen (2,1–4; 5–9). Zunächst ist die Rede von vier Hörnern und vier Schmieden, wobei Horn hier als Symbol für die militärische Macht steht, während die Zahl 4 die globale Bedeutung des Geschehens ausdrückt. Während die einen, die Hörner, Juda unterjocht und zerstört haben, werden die anderen, die Schmiede, von Gott als Helfer aufgeboten, um sein Volk zu beschützen und die Feinde niederzuwerfen (V. 4). Besonders hoffnungsvoll stimmte die in ihrer Zeit leidgeprüften Zuhörer die zweite Vision (V. 5–9). Ein Mann läuft mit einer Messschnur durch Jerusalem, das er für den Wiederaufbau vermisst (V. 5). In Gegenwart des Übersetzer-Engels erhält der Vermesser von einem anderen Engel (Götterboten) die Bauanweisung, dass das wieder aufgebaute Jerusalem eine »offene Stadt« (V. 7) sein soll, also eine Stadt ohne Befestigungen. Die Begründung erstaunt zunächst: Das soll so sein, da die Stadt besonders reich sein wird an Menschen und Tieren (V. 8). Eine befestigte Stadtmauer ist zudem nicht nötig, da Gott durch den Engel verheißt, die Stadt durch eine Feuermauer zu schützen und mit seiner Herrlichkeit in ihr zu wohnen (V. 9).

Ausgehend von einer leidgeprüften Gegenwart, wird hier ein beeindruckendes Hoffnungsbild gezeichnet. Gott wohnt unter den Menschen, er beschützt sie – und es geht ihnen jetzt viel besser als je zuvor. Menschlicher Schutz wird entbehrlich; Befestigungen werden im wahrsten Sinne des Wortes überwunden. Und in der Stadt und im Land herrscht Frieden. Eine Vision, die nicht nur in Jerusalem hoffentlich einmal Realität wird.

JOSEF RIST

Frieden hinterlasse ich euch, meinen Frieden gebe ich euch; nicht, wie die Welt ihn gibt, gebe ich ihn euch.

Freue dich und sei fröhlich

Ein adventlicher Text begegnet uns heute, ein Ermutigungsruf an Zion, die heilige Stadt Jerusalem: »Ich komme« – ruft Gott ihr zu, »ich will bei dir wohnen.« Gott bei seinem Volk.

Dabei ist die Situation, die vor Augen steht, bedrohlich. Die im Babylonischen Exil lebenden Judäer sollen fliehen, damit sie nicht mit hineingerissen werden in das Gericht, das Babylon droht (Sach 2,1–4). Nun soll dieses Reich, das oft genug bei anderen Völkern Beute gemacht hat, selbst zur Beute werden. Wehe und Jubel sind nahe beieinander. Wehe und Jubel bilden einen deutlichen Gegensatz. Zur Flucht gehören oft düstere, schreckliche Erfahrungen. Erst wo das Ziel erreicht ist, kann Jubel ausbrechen. Erst wo Menschen in den schützenden Hafen, die bergende Stadt kommen, kann sich Freude ausbreiten. Der Zielpunkt, der Rettungsort ist klar: Zion ist das Ziel. Die fliehenden Menschen aber sind willkommen. Nicht Ausgrenzung erfahren sie, sondern den Jubel Zions. Mit Zion ist die Hoffnung auf einen Neuanfang verbunden.

Auch die Völker sollen teilhaben an dem großen Heil, das hier angesagt wird. Sie sollen selbst erfahren, was es heißt, dass Gott kommt.

Am Ende steht das ehrfurchtsvolle Schweigen, das Schweigen, das Menschen ergreift, wenn ihnen das Heilige begegnet. Und dieses Schweigen eröffnet damals wie heute eine Neuorientierung. Weg von den Sorgen und Problemen, weg von Krisen und den Sachzwängen der Zeit, hin zu Gott, der kommt und Hoffnung gibt, der das Leben in eine neue Perspektive, in seine Perspektive stellt. Die Adventszeit als Zeit der Umkehr und Neubesinnung gibt uns die Möglichkeit zu diesem Perspektivwechsel. Kommen also auch wir neu auf Gott zu, nehmen wir bei ihm Zuflucht angesichts unserer persönlichen und auch angesichts vieler gesellschaftlicher Belastungen, lassen wir uns von seinem Aufruf zur Freude begeistern.

PETER RIEDE

Gott, komme du zu uns. Komm dorthin, wo Angst und Hass regieren, komm dorthin, wo Not und Hoffnungslosigkeit sind. Verwandle unsere Sorgen in Hoffnung und Jubel.

Eine himmlische Szene

Eine Szene im Himmel, eine Gerichtsszene. Im Mittelpunkt steht Jeschua, ein Mann aus dem hohenpriesterlichen Geschlecht, dem aufgrund seiner Abstammung das höchste geistliche Amt der Judäer zustand. Schon sein Name ist Programm: »Gott ist Rettung«.

Dieser Jeschua wird vor das himmlische Gericht gestellt. Ein Engel tritt als Ankläger auf. Ein Bote Gottes dagegen fungiert als Zeuge und macht eine Aussage (V. 6). Doch anders als in einem normalen Gerichtsverfahren wird der Ankläger zum Angeklagten: Er wird verstoßen, denn er handelt nicht nach dem Willen Gottes. Er erkennt nicht, dass sich Gott seinem Volk neu zuwendet; er erkennt nicht die bleibende Erwählung Jerusalems und dass Jeschua gerettet ist, zwar wie ein Scheit, aus dem Feuer herausgerissen, im letzten Augenblick, gerade noch, aber dennoch gerettet. Jeschua soll nicht verurteilt werden, sondern er soll mit dem Amt, das ihm zusteht, betraut werden. Der Kleiderwechsel verdeutlicht das: Seine schmutzigen Kleider werden ersetzt durch Festgewänder. Was ihm (und dem ganzen Volk) an Schuld anhaftet, soll ausgelöscht sein. Neues Leben beginnt für ihn (und für ganz Israel).

Jeschuas Aufgabe wird klar benannt: Er soll das Haus Gottes, den Tempel in Jerusalem, künftig verwalten, und er soll unmittelbaren Zugang haben zu Gott. Mit Jeschua verbinden sich priesterliche, königliche und prophetische Aufgaben, er ist der Hoffnungsträger für den Neuanfang.

Was mit Jeschua beginnt, ist aber noch nicht die ganze Botschaft: Von einem Spross ist die Rede, der kommt. Dabei ist »Spross« fast wie ein Name für den erwarteten »idealen« Herrscher. Wieder eine Ankunft, wieder ein Advent. Dieser Herrscher ist bereits im Verborgenen präsent. Das hat Bedeutung für das Hier und Jetzt: Die Zeit der Verbannung ist vorbei, umfassender Friede stellt sich ein. Ein Friede, von Gott gewirkt. Der Weinstock und der Feigenbaum stehen für diesen Frieden, in den auch wir durch Jesu Weg hineingenommen sind.

PETER RIEDE

Gott, zeige uns und dieser Welt dein Erbarmen, komm in unsere Dunkelheiten und birg uns in deinem Frieden.

Leuchter und Lichter

Die Adventszeit ist die Zeit des Lichts. Die Kerzen auf dem Adventskranz verbreiten von Sonntag zu Sonntag ein immer größer werdendes Licht und bereiten vor auf Jesus, den Retter, das Licht der Welt.

Auch der Text aus dem Sacharjabuch ist ein Lichttext. Und auch mit dem hier beschriebenen Licht wird die Gegenwart Gottes symbolisiert, die die ganze Welt erfasst. Das Licht, das die Welt erhellt, ist mit Hilfe und Rettung verbunden. Konkret ist es ein großer Leuchter im Tempel, den Sacharja in einer nächtlichen Vision sieht. Von diesem Leuchter geht das Licht aus. Sieben mal sieben Flammen verbreiten eine Lichtfülle, wie sie intensiver und stärker kaum vorstellbar ist.

An den Seiten des Leuchters, zur Rechten und zur Linken, stehen zwei Ölbäume. Sie repräsentieren die Führungsgestalten Israels, den König und den Hohenpriester, die den Plan Gottes für diese Welt umsetzen sollen. Sie handeln stellvertretend für Gott, in seinem Auftrag.

Die Verse 6ff. konkretisieren und deuten diesen Auftrag. Sie geben den Rahmen dafür vor: »Nicht durch Macht und nicht durch Gewalt, sondern durch meinen Geist.« Gottvertrauen ist bei allem Tun gefragt, das Fragen nach seinem Willen. Gottes Geist ist die Basis des Handelns, nicht Menschenwille oder Menschenkraft. Damals war es die Frage des Wiederaufbaus des Tempels, die den Propheten und die Menschen seiner Zeit umtrieben. Wie ist er angesichts einer Fülle von Schwierigkeiten und Widerständen zu bewältigen? Warum stagniert alles, warum kommen wir nicht voran?

Heute geht es vielleicht eher um die Frage nach dem Bau der Kirche im 21. Jahrhundert. Wo sind da die Visionen, die dazu beitragen, Gottes Lichtbotschaft in der Welt zu verbreiten? Wie können Menschen erfüllt werden von dem großen Licht Gottes? Die Adventszeit bietet uns die Möglichkeit, Gottes Geist Raum zu geben, neu auf Gott zu hören, ihm zu vertrauen.

PETER RIEDE

Gott, durchbrich auch heute unsere Dunkelheiten durch dein Hoffnungslicht. Gib uns Mut und Ideen, Menschen von dir zu erzählen.

Singen von Gottes Macht

Die Kinderlose hat ein Kind bekommen. Jahrelang flehte Hanna vergeblich, jetzt hat Gott ihr Flehen erhört. Unerfüllte Sehnsüchte und Missachtung haben damit ein Ende. »Wes das Herz voll ist, des geht der Mund über«, und zwar gesungen! Hanna jubelt voller Freude über Gott. In ihrem Leben haben sich die Verhältnisse auf den Kopf gestellt, und darin erlebt sie Gottes Wirken. Sie bleibt aber nicht bei sich, sie weitet ihre eigene Erfahrung der Umkehrung der Verhältnisse aus: Schwache sind stark, Arme reich, Hungrige satt – all dies durch Gottes Eingreifen. Allerdings singt sie auch von der Verkehrung der Verhältnisse in anderer Richtung. Die Kinderreiche welkt dahin, Starke werden ihrer Macht beraubt, Satte werden zu Bettlern. Zeugt dies von Schadenfreude? Vielleicht, aber vor allem dürfte es um den gehen, der all dies bestimmt. Er kann behüten, aber die Menschen, die ihn nicht achten, erfahren seine Zuwendung nicht. Dabei ist V. 6 ein Spitzensatz im Alten Testament: Gott hat Macht über Leben und Tod. Er ist Schöpfer und Richter der Welt. Über das damalige Weltbild erfahren wir etwas in V. 8, wo von Grundfesten, Pfeilern oder Säulen der Welt die Rede ist: Auf ihnen ruhte die Erde als eine große Scheibe. Wenn Gott also sogar den Halt der Erde beherrscht und auf diese Säulen die Erde gesetzt hat, ist seine Macht grenzenlos.

Nicht zufällig beschäftigt uns dieses Lied gerade in der Adventszeit. Es hat inhaltlich eine große Nähe zum Lied einer anderen Frau, die ebenfalls unerwartet schwanger wird: Maria. Sie antwortet auf die Ankündigung ihrer Schwangerschaft mit einem Lied (Lk 1,46–55, auch Magnificat genannt). Darin preist sie Gott, der die menschliche Ordnung mit ihrer Machtverteilung und ihren sozialen Systemen verrückt.

Hanna und Maria haben an Gott festgehalten. Erfüllt von der Wende ihres Lebens, singen sie ihre Lieder von einer anderen Welt. Singen wir mit ihnen.

CHRISTIANE DE VOS

Mächtiger Gott, wir erwarten dich. Brich du mit deiner Welt in unsere Welt ein. Schenke uns Hoffnung ins Herz, dass wir dir singen.

»Seht auf und erhebt eure Häupter, weil sich eure Erlösung naht!«

Heute ist der 2. Adventssonntag! Gott kommt; deshalb: »Seht auf und erhebt eure Häupter, weil sich eure Erlösung naht!« (Lk 21,28b)

Der Prophet Sacharja schaut in den Himmel. Er träumt, wie eine riesige Schriftrolle auf die Erde zufliegt. Mit großen Buchstaben schreibt sie an den Himmel: Umkehr und Gerechtigkeit!

Lange wurden die Diebe, die Gewalttäter, die Menschen, die das Recht mit Füßen traten, nicht zur Rechenschaft gezogen. Sie nutzten die Gunst der Stunde, um ihre wirtschaftlichen oder politischen Interessen durchzusetzen. Die Schwächeren blieben auf der Strecke.

Jetzt beginnt eine neue Zeit! Gott kommt! Ein Kind wird uns geboren. Christus stärkt die Rechtlosen und gibt den Unterdrückten eine Stimme. Er gibt uns Kraft und Mut, von falschen Wegen umzukehren und für andere da zu sein. So wie der Heilige Nikolaus das vorgelebt hat, an den wir heute denken: Mit seinem Gottvertrauen hat er eine Stadt vorm Verhungern gerettet. Er hat seinen Kirchenschatz gegeben, um zwei Mädchen vor der Sklaverei zu bewahren. Deshalb gilt er bis heute als Beschützer und Freude der Kinder.

Und was wird mit der Bosheit und den Bösen? Sacharja sieht eine fliegende Schriftrolle. Im Glauben vertrauen wir auf die Macht des Wortes. Nicht Gewalt oder bewaffnete Drohnen schaffen neues Leben, sondern Gottes Geist. Gottes Wort schafft Recht und fängt das Böse ein: Alle Gottlosigkeit und Menschenfeindlichkeit kommen in eine große Tonne. Sie wird fest mit Blei verschlossen. Engel mit Storchenflügeln nehmen sie auf und fliegen sie an einen Ort, an dem sie sicher verwahrt ist.

Gott kommt! Eine neue Zeit beginnt. Menschen kehren um. Gottes Gerechtigkeit erfüllt die Erde.

JOCHEN CORNELIUS-BUNDSCHUH

Im Advent heben wir den Kopf und halten Ausschau nach dir, Gott: Nach deiner Gerechtigkeit, die Frieden schafft auf Erden und unser Leben in allen Gefährdungen und Nöten schützt. Nach deiner Liebe, die uns umkehren lässt, wenn wir in die Irre gegangen sind, und uns einen neuen Weg weist. Nach deiner Wahrheit, die uns frei macht, die Welt in dem Geist deines Sohnes Jesus Christus zu gestalten.

Das Neue bricht an

Gott kommt und macht unsere Erde neu! Das ist die große Hoffnung des Advents; das ist die Botschaft, von der Sacharja träumt.

Dieses Mal hört er ein Wiehern und Schnauben aus der Ferne. Vier Wagen tauchen am Himmel zwischen den Bergen am Horizont auf. Sie werden von Pferden gezogen, von braunen und weißen, von schwarzen und gescheckten. Kraftvoll galoppieren sie durch die Lüfte und bringen wie die vier Winde Gottes Geist in unsere Welt: nach Norden und Süden, nach Westen und Osten.

So wirksam und kräftig breitet sich Gottes Geist über unsere Erde aus. Trotzdem spüren wir ihn manchmal nicht: Wenn wir krank sind oder trauern; wenn wir uns ungerecht behandelt fühlen; wenn wir über das Leid erschrecken, das Menschen widerfährt. Hat Gott sich zurückgezogen? Will Gott nichts mehr mit uns zu tun haben? Warum hast du uns verlassen, Gott?

Sacharja träumt, dass eine neue Zeit anbricht. Gottes Geist weht heran, mit kräftigem Brausen. Bäume biegen sich. Vögel lassen sich im Sturmwind treiben. Tiere spähen aus ihren Gängen und Höhlen. Selbst in fernen Ländern leuchtet ein heller Stern. Menschen spüren den Aufbruch, so wie die Hirten auf dem Feld in der Weihnacht. Was ist da für ein Klang in der Luft? Was für ein Leuchten erhellt die Nacht?

Es ist Advent: Gott kommt! Das Neue bricht an. Wir wollen vorbereitet sein. Schon brennen zwei Kerzen am Adventskranz. Sterne und Lichter schmücken die Zimmer und Häuser. Alle sollen es sehen: Gottes Licht vertreibt die Dunkelheit, gibt Kraft und weckt Hoffnung. Das ist unsere Hoffnung!

Nach dem großen Brausen der Pferdewagen ziehen Ruhe und Klarheit ein. Gottes Herrlichkeit zieht in unsere Welt ein: Sie zeigt sich gerade dort, wo wir es nicht erwartet haben: im Stall, auf den Feldern, bei den Kranken und Armen. Sie macht alles neu: »Komme, wen dürste, und trinke, wer will!«

JOCHEN CORNELIUS-BUNDSCHUH

Wir halten Ausschau nach dir, Gott. Wir hören schon das Brausen. Wir freuen uns am Licht der ersten Kerzen. Doch noch umgibt uns Dunkelheit. Komm zu uns, Gott! Erneuere uns und das Angesicht deiner Erde. Erfülle uns mit deinem Geist, dass wir in deiner Liebe leben und aus ihrer Kraft deine Welt gestalten.

»Die Nacht ist vorgedrungen, der Tag ist nicht mehr fern«

Die Nacht ist vorgedrungen, der Tag ist nicht mehr fern. Am Himmel erstrahlt der helle Morgenstern. Schlaftrunken wacht Sacharja auf und summt seinen Lobgesang vor sich hin, bis Gottes Stimme ihn aufhorchen lässt: »Zwei Kronen sollst du anfertigen – kröne mit der einen Jeschua, den Hohepriester! Die andere ist für den, der noch kommen wird; unter ihm wird das Land sprossen und gedeihen. Und bewahre beide Kronen gut im Tempel auf!«

Gott kommt! Und wir wollen vorbereitet sein. Deshalb holen wir im Advent unsere Kostbarkeiten aus den Kisten und Schachteln hervor, in denen wir sie das ganze Jahr sicher verstaut hatten. Die filigranen Strohsterne, die Kerzenhalter für den Adventskranz, die Pyramide, den Schwippbogen aus dem Erzgebirge, die Krippenfiguren, den Herrnhuter Stern und irgendwann die Glaskugeln für den Weihnachtsbaum.

Beim Schmücken breitet sich Vorfreude aus. Wir spüren schon etwas von dem Glanz von Weihnachten, gerade wenn wir gemeinsam die Krippe aufbauen, die Sterne basteln und aufhängen oder die Kirche oder Häuser schmücken für einen lebendigen Advent. Auf einmal glänzt es überall wie Silber und Gold. Aber das Wichtigste am Schmuck ist nicht sein finanzieller Wert, sondern die Erinnerungen, die Liebe, mit der er gebastelt wurde, die Freude, die er schenkt, die Hoffnung, die sich mit ihm verbindet: Bald kommt der Friedefürst. Er macht unsere Welt neu und drängt uns, an seiner Friedensbewegung teilzuhaben!

So wie es das Adventslied von Jochen Klepper (1903-1942) trostvoll und ermutigend besingt: »Die Nacht ist vorgedrungen, der Tag ist nicht mehr fern. So sei nun Lob gesungen dem hellen Morgenstern! Auch wer zur Nacht geweinet, der stimme froh mit ein. Der Morgenstern bescheinet auch deine Angst und Pein.«

JOCHEN CORNELIUS-BUNDSCHUH

Bald wirst du erscheinen, Gott. Wir sehnen uns nach dir. Wir warten auf dich. Nähre unsere Hoffnung und gib uns Freude, uns auf dein Kommen vorzubereiten. Dass der Advent zu einer Zeit der Besinnung und der Umkehr wird, in der wir aufeinander achten, in der wir uns versöhnen, in der wir schon so miteinander leben, wie du es willst.

Diamant

»Diamonds are a Girl's Best Friend«, sang einst Marilyn Monroe und verbreitete das Image dieser edlen Minerale in die ganze Welt hinaus: wertvoll, kostbar, unverwüstlich – das macht einen echten Diamanten aus; und diese überaus erfreulichen Eigenschaften sollten zugleich die Bedeutung der Beziehung symbolisieren, in der so ein Schatz verschenkt wird.

Mit diesem ungeteilt positiven Bild von einem Diamanten im Hinterkopf gerate ich beim Propheten Sacharja ziemlich ins Stolpern. »Hart wie Diamant« ist das Herz der Menschen – und das ist alles andere als positiv oder wohlwollend gemeint. »Hart wie Kiesel« oder als »Herz aus Stein« beschreiben andere Propheten die so oft auftretende Starrsinnigkeit des Volkes Israel. Doch Sacharja steigert diese Erfahrung ins Maximale: Härter geht es nicht!

Das Volk hatte sich so sehr von Gott abgewandt, Ohren und Herzen vor seinen Worten und Weisungen so fest verschlossen, dass die folgende Katastrophe der Zerstörung Jerusalems und der Verwüstung des ganzen Landes unvermeidlich war. Sie selbst haben es verschuldet, gibt Sacharja Gottes Resümee wieder. Maximale Katastrophe folgt auf maximale Verhärtung.

Zu Lebzeiten Sacharjas war diese Katastrophe überwunden und Teil der eigenen Geschichte geworden. Viele Juden waren aus dem babylonischen Exil in die Heimat ihrer Vorfahren zurückgekehrt, sogar der Tempel in Jerusalem konnte wiederaufgebaut werden. Und: Gott sprach wieder mit den Seinen, hatte sie – trotz allem – nicht aufgegeben.

Es ist genau diese Botschaft, die hinter all den oft harten Worten des Propheten vorsichtig funkelt: Selbst maximale Fehler der Menschen können Gottes Beziehung zu ihnen letztlich nicht wirklich zerstören. Gottes Liebe ist eben tatsächlich wertvoll, kostbar und vor allem unverwüstlich – sie ist der eigentliche Diamant.

GUIDO BUSCHE

Gott, schaffe mich neu: Gib mir ein Herz, das dir völlig gehört, und einen Geist, der beständig zu dir hält.

Heißblütig

Wie stellen Sie sich Gott vor? Wie sieht Ihr Gottesbild aus? Vermutlich gibt es genauso viele unterschiedliche Gottesbilder, wie es gläubige Menschen gibt. Meine eigene Lebens- und Glaubensgeschichte, meine gewachsene Persönlichkeit werden sich immer auch darauf auswirken, wie ich mir Gott vorstelle.

Der Prophet Sacharja gibt in seinem Buch immer wieder Innenansichten Gottes preis. Der heutige Text besteht vollständig daraus: Hier kommt Gott selbst zu Wort – und das in einer sehr offenen, verblüffend vorbehaltlosen Art und Weise. Voller Gefühle, voller Leidenschaft, ja geradezu heißblütig spricht er zu seinem Volk. Er verheißt ihnen eine wunderbare Zukunft, in der die Menschen in Frieden alt werden und in der Kinder sorglos und unbeschwert spielen können. Jerusalem wird wieder zur sicheren Heimat seines Volkes, zu der alle zurückkehren, und er selbst verpflichtet sich zu Treue und Gerechtigkeit. Die Feinde aber müssen mit seinem brennenden Zorn rechnen.

Sacharja schildert uns einen zutiefst verliebten Gott, der alles versucht, um seine alte Liebe wieder neu für sich zu gewinnen. Es ist ein Gottesbild voll jugendlicher Frische und impulsiver Schwärmerei. Hier zeigt sich Gott als heißblütiger Liebhaber, der beeindrucken, ja betören will. Natürlich kennt er auch die möglichen Vorbehalte seines Volkes: Die lange Zeit des Babylonischen Exils hatte das Vertrauen in ihn und seine Möglichkeiten massiv erschüttert. Doch selbstbewusst ruft er in Erinnerung, dass für ihn nichts unmöglich ist. Kann man so einem leidenschaftlichen Gott widerstehen?

GUIDO BUSCHE

Wie glücklich ist, wer ganz auf den Herrn vertraut und sich an keine anderen Mächte bindet, die nur in die Irre führen. Herr, mein Gott! Du hast so viel für uns getan; niemand ist wie du!

Umkehr

»Umkehr« ist ein typisch kirchlicher Begriff, gern gepaart mit dem Wort »Buße«. Besonders in der Fastenzeit, aber auch jetzt in der Adventszeit werden Christinnen und Christen zur Umkehr aufgerufen: zum Erkennen eigener Fehler und Oberflächlichkeiten, gefolgt von einer bewussten Korrektur, einer Neuausrichtung meines Lebens am Wort Gottes, an seiner frohmachenden und sinnstiftenden Botschaft. Viele Propheten, aber auch Johannes der Täufer und Jesus von Nazareth haben immer wieder die Menschen zur Umkehr aufgerufen. Diese innere und äußere Neujustierung stellt einen zentralen Aspekt jüdisch-christlicher Verkündigung dar.

Doch bei Sacharja werden nicht (nur) die Menschen zur Umkehr aufgerufen, hier spricht Gott davon, dass er selbst umkehren will. Diese unerwartete Formulierung zieht gleich eine Reihe irritierender Fragen nach sich: Hat Gott Umkehr nötig? Kann er Fehler machen? Kann der Allmächtige sich überhaupt verändern, dazu lernen, sein Handeln korrigieren?

Gelöst wird diese theologische Widersprüchlichkeit, wenn ich verstehe, dass Sacharja hier nicht das Wesen Gottes im Blick hat, sondern seine Beziehung zu den Menschen, seinen Umgang mit ihnen. So wie Eltern ihren Erziehungsstil bei ihrem Nachwuchs variieren können, so will auch Gott an seinem Kommunikationsstil arbeiten. Statt auf unbarmherzige Strenge zu setzen, wird er sich künftig wieder als der gütige, unterstützende und zugewandte Gott zeigen. Er kehrt um. Er ist bereit, seine Haltung gegenüber seinem Volk konsequent zu ändern.

Und er verknüpft diese persönliche Selbstverpflichtung – man möchte es fast pädagogisch wertvoll nennen – mit dem Aufruf, es ihm gleich zu tun, seinem Beispiel zu folgen: Mach's wie Gott – kehre um!

GUIDO BUSCHE

Herr, zeig mir den Weg, den ich gehen soll; lass mich erkennen, was du von mir verlangst. Lehre mich, in Treue zu dir mein Leben zu führen. Du bist doch der Gott, bei dem ich Hilfe finde; auf dich hoffe ich zu jeder Zeit.

Gott zu Besuch

3. Advent, der Sonntag Johannes des Täufers! Von seiner Geburt erzählt der Evangelist Lukas und beschließt diese Erzählung mit dem »Lobgesang des Zacharias«, dem Benedictus, so genannt nach dem ersten Wort in der lateinischen Übersetzung und aufgenommen in das klösterliche Morgengebet der Kirche.

Zacharias, der Vater des Johannes, steht an der Schnittstelle zwischen altem und neuem Testament. Er gehört als Priester im Jerusalemer Tempel ganz dem alten jüdischen Glauben an, der in den Verheißungen des alten Bundes lebt. Er ist erfüllt von dem, was Gott durch den Mund der Propheten geredet hat. Bei Jesaja ist vielfach davon die Rede, dass Gott sein Volk erretten wird aus der Hand seiner Feinde, dass er seinem Volk Barmherzigkeit erweisen wird und es erlösen will. Zacharias weiß um die uralte Verheißung Gottes an Abraham: »In dir sollen gesegnet sein alle Geschlechter auf Erden.«

Und nun, erfüllt vom heiligen Geist, wird Zacharias von der Gewissheit erfüllt: »Gott hat besucht und erlöst sein Volk!« All die alten Verheißungen und Prophetensprüche werden nun Wirklichkeit, ja, sind Wirklichkeit geworden. »Gott hat uns aufgerichtet eine Macht des Heils im Hause seines Dieners David!«

Wie aber soll die Welt das begreifen? Wie soll die Welt, wie sollen wir begreifen, dass sich in einem kleinen Kind – und das »richtige« ist ja noch gar nicht geboren! – das Heil anbahnt, Vergebung, Frieden, Leben, Licht, mitten in unserer dunklen Welt? Wie sollen wir in einem winzigen Kind Gottes Spuren entdecken in einer Welt, die oft nach allem anderen aussieht als nach Göttlichkeit?

Erfüllt vom heiligen Geist, erkennt Zacharias: Sein Sohn, Johannes, wird die Rolle dessen spielen, der hinweisen wird auf die Bedeutung Jesu. Er, Johannes, wird der Welt die Person Jesu deuten: »Und du, Kindlein, wirst ein Prophet des Höchsten heißen. Denn du wirst dem Herrn vorangehen, dass du seinen Weg bereitest.«

ANNEGRET LINGENBERG

Gott, lass deine Kirche in der Nachfolge des Johannes hinweisen auf das Heil, das in Jesus angebrochen ist. Hilf uns, dass wir seine Wegbereiter seien!

Reise nach Jerusalem

Das ist ein beliebtes Spiel. Beim Tanz um die Stühle ist immer eine Person mehr im Kreis als Stühle. Wenn die Musik abbricht, gilt es, sich schnell zu setzen. Eine Person bleibt übrig und scheidet aus, bis einer den letzten Stuhl ergattert. So erreicht nur eine Person Jerusalem. Ganz anders bei Sacharja. Von ihm kann die Spielanleitung nicht stammen. Denn bei ihm kommen alle in Jerusalem an.

Sacharja entwirft eine Vision, von der er hofft, dass sie »geschehen wird« (20), also zu einer Erfahrung wird, wie Israel und die Völker im Frieden leben und ihren Glauben an Gott teilen können. Dies ist der Grundton seiner Hoffnung. Auf ihn hat er von Anfang an die Hörer und Leser seines Buches eingestimmt, wenn er weitergibt, was Gott verheißen hat: »Juble und freue dich, Tochter Zion; denn siehe ich komme und wohne in deiner Mitte.« (2,14)

Es ist eine adventliche Erfahrung, dass Gott zu seinen Menschen, zu seinem Volk kommt. Gott hält seinem Volk Israel die Treue. Wo er in der Mitte seines Volkes lebt, wirkt seine Liebe und Treue in das Volk hinein und entfaltet seine Kraft, im Gebet und in Verantwortung vor ihm zu leben. Und das wirkt über Israel hinaus und macht viele Völker aufmerksam auf die Weisungen dieses Gottes. Wie in einer Wallfahrt ziehen sie nach Jerusalem hinauf. Auf Zuruf folgt eine Stadt der anderen. Sie gehen aufeinander zu und gemeinsam weiter. Menschen aller Sprachen sind auf dem Weg. Um ja den Anschluss nicht zu verpassen, suchen sie Nähe und Halt und sei es am Rockzipfel (23).

Frauen und Männer suchen Gott. Gott lässt sich finden, weil er zu uns Menschen kommt. Das ist sein Weg, seine Mission. Weil er unter uns lebt, können wir seine Gemeinde sein. Wo wir ihn ernsthaft suchen, helfen wir mit, die Welt menschlich und wohnlich zu machen. Da sind unsere Türen offen und wir eine einladende Gemeinde. Da öffnen sich Räume und die Hoffnung kann Wirklichkeit werden, dass wir durch Teilen und Beten zu einer Gemeinschaft des Friedens werden.

JÜRGEN THIESBONENKAMP

Gott, erfülle uns mit deiner Liebe, dass Menschen durch uns den Weg zu dir finden.

Nicht mit Gewalt – sondern durch das Wort

»Eure Herren gehen – unser Herr kommt.« Mit diesen Worten segnete und sendete Gustav Heinemann die Menschen zum Abschluss des Kirchentags 1950 in Essen. Krieg und Terror waren vorbei, aber die Folgen noch nicht. Unsicher blickten viele in die Zukunft.

Die Worte des späteren Bundespräsidenten vermittelten adventliche Hoffnung mitten im Sommer. In ihnen klingt an, was Sacharja in schwieriger Zeit verkündete. Sein Ruf, dass ihr König kommt, gilt Zion und Jerusalem, die er als Töchter anspricht. Das fällt auf. Es führt zu der Frage, ob Töchter und Frauen mit ihren Erwartungen besser erfassen können, worauf es bei diesem König ankommt. Ein Siegertyp, der Schrecken verbreitet, ist er nicht. Zwischen Machtmenschen wie den Königen Darius und Alexander zeichnet Sacharja aus dem Vertrauen auf Gott ein anderes Bild: einen gerechten, demütigen und armen König, nicht hoch zu Ross, sondern auf einem Esel. Er ist ein Helfer, weil er selbst Hilfe erfahren hat, nicht von politischen Herrschern, sondern von Gott. Darin liegt seine Stärke. Das macht ihn aus.

Er wird der Friedenskönig sein über die Töchter und Söhne Israels und alle Völker von einem Meer zum anderen. In ihm handelt Gott, der die Macht der Gewalt zerbricht. Denn Gott steht zu dem Bund, den er mit dem Volk geschlossen hat (Ex 28,8). In dieser Erinnerung ermutigt er das Volk zur Umkehr. Im Rückblick erkennt es, dass manches Leid ein Ende hatte und es darin nicht unterging, sondern wie auf »Hoffnung gefangen« war und frei wurde (Gen 37,28).

An diesem König müssen sich alle messen lassen, die Macht und Herrschaft beanspruchen. So ist dieses Wort über die damalige Situation hinaus zu einer messianischen und adventlichen Hoffnung geworden, die uns zu Jesus führt. Durch ihn kommt Gott zu uns, in unser Leben, in die Gemeinden am Ort und in die Gemeinschaft der Ökumene. Wir bleiben mit ihm und durch ihn auf der Königsspur des Lebens, gemeinsam mit den Armen auf dem Weg der Gerechtigkeit und des Friedens.

JÜRGEN THIESBONENKAMP

Gott, mache uns bereit, auf dein Kommen zu hoffen. Lass uns Boten deines Friedens sein.

Task Force contra Fake News

Es ist Frühjahr im Jahr 332 v. Chr. Die Saat steht auf den Feldern. Der Regen lässt auf sich warten. In der Bitte um Regen liegt die Hoffnung, dass Gott die Lebensgrundlagen segnet und erhält. Diese waren zerstört. Im Jahr zuvor hatte die Ernte unter dem Krieg der Großmächte gelitten. Die Not der Menschen war die Stunde der Wahrsager und ihrer Falschmeldungen. Ihr Trost war wie Dunst, der alle Klarheit verschleierte (so im Urtext). Ihren Geschichten sind die Menschen aufgesessen. Ohne Orientierung und sich selbst überlassen, hatten sie Halt und Heimat verspielt. Sie hatten Ziel und Mitte ihres Lebens, sie hatten Gott verloren.

Doch Gott gibt sein Volk nicht verloren. Er greift ein und nimmt die Zügel in die Hand. In starken Bilder beschreibt Sacharja, wie den falschen »Hirten und Leithammeln« (Einheitsübersetzung) das Handwerk gelegt wird. Dazu wird Gott »seine Herde, das Haus Juda heimsuchen« (4). Er wird unter ihnen wohnen, ihren Mut und ihr Vertrauen stärken. Im Bild des »Prachthengst im Kampf« erfahren sie Gottes Stärke. Jetzt geht es nicht mehr darum, das Volk mit dem einzulullen, was es hören will, sondern um die schmerzliche Wahrheit. Daher spricht Sacharja vom Kampf. Er mutet allen, die das hören und lesen, viel zu.

Doch der Kampf ist kein Selbstzweck. Er hat zum Ziel, dass ganz Israel Gottes Treue und Erbarmen neu erfährt (6 u.7). Auch wenn sie unter vielen Völkern verstreut leben, bleibt Gott bei seiner Zusage, dass er wie ein Hirte für sie auch in der Fremde sorgt. Dort werden sie und ihre Kinder fröhlich sein. Wenn die Zeit gekommen ist, wird Gott sie sammeln, heimholen und mehren.

Auch unter fremder Herrschaft, in der Diaspora bleibt Gott seinem Volk, seiner Gemeinde treu. Glaube und Wahrheit finden und bewähren sich oft erst unter erschwerten Bedingungen. Dort aber leuchten sie auf wie das Licht, auf das wir jetzt warten: Christus, Gottes Wort: Er ist »das wahre Licht, das alle Menschen erleuchtet, die in diese Welt kommen« (Joh 1,9).

JÜRGEN THIESBONENKAMP

Du Gott, komm mit deiner Kraft und Wahrheit in unser Leben. Lass uns in deinem Licht unseren Weg finden.

Wehe dem nichtsnutzigen Hirten!

Um Israel ist es für Sacharja schlecht bestellt, sowohl gesellschaftlich als auch religiös. Der Hohepriester und die übrigen Tempelpriester missbrauchen ihr Amt, um sich zu bereichern. Sie behandeln die kleinen Leute wie Vieh und beuten sie aus. Ihren eigentlichen Auftrag, gute Hirten zu sein, haben sie vergessen. Doch diese Situationsbeschreibung ist nicht das letzte Wort. Der Prophet protestiert gegen diese Missachtung des Hirtenauftrags mit zwei Zeichenhandlungen. Die erste zeigt, was einen guten Hirten ausmacht: Die Namen der zwei Hirtenstäbe »Freundlichkeit« und »Verbundenheit« (LUT: »Huld« und »Eintracht«) sind dabei Programm und bringen zum Ausdruck, auf welche Weise die Amtsträger ihren Dienst leisten sollten: einerseits »Freundlichkeit«, also Zuwendung und Aufmerksamkeit für das, was die, um die man sich kümmern muss, brauchen, und andererseits »Verbundenheit«, also den Willen, die Gemeinschaft zusammenzuhalten, wobei hier besonders an die Einheit des Nordreiches »Israel« und des Südreiches »Juda« gedacht wird. Doch weder die Amtsträger (EÜ: die »Schafhändler«; LUT: die »elenden Schafe«) noch die Herde selbst haben an einem solchen guten Hirten Interesse, und daher wird die Zeichenhandlung abgebrochen und die Herde sich selbst überlassen. Der Prophet lässt sich seinen kümmerlichen Hirtenlohn, 30 Silberstücke, auszahlen, die sarkastisch als »wertvoller Preis« bezeichnet und deshalb auf JHWHs Anweisung hin öffentlich im Tempel eingeschmolzen werden. Auch die beiden Hirtenstäbe werden zerbrochen.

Die zweite Zeichenhandlung besteht im Verhalten eines korrupten und brutalen Hohenpriesters, der das Vermisste nicht sucht, dem Jungen nicht nachgeht, das Gebrochene nicht heilt und das Erschöpfte nicht versorgt. Er ist die Strafe für das treulose Gottesvolk. Aber auch dieses Zeichen ist nicht das letzte Wort. Der abschließende Weheruf zeigt an, dass auch die Episode dieses »nichtsnutzigen Hirten« vorübergehen wird: Der Herr wird dem Grauen ein Ende setzen.

MARKUS-LIBORIUS HERMANN

Gott, sei mir Zuflucht und Stärke, ein Helfer in allen Nöten.

Sie werden auf mich blicken, auf ihn, den sie durchbohrt haben

Mit Sach 12,1 hat der dritte Teil der Sacharja-Schrift (Kap. 12,1–14,21; »Trito-Sacharja«) begonnen, der das Endzeitgeschehen apokalyptisch ausmalt. Vor Jerusalem haben sich »alle Völker der Erde« schwerbewaffnet zur eschatologischen Entscheidungsschlacht versammelt, in deren Verlauf es zunächst Leid und Opfer auf Seiten Jerusalems gibt (Sach 14). Schließlich aber vollzieht JHWH »an jenem Tag« (LUT: »zu der Zeit«) das Gericht an den Völkern, das im Letzten dazu führt, dass Jerusalem zum Zentrum aller Frieden liebenden Menschen wird, die dort gemeinsam JHWH dienen.

Sach 12,9–13,1 zeichnet die innere Dimension der Rettung Jerusalems nach, in der es vor allem um die Reinigung von Schuld geht. War in Sach 9,9f. der demütige Friedenskönig die zentrale Gestalt, so ist es hier nun der »Durchbohrte«, auf den alle schauen, um den sie klagen, um den sie weinen und dessen Tod für »das Haus Davids und die Einwohner Jerusalems« die Reinigung von Sünde bewirkt; er ist die »Quelle gegen Sünde und Unreinheit«. Für Sacharja wird an der Figur des »Durchbohrten« außerdem deutlich, dass Mitleid und Gebet, »flehentliches Bitten«, die wahren Haltungen eines geretteten Jerusalems sein können. Auch wenn vieles an dieser messianischen Gestalt rätselhaft bleibt (Ist er eine Gestalt wie der leidende Gottesknecht von Jes 52,13–53,12?), so ist sie doch später im Neuen Testament aufgenommen wurden, um von ihr her Jesus und seine Sendung zu verkünden. Zentral ist hierfür Joh 19,37, ein Text aus der Passion, der die Bildwelt des Sacharja aufgreift und die erlösende Kraft des Leidens und Sterbens Jesu in Jerusalem ganz in der theologischen Dynamik des Sacharja deutet.

MARKUS-LIBORIUS HERMANN

Gott, lass für dein Volk die Quelle gegen Sünde und Unreinheit immer wieder neu entspringen.

Siehe, es kommt ein Tag für den HERRN

Der Tag JHWHs, der »Tag des HERRN«, prägt u. a. das Zwölfprophetenbuch. Das versteht ihn als einen Tag, an dem Gott zur Rettung seines Volkes eingreift und sowohl Vernichtung und Verwüstung als auch Gerechtigkeit mit sich bringt. Der »Tag des HERRN« wird deshalb auch als »Tag der Rache« (Jes 34,8 u.a.), »Tag des Grimms« (Zef 1,15.18 u.a.) oder »Tag des Zorns« (Ps 110,5 u.a.) bezeichnet. Weitere aufgenommene Traditionen sind die Vorstellung vom sog. Völkersturm gegen Jerusalem (vgl. Mi 4,11–13), die Erzählungen über die Eroberung Jerusalems durch Nebukadnezar (586 v. Chr.) und die Vorstellung der Völkerwallfahrt nach Jerusalem, nach der alle Völker zum Zion als dem Zentrum der Welt ziehen, um dort JHWH anzubeten (vgl. Jes 56,6–8 u.a.).

Mit apokalyptischen Bildern wird nun der »Tag des HERRN« beschrieben: Im endzeitlichen Krieg wird Jerusalem erobert und es kommt zu den Grauen des Krieges. Dann aber greift JHWH ein, was zur kosmischen Erschütterung führt, als deren Ergebnis eine erneuerte Welt aufscheint, in der es kein Dunkel mehr gibt, sondern nur noch Licht, und ein Strom »lebendigen Wassers« vom Tempel ausströmt, der die ganze Erde bewässert, wie es bereits die Paradiesquelle (vgl. Gen 2,10–14) getan hat: JHWH hat seine Königsherrschaft angetreten.

Die Bedeutung des Motivs vom »Tag des HERRN« wird zum Schluss des Alten Testaments noch einmal vor Augen geführt werden, das in Mal 3,23f. mit einer Prophetie über den noch nicht gekommenen Tag des HERRN endet: »Bevor aber der Tag des HERRN kommt, der große und furchtbare Tag, seht, da sende ich zu euch den Propheten Elija. Er wird das Herz der Väter wieder den Söhnen zuwenden und das Herz der Söhne ihren Vätern, damit ich nicht komme und das Land schlage mit Bann.« Im Christentum wird der »Tag des Herrn« bzw. der »Herrentag« schließlich auf den Herrn Jesus Christus und den Sonntag als Tag der Auferstehung, der neuen Schöpfung bezogen.

MARKUS-LIBORIUS HERMANN

Dies ist der Tag, den der HERR gemacht hat; wir wollen jubeln und uns über ihn freuen.

ER hat große Dinge getan!

4. Advent – der Freudensonntag Gaudete unmittelbar vor Weihnachten! Er steht im Zeichen der freudevollen und geisterfüllten Begegnung der beiden Frauen, die auf wunderbare Weise Mütter werden, Elisabeth, Mutter des Johannes, und Maria, Mutter Jesu, des Gottessohnes. Die Begegnung findet ihren jubelnden Höhepunkt im »Lobgesang der Maria«, dem Magnificat, seit Jahrhunderten das Canticum im klösterlichen Abendgebet.

Maria musste ihren Lobgesang nicht erst selber dichten. Er lag ihr vor. Sie kannte ihn. Er erinnert an den Lobgesang der Hanna (1 Sam 2): »Der Bogen der Starken ist zerbrochen, und die Schwachen sind umgürtet mit Stärke«, so singt Hanna. Das Magnificat erinnert an die Lobgesänge des Mose und seiner Schwester Mirjam nach dem Auszug der Israel-Schar aus der ägyptischen Sklaverei und durch die Wasser des Schilfmeers: »Du hast geleitet durch deine Barmherzigkeit dein Volk, das du erlöst hast, und hast sie geführt durch deine Stärke zu deiner heiligen Wohnung« – so heißt es im Mose-Lied (Ex 15).

Der Lobgesang der Maria lässt auch Psalmen und Verse aus den Prophetenbüchern anklingen: »Er hat große Dinge an mir getan, der da mächtig ist und dessen Name heilig ist« – das ist Psalmensprache!

Der Lobgesang der Maria ist wie ein vielstimmiger Chor aus alttestamentlichen Stimmen. Die Stimmen vereinen sich in der Verherrlichung des »heiligen Namens«, der sich in der Botschaft des Alten Testaments tausendfach spiegelt. Denn »das Evangelium hat bei Gott und den Menschen eine Vorgeschichte, ist Ziel eines Weges ... auf die Erfüllung einer Verheißung und einer Hoffnung hin«. So sagt es ein Theologe unserer Tage (Rudolf Smend, GÖ 2000).

Indem Maria ergriffen, voller Freude, ihre Rolle wahrnimmt und annimmt, stimmt sie ein in ein Singen, das Gottes Wirken an seinem Volk seit Jahrhunderten lobt und preist. Die individuelle Freude Marias über das Kind, das sie erwartet und das »Sohn des Höchsten« genannt werden soll, ist eingebettet in die Freude des Gottesvolkes über seinen Gott.

ANNEGRET LINGENBERG

Gott, lass heute die Freude überspringen in mein Herz, dass auch ich einstimmen kann in dein Lob!

Einführung zum Buch Maleachi S. 404 ff.

Worauf ist Verlass?

Am Anfang steht die großartige Zusage Gottes an das Volk Israel: »Ich habe euch lieb«! Aber Gottes Liebe erscheint Israel als eine hohle Versprechung. Nur Worte, nicht eingelöst durch Erfahrungen der Liebe. Denn es sind dunkle Zeiten, in denen das Volk Gottes gerade lebt.

Der Prophet macht deutlich: Es gibt keine Beweise für Gottes Liebe. Und das Beispiel der Zwillinge Jakob und Esau zeigt uns: Es bleibt ein Geheimnis, weshalb Gott dem einen, Jakob, seine Liebe schenkt und dem anderen, Esau, nicht. Und: Zu Gottes Liebe erwählt sein, heißt nicht einfach: Alles läuft glatt. Gottes Liebe ist so wenig beweisbar wie verhandelbar. Gott bleibt frei im Geschenk seiner Liebe. Aber Gottes Liebes-Zusage an sein Volk gilt. Auch jetzt, in seinen dunklen Zeiten.

Maleachi geht es mit seinem Prophetenspruch allerdings nicht allein um eine tröstende Zusage. In den folgenden Versen demaskiert er die Opferpraxis der Priester als eine Verachtung Gottes. Denn die Missachtung von Regeln ist immer auch eine Verachtung des Regelgebers. Die Auswahl der Opfertiere zeigt: Die Priester nehmen Gottes Gebote und damit eben Gott selbst nicht ernst. Sie meinen: Gott kann man leicht betrügen, denn er hat gar keine Macht, den Bruch von Gelöbnissen zu sanktionieren. Maleachi verschärft seine Kritik: Dem persischen Statthalter gegenüber würden sie das nicht wagen, aber Gott gegenüber schon! Wo doch Gott allein der Titel »Großer König« gebührt, nicht allein in Israel, sondern auch unter den Heiden.

Der Prophet macht deutlich: Gottes Zusage »Ich habe euch lieb« ist keine folgenlose Kuschelei. Aber: Diese Zusage stärkt die Geliebten für die schwierige Aufgabe, sich in ihrem Alltag neu an den Geboten Gottes auszurichten. Darauf ist Verlass!

NIKOLAUS SCHNEIDER

Das schreib dir in dein Herze, du hochbetrübtes Heer, bei denen Gram und Schmerze sich häuft je mehr und mehr; seid unverzagt, ihr habet die Hilfe vor der Tür; der eure Herzen labet und tröstet, steht allhier.

Gott wird kommen!

Maleachis Zeitgenossen sehen: Es gibt so viele Menschen, die Böses tun und denen es trotzdem gut geht. Sie sagen auch noch: Gott hat Gefallen an Übeltätern. Denn sonst würde und müsste Gott ja strafen!

»Wo ist der Gott, der da straft?« – Ist das nicht oft auch die Frage von uns Christenmenschen heute? Wie oft vermissen wir in unserer Gegenwart ein strafendes Eingreifen Gottes schon in diesem irdischen Leben. Unser Glaube an Gottes Macht und Gerechtigkeit wäre auch heute um vieles leichter, wenn es bösen Menschen schlecht und guten Menschen gut ginge.

Der Prophet erklärt seinen Zeitgenossen: »Ihr macht den HERRN unwillig durch euer Reden!« Gott wird kommen. Und dann wird sich zeigen, wer vor Gott bestehen kann. Dann wird für alle offensichtlich: Gott hat kein Gefallen an dem, der Böses tut. Gott erwartet durchaus, dass Menschen ihre Ehrfurcht vor ihm durch ihr konkretes Alltagsverhalten zeigen. In ihrem privaten Leben wie auch durch ihr soziales Entscheiden und Handeln. Maleachi macht klar: Gott wird eingreifen, nicht um zu vernichten, sondern um zurechtzubringen. Gott will durch sein Gericht seine Menschen »reinigen und läutern«. Damit es anders wird unter uns Menschen. Damit wir Menschen schon hier auf dieser Erde Gerechtigkeit tun und in gerechten Verhältnissen leben können.

Mehr als zwei Jahrtausende sind seit Maleachis Auftreten vergangen. Aber noch immer gilt: Wie damals wird auch heute die Würde von Menschen mannigfach verletzt. Gerade die besonders Verletzlichen – Kinder, Arbeitslose, Flüchtlinge – leiden unter Willkür und Ausgrenzung, auch weil wir Christenmenschen es nur in Ansätzen schaffen, Gottes Wort und Willen in unserem Alltag umzusetzen. Uns zum Trost aber gilt: Gott wird kommen, um alles zurechtzubringen!

NIKOLAUS SCHNEIDER

Gott, auch wir warten oft schmerzlich auf dein Eingreifen. Lass dein Recht schon für unser irdisches Leben leuchten. Komm doch bald und bring alles zurecht.

Gott bittet

Wenn es wirtschaftlich bergab geht, treten viele Menschen aus der Kirche aus. Sie wollen dadurch Kirchensteuer sparen. Natürlich hat die Kirche dann weniger Geld zur Verfügung, was bedauerlich ist. In Wirklichkeit aber ist Gott derjenige, dem quasi die finanziellen Mittel entzogen werden. Er wird förmlich »beraubt«. So beschreibt es jedenfalls das Maleachi-Buch.

Gott sieht, in welchem Zustand sich das Volk Israel – hier werden sie Kinder Jakobs genannt – befindet. Aus der Fremde in Babylonien sind sie zurückgekehrt in ihr angestammtes Land. Den Tempel haben sie wieder aufgebaut. Trotzdem bleibt das Leben mühsamer als gedacht. Sie sind unzufrieden und mutlos. Gottes Gebote geraten in den Hintergrund. Sie erleben schlechte Ernten, die als Fluch gedeutet werden (V. 9).

Doch da kommt Gott. So schlecht soll es seinem Volk nicht gehen. »Ihr seid doch nach wie vor meine geliebten Kinder«, sagt er ihnen. »Daran hat sich nichts geändert, auch wenn ihr so lebt, als gäbe es mich nicht. Als hättet ihr niemals die Zehn Gebote empfangen.« Gott ist geduldig. »Was jetzt hilft: Wir kehren um, ihr zu mir und ich zu euch. Das wird uns wieder einander annähern.«

Doch die Kinder Jakobs wollen es genau wissen. Zweimal fragen sie nach: »Wovon sollen wir umkehren? Womit betrügen wir dich?« – »Mit dem Zehnten und der Abgabe!«, antwortet Gott. Die Israeliten geben ein Zehntel ihrer Ernte an den Tempel ab. Doch im Moment sparen sie an den religiösen Abgaben und betrügen, ja berauben damit Gott.

Umkehr bedeutet also: Den Zehnten wieder im Vorratshaus des Tempels abgeben. Nur so kann der Tempelbetrieb stattfinden. Nur so können Arme mit Lebensmitteln versorgt werden. Dann wird auch Gottes Segen für die Kinder Jakobs wieder spürbar werden. Die Fenster des Himmels werden sich wieder öffnen und den erwarteten Regen bringen. Das Land wird wieder herrlich sein.

Gott zeigt: Ich lasse mich durch euch Menschen bewegen.

EVELINA VOLKMANN

Lass die Wurzel unsers Handelns Liebe sein, dieser größten Gabe ist kein Dienst zu klein. Herr, lass alles, alles hier auf Erden Liebe, Liebe werden.

Was bringt's mir?

Der Prophet Maleachi hat nun Menschen vor sich, die sich tadellos verhalten. Sie signalisieren mit ihrer schwarzen Kleidung: Wir sind bereit zu Reue und Buße. Und dennoch fragen sie resigniert: »Und was bringt uns das? Wir spüren keinerlei Vorteil. Es ist doch alles vergeblich. Wer sich nicht zu Gott hält, ist auch nicht schlechter dran als wir.«

Genau dafür werden sie hier kritisiert. Schlimm ist nicht, dass sie nach dem Sinn ihres Tuns fragen. Aber dass sie es für nutzlos halten, Gott zu dienen, das ist nicht gut. Sie könnten sich doch an Gott wenden und ihn fragen: »Warum ist es gut, was wir tun?« Stattdessen reagieren sie höhnisch. Sie stimmen ein Loblied auf diejenigen an, die Gott verachten und Gewalt lieben. Damit verspotten sie letztlich Gott. Sie erwarten von ihm nichts mehr. Sie erleben eine ungerechte Welt, von der Gott weit weg zu sein scheint. Sie sind verzweifelt und wissen nicht mehr, worauf sie sich verlassen können.

Und wieder begegnet uns hier ein geduldiger Gott. Er greift zu einem anschaulichen Bild, um ihnen neuen Mut zu schenken: ein Gedenkbuch. Diejenigen, die sich an Gottes Gebote halten, werden darin eingetragen, die anderen – die Gewalttätigen – nicht. An die Gottesfürchtigen wird man sich dank dieses Buches erinnern. Das wird »an dem Tage, den ich machen will«, der Fall sein. Dieser Tag liegt noch in der Zukunft. Aber wer darin steht, wird gerettet werden. Dieser Gedanke tröstet die, die gerade noch frustriert waren. Er weitet ihren Blick. Es geht ihnen nun nicht mehr um diejenigen, die von Gott nichts halten. Sie begreifen vielmehr, dass sie als Kinder Gottes sein »Eigentum« sind, das er nicht fallen lässt und für das er sich einsetzt. Das bringt's!

EVELINA VOLKMANN

Gott, deine gabe ist es, dass menschen zum leben kommen, und wider allen anschein nicht auf immer ausgeliefert sind den mächten des todes
Gott, deine gabe ist es, wenn wir deiner gnade antworten und die verantwortung für uns selbst nicht anderen überlassen
Gott, schenke uns die freiheit deiner gnade.

Sonne der Gerechtigkeit

Diese letzten Verse unseres Alten Testaments sind durch den Choral »Sonne der Gerechtigkeit« bekannt geworden. Maleachi kündigt an: Am Tag des Herrn geht die Sonne der Gerechtigkeit auf über denen, die sich zu Gott halten. Dies ist etwas ganz anderes als der tägliche Sonnenaufgang. Denn diese Sonne wird allen Schaden heilen. Heute, an Heilig Abend, denken wir bei der Sonne natürlich auch an das Licht, das durch die Geburt Jesu in unsere Welt kam.

Diese Sonne geht nicht über allen auf. Der Tag des Herrn ist der Tag des Gerichts. Gottlose werden wie Stroh im Ofen verbrannt und am Boden zertreten. Mit diesen drastischen Bildern tun wir uns schwer. Vielleicht hilft die Vorstellung: Durch diese bildhafte Sprache kommt deutlich zum Ausdruck, dass unser Tun eben nicht gleichgültig ist. Vor Gott hat das Böse keinen Bestand. Es gibt Dinge, die eindeutig zu verurteilen sind. Wer selber Opfer von Gewalt geworden ist, hört hier: Die Täter werden für ihre Taten belangt. Gott schafft Recht. Doch unser Vertrauen auf Gott hängt nicht daran, wie Gott mit den Übeltätern umgeht.

Maleachi kündigt außerdem an, dass der Prophet Elia wiederkommen wird. Einst in den Himmel entrückt, wird er von dort zu den Menschen kommen und sie auf den Tag des Herrn vorbereiten. Er wird dafür sorgen, dass sich die Generationen wieder vertragen. Was für ein tröstlicher Gedanke! Gerade an Weihnachten werden Risse, die durch Familien gehen, schmerzlich bewusst. Auch wenn im Moment vielleicht die ersehnte Aussöhnung noch nicht zu spüren ist, so wird doch verheißen: Bei Gott werden Familien wieder heil. Tiefe Verletzungen werden geheilt. In der jüdischen Tradition gibt es einen besonderen Brauch, dieses Warten auf Elia zu gestalten. Beim jährlichen Passa-Mahl wird immer ein zusätzlicher Stuhl an den Esstisch gestellt. Der ist für Elia gedacht, der jeden Moment zur Tür hineinkommen könnte. Die Sonne der Gerechtigkeit wird scheinen!

EVELINA VOLKMANN

Sonne der Gerechtigkeit, gehe auf zu unsrer Zeit; brich in deiner Kirche an, dass die Welt es sehen kann. Erbarm dich, Herr.

Weihnachten ist kein harmloses Fest

Das Glitzern und Klingen an Advent und Weihnachten täuschen leicht darüber hinweg, dass Weihnachten kein harmloses Fest ist. Von Geschenken und Umsätzen wird viel erwartet. Sehnsüchte richten sich auf Frieden in persönlichen, familiären und beruflichen Bereichen. Friede zwischen den Völkern käme allen Menschen zugute. Je größer die Erwartungen, desto größer sind die Enttäuschungen. Es ändert sich wenig. Meist geht es wie gewohnt weiter.

Dass es auch an Weihnachten um Macht geht, darauf macht der Psalm aufmerksam. Der Dichter greift ein altes Lied auf, das bei der Thronbesteigung eines orientalischen Königs angestimmt wird. Ein solches Lied erklingt nun auch bei dem Regierungsantritt eines Königs in Judäa. Mit einem Unterschied: Dieses Lied singt davon, dass sich das Schicksal jeder Macht, die von Menschen ausgeübt wird, an Gott entscheidet. Sie erhält ihr Recht und ihre Würde von Gott. In diesem Sinne weiß sich der neue König von Judäa von Gott beauftragt, wie ein Sohn von seinem Vater beauftragt ist. Das Amt des Königs soll durchlässig sein für Gott, der der Herr der Welt ist. Wer das nicht anerkennt, über den kann Gott nur lachen (V. 4).

An Weihnachten macht Gott Weltgeschichte. Der mächtige Kaiser Augustus ist nur Statist für Gottes Handeln, das in einem machtlosen Kind von einflusslosen Hirten und von einflussreichen Gelehrten erkannt wird. Und die Engel jubeln über einen Gott, der alle gewohnten Maßstäbe auf den Kopf stellt. Weihnachten ist wirklich kein harmloses Fest, aber umso mehr ein fröhliches Fest. Lassen auch wir uns zum Jubeln und Lachen anstiften?

HEIMO LIEBL

Lob, Preis und Dank, Herr Jesu Christ, sei dir von mir gesungen, dass du mein Bruder worden bist und hast die Welt bezwungen; hilf, dass ich deine Gütigkeit stets preis in dieser Gnadenzeit und mög hernach dort oben in Ewigkeit dich loben.

Nachweihnachtliches Resümee

»Meine Augen haben dein Heil gesehen« – können wir das so sagen am 2. Weihnachtstag?

In der dunkelsten Zeit der Geschichte Israels hatte ein Prophet in ungeheuer tröstlichen Worten Heil und Rettung vorausgesagt: Siehe, das ist mein Knecht, so heißt es Jesaja 42. Und Jesaja 49,6: Ich habe dich zum Licht der Heiden gemacht, dass du seist mein Heil bis an die Enden der Erde.

Und nun durchleuchtet es den greisen Simeon: Der ist es! Simeon erkennt mit prophetischem Blick, was das für ein erstgeborener Sohn ist: »Meine Augen haben dein Heil gesehen, das du bereitet hast vor allen Völkern, ein Licht, zu erleuchten die Heiden und zum Preis deines Volkes Israel.« Das ist Zitat aus Jesaja!

Der heilige Geist öffnet ihm die Augen und das Herz. Seine Augen erkennen, dass in diesem Kind wahr wird, wovon Jesaja gesprochen hat.

Den beiden alten Menschen, Hanna und Simeon, wird am Ende ihres Lebens die Begegnung mit diesem Heil zuteil. Für sie kann nun der Abend kommen, der Abend des Tages, der Abend des Lebens; sie können in Frieden die Augen schließen, die so Unfassliches gesehen haben: Herr, nun lässt du deinen Diener in Frieden fahren, wie du gesagt hast, denn meine Augen haben dein Heil gesehen.

Seit dem 4. Jahrhundert ist dieser Lobgesang des Simeon, das sog. Nunc dimittis, feierlicher Teil des Nachtgebets der Kirche, das bis heute in der klösterlichen Komplet gesungen wird. Nach den Begegnungen des Tages, in denen uns – hoffentlich! – Christus begegnet ist, in denen wir sein Heil gesehen haben, können wir uns in Frieden und im erfüllten Vertrauen zur Ruhe legen – allabendlich, heute am Abend des Weihnachtsfestes 2021 und hoffentlich auch am Ende unseres irdischen Lebens.

ANNEGRET LINGENBERG

Hilf uns, Herr, wenn wir wachen, und behüte uns, wenn wir schlafen; auf dass wir wachen mit Christus und in Frieden ruhen.

Einführung zum Johannesevangelium S. 409 ff.

Alles auf Anfang

Jedes der vier Evangelien steigt auf ganz eigene Weise in seine Erzählung ein. Matthäus rollt eine Ahnentafel auf, bevor er von dem erzählt, der aus ihr hervorgeht: Sohn Davids. Markus verweist auf die Propheten des Alten Testaments, auf den Engel Gottes als Wegbereiter des Kommenden und setzt erst dann die Handlung in Gang. Lukas schreibt einen Brief an Theophilus. »Mit Fleiß« trägt er zusammen, was er erfahren hat und erweist sich dabei als ein großer Erzähler. Johannes stellt seiner Erzählung einen Prolog voran, eine Einführung. Sie lässt sich mit einer Ouvertüre vergleichen, die es den Anwesenden möglich macht, sich einzustimmen auf das, was kommen wird und was der Vorhang vorläufig noch verhüllt: »Am Anfang war das Wort, und das Wort war bei Gott, und Gott war das Wort.« Wie einen Reigen hat der Evangelist die Sätze seines Prologs zusammengeflochten. Vom Ende her schreiben sie einander fort. Und noch bevor wir, die wir sie lesen, nach ihrer Bedeutung fragen, sichert uns ihre hymnische Metrik tiefliegende Wahrheiten zu. Da ist vom Anfang die Rede und vom Logos, diesem weisheitlichen Urwort, in dem Gott ganz zugegen ist. Es erinnert an sein erschaffendes Wort in der Schöpfungsgeschichte der Genesis. Alles entspringt Gott, und selbst noch das Allerkleinste enthält ihn. Vom Leben ist die Rede als Licht der Menschen. Vom Licht, das in der Finsternis leuchtet und wieder zurückgeworfen wird. Und das doch beharrlich im Dunkeln scheint. Denn Johannes hat ihm eine unvergängliche Kraft mitgegeben: die Gegenwart. Es schien nicht nur, sondern es scheint. Und noch immer sehen wir es leuchten. Als Licht der Weihnacht.

ANGELIKA LEONHARDI

Gott will im Dunkel wohnen und hat es doch erhellt. Als wollte er belohnen, so richtet er die Welt. Der sich den Erdkreis baute, der lässt den Sünder nicht. Wer hier dem Sohn vertraute, kommt dort aus dem Gericht.

Zwischenspiel

Noch ist der letzte Ton der Ouvertüre nicht verklungen. Noch hat der Vorhang sich nicht geteilt. Der Prologtext hat erst ein Drittel seiner Sätze verbraucht. Längst ist nicht alles ausgesprochen, worauf Johannes uns hinweisen will. Dafür braucht es noch Zeit. Und doch wendet sich hier unser Sinn, löst sich aus unseren Innen-räumen, blickt auf und fokussiert nun die Bühne. Denn jemand ist vor den Vorhang getreten. Etwas vorzeitig ist er gekommen. So wie einer, der seinen Auftritt verfehlt, sich zu früh eingefunden hat. Aber nun ist er hier, und sogleich scheint der Text ihm Platz einzuräumen und ihm Geltung zu verschaffen: Da ist ein Mensch. »Von Gott gesandt.« Johannes der Täufer. Und wie er da vor uns steht, beginnen unsere Gedanken, um ihn zu kreisen und ihm Stück für Stück das beizufügen, was wir schon über ihn wissen: wie er ein Kleid aus Kamelhaar trägt und den ledernen Gürtel um seine Lenden, wie er sich von Heuschrecken und wildem Honig ernährt. Wie er als Bußprediger wirkt in der Wüste und als Täufer am Jordan. Wie er auch den, dem er Zeit seines Lebens den Weg bereitet, dort tauft. Wie er sich in die Rolle des Vorläufers findet und wie es am Ende dann um ihn steht. Der Evangelist Johannes aber will uns auf etwas ganz anderes hinweisen. Etwas, was wir noch gar nicht recht wahrgenommen hatten: Johannes den Zeugen des Lichts. Des Lichts, von dem der Prolog gerade eben noch geredet hatte. Noch bevor der Evangelist den Täufer in seine Handlung schickt, schiebt er den Text des Prologs auseinander und führt Johannes, den Lichtzeugen, mitten hinein. Und da steht er für den Moment, und zeigt mit langgestrecktem Finger voraus ins Helle.

ANGELIKA LEONHARDI

Dem alle Engel dienen, wird nun ein Kind und Knecht. Gott selber ist erschienen zur Sühne für sein Recht. Wer schuldig ist auf Erden, verhüll nicht mehr sein Haupt. Er soll errettet werden, wenn er dem Kinde glaubt.

La Notte

Der Stall, das neugeborene Kind in der Krippe, Maria und Joseph, die Engel, die Hirten, die Schafe, der Stern – das alles gehört in die Weihnachtsgeschichte des Evangelisten Lukas. »Es begab sich aber zu der Zeit« – dieser Anstoß genügt, um den Textverlauf in uns aufzurufen. Mit seiner poetischen Sprachmelodie, seinem feinen versichernden Rhythmus, seinen anrührenden Bildern hat er sich uns tief eingeprägt. Auch der Evangelist Johannes schreibt eine Weihnachtsgeschichte. Nur lässt sich in seinem Prolog nichts datieren. Es gibt kein geschichtliches Ereignis, an das er dort anknüpft. Alles, wovon er redet, beginnt vor der Zeit. Aber das ist nicht zu fassen. Deshalb kann er davon nur mystisch erzählen, verschlüsselt und geheimnisvoll. Und dennoch sind die beiden Weihnachtsgeschichten eng miteinander verschmolzen. Denn durch die Handlung bei Lukas scheint etwas hindurch, ohne das sie nicht wäre, was sie ist: Gottes Dahinter. Und das ist es, wovon der Evangelist Johannes redet. Er schreibt vom wahren Licht, das alle Menschen erleuchtet, die in diese Welt kommen. Und von seiner verwandelnden Wirkung, die sie zu Gottes Kindern macht. Das Licht, das nicht nach Herkunft und Bedeutung fragt. Auch die Hirten auf dem Feld, von denen Lukas erzählt, sind von diesem Licht umflutet, nehmen es an und machen sich auf zum Stall. Wohl kaum einer hat das göttliche Licht, das ihnen dort leuchtet, so ergreifend eingefangen wie der Renaissancemaler Antonio Allegri Correggio in seinem Gemälde »La Notte«, die Nacht. Alles Licht geht von dem Kind in der Krippe aus. Hell scheint es in die Gesichter derer, die sich zu ihm hinwenden. Gebannt, ja geblendet stehen sie da und schauen in das überbordende Licht, das im Dunkeln scheint. Wir mitten unter ihnen. Es ist Heilige Nacht.

ANGELIKA LEONHARDI

Die Nacht ist schon im Schwinden, macht euch zum Stalle auf! Ihr sollt das Heil dort finden, das aller Zeiten Lauf von Anfang an verkündet, seit eure Schuld geschah. Nun hat sich euch verbündet, den Gott selbst ausersah.

Dem Wort verpflichtet

Gott und das Wort. Das ist für mich sowas wie eine Ur-Verbindung. Und um die geht es in der Bibel oft und in unterschiedlichen Situationen.

Schon gleich am Anfang. Vor jedem neuen Schöpfungstag steht: Gott sprach. Gott hat die Welt durch Worte ins Leben gerufen. Oder Gott gibt Menschen einen Auftrag. Mose zum Beispiel oder den Propheten. Sie bekommen genau gesagt, was sie tun sollen. Einige sind erstmal weggerannt. Aber dann spricht Gott ihnen Mut zu und sie schaffen es. Was alle Geschichten verbindet: Gottes Wort bewegt was!

Im Johannesevangelium wird Gott selbst sogar als das Wort bezeichnet, das auch noch auf die Welt kommt. »Und das Wort ist Fleisch geworden.« Für mich ist das ein klarer Auftrag: Kümmere dich um das Wort. Denn Worte sind mächtig. Sie haben Kraft. Ich versuche das. Wirklich, ich achte darauf, wie ich spreche, und ich versuche, meine Worte bewusst zu wählen.

Umso mehr erschreckt mich, was bei uns seit einigen Jahren gesellschaftlich passiert. Da werden von verschiedenen Gruppierungen und Politikern Worte verwendet, die Ängste schüren. Oder noch krasser: Worte, die sich ganz bewusst an den Jargon des Nazi-Regimes anlehnen. Da spricht ein Politiker von »jagen« und davon, sich »unser Land und unser Volk zurückzuholen«.

Dass sowas bei uns in Deutschland heute möglich ist, macht mich ratlos. In anderen Staaten sieht es ähnlich aus. Problematisch wird es dann, wenn ich aufhöre, sprachliche Bilder oder Begriffe zu hinterfragen. Gerade jetzt müssen wir wachsamer denn je sein, um nicht auf irgendwelche dumpfen Parolen reinzufallen.

Worte, die Menschen sprechen, dürfen nicht trennen. Ich glaube, das ist mein, das ist unser Auftrag als Menschen in der Welt. Ich muss meine Worte so wählen, dass sie verbinden.

Wenn Gott selbst das Wort ist, dann muss ich jedes meiner Worte wie einen Schatz behandeln. Vorsichtig und sanft, gut überlegt und so, dass es nicht nur mir dient, sondern gut ist für die Menschen.

JOHANNA VERING

Gott, schenke uns die richtigen Worte. Worte, die verbinden und nicht trennen.

Großer Gott, wir loben dich

Silvester feiere ich schon immer mit meiner Familie. Weil das mit der Zeit langweilig wurde, muss seit einigen Jahren jeder einen Beitrag für alle bringen: vom Improtheater über die Großgruppengaudi bis zur Mottoparty. Das hat sich eingebürgert und bringt richtig Stimmung.

Mir gefällt das sehr, denn für mich ist wichtig, dass es ein fröhlicher Abend ist. Klar, das kann ich nicht erzwingen. Aber ich nehme mir immer fest vor, froh in das neue Jahr zu starten, unabhängig davon, was im alten war.

Gott gehört für mich genauso zu Silvester wie die vielen Beiträge oder das Feuerwerk. Ich will das neue Jahr nicht ohne Gott beginnen. An Silvester habe ich immer das gleiche Gefühl: Ganz egal, wie es wird, ich muss den Weg durch das neue Jahr nicht alleine gehen. Ich weiß, wenn es ganz hart kommt, wenn mir kein Mensch mehr helfen kann, wenn die Welt über mir zusammenbricht und ich ganz alleine bin, dann kann ich an Gott abgeben. Ich kann ihn immer mit ins Boot holen. Mir hilft das. Ich gehe dann einigermaßen gelassen und sogar mutig auf das zu, was mich im neuen Jahr erwarten wird.

Bei unseren Silvesterabenden hat sich der Brauch eingebürgert, ein altes Kirchenlied zu singen. Pünktlich zum 12 Uhr-Schlag und zum Start des Feuerwerks stimmt immer jemand »Großer Gott, wir loben dich« an. Wir brauchen das gar nicht abzusprechen, das klappt einfach so. Es wäre komisch, wenn wir das Lied nicht singen würden. Egal, wie das alte Jahr war und das neue sein wird: Ohne diesen schönen Abend und ohne den »großen Gott« kann und will ich 2022 nicht beginnen.

Bei allem, was Sie heute Abend tun: Kommen Sie gut ins neue Jahr!

JOHANNA VERING

Großer Gott, wir loben dich; Herr, wir preisen deine Stärke. Vor dir neigt die Erde sich und bewundert deine Werke. Wie du warst vor aller Zeit, so bleibst du in Ewigkeit.

Einführung in die biblischen Bücher

Zweites Buch der Könige

Das zweite Buch der Könige setzt das erste fort und schildert die Zeit der Könige des Nordreichs Israel bis zu seinem Untergang und die Zeit der Könige des Südreiches Juda bis zum babylonischen Exil. Das Buch bildet auch den Abschluss der inhaltlichen Einheit 1 Sam – 2 Kön.

Aufbau

Anders als in den Samuelbüchern und teilweise im ersten Buch der Könige fehlt eine zentrale königliche Gestalt. Die Abfolge der Regentschaften bringt nur wenige Höhepunkte: So sticht Jehu hervor, der durch einen Putsch an die Macht kommt. Als positive Gestalten erhalten desweiteren Hiskija und Joschija breiteren Raum.

Die beiden bedeutenden prophetischen Gestalten des Buches sind Elischa, der zu Beginn des Buches Elijas Nachfolge antritt, sowie Jesaja, der König Hiskija zur Seite steht.

Das Buch lässt sich so gliedern:
Prophetenerzählungen (2 Kön 1–8)
Königschronik (2 Kön 9–17)
Das Ende Judas (2 Kön 18–25)

Schwerpunkte

Das zweite Buch der Könige ist eine Geschichte des Niederganges und der sich ankündigenden Katastrophen. Schon der erste Vers beinhaltet eine Absplitterung: Moab fällt von Israel ab. Die folgenden Kriege gegen Moab (Kap. 3) oder Aram (Kap. 6) sowie die Belagerung Samarias (Kap. 6) zeugen von schwierigen Zeiten für das Nordreich, dessen Untergang in Kap. 17 geschildert wird.

Mit dem Schicksal des Nordreiches verflochten ist das Wirken Elischas. Er sieht das Unheil voraus, das der aramäische König Hasael über das Land bringt (Kap. 8). Er lässt auch den Aufrührer Jehu zum König von Juda salben (Kap. 9), der Elijas einstige Gegenspielerin, Königin Isebel, stürzt und das Haus Ahab ausrottet (Kap. 9–10). Unter ähnlich dramatischen Umständen endet später auch die Herrschaft Königin Ataljas (Kap. 11).

Daneben werden zahlreiche Wundertaten Elischas geschildert: Ölwunder, Brotvermehrung, Heilungen oder die Erweckung eines toten Kindes weisen Parallelen zu späteren Wundertaten Jesu auf.

Die letzten 8 Kapitel des Buches befassen sich mit dem Schicksal des Südreiches Juda nach dem Untergang des Nordreiches: Hiskija, der angeleitet vom Propheten Jesaja als Reformkönig in die Geschichte eingeht, und Joschija, der Hoffnungsträger, dessen frühzeitiger Tod das Ende Judas einläutet, sind die Lichtblicke dieser Zeit. Zwischen den beiden erringt als Kontrastfigur Manasse zweifelhafte Berühmtheit. Das Buch endet im babylonischen Exil, jedoch birgt es auch neue Hoffnung: Nach Jahren der Gefangenschaft gelingt es dem exilierten König, am Königshof des babylonischen Königs freundschaftlich aufgenommen zu werden.

Entstehung

Das zweite Königsbuch weist wie auch das erste eine komplexe Entstehungsgeschichte auf. Die Datierungen schwanken vom sechsten bis ins vierte Jahrhundert vor Christus. Auch über die Verfasserkreise gibt es wenig Anhaltspunkte. Lediglich der Bezug zum Deuteronomium dürfte unumstritten sein.

Theologie

Das Buch interessiert sich nicht für politischen Erfolg oder Misserfolg der geschilderten Regent/innen, sondern vor allem für deren Treue zu JHWH. Während der assyrischen Krise jedoch gilt als weiteres positives Kriterium auch die Weigerung, mit den übermächtigen Assyrern zu kooperieren.

Die Darstellung der Regentschaften folgen meist einem festen Muster. Die wichtigsten Daten werden genannt: Alter bei Regierungsantritt; Name der Mutter; Todesart und -zeit; Begräbnisstätte; Name des Nachfolgers. Entscheidend für die Beurteilung der Könige ist jedoch ihr religiöses Verhalten. Das Buch unterscheidet stereotyp Könige, die tun, »was dem Herrn gefiel«, von Königen, die tun, »was böse war in den Augen des Herrn«.

Dahinter steht die Idee der Kultzentralisation: Die einzige legitime Kultstätte in den Augen der Königsbücher ist der Tempel von Jerusalem. Jerobeam, der erste König des Nordreiches, hatte jedoch in Dan und Bet-El Kultstätten errichten lassen, was als Sünde gegenüber JHWH empfunden wurde. Da aber sämtliche Könige des Nordreiches an diesen Kultstätten und damit an der »Sünde Jerobeams« festhielten, fallen alle unter die Negativbewertung »was böse war in den Augen des Herrn«. So deutet das Südreich den Fall des Nordreiches als Folge dieser »Sünde«. Aber auch der spätere Fall Judas wird mit der unzureichenden Zentralisierung des Kultes am Tempel von Jerusalem begründet. Das kultische Versagen der König/innen führt in den Augen der Verfasser zum politischen Untergang.

ELISABETH BIRNBAUM

Esra und Nehemia: Die Geschichte eines Neuanfangs

Die Bücher Esra und Nehemia waren ursprünglich ein einziges Buch. Sie erzählen von einem inneren und äußeren Neuanfang. Mit der Eroberung Jerusalems, der Zerstörung des Tempels und der Deportation der führenden Personen in das Babylonische Exil im Jahre 587 v. Chr. war die Identität des Gottesvolkes zutiefst erschüttert. Der Staat war zusammengebrochen und mit ihm das religiöse Zentrum, der Tempel. Das Gebiet des ehemaligen Staates Juda war geschrumpft, seine Bevölkerung stark dezimiert. Nach menschlichem Ermessen dürfte sich eine Gemeinschaft unter diesen Bedingungen auflösen. In der Geschichte Israels wäre ein solches Schicksal nicht neu gewesen. Gut hundert Jahre vor dem Ende des Südreiches Juda wurde dem Nordreich Israel ein ähnliches Geschick zuteil. Im Jahre 722 v. Chr. fiel es mit seiner Hauptstadt Samaria der assyrischen Expansion zum Opfer. Ein großer Teil der Bevölkerung wurde ins Exil nach Assyrien deportiert. Das Nordreich Israel starb den Assimilationstod. Zwar konnte sich ein Teil der Bevölkerung durch Flucht in das Südreich retten, doch als eine religiöse Gemeinschaft mit eigener Identität verschwand das Nordreich Israel aus der Geschichte. Sollte es Juda nicht ähnlich ergehen? Die Not war groß. Doch diesmal gelang es, gestärkt aus der Krise hervorzugehen. Wie das möglich war, davon erzählen die Bücher Esra und Nehemia.

Es gibt immer wieder glückliche Momente in der Geschichte eines Volkes. Ein solcher Kairos war für die Juden der Untergang des Babylonischen Weltreiches und der Aufstieg der Perser unter ihrem König Kyrus II. (559–530 v. Chr.). Dieser gestattete den Juden, in ihre Heimat zurückzukehren und den Tempel wiederaufzubauen. Mit diesem sogenannten Kyrus-Edikt beginnt das Buch Esra.

Esra

Wenn eine Gemeinschaft nach einem neuen Anfang sucht, stellt sich die Frage nach der Zugehörigkeit. Diesem Zweck dienen die Listen der Heimkehrer (Esra 2). Sie verbindet eine gemeinsame Geschichte; sie repräsentieren das wahre Israel.

Sowohl bei den Zehn Geboten als auch in der Botschaft Jesu steht Gott an erster Stelle. Entsprechend beginnt der Neuaufbau der nachexilischen Gemeinde mit der Errichtung eines Brandopferaltares, der Wiederaufnahme des Opfergottesdienstes und dem damit einhergehenden Entschluss, den Tempel wiederaufzubauen. Trotz äußerer Widerstände kommen die Arbeiten nach einer etwa fünfjährigen Bauzeit im Jahre 515 v. Chr. zu einem erfolgreichen Abschluss (Esra 3; 5–6). Die Vollendung des Tempelbaus wird mit einer großen Pessachfeier begangen (Esra 6,19–22), vergleichbar dem ersten Pessach beim Einzug in das Land der Verheißung unter der Führung Josuas (Jos 5).

Dem äußeren Aufbau muss eine innere Erneuerung entsprechen. Es geht darum, dass sich die Gemeinschaft dem Willen Gottes unterstellt. Der Wille Gottes wird in der Tora des Mose offenbar. Diese muss in rechter Weise ausgelegt und verstanden werden. Dazu bedarf es der Schriftgelehrten. Ein solcher Schriftgelehrter, »kundig in der Weisung des Mose« (Esra 7,6), war Esra. Er war »von ganzem Herzen darauf aus, die Weisung des Herrn zu erforschen und danach zu handeln und Gesetz und Rechtsentscheid in Israel zu lehren« (Esra 7,10). Unter seiner Leitung wurde die nachexilische Gemeinde neu aufgebaut. Dabei mussten schmerzhafte Entscheidungen getroffen werden. Führende Männer des Volkes hatten Frauen aus anderen Völkern geheiratet. Damit haben sie gegen das Bündnisverbot der Tora verstoßen (Ex 34,16; Dtn 7,1–4). Es kommt zur Auflösung der sogenannten Mischehen (Esra 9–10). Die Auflösung der Mischehen gehört nach heutigen Maßstäben zu den hoch problematischen Passagen des Buches. Das Problem wird auch im Buch Nehemia in ähnlich radikaler Weise gelöst (Neh 13,23–31). Eine Ehe wird in den westlichen, christlich geprägten Kulturen weitgehend als eine freie Entscheidung zweier Menschen auf der Grundlage individueller und affektiver Zuneigung verstanden. In vielen Kulturen jedoch werden Ehen vor allem unter politischen, kulturellen und religiösen Gesichtspunkten geschlossen. In Esra und Nehemia finden sich Hinweise, dass die Mischehen führender Schichten der jüdischen Bevölkerung gezielt auf eine interkulturelle und interreligöse Lebensform hin ausgerichtet waren. Das widerspricht nun den wesentlichen Zielen des Neuanfangs. Denn schon einmal war Israel ins Verderben gelaufen, als es sich den Lebensformen anderer Völker mit ihren Göttern angepasst hat. Unter dem Gesichtspunkt der Identitätssicherung durch Abgrenzung lässt sich das für das nachexilische Judentum wichtige Gebot der endogamen Eheschließung nachvollziehen (vgl. Tob 4,12f; 7,10–12).

Nehemia

Die neue Gemeinschaft bedarf auch des äußeren Schutzes. Dieser wird mit dem Wiederaufbau der Stadtmauern und der Wiederbesiedlung Jerusalems in die Wege geleitet. Verantwortlich dafür ist Nehemia, ein von der persischen Regierung mit dem Wiederaufbau beauftragter Statthalter.

Eine religiöse und politische Gemeinschaft bedarf auch des inneren Friedens und des sozialen Ausgleichs. Wenn große Teile des Gottesvolkes verarmen, widerspricht das dem in der Tora bezeugten Willen Gottes. Durch Schuldenerlass sorgt Nehemia für die innere Befriedung und das unabdingbare Gefühl der Zusammengehörigkeit unter den Juden (Neh 5).

In einem öffentlichen Gottesdienst auf dem Tempelplatz wird die Tora feierlich verlesen und ausgelegt (Neh 8). In einem Bußgebet, dem längsten Gebet innerhalb des Alten Testaments, schaut die Gemeinde zurück in die Vergangenheit und richtet zugleich den Blick nach vorn in die Zukunft. Es reflektiert die bisherige Geschichte, ruft die Gründe für das vergangene Scheitern in Erinnerung und zieht Schlussfolgerungen daraus für eine gute Zukunft unter dem Segen Gottes (Neh 9). Mit der feierlichen Einweihung der neu errichteten Mauern wird Jerusalem zur heiligen Stadt (Neh 11,1), in der das aus dem Exil, das heißt dem Gericht Gottes gerettete und von allem Fremden gereinigte Volk Gottes wohnt.

Von den drei großen Institutionen Israels, dem Tempel, dem Königtum und der Tora, werden nach dem Exil Tempel und Tora wiedereingesetzt. Das Königtum hingegen bleibt auf der Strecke. Das Gottesvolk will nicht mehr als Staat mit einem König an der Spitze existieren. Sein einziger König ist Gott, der Herr.

LUDGER SCHWIENHORST-SCHÖNBERGER

Sprichwörter / Sprüche Salomos

Das Buch der Sprichwörter (dafür im Weiteren »Spr«) ist eine einmalige Sammlung von Lebensweisheiten. In sehr verdichteter Form reflektiert es vielfältige menschliche Erfahrungen und durchleuchtet sie auf ihren Sinn, ihre Zusammenhänge und ihre Verbindungen mit Gott.

Stellung in der Bibel

Spr gehört in der Hebräischen Bibel zu deren drittem und letzten Teil, den »Schriften« (Ketubim). Dies deutet schon an, dass Spr als ganzes Buch eher spät entstanden ist und auf vorausliegende biblische Bücher zugreifen kann. Viele setzen die Endredaktion von Spr im 3. Jahrhundert v. Chr. und damit in der hellenistischen Zeit an. In den meisten deutschen Bibelausgaben findet sich Spr in der Mitte unter den »weisheitlichen Schriften« eingeordnet, meist hinter den Psalmen und vor Kohelet (Prediger) und Hohelied, noch deutlich vor den Schriftpropheten.

Gliederung

Spr besteht aus insgesamt sieben Sammlungen; darauf scheinen auch die »sieben Säulen« in der Einladung von »Frau Weisheit« zu ihrem Mahl in Spr 9,1 hinzudeuten. Diese Teile sind:

1. Spr 1–9: die vermutlich jüngste Sammlung, stark theologisch geprägt;
2. Spr 10,1–22,16: »Sprüche Salomos«, die ausführlichste Sammlung;
3. Spr 22,17–24,22: »Sprüche von Weisen« (22,17.20), die sich teilweise mit der ägyptischen »Lehre des Amenemope« berühren, mehrfach mit Begründungen;
4. Spr 24,23–34: weitere Sprüche von Weisen, die kürzeste Sammlung;
5. Spr 25–29: weitere »Sprüche Salomos«, angeblich unter König Hiskija (Ende des 8. Jahrhunderts v. Chr.) gesammelt (25,1);
6. Spr 30: »Worte Agurs« (er ist sonst nicht bekannt);
7. Spr 31: »Worte Lemuels«, des Königs von Massa (auch unbekannt), der die Belehrung seiner Mutter wiedergibt.

Im ersten und siebten Teil, und dort vor allem im Lob der »tüchtigen Frau« (31,10–31), gibt es mehrere gemeinsame Motive, die auf eine bewusste Rahmung schließen lassen. In der griechischen Septuaginta sind Anordnung und oft auch Übersetzung verschieden, doch gibt sie kaum die ursprüngliche Fassung wieder.

Zuschreibung an »Salomo«

Die Gesamtüberschrift am Beginn in Spr 1,1 lautet »Sprüche Salomos, des Sohnes Davids, des Königs von Israel« und bringt das Buch mit diesem berühmten König und Nachfolger Davids in Verbindung; ähnliches geschieht bei Kohelet (Koh 1,1, indirekt) und Hohelied (Hld 1,1, explizit). Die Zuschreibung an Salomo gründet wohl auf 1 Kön 5,9–14, wo seine außergewöhnliche Weisheit gerühmt wird, und im Besonderen auf V. 12, der ihm 3000 Sprüche zuerkennt.

Der Bezug von Spr auf Salomo ist weniger historisch als vielmehr theologisch und funktional zu verstehen. In der Bitte an Gott zu Beginn seiner Herrschaft hatte Salomo um ein »hörendes Herz« gebeten (1 Kön 3,9). Dieser war darauf eingegangen und hatte ihm ein unvergleichlich »weises und verständiges Herz« zugesagt (V. 12). An dieser einzigartigen, von Gott geschenkten Weisheit können die Hörer/Leser von Spr somit teilhaben. Die »Etikette Salomo« verleiht dem Buch der Spr besondere Autorität und zeugt von der Wertschätzung, die seine Person in der Abfassungszeit von Spr hatte. Wer die einzelnen Sammlungen oder das ganze Buch wirklich verfasst hat, entzieht sich unserer Kenntnis.

Adressaten

Schon die Eröffnung Spr 1,1–7 gibt an, dass alle angesprochen sind, die in diesem Buch vorgestellte Weisheit zu erlangen. V. 4 erwähnt dafür Unerfahrene und junge Menschen, V. 5 mit »Weisen und Verständigen« deren Gegenteil. In Spr 1,8 begegnet erstmalig die Anrede »mein Sohn/Kind«, die in der Folge häufig erscheint (1,10.15; 2,1 …, auch in der Mehrzahl: 4,1; 8,32). Spr gibt sich damit vielfach als elterliche Belehrung aus, und öfter werden dabei ebenso die Mütter eigens genannt (1,8; 4,3; 6,20 … 31,1).

Mehrfach zeigt sich eine enge Beziehung zur Weisheit. Die Angeredeten sollen zu ihr sagen: »Meine Schwester bist du!« (Spr 7,4), auf ihr Reden hören (8,34) und ihrer Einladung zum Gastmahl Folge leisten (9,1–6). Dabei tritt die Weisheit einige Male personifiziert als Frau auf, die die Hörer/Leser anspricht (ab 1,20; auch in Spr 8 und 9) und die Kontrastfigur zu »Frau Torheit« darstellt (9,13–18). Der Beginn der zweiten Sammlung stellt mit dem »weisen Sohn/Kind« in 10,1 die folgerichtige Fortsetzung dieser Bewegung dar.

Besondere Akzente des Buches enthüllen weitere Merkmale der angezielten Adressaten. Es sind Menschen, die die Ehrfurcht vor Jahwe hochschätzen (Spr 1,7), sich an Gerechtigkeit und Recht orientieren (2,9), Verbundenheit und Treue/Wahrheit leben (3,3), ganz auf Gott vertrauen (3,5). Als »Gerechte« erscheinen sie ab 10,3 im Gegensatz zu den »Frevlern«; diese Opposition prägt vielfach das weitere Buch, ebenso wie der Kontrast von Weisen und Toren.

Darbietung

Hebräische Poesie verwendet das Stilmittel des Parallelismus, das heißt dass jeweils zwei Aussagen einander ergänzen oder zusammenhängen. Dies gilt auch für Spr, mit einer Vorliebe für den »antithetischen« (entgegengesetzten) Parallelismus, zum Beispiel durchgehend in 10,1–9. Die einzelnen Sprüche sind oft äußerst knapp und ohne Erklärung, weil von selbst einsichtig. Häufig sind Erfahrungen und Vergleiche aus dem täglichen Leben verwendet (s. 25,18–20; 26,1–3).

Vom Stil her hebt sich Sammlung 1 von den übrigen ab. Sie zeigt thematische Anordnungen, die über mehrere Verse hinweg einen Aspekt behandeln, so zum Beispiel in Spr 1,10–19 die Warnung vor Gemeinschaft mit gewalttätigen Menschen, und nur in ihr erscheint die Weisheit personifiziert. Einen Höhepunkt dafür markiert 8,22–31, wo sie eine entscheidende Rolle bei Gott am Beginn der Schöpfung hat; von ihr als »Schöpfungsprinzip« her ist auch zu verstehen, warum sie den Schlüssel für gelingendes Leben darstellt (vgl. 3,19–26). Im Allgemeinen sieht man Sammlung 1 als die zuletzt entstandene Sammlung an, die dann als Horizont für das Verständnis dem Buch vorangestellt wurde.

Anders steht es mit den Sammlungen 2 bis 7, die überwiegend aus einzelnen Sprüchen bestehen, wobei der Grund für deren Zusammenstellung in der vorliegenden Anordnung oft nur noch schwer erkennbar ist. Manchmal gibt es verbindende Stichworte, so etwa in 11,4–10 mit »Gerechtigkeit« und »Gerechte«, und assoziative Verknüpfungen, zum Beispiel bei den Zahlensprüchen in 30,18–31.

Die Kürze der Einzelsprüche und das Bemühen, klar und prägnant zu unterweisen, können manchmal zu allgemeinen, pauschalen Aussagen führen, die nicht immer zutreffen müssen (u.a. 5,22– 23, das Ergehen der Frevler; 1,33, die Sicherheit der auf die Weisheit Hörenden). Von daher ist Vorsicht davor geboten, sie (zu) direkt auf das irdisch beobachtbare Geschick zu übertragen.

Meist hat Spr eine Perspektive im Blick, die von Gott und seiner Bewertung her menschliches Leben betrachtet.

Spr liebt das Arbeiten mit Gegensätzen, wobei ein Gedanke nach zwei Richtungen entfaltet wird (vgl. 2,21–22; 4,26–27). Manchmal verbindet es sogar Gegenteile, so in 26,4–5 mit dem (nicht) Antworten auf Toren, oder in 30,8–9 mit einer ausgeglichenen Haltung zwischen Armut und Reichtum. Darin werden ein Erfahrungsschatz und gleichzeitig eine Weite des Horizontes sichtbar, die für die Leser/Hörer des Buches eine große Bereicherung beinhalten.

Sie zu bewegen und zu gewinnen, ist Anliegen von Spr. Vor allem Sammlung 1 enthält viele Mahnungen und Warnungen. Viele Imperative und Einladungen fordern die Adressaten intensiv auf, mit der Weisheit den Weg des Guten und der Gerechtigkeit zu wählen; eine Motivation dafür liegt auch im Selbstlob der Weisheit in 8,11–21 vor. Im Kontrast dazu steht die Warnung vor der »fremden Frau« und vor »Ehebruch« (öfter ab 2,16; sehr stark in Spr 5 und 6,24–7,27). Dabei spielt neben der konkreten Ebene die übertragene Ebene des »Fremdgehens« durch die Verführung von »Frau Torheit« hinein, die in 9,13–18 die Sammlung 1 beschließt.

Inhalte

Ein Buch mit hunderten Aussagen bezüglich seiner Botschaft zusammenzufassen, ist nur schwer möglich. Doch einige Orientierungspunkte treten hervor:

»Die Ehrfurcht vor JHWH ist der Beginn der Erkenntnis« (Spr 1,7) gibt schon anfangs ein Grundthema an, das durchgehend durch das Buch oft begegnet (1,29; 3,7; 9,10; 10,27; 15,16 …), bis hin zum Ende, wo die tüchtige Frau sich dadurch auszeichnet.

Die Ausrichtung auf Gott durchzieht ebenfalls das ganze Buch; sogar der von manchen als »weltlichster Abschnitt der israelitischen Weisheitsliteratur« angesehene Beginn von Sammlung 5 verweist auf ihn (25,2.21–22). Alle Weisheit kommt von ihm (2,6).

Ihm den ersten Platz zu geben (3,5–9), befreit davon, sich selbst für »weise« zu halten (3,7) und so dem Untergang zu verfallen (26,12). Gott sorgt für die Gerechten (10,3), hat an ihnen Gefallen (11,20; 15,8–9) und lässt ihren Weg gelingen (22,4). Vor allem die Sammlung 2 verwendet den Gottesnamen JHWH oft, auch strukturierend, und mit vielen Aspekten.

Themen des Alltags und der persönlichen Lebensgestaltung sind in Spr ebenfalls stark präsent. Neben der Warnung vor der

»fremden Frau« (siehe oben) findet sich in Sammlung 1 betont jene vor »bürgen, faul und falsch sein« (6,1–19). In den folgenden Sammlungen begegnen mehrfach Themen wie »rechtes/falsches Reden« (10,18–21; 12,17–20), »Armut und Reichtum« (10,4.15; 14, 20.31), »Anschein und Realität« (13,7; 14,12; 20,14), Selbstbeherrschung (15,18; 19,11), »Ehre oder Schande« (13,18; 18,12), »Begehren/Erfüllung« (10,28; 11,23; 13,12.19), Vergeltung (17,9.13; 20,22; 24,29), »Tun und resultierende Folgen« (14,22; 17,22; 26,27), menschliche Beziehungen (15,17; 18,22.24; 19,13), »Fleiß und Faulheit« (10,26; 24,30–34; 26,13–16) und andere, manchmal auch Paradoxe (vgl. 11,24; 26,4–5; 27,7). Diese Motive sind zumeist verstreut über das Buch; ihre Wiederholungen an späteren Stellen bewirken ein erneutes »Wachrufen« des schon einmal Vernommenen und verstärken so den »Lerneffekt«.

Wertung

Das Anliegen eindringlicher Belehrung weist auch Züge auf, die man kritisch betrachten kann. Einige pauschale Aussagen oder Gegenüberstellungen in Schwarz-Weiß-Technik überzeichnen die Wirklichkeit oder sprechen von einem Ideal, das sich nicht immer so erfüllt. Die behaupteten Zusammenhänge von Tun und entsprechendem Ergehen mögen vor Gott und auf sehr lange Sicht gültig sein; auf der Welt jedoch behaupten sich Böse oft länger, als es recht ist. Von daher ist Spr als ein Buch der Hoffnung zu lesen, das tröstet angesichts manchen Unrechts und motiviert zu gutem Handeln, auch wenn sich dessen Erfolg nicht unmittelbar einstellt.

Die Ausrichtung auf Gott und seine Weisheit erfolgt mit starkem Nachdruck. Von daher erklären sich zumindest teilweise die manchmal überzogenen negativen Kontrastbilder, Schadenfreude und Spott, die in 1,26 erwähnt werden (gegen die in 16,32; 22,10; 24,17–18 empfohlenen Haltungen), die Mitwirkung am Unglück der Frevler (21,12, gegen die sonst nahegelegte Zurückhaltung vor Vergeltung) und andere. Auch das wiederholte Motiv der »Erziehung/Zucht« (u.a. 3,11), die sogar die »Rute« nicht ausschließt (13,24; 23,13–14; 29,15), zeugt vom Einsatz von Mitteln zur Erzielung des gewünschten Erfolgs, denen gegenüber man heute kritisch ist.

Doch von solchen, gleichfalls zeitbedingten Schwächen und Grenzen abgesehen, enthält das Buch der Sprichwörter eine derart reiche Fülle an Impulsen, dass es nie auszuschöpfen ist, noch dazu in einer gesunden Orientierung und ausgewogenen Balance vieler Aspekte. Spr wird dadurch zu einem »Lebensbuch«, das eine(n) dauerhaft begleitet und hilft, richtige Entscheidungen zu treffen. Auch deshalb erhalten fromme jüdische Frauen es zur Hochzeit.

GEORG FISCHER SJ

Daniel

Das Danielbuch trägt den Namen seiner Hauptfigur. Es handelt von einem jungen Judäer aus vornehmem Haus, der vom babylonischen König Nebukadnezzar zusammen mit seinen drei Gefährten Hananja, Mischaël und Asarja nach Babylon verschleppt wird. Dort werden die Exilierten für den Dienst am Königshof ausgebildet. Als Weiser und Ratgeber bleibt Daniel am Königshof bis zur Zeit des Königs Kyros.

Aufbau

Auch wenn die Rahmenhandlung dem Buch ein einheitliches Setting verleiht, gliedern es die darin enthaltenen Textgattungen doch in zwei Hälften. Der erste Buchteil Dan 1–6 besteht aus Erzählungen. Jedes Kapitel umfasst eine eigenständige Geschichte, die eine Begebenheit im Leben von Daniel oder seinen Gefährten am Hof des fremden Königs schildert. Der zweite Buchteil enthält in den Kapiteln 7–12 Schilderungen von Visionen Daniels, die durch kurze Einleitungen in die Rahmenhandlung eingebettet werden.

Sprachen

Eine Besonderheit des Danielbuches ist seine Zweisprachigkeit. Der Originaltext des Buches beginnt in Dan 1 hebräisch und wechselt in Dan 2,4 ins Aramäische. Ab Dan 8 ist der Text wieder hebräisch. Diese Zweisprachigkeit teilt das Danielbuch in der Bibel nur mit dem Esrabuch, dessen hebräischer Text an einigen Stellen von aramäischen Passagen unterbrochen wird.

Besonders ist auch das Verhältnis zwischen dieser hebräisch-aramäischen Version und der griechischen Fassung, wie sie die Septuaginta, die griechische Bibel des antiken Judentums, überliefert. Diese enthält zusätzliche Daniel-Stoffe. So umfasst die Erzählung von den Jünglingen im Feuerofen in Dan 3 in der griechischen Fassung zusätzlich das Gebet Asarjas (Dan 3,24–50) und den Gesang der Jünglinge im Feuerofen (Dan 3,51–90). Die beiden Erzählungen über Susanna und über Bel und den Drachen, in denen Daniel jeweils eine wichtige Rolle spielt, stehen im Kanon der Septuaginta als eigenständige Bücher hinter dem Danielbuch. In heutigen Bibelausgaben werden sie als Dan 13 (Susanna) und Dan 14 (Bel und der Drache) zum Danielbuch gezählt. Katholische Bibelausgaben enthalten diese erweiterte Textfassung, während protestantische Ausgaben die Kapitel 1 bis 12 ohne die zusätzlichen Kapitel und die Erweiterungen in Dan 3 umfassen.

Inhalte

Die Erzählungen im ersten Buchteil folgen dem Muster der Hofgeschichte, die in der Bibel z.B. auch der Josefsgeschichte im Genesisbuch oder der Estergeschichte zugrunde liegt: Angehörige einer Minderheit geraten aufgrund ihrer Begabung und mit Gottes Hilfe in der fremden Mehrheitsgesellschaft in eine exponierte Stellung. Ihr Erfolg ruft Neid und Missgunst hervor. Gleichzeitig stehen sie vor der Herausforderung, auf die fremde kulturelle Umgebung zuzugehen und dennoch der eigenen religiösen Herkunft die Treue zu halten.

Das Grundmuster dieser Hofgeschichte zeichnet sich bereits in Dan 1 ab: Um sich nicht unrein zu machen, lehnt Daniel das Essen, das er und seine Gefährten von der Tafel des Königs erhalten sollen, ab. Er bringt sich damit in eine heikle Situation. Nachdem er und seine Gefährten sich nur von Wasser und Pflanzenkost ernährt haben, sehen sie jedoch besser und wohlgenährter als alle anderen Zöglinge des Hofes aus und übertreffen auch alle anderen an Bildung und Weisheit. Diese fachliche Überlegenheit Daniels tritt auch in Dan 2 zutage. König Nebukadnezzar träumt von einem Standbild mit goldenem Kopf, dessen Materialien nach unten immer mehr an Qualität abnehmen. Die Füße schließlich sind aus Ton. Ein Stein trifft auf die tönernen Füße und bringt die ganze Statue zum Einsturz. Unter allen Weisen Babylons ist Daniel der einzige, der Nebukadnezzars Traum wiedergeben und deuten kann. Das Standbild repräsentiert die aufeinander folgenden Weltreiche, die für eine begrenzte Zeit legitim sind, in endgültiger Perspektive jedoch keinen Bestand haben und von einer Herrschaft anderer Art abgelöst werden.

In Dan 3 und Dan 6 bringt die Treue zum Gott Israels Daniel bzw. seine Gefährten in schwere Bedrängnis. So weigern sich die drei Jünglinge Asarja, Hananja und Mischaël in Dan 3, ein goldenes Standbild zu verehren. Zur Strafe lässt König Nebukadnezzar sie in einen glühenden Ofen werfen, aus dem Gott sie jedoch rettet. In Dan 6 setzt sich Daniel über ein Gebot des Königs Darius hinweg, indem er wie gewohnt am offenen Fenster in Richtung Jerusalem betet. Zur Strafe wird er in eine Grube mit hungrigen Löwen geworfen, doch ein Engel Gottes verschließt den Rachen der Löwen.

Die beiden Geschichten Dan 4 und 5 stellen die Könige Nebukadnezzar und Belschazzar einander als Positiv- und Negativbeispiel gegenüber. Während Nebukadnezzar nach einer schweren persönlichen Krise und mit Daniels Unterstützung den Gott Israels anerkennt, übernimmt sein Sohn und Nachfolger Belschazzar keine der Erkenntnisse seines Vaters. Stattdessen missbraucht er in einem Gastmahl die Tempelgeräte, die Nebukadnezzar aus dem Jerusalemer Tempel nach Babylonien verschleppt hat. Als daraufhin eine geheimnisvolle Schrift an der Wand erscheint, vermag nur Daniel diese zu deuten. Sie kündigt den Untergang des Königs an.

Die Visionen im zweiten Buchteil enthüllen Daniel die inneren Strukturen der politischen Prozesse in seiner Gegenwart und Zukunft. Die altorientalischen Weltreiche und die um die Vorherrschaft im Nahen Osten kämpfenden Diadochenstaaten erscheinen ihm in Form von vier aggressiven Tieren, die einem aufgewühlten Meer entsteigen (Dan 7), in Form eines Widders und eines Ziegenbocks (Dan 8) oder als lange Reihe von Krieg führenden Königen (Dan 10–12). In Dan 9 wendet sich Daniel in einem langen Bußgebet an Gott, um zu verstehen, wie lange das Exil noch dauern wird. Der Engel Gabriel enthüllt ihm daraufhin die Dauer – statt der von Jeremia angekündigten 70 Jahre wird das Exil 70 Jahrwochen umfassen, also 70 mal sieben Jahre. Wie schon bei den Visionen in Dan 7, 8 und 10–12 zielt auch die Ankündigung Gabriels auf die Ereignisse der Endzeit, das damit verbundene Gericht Gottes über die Machthaber der Welt und die Zukunft des Volkes Israel.

Historizität und Entstehung

Das Setting des Danielbuches greift zwar historische Erinnerungen auf, ist jedoch fiktiv. Das wird v.a. deutlich anhand der Könige, in deren Regierungszeit jedes Kapitel des Buches eingeordnet wird. Weder war ein König Belschazzar Nachfolger von Nebukadnezzar, noch hat es jemals einen medischen König namens Darius gegeben. Die Könige im Danielbuch stehen typologisch für die Vertreter der altorientalischen und hellenistischen Weltreiche, die für viele Jahrhunderte Gewalt und Unterdrückung über das Volk Israel brachten.

Historisch belegt ist hingegen ein Ereignis, das v.a. in den Visionskapiteln Dan 7–12 angedeutet wird: der massive Eingriff des seleukidischen Königs Antiochos IV. Epiphanes in den Jerusalemer Tempelkult im Jahr 167 v. Chr. Dieses Ereignis, durch das der Tempel faktisch entweiht wurde, führte zum Makkabäeraufstand, der nach Jahrhunderten der politischen Abhängigkeit zu einer gut hundertjährigen Phase der Unabhängigkeit für Israel führte.

Für die Entstehung des Danielbuchs markiert das Jahr 167 v. Chr. den Zeitpunkt, zu dem das Buch abgeschlossen wurde. Die Eingriffe am Tempel werden im Buch deutlich, der Makkabäeraufstand findet hingegen kaum Erwähnung. An vielen Stellen greift das Buch allerdings ältere Stoffe auf, die die Situation der Diaspora im 5. bis 3. Jh. v. Chr. reflektieren.

Ein Buch zwischen den Welten

Das Danielbuch ist in vielerlei Hinsicht ein Buch zwischen den Welten. Zunächst befinden sich Daniel und seine Gefährten in einer Position zwischen den Stühlen: Ihre Situation als Exilierte am Königshof erfordert, dass sie sich anpassen. Gleichzeitig wollen sie ihrer eigenen Kultur und v.a. dem Gott Israels die Treue halten. In dieser Situation finden sie nicht nur für sich selbst Lösungen, sie werden auch zu einer Art Kulturvermittler zwischen Israel und den Völkern: Durch ihr Zeugnis lernen die fremden Könige immer mehr den Gott Israels kennen und werden schließlich – wie König Darius in Dan 6 – zu seinen Anhängern. Diese Brückenfunktion des Danielbuches spiegelt sich auch in seiner äußeren Form: Mit der hebräischen Sprache ist es tief in der Tradition der Bibel verwurzelt. Das Aramäische ist die Sprache des persischen Weltreichs im 5. bis 3. Jh. v. Chr. Durch die Verbindung der beiden Sprachen schlägt das Danielbuch somit eine Brücke zwischen der jüdischen Diaspora und der sie umgebenden Mehrheitskultur.

Ein besonderer Fokus des Danielbuches liegt dabei auf dem Tempel. Gleich in der ersten Versen von Dan 1 wird erwähnt, dass König Nebukadnezzar die Geräte des Jerusalemer Tempels entwendet und nach Babylon bringen lässt. Der Verlust des Tempels als Ort des Gottesdienstes für den Gott Israels steht somit als Vorzeichen vor dem gesamten Danielbuch. Wie in einem Guckkasten wird diese Situation im Danielbuch überblendet von der Entweihung des Tempels durch Antiochos IV. Epiphanes im Jahr 167 v. Chr. Das Exil und der damit einhergehende Verlust des Tempels wird so zum Deutungsmuster für die Situation im Jerusalem des 2. Jh. v. Chr. Gleichzeitig können die Erzählungen im ersten Buchteil als Schlüssel für die Deutung dieses Ereignisses in den Visionen gelesen werden. Wie König Belschazzar, der in Dan 5 die Tempelgeräte entweiht, wird es auch mit König Antiochos kein gutes Ende nehmen. Und wie Daniel und seine Gefährten, die durch ihren Lebensstil und ihr Gebet den Tempel weiter ehren und damit dem Gott Israels die Treue halten, wird Gott auch diejenigen retten, die in den politischen Wirren unter Antiochos in Bedrängnis geraten.

REGINA WILDGRUBER

Haggai: Wiederaufbau des Tempels

Das nach dem Propheten Haggai benannte Buch gehört zu den kleinsten unter den Prophetenbüchern. Es besteht aus nur zwei Kapiteln. Wahrscheinlich trat der Prophet nur ein knappes halbes Jahr öffentlich auf: vom August bis zum Dezember des Jahres 520 v. Chr. Vier Prophetenworte sind von ihm überliefert. Sie kreisen um ein einziges Thema: den Wiederaufbau des Tempels.

Nach dem Ende des Exils und der Rückkehr eines Teils der nach Babylon verschleppten Judäer begann man im Jahre 520 v. Chr. in Jerusalem mit dem Wiederaufbau des gut sechzig Jahre zuvor, im Jahre 586 v. Chr., zerstörten Tempels. Die entscheidende Initiative dazu dürfte vom Propheten Haggai ausgegangen sein. Offensichtlich war es nicht leicht, die Bevölkerung für dieses Projekt zu motivieren. Diese hatte in dem durch Krieg arg mitgenommenen, wirtschaftlich daniederliegenden Land zunächst andere Sorgen. War es nicht wichtiger, zunächst die eigenen Häuser wieder aufzubauen? Haggai musste sich mit den Bedenkenträgern auseinandersetzen: »Dieses Volk sagt: Noch ist die Zeit nicht gekommen, das Haus des Herrn aufzubauen« (Hag 1,2). Um die Bevölkerung vom Tempelbauprojekt zu überzeugen, stellt Haggai eine Verbindung her zwischen dem Bau des Tempels und dem (wirtschaftlichen) Wohlergehen des Landes. Er übermittelt ein Gotteswort, in dem Gott sagt: »Weil mein Haus in Trümmern liegt, während jeder von euch für sein eigenes Haus rennt, deshalb hält der Himmel euretwegen den Tau zurück und die Erde hält ihren Ertrag zurück« (Hag 1,10).

Der Gedanke, der dieser Vorstellung zugrunde liegt, lautet: Von der Gottheit geht eine heilende Kraft aus, die sich auf die ganze Schöpfung auswirkt. Deshalb kommt es darauf an, dass eine Gemeinschaft der Gottheit auf Erden einen Raum bereitet, in dem sie in besonderer Weise gegenwärtig sein kann. Der Ort der Gegenwart Gottes auf Erden ist der Tempel. Neben der Tora, dem Gesetz, wurde der Tempel zu einer der tragenden Säulen des nachexilischen Judentums. Wenn wir diesen Gedanken in eine moderne Sprache übersetzen wollen, dann heißt das: Nur dort, wo Menschen der göttlichen Wirklichkeit einen Raum in ihrem Leben bereiten, kann die rettende und heilende Gegenwart Gottes zur Wirkung kommen. Mit dem Aufruf zum Bau des Heiligtums klingt ein Thema an, das uns auch aus dem Munde Jesu bekannt ist: »Suchet zuerst sein Reich und seine Gerechtigkeit, dann wird euch alles andere dazugegeben« (Mt 6,33).

Die hohe Bedeutung des Tempels zeigt sich nicht zuletzt daran, dass die Repräsentanten der drei zentralen Institutionen des Gottesvolkes an seiner Wiedererrichtung beteiligt waren: König, Priester und Prophet. Der Bau des Heiligtums war im Alten Orient Aufgabe des Königs. Nun hatte das Gottesvolk nach dem Exil keinen irdischen König mehr. An dessen Stelle tritt im Namen der persischen Regierung der Statthalter Serubbabel. Er war ein Enkel des vorletzten davidischen Königs. Beteiligt war ferner der Hohepriester Jehoschua. Die Initiative dazu ging vom Propheten Haggai aus (Hag 1,12–15).

Am Ende der Buches leuchtet ein messianisches Licht auf. In dem letzten der vier dem Propheten zuteilgewordenen Worte bezeichnet Gott den aus königlichem Geschlecht stammenden Statthalter Serubbabel als »meinen Knecht« und »meinen Siegelring; denn ich habe dich erwählt« (Hag 2,23). Hag 2,7 spricht von den Schätzen der Völker, die in den neu errichteten Tempel strömen. Der Kirchenlehrer Hieronymus hat diesen Vers so übersetzt: *et veniet desideratus cunctis gentibus* – »und der von allen Völkern Ersehnte wird kommen.« Dieses messianische Wort klingt nach in dem bekannten Adventslied Martin Luthers: »Nun komm der Heiden Heiland«, das seinerseits auf den Hymnus des Kirchenlehrers Ambrosius zurückgeht: *veni redemptor gentium.* Die Gegenwart Gottes in seinem Heiligtum und die Herrschaft Gottes in dem von ihm Erwählten sind nicht voneinander zu trennen.

LUDGER SCHWIENHORST-SCHÖNBERGER

Sacharja

Das Sacharjabuch wird durch Überschriften deutlich strukturiert. Der erste Teil (Sach 1–8) datiert die Worte des Propheten in die Regierungszeit des Perserkönigs Darius I (522–486 v. Chr.). Sach 1,1 nennt den 8. Monat, Sach 1,7 den 11. Monat des 2. Regierungsjahres (520 v. Chr.) und 7,1 den 9. Monat des 4. Regierungsjahres, also das Jahr 518. Der zweite Teil (Sach 9–11) spricht von einem »Ausspruch« Gottes; diese Teile wurden früher einem anonymen »Deutero-« und »Tritosacharja« zugeschrieben, sie sind aber eher das Werk mehrerer Autoren. Sie werden nicht datiert, aber zeitgeschichtliche Anspielungen legen die Vermutung nahe, dass sie in hellenistischer Zeit entstanden sind. So werden in 9,13 die Griechen ausdrücklich erwähnt und 9,1–8 spielt wohl auf den Kriegszug Alexanders des Großen gegen Tyrus und Gaza an. Die Endgestalt des Sacharjabuches ist dann im 3. Jahrhundert v. Chr. geformt worden.

Im Zentrum des ersten Teils des Sacharjabuches (1–8) stehen acht Nachtgesichte Sacharjas. Dieses »Sehen in der Nacht« betont, dass es ein bewusstes Wahrnehmen ist, nicht das unbewusste im Traum. Einige der gesehenen Geschehen werden von einem Engel gedeutet und durch ergänzende Erklärungen interpretiert (1,16f; 2,10–17; 3,6–10; 4,8–10; 6,9–15). Inhalt und Deutung seien kurz skizziert:

I. Ein Mann zwischen Myrtenbäumen und verschiedenfarbige Pferde (1,8–17). Der Deuteengel: Sie erkunden die Welt; Gottes Zorn gilt den Völkern, Jerusalem aber erwartet eine neue Zukunft; der Tempel soll wiederaufgebaut werden.

II. Vier Hörner und vier Schmiede (2,1–4). Der Deuteengel: Es sind die vier Völker, unter denen Juda/Israel gelitten hat und die nun selbst zerschlagen werden.

III. Ein Mann mit einer Messschnur (2,5–9). Direkte Antwort des Mannes auf die Frage des Propheten: Er will die Mauern Jerusalems ausmessen, aber der Engel, der den Propheten begleitet, befiehlt: Jerusalem soll keine Mauern erhalten, JHWH selbst wird eine Mauer von Feuer sein.

Eingeschoben ist in 2,10–17 ein Aufruf an die Exilierten zur Flucht aus Babylon.

IV. Der Hohepriester Jeschua – vor dem Engel des Herrn – und der Satan, der ihn anklagen will (3,1–10). Der Engel weist die Anklage zurück und befiehlt, Jeschua neu einzukleiden. Ihm wird die Schuld vergeben und eine Verheißung gegeben: Jeschua wird der Tempel unterstellt und er wird den kommenden Davididen als Garant eines künftigen Friedens sehen.

V. Goldener Leuchter mit sieben Lampen und zwei Ölbäume (4,1–14). Der Deuteengel: 7 Lampen gleich 7 Augen Gottes; 2 Ölbäume gleich 2 gesalbte Männer des Herrn. Ermutigung für Serubbabel: Er hat den Tempelbau begonnen, er wird ihn auch vollenden können.

VI. Eine fliegende Buchrolle (5,1–4). Der Deuteengel: Sie enthält den Fluch für Diebe und Meineidige.

VII. Die Frau im Fass (*Epha*; Luther: Tonne) (5,5–11). Der Deuteengel: Es ist die Ruchlosigkeit. Sie wird nach Schinar (= Mesopotamien) gebracht, wo man ihr einen Tempel baut und sie auf ein Podest stellt.

VIII. Vier Wagen, die zwischen zwei Bergen aus Bronze hervor fahren (6,1–8). Der Deuteengel: Sie bringen das Gericht in alle vier Himmelsrichtungen.

Die theologische Zentralaussage des ersten Nachtgesichts lautet: Gott war nur ein wenig zornig über sein Volk, die Völker hingegen brachten ihm Verderben, d.h. ihr Zorn war schlimmer als der Gottes. Jetzt aber beginnt eine neue Heilszeit durch die barmherzige Zuwendung Gottes zu Jerusalem, das ebenso wieder aufgebaut werden soll wie der Tempel (1,15f.). Dem korrespondiert das achte Nachtgesicht, das auch die Völker im Blick hat. Gottes Geist ruht auf der ganzen Welt, gerade auf dem Norden, d.h. dort, von woher das Unheil über Israel kam und wo Israeliten als Exilierte besonders gelitten haben (6,8). Mit dem Geist Gottes auf der gesamten Welt kommt diese zum Frieden. Das ist das Ziel des Visionszyklus.

Dieser Heilsperspektive werden zwei Unheilsaussagen zugeordnet: In der zweiten Vision wird die Zerschlagung der Völker, unter denen Israel gelitten hat, und in der siebten die Verbannung der Ruchlosigkeit nach Mesopotamien als Strafe für das, was Israel erlitten hat, geschaut. Offenbar ist dies eine Deutung der Eroberung Babylons durch die Perser: Sie ist Gottes Strafe für das, was Babylon Israel angetan hat. Die Nachtgesichte III und VI verbindet das Thema Jerusalem. Jerusalem soll eine mauerlose Stadt sein, offen für alle, den Schutz gewährleistet Gott, er will wie eine Mauer aus Feuer werden. Und Jerusalem soll eine Stadt werden, in der weder Kriminalität noch Missachtung Gottes zu finden sein werden. Die verfluchten Diebe stehen für Kriminalität unter Menschen, der Meineidige für die Entheiligung des Namens Gottes. Beides, die Verletzung der Rechte des Nächsten und die Lästerung Gottes, sollen im neuen Jerusalem nicht zu finden sein.

In der vierten und fünften Vision geht es um zwei zentrale Institutionen: das Priesteramt und die Statthalterschaft. Jeschua, der hier den Titel Hoherpriester trägt, muss zunächst entsühnt werden. Dahinter steht die Erfahrung, dass die Priesterschaft nicht unbeteiligt war an den Ereignissen, die zur Zerstörung Jerusalems geführt haben. Die Szene der Neueinkleidung erinnert an die Investitur Aarons in Lev 8–10. Mit der Neueinkleidung Jeschuas wird zugleich seine Sünde vergeben (3,4). Ihm zugeordnet wird in der fünften Vision Serubbabel als politischer Repräsentant des neuen Staatswesens unter persischer Oberhoheit. Er wird als Gründer und Vollender des Tempels gewürdigt (4,9). Er wird mit dem Ehrentitel »Gottesknecht« (3,8) und »mein Spross« sogar dem Hohenpriester vorgeordnet, dieser ist mit den anderen Priestern »Zeichen« für den kommenden Herrscher. Anders als das Königsgesetz in Dtn 17,14–20 wird der weltliche Herrscher nicht der Tora, sondern dem Geist Gottes untergeordnet (4,6). Aber beide, Hoherpriester und Statthalter, haben gemeinsam, dass sie Gesalbte sind (4,14). Deutlich spürt man diesen Visionen das Bemühen an, die beiden höchsten Ämter in einem Gleichgewicht zu halten und dennoch dem Davididen Serubbabel einen gewissen Vorrang zu verleihen. In 6,9–15 wird Jeschua zwar gekrönt, aber der Priester wird auf dem Ehrenplatz zur Rechten des Herrschers sitzen, dieser aber wird »herrschen auf seinem Thron« (6,11); die Krone soll offenbar nicht getragen, sondern im Tempel aufbewahrt werden. »Und es wird Friede sein zwischen den beiden«, zwischen dem Hohenpriester und dem Statthalter. So ist dieser Text ein spannendes Dokument des Ringens um die neue Rangordnung, um geistliche und politische Herrschaft und ihre Beziehung zueinander im nachexilischen Jerusalem.

Der erste Teil des Sacharjabuches wird mit einer großartigen Vision der künftigen Herrlichkeit Jerusalems abgeschlossen: Gott selbst kehrt zum Zion zurück (vgl. Ez 43,2ff.), die Menschen werden sich eines langen Lebens und vieler Kinder erfreuen können; die in der Diaspora Lebenden werden zurückkehren. Ganz wie im Haggaibuch (Hag 1,10; 2,15–19) wird mit dem Beginn des Tempelbaus eine neue Zeit des Segenshandelns Gottes beginnen. Gott wird Heil kommen lassen; dieses Heil erfordert als menschliche Antwort eine Ethik der Wahrhaftigkeit, der Gerechtigkeit, des Friedensschaffens und der Achtung der Heiligkeit Gottes (8,16f.). Aber nicht allein Israel wird unter dem Segen Gottes stehen, die Völker werden zum Zion kommen, um dort Gott zu suchen und ihn anzubeten (8,23). Sie wollen Anteil haben an dem Mitsein Gottes, von dem sie wissen, dass Israel es erfahren hat.

Im zweiten Teil (Sach 9–11) finden sich Gerichtsworte gegen Fremdvölker und Städte, aber auch Heilsworte. Ein künftiger Friedensherrscher wird verheißen, der wie einst König Salomo bei seiner Krönung auf einem Esel reiten wird: »Juble laut, Tochter Zion! Jauchze, Tochter Jerusalem! Siehe, dein König kommt zu dir. Er ist gerecht und hilft; er ist demütig und reitet auf einem Esel, auf einem Fohlen, dem Jungen einer Eselin.« (V. 9) Im Matthäusevangelium wird dieser Text beim Einzug Jesu in Jerusalem zitiert; damit wird Jesus in diese Tradition der Erwartung des messianischen Königs eingeschlossen. Bei Sacharja wird der messianische König alle Waffen zerstören und ein universales Friedensreich errichten, er ist also diesseitig und politisch gedacht. Mit diesen Erwartungen kontrastieren die Gerichtsworte gegen falsche Hirten in Sach 11. Der Text weist erkennbare Bezüge zu Ez 37 auf. Während Ezechiel die Wiedervereinigung von Juda und Jerusalem als Ziel vor Augen hat, wird in Sach 11 das Gegenteil erwartet: Die Stäbe »Huld« und »Eintracht«, mit denen der göttliche Hirt seine Schafe gehütet hat, werden zerbrochen, weil die irdischen Hirten die Schafe verkauft haben. Viele Einzelzüge in diesem Kapitel sind noch immer ungeklärt: Wer sind die drei Hirten in Vers 8, wer der eine schlechte Hirt in Vers 16? Möglicherweise ist an die Priesterschaft gedacht oder an Kollaborateure mit den seleukidischen Machthabern. Auch die Bedeutung der 30 Silberstücke als Hirtenlohn bleibt rätselhaft. Ist der Sinn: Mehr ist den Hirten das Volk nicht wert? Mehr geben sie nicht als Tempelabgabe? »Dieses Kapitel ist so rätselhaft, dass es den Rahmen – oder sogar den Anlass – für einen weiteren *masa* (Prophetenspruch) abgegeben hat, nämlich Sach 12–13(14).« (So Redditt, Sacharja 9–14, Internationaler Exegetischer Kommentar zum Alten Testament, Stuttgart 2014; S. 102.)

Der dritte Teil (Sach 12–14) hat nur noch Juda und Jerusalem im Blick. Von Israel oder einer Wiedervereinigung ist nicht die Rede. Aber auch die Existenz von Juda und Jerusalem ist durch kriegerische Auseinandersetzung bedroht. In mehreren kurzen Gottesreden wird der besondere Schutz Gottes für Jerusalem und die Vernichtung der Feinde angekündigt (12,4.6.9). Aber zunächst wird von einer kollektiven Klage über einen, der durchbohrt worden ist, berichtet. Es bleibt unklar, wer gemeint ist; die exegetische Literatur ist voll von Spekulationen. Deutlich erkennbar ist, dass die Klage das ganze Volk ergreift, insbesondere aber das Haus David, das Haus Nathans, das Haus Levi und die Sippe Schimi und alle Frauen dieser Sippen. D.h. wohl, dass der Getötete diesen Häusern nahestand bzw. zu einer dieser Sippen gehörte und seine Ermordung sowohl für die Davididen, die Priesterschaft und die Propheten einen großen Verlust darstellte. Möglich ist, dass es sich um einen Vorfall im hellenistisch beherrschten Jerusalem handelt, wobei der oder die Täter aber nicht die Griechen, sondern Judäer gewesen sein müssten. Der Vers 12,10 enthält zudem ein sprachliches Problem. Luther übersetzt richtig: »Sie werden *mich* ansehen, den sie durchbohrt haben«. Aber evtl. ist ein Buchstabe ausgefallen und dann wäre zu lesen: »Sie werden auf *den* sehen, den sie durchbohrt haben.« eine Lesart, die durch den weiteren Text sinnvoller erscheint als hier einen Mord an Gott zu lesen, denn dann müsste es heißen: »Sie werden um mich klagen« und nicht »um ihn«.

Jerusalem ist aber noch weit von der in Kap. 12 verheißenen Realität entfernt. Zunächst ist ein Reinigungsprozess nötig (13,1). Götzen und falsche Propheten müssen verschwinden. Mit großer Härte wird vor allem gegen falsche Propheten argumentiert: Eltern sollen den eigenen Sohn, wenn er falscher Prophet ist, »durchbohren«, also töten. Das erinnert an die Bestimmungen im deuteronomischen Gesetz (Dtn 13). Der Kampf um Jerusalem wird als Läuterungsvorgang verstanden, bei dem nur ein Drittel aller Bewohner bestehen wird.

Das Sacharjabuch endet mit Visionen dieses Kampfes um Jerusalem: Zunächst siegen die Feinde über Jerusalem; aber dann greift Gott ein; seine Füße stehen auf dem Ölberg, der sich spaltet. Danach beginnt eine Heilszeit: Gott kommt, es gibt weder Frost noch Hitze, keinen Tag und keine Nacht mehr, nur Licht, in Jerusalem wird eine Quelle entspringen und Gott wird König über alle Völker. Alle feindlichen Soldaten werden sterben, die übrigen Völker werden jährlich eine Wallfahrt zum Laubhüttenfest nach Jerusalem veranstalten. Alles wird dem HERRn heilig sein, auch die Pferdeschellen.

Wenn auch der dritte Teil des Sacharjabuches aus vielen kleinen Redeeinheiten und Gattungen besteht, so ist doch die theologische Grundaussage deutlich erkennbar. Angesichts der Bedrohung der Existenz von Juda und Jerusalem muss nach innen ein Reinigungsprozess stattfinden, nach außen nicht mit militärischer Gewaltanwendung, sondern mit Vertrauen auf das Eingreifen Gottes reagiert werden. Er ist der königliche Herrscher, der allein den Frieden und das heilvolle Leben garantieren kann. In 14,9 gipfelt dies in einem monotheistischen Bekenntnis: »Zu der Zeit wird JHWH der einzige sein und sein Name der einzigen.«

JÜRGEN KEGLER

Maleachi

Das Maleachibuch beginnt mit demselben Wort *masa'* »Prophetenspruch, Orakel« (Luther: Last), mit dem in Sach 9,1 und 12,1 der zweite und dritte Teil des Sacharjabuches überschrieben werden. Das kann ein Hinweis darauf sein, dass das Maleachibuch ursprünglich den vierten Teil des Sacharjabuches darstellte, der dann bei der Kanonbildung, um die Zwölfzahl der »Kleinen Propheten« zu erreichen, als selbständige Prophetenschrift geformt wurde. Dafür spricht auch, dass »Maleachi« kein Eigenname ist, wie sonst bei den Propheten üblich, sondern eine Funktionsbeschreibung »mein Bote«.

Das Maleachibuch bietet sechs Reden, in denen Argumente der Angeredeten zitiert und widerlegt werden. Diese Widerlegung geschieht in Form von Anklagen, Unheilansagen, aber auch Heilsankündigungen. Sie bilden das Zentrum der theologischen Position des Autors. Soziale und kultische Missstände sind dafür verantwortlich, dass das verheißene Heil Gottes nicht Realität wird. Hier knüpft Maleachi an Sach 1–8 an. Besonders kritisiert werden die nachlässige Opferpraxis, die Mischehen mit Nichtisraeliten und Scheidungen. Maleachi fordert im Namen Gottes die Reinhaltung des Kultes, das Verbot der Mischehen, die Ablehnung der Scheidung. Die vierte und die sechste Diskussionsrede bieten einen anderen Akzent; in ihnen geht es um das Verhältnis von Frommen und Gottlosen. Die Frommen ringen mit der Frage, warum der Tag des HERRN ausbleibt und welchen Nutzen das Halten der Tora bietet, da die Gottlosen in der Regel erfolgreicher sind. Den Frommen wird verheißen, dass der Tag des HERRN als Tag der Läuterung kommen wird, ihm wird jedoch ein Bote vorausgehen. Die Namen der Frommen sind im Buch des Lebens verzeichnet, was ihnen die Barmherzigkeit Gottes am Gerichtstag garantiert.

Die letzten Verse des Buches (3,22–24) beschließen nicht nur das Maleachibuch, sondern den zweiten Teil des hebräischen Kanons (Nebiim). Mit der Aufnahme der Mahnung von Jos 1,7.13, die Tora des Mose zu befolgen, wird eine Brücke vom Beginn der Nebiim zum Ende dieses Kanonteils gebildet. Und die Verheißung der Wiederkunft des Elia verbindet die beiden großen Prophetengestalten des Alten Testaments: Mose und Elia. Jesus Sirach zitiert den letzten Vers des Maleachibuches (Sir 48,10); darum muss es vor dem 2. Jahrhundert seine vorliegende Gestalt erhalten haben.

Gliederung des Buches Maleachi (die Argumente der Angeredeten sind kursiv gedruckt)

1,1 Überschrift

1. Rede 1,2–5 Gottes Liebe zu Israel zeigt sich in der Vernichtung Edoms. »Ich liebe euch, spricht JHWH. Doch ihr sagt: *Woran sehen wir, dass du uns liebhast?* … Ich habe Jakob lieb, Esau aber hasse ich …« (V. 2f.)
2. Rede 1,6–2,9 Der rechten Gottesverehrung widersprechen unreine Opfergaben. *»Der Tisch des Herrn ist nicht so wichtig«* (V. 7), *»des Herrn Tisch ist unheilig, und sein Opfer ist für nichts zu achten«* (V. 12), es werden lahme, kranke und fehlerhafte Tiere geopfert. Den Priestern wird deswegen grausames Unheil angesagt: »Siehe, ich will euch den Arm zerbrechen und den Unrat eurer Festopfer euch ins Angesicht werfen, und er soll an euch kleben bleiben.« (2,3)
3. Rede 2,10–16 Zwei Frevel in Jerusalem: a) Heirat von Frauen, die fremde Götter verehren (Mischehen) – Ankündigung der Ausrottung; b) Verstoßen der ersten Frau – Strikte Ablehnung der Scheidung.
4. Rede 2,17–3,5 Die Frage der Frommen und der Tag des Herrn. *»Wo ist der Gott, der da straft?«* (2,17) Die Frommen murren über das Ausbleiben des Eingreifens Gottes gegen das Unrecht. Die Antwort: Erst kommt ein Bote, der den Weg bereitet, dann kommt Gott in den Tempel, dieser Tag des Herrn wird ein Tag der Läuterung und des Gerichts.
5. Rede 3,6–12 Gegen die Unterschlagung des Zehnten. *»Womit betrügen wir dich?«* (3,8), die Antwort des Propheten: mit dem Zehnten und der Opfergabe; die dahinter stehende Angst vor Mangel wird durch die Verheißung göttlichen Segens aufgehoben.
6. Rede 3,13–21 Erneute Frage der Frommen und Tag des Herrn.

Das Problem der Frommen: *»Es ist umsonst, dass man Gott dient; und was nützt es, dass wir sein Gebot halten …?«* (3,13) Die Gottlosen sind reich, glücklich und erfolgreich. Die Antwort: Die Taten der Frommen sind verzeichnet und sie werden am Gerichtstag vor Strafe bewahrt.

Abschluss des Buches und des zweiten Kanonteils:
3,22 Mahnung zum Halten der Tora des Mose (Luther: Gesetz)
3,23f. Elias Wiederkunft als Wegbereitung vor dem Gerichtstag

Das Motiv der Wiederkunft Elias ist im Neuen Testament auf verschiedene Weise aufgenommen worden. Einmal in der Form, dass Johannes der Täufer als wiedergekommener Elia gedeutet wird (Lk 1,17; Mt 17,11–13; Mk 9,11–13); diese Identifizierung wird allerdings in Joh 1,19–28 kritisiert. Sodann werden in der Erzählung von der Verklärung wie in Mal 3,22–24 die beiden großen Prophetengestalten Mose und Elia zusammen gesehen; ihnen wird Jesus bei- und übergeordnet (Mk 9par; Mt 17par; Lk 9).

JÜRGEN KEGLER

Lukasevangelium

Der Evangelist Lukas, wer immer hinter diesem Namen der kirchlichen Tradition steht, hat uns das dritte Evangelium in der Abfolge der Schriften des Neuen Testamentes hinterlassen. Für uns heutige Leser ist es sehr praktisch, dass er uns am Beginn seiner Schrift (Lk 1,1–4) sozusagen auf seinen Schreibtisch schauen lässt. Er schreibt auf, mit welchem Ziel er schreibt und gibt uns so eine Lesehilfe für sein Evangelium. Zunächst einmal stellt er sich in eine Reihe vieler Zeugen, so dass niemand auf die Idee kommen kann, er sei der Erste, der die Geschehnisse aufschreibt. Ja, bereits andere haben darüber geschrieben, aber da fehlt anscheinend noch etwas. Warum also eine neue Schrift, wo doch alles bekannt war? Dafür ist offenbar der Adressat verantwortlich, ein gewisser Theophilus, für den es wichtig war, Sicherheit und Klarheit im Glauben zu bekommen. Um das zu erreichen, hat Lukas ausführliche Studien betrieben, die Vorgänge zurückverfolgt und baut auf denen auf, die ihrerseits Augenzeugenberichte verarbeitet haben. Der Vergleich mit den anderen Evangelien zeigt: Er benutzt das Markusevangelium und zugleich eine Quelle mit Jesusreden, die offenbar auch dem Matthäusevangelium vorlag.

Darüber hinaus aber hat er jede Menge anderen Stoff, der offenbar nur in seiner Gemeinde überliefert wurde bzw. nur ihm wichtig genug war, aufgeschrieben zu werden. Betrachten wir diese Texte, so findet sich vieles, was zum Grundbestand unseres Glaubens gehört: die weihnachtlichen Geschichten, darunter die Verkündigung an Maria, die Geburt des Täufers, der Besuch Marias bei Elisabet, die Hirten an der Krippe, die Erzählung vom zwölfjährigen Jesus im Tempel. In diesen Erzählungen wiederum stehen das *Benedictus*, das *Magnificat* und das *Nunc dimittis*, die großen neutestamentlichen Hymnen, die bis heute ihren festen Platz im Stundengebet haben. Aber auch die Gleichnisse vom barmherzigen Samariter und vom barmherzigen Vater, die Erzählung vom armen Lazarus und von Zachäus sind nur bei Lukas zu finden, ganz zu schweigen von der Himmelfahrt Jesu und der Emmauserzählung. Ohne das Lukasevangelium hätten wir weit weniger Feste im Kirchenjahr.

Aus den Spuren seiner Quellen und dem, was er schreibt, lässt sich seine Schrift zeitlich einordnen. Das Markusevangelium lag ihm vor, er schreibt also sicher nach 70 n. Chr. Allerdings wird es auch nicht zu lange danach gewesen sein, so dass eine Abfassung zwischen 80 und 90 n. Chr. wahrscheinlich ist. Sein Adressatenkreis scheint aus Christen zu bestehen, die mit jüdischen Gebräuchen kaum etwas anfangen können. Der Vergleich mit Mk und auch Mt zeigt das Weglassen dieser Traditionen bzw. die genaue Erklärung. Seine Gemeinde ist also griechisch geprägt, man redet da von Heidenchristen.

Wie aber sollen wir dieses Evangelium lesen? Zunächst so wie Theophilus – mit dem Ziel, im Glauben gestärkt zu werden. Dazu müssen wir den Weg Jesu an der Hand des Evangelisten mitgehen, und dieser Weg ist ein besonderer. Um ihn zu verstehen, lohnt es sich, den zweiten Teil des Lukasevangelium in Betracht zu ziehen: die Apostelgeschichte. An deren Anfang bezieht sich der Autor ausdrücklich auf sein erstes Buch für Theophilus. Liest man beide hintereinander, so findet sich in der Mitte (im letzten Teil des Lk und im ersten Teil der Apg) alles auf Jerusalem zentriert. Dorthin ist Jesus sehr bewusst unterwegs (von Kapitel 9–19), von dort gelangt die Botschaft seiner Auferstehung letztlich bis an die Grenzen der Welt. Jerusalem aber ist für das Lk so eine Sache: einerseits der Dreh- und Angelpunkt, wo die wichtigsten Ereignisse geschehen, andererseits aber auch der Ort, wo die Ablehnung Jesu und seiner Nachfolger ihr Zentrum hat. Das mag ein Bild für den Glauben sein. Macht man sich auf den Weg ins

Zentrum, so besteht zumindest die deutliche Gefahr der Ablehnung. Jedenfalls scheint das für den Evangelisten, für Theophilus und ihre Gemeinde so zu sein, auch deshalb das Streben nach Befestigung des Glaubens.

Wie aber wird Jesus vorgestellt? Mehr als alle anderen ist Jesus für das Lk der Heiland. Seine Sendung zu den Armen und Ausgegrenzten wird immer neu erzählt: Kranke, Frauen, Sünder – alle, die in der antiken Welt am Rande standen, werden durch Jesu Nähe gewürdigt und bekommen durch ihn das Heil zugesagt. Mehr als in allen Evangelien stellt uns Jesus Gott im Lk als barmherzigen Vater vor. Als einen, der alles mit Barmherzigkeit umgibt, aber auch auffordert, selbst barmherzig zu handeln. Eine zweite Lesehilfe also: Die Armen und Kleinen sind Gottes Lieblinge, zu ihnen gehören und für sie da zu sein, verbindet mit Jesus.

Im Lk ist Jesus außerdem der Betende. In keinem anderen Evangelium zieht er sich so oft zum Beten zurück, geschieht so viel in Situationen, wo Jesus betet – die Taufe, die Wahl der Zwölf, die Verklärung, am Ende die eindrückliche Schilderung des betenden Jesus am Ölberg. Jesus lehrt die Jünger im Lk das Vater unser auf ihre Bitte hin zu lernen, wie beten geht. Eine weitere Spur: Um glauben zu können, muss man Kontakt mit Gott aufnehmen und Lukas versichert uns durch das Beispiel Jesu, dass es auch möglich ist.

Mit Blick auf Theophilus und die im Glauben zu Stärkenden aller Zeiten wird ein Weiteres im Lk wichtig. Diese Spur findet sich gleich in den Weihnachtsgeschichten. Was angekündigt wird, tritt ein: in der Verheißung der Geburt Johannes des Täufers, der Verkündigung des Engels an Maria, der Botschaft der Engel an die Hirten, der Weissagung von Hanna und Simeon. Der Evangelist setzt auf Verlässlichkeit. Sein Leser kann gleich zu Anfang erleben, wie Gott handelt und dass er hält, was er versprochen hat. Die Botschaft, so lernen Theophilus und alle Leser fast nebenher auf dem Weg, ist verlässlich. Dies wird für die Jünger mit Jesu Tod allerdings in Frage gestellt. Und wie ihnen geht es vielleicht jedem späteren Leser, der in seinem Glauben angefragt ist. Wohl deshalb erzählt Lukas uns die Emmausgeschichte. Hier legt der Auferstandene selbst den Jüngern das Geschehene aus und zeigt ihnen, wie sie mittels Schrift und seiner Worte alles verstehen können. An der Hand dieser beiden Jünger kann der Leser die letzte Gewissheit hören. Jesus begegnet den Seinen auf dem Weg und seine Ansagen werden erfüllt. Wohl nicht zufällig ist nur einer der Emmausjünger namentlich benannt (Kleopas) – mag sein, dass der andere weit nach Jesu irdischem Weg lebt, mag sein, dass der Evangelist diese Leerstelle lässt, damit sich der Leser mit Kleopas auf den Weg nach Emmaus begeben kann. Dies mag die wichtigste Einladung des Lk sein, die Begegnung mit Jesus in den eigenen Wegen zu erwarten und dort die Botschaft stets neu ausgelegt zu bekommen, die Botschaft, dass Gott Heil will und dies durch Jesus wirklich bringt. Das ist nicht nur für Theophilus eine gute Nachricht – Evangelium –, sondern für alle Leser des Lk bis heute.

ANNE RADEMACHER

Johannesevangelium

Vorbemerkung

Viele Menschen haben im Einstieg zum Hören und Lesen des Johannesevangeliums ein Gefühl der Entfremdung, weil gerade sein Anfang nicht leicht über die Lippen und in die Ohren kommt. Wenn es leicht wäre, dann bestünde der Verdacht, dieser große poetische Text, dieses große Gedicht in Joh 1 würde uns eingeben, wir hätten selbst schon die Erfahrung gemacht, die zu diesem Text damals geführt hat. Das wäre jedoch eine Täuschung, weil der Weg vom Sehen zum Sprechen weit ist. Alle wissen, wie wenig erzählende Sätze einholen können, was man etwa in den Ferien gesehen hat. Trotz aller Worte bleibt immer ein ungesagter und auch nicht erzählbarer Rest an Erlebtem. Denn die Wirklichkeit, der man gegenübergestanden hat, ist größer als alle verfügbaren Worte.

Alle Evangelien wollen und können entsprechend nicht erzählen, »wie alles gewesen ist«. Auch hier bleibt immer ein Rest an Nicht-Sagbarem. Sie suchen deshalb danach, wie sich einerseits die Erfahrungen derer abdecken lassen, die dabei gewesen sind, und zugleich, wie anderen ein Zugang dazu erschlossen werden könnte. Es ist ein langer und jedes Mal anderer Weg, den ein Evangelium nimmt. Von daher leuchtet ein, dass die Erzählungen vom Anfang Jesu vermutlich die jüngsten Teile der Evangelien sind. Der Prolog des Johannesevangeliums ist also entsprechend ein erst nachträglich, aus der Sicht von Ostern gewonnener Vorspann, eine Art Rückblende aus der Zeit nach Ostern in die Zeit der Anfänge, ein Nachwort als Vorwort. Das mag überraschen, doch hat die Christenheit sich auch mehrere Jahrhunderte damit begnügt, Ostern zu feiern. Der Prolog Joh 1,1–18 hat die gleiche Aufgabe wie eine Rückblende im Film: den nämlich zu charakterisieren, um den es im folgenden Film geht; womöglich durch einen Namen, der als Schlüssel für das ganze weitere Evangelium dienen kann.

Der Evangelist Johannes hat einen neuen Namen für Jesus, ja geradezu eine neue verdichtete Formel. Er nennt Jesus: »das Wort«! Zunächst scheint diese Formel wenig hilfreich, weil man sich darunter wenig vorstellen kann. »Wort« – das ist unsichtbar, ungreifbar, nicht festlegbar. Es gibt unzählige Worte. Aber wer die unterschiedlichen Christusbilder anschaut, fragt sich: Haben sie seine Gestalt nicht viel zu sehr festgelegt? Jede und jeder hat wahrscheinlich tief im Inneren ein Christusbild, das anderen Bildern kaum eine Chance lässt. Darüber hinaus ist »das Wort«, dieses besondere Wort als Name für Jesus, sehr kennzeichnend und schließt viel ein.

- Ein erstes Kennzeichen ist: Jesus ist wie kein anderer ein *Mann des Gesprächs*, des aufmerksamen Zuhörens und des treffenden, tröstenden, heilenden, provozierenden, befreienden Wortes. In seinem Wort der Zuwendung liegt das »Leben« und die »Macht, Kinder Gottes zu werden«, wovon der Prolog spricht. Das alles schwingt in dem Namen »Wort« für Jesus mit.
- Ein zweites Kennzeichen: Sein Wort gibt *Orientierung*. Es deckt Gottes Wirklichkeit auf, es hellt den Horizont auf, in dem wir leben. Es ist »Wahrheit« und »Licht« für die Menschen. Jeder, der vom Evangelium gehört hat, hat vermutlich eine Bibelstelle im Sinn, wo das Wort Jesu einem Menschen Orientierung gibt.
- Ein drittes Kennzeichen: Jeder selbst muss fragen und hören, wessen Wort denn Jesus ist? Er ist das *Wort des Vaters*. In ihm ist das Ja Gottes zu uns gekommen (2 Kor 1,19f.). Jesus als das »Wort« weist also über sich hinaus in den »Anfang« zurück; die Rückblende des Prologs verweist in das »unzugängliche Licht« Gottes (vgl. 1 Tim 6,16). Darin ist Jesus der, der nicht nur Kunde gibt von Gott, wie das Evangelium sagt. Wörtlich heißt es: »Er hat Gott ausgelegt« (Joh 1,18), er zeigt in seinem Wort und in seinem Leben, wie Gott verstanden sein will und wie er sich unter uns zeigt: in seinem WORT.

Dieses Wort, diese Botschaft in Person braucht Boten. Die wichtigste Weise der Vermittlung geschieht durch Menschen, die als Vorzeichen vor ihr Wort und ihr Tun das Verhältnis von Ich und

Du setzen, die Beziehung zu diesem ansprechenden und ansprechbaren lebendigen Wort. Die Christen waren es, die aus ihrer Erfahrung die Konsequenzen gezeigt haben, dass Arme nun genauso viel gelten wie Reiche, und mehr: Frauen und Männer sind gleichberechtigt, die Kinder werden in die Mitte gestellt. Ungeborenes und sterbendes Leben hat und behält seine einmalige Würde. Die Christen waren es, die sich der Kranken besonders annahmen und schließlich Hospize gründeten, Biotope der Solidarität zwischen Gesunden und Kranken.

Wer ist der Verfasser des Johannesevangeliums?

Das ursprünglich anonyme Johannesevangelium hat erst später seinen Namen bekommen. Nach altkirchlicher Auffassung war vor allem der »Lieblingsjünger« der Evangelist, der für die johanneische Gemeinde den Zugang zu Jesus verbürgt hat (vgl. Joh 20,3–10). Seine endgültige Gestalt hat das Evangelium wohl in einer »Schule« bekommen, in der bewusst die Tradition gepflegt wurde. Die Identifizierung mit anderen Personen, dem Zebedaiden oder dem Seher, ist schwierig und unwahrscheinlich.

Die Gemeinde des Johannesevangeliums

Gerade die Kapitel 14–16 erweisen, dass die Gemeinde in einer bedrängten Situation lebt und mit Aggressionen aller Art zu kämpfen hat. Selbstbewusst werden Nähe und Abgrenzung sowohl zu jüdischen Traditionen als auch zu anderen christlichen Strömungen ausgearbeitet wie auch zur »Welt«, die keine Erkenntnis hat. Jesus Christus ist der Offenbarer Gottes, der Sohn Gottes. Das Heil, das er schenkt, geschieht schon jetzt in der Gegenwart (Joh 5,24). Die Christuserkenntnis verbindet den irdischen und den erhöhten Herrn. So versteht sich die johanneische Gemeinde. Sie lebt davon, Schüler Gottes zu sein (Joh 6,45). Dreh- und Angelpunkt dafür sind das Kreuz und die Auferweckung Jesu. Der Geist, die Dynamik des Geheimnisses der absoluten Liebe, bringt den wirklichen Jesus und »alles, was er gesagt hat« (Joh 14,26) zur Geltung. In der Kraft dieses Geistes wird auch das gegenwärtige Heil erst erfahrbar, das Leben, das mit Jesus identisch ist. Dieses neue Leben wird dann durch den Gedanken der gegenseitigen Liebe interpretiert (Joh 14,20–24). Damit ist ein umfassender Verkündigungsanspruch gegeben, der in den Konflikt von Kirche und Welt führt. Die Einheit der Kirche, die jenseits allen institutionellen Denkens in der Einheit von Vater und Sohn grundgelegt ist, bestärkt in der gegenseitigen Liebe, die an Christi Liebe Maß nimmt. Sie ist der Anker in allen Gefährdungen (Joh 10,28–30). Wenn sowohl die Kirche unter dem Kreuz als auch die mit dem Erhöhten zusammengehörige Kirche als Spannung festgehalten wird, kann erst die Offenheit der »Agape«, der Liebe nach Jesu Art, nach außen und innen angestrebt und durchgehalten werden.

Zeit und Ort

Man vermutet, dass das Johannesevangelium gegen Ende des 1. christlichen Jahrhunderts entstanden ist. Als Entstehungsort wird mehrheitlich Ephesus in Kleinasien angesehen. Diese Region hat eine gewisse geographische Nähe zu Palästina und zur Missionsarbeit des Paulus, der in Kleinasien die Fundamente für christliche Gemeinden gelegt hat.

Aufbau des Evangeliums

In der Grobgliederung zeigen sich auch die theologischen Linien:

1. Joh 1,1–18 Der Prolog
2. Joh 1,19–12,50 Die Offenbarung Jesu vor der Welt in Worten und Zeichen
3. Joh 13,1–17,26 Die Offenbarung Jesu vor den Seinen in einem Zeichen und im Wort
4. Joh 18,1–19,42 Die Passion Jesu: Sein Hingang zum Vater
5. Joh 20,1–29 Die Auferstehung Jesu: Seine Erhöhung
6. Joh 20,30–31 Schlusswort des Evangelisten
7. Joh 21,1–25 Nachtrag

Jesus als das fleischgewordene Wort Gottes geht den Weg von ganz oben bis nach ganz unten. Er ist eins mit dem Vater, und von ihm gesandt legt er aus der Anschauung Gottes heraus Gott aus – für die Welt und für die Seinen. So ist er authentisch in seiner Botschaft: Er spricht und handelt in Vollmacht. Deshalb ist er der, der vom Vater die Bevollmächtigung erhalten hat, der Welt das ewige Leben zu bringen. Dementsprechend führt er in die Krise und unterscheidet zwischen Gut und Böse, zwischen Licht und Finsternis, zwischen Wahrheit und Lüge. Erst in dieser Unterscheidung verwirklicht sich die Gabe des Lebens. Die Fußwaschung ist eine Tat der Liebe, die der Herr seinen Knechten erweist, um sie zu seinen Freunden und seinen Boten zu machen. Indem sie sich seine Liebe gefallen lassen, soll seine Liebe ausstrahlen und letztlich durch seine Freunde alle erreichen.

PAUL DESELAERS

Apostelgeschichte

1. Ein Teil des lukanischen Doppelwerks

Ein Vorwort weist die Apostelgeschichte als Fortsetzung eines früheren Buches aus, das über das Wirken Jesu bis zu seiner Aufnahme in den Himmel berichtet hat. Dieses Buch ist das Lukasevangelium, wie an der beiden Schriften gemeinsamen Widmung an einen Theophilus erkennbar ist (Lk 1,3; Apg 1,1). Theophilus war wohl ein Mitglied der Gemeinde, das aus seinem Vermögen einen Beitrag zur Abfassung und Publikation beider Werke geleistet hat.

Die letzten Worte Jesu im Lukasevangelium blicken voraus auf die Verkündigung seines Todes und seiner Auferweckung bei allen Völkern (Lk 24,46f.) und weisen die Jünger an, in Jerusalem auf den Empfang des Heiligen Geistes zu warten, der sie zum Zeugnis befähigen wird (Lk 24,48f.). Mit der Wiederaufnahme dieser Worte beginnt die Erzählung der Apostelgeschichte (Apg 1,4–5.8), in der sich – angefangen bei der Herabkunft des Heiligen Geistes auf die Jünger am Pfingstfest (Apg 2) über die Öffnung der Gemeinde für die unbeschnittenen Heiden (Apg 10,1–11,18; 15,1–29) bis hin zur Ankunft des Paulus in Rom (Apg 28,16–31) – die Ankündigung des Auferweckten verwirklicht. Gleichzeitig ruft die Apostelgeschichte in den Missionsreden und an anderen Stellen immer wieder das Wirken, das Sterben und die Auferweckung Jesu in Erinnerung und verweist damit zurück auf das Lukasevangelium (Apg 1,1f.21f.; 2,22–24; 3,13–15; 4,10; 5,30; 10,37–43; 13,27–31). Damit ist angezeigt, dass das Evangelium die inhaltliche Vorgabe der Verkündigung und die normative Grundlage des Bekenntnisses der nachösterlichen Gemeinde, d.h. der »Kirche«, ist.

2. Inhaltliche Grundlinien

Die Apostelgeschichte möchte ihren Leserinnen und Lesern, die bereits in einem großen zeitlichen Abstand zum Auftreten Jesu leben, versichern, dass die christliche Verkündigung und ihr Glaube eine sichere Grundlage haben, weil sie auf dem Zeugnis der »Apostel« ruhen. Während sonst im Neuen Testament mit »Apostel« die Gemeindemissionare der nachösterlichen Zeit bezeichnet werden, reservieren das Lukasevangelium und die Apostelgeschichte diese Bezeichnung (mit Ausnahme Apg 14,4.14) für den Kreis der »Zwölf«, dessen Anfang in der vorösterlichen Zeit liegt. Als Zeugen des irdischen und des auferweckten Jesus sind die »Zwölf« der verlässliche Grund der Verkündigung (Apg 1,22; 2,32; 3,15; 5,32; 10,41). Deshalb kann bei der nachösterlichen Wiederherstellung des Kreises der »zwölf Apostel« den Platz des Verräters Judas nur einer einnehmen, der mit Jesus sowohl in der Zeit vor seinem Tod als auch in den 40 Tagen zwischen seiner Auferweckung und Aufnahme in den Himmel zusammen war (Apg 1,21f.). An die Stelle der »zwölf Apostel«, deren Dienst zeitlich begrenzt ist und die keine Nachfolger haben, treten die Gemeindemissionare, die das apostolische Zeugnis übernehmen und unverfälscht weitergeben. Dies wird exemplarisch an Paulus vorgeführt, der für die Apostelgeschichte nicht zum Kreis der »Apostel« und der maßgebenden Anfangszeugen gehört. In seiner ersten ausgeführten Missionspredigt wiederholt er, mit Verweis auf das Zeugnis der »Apostel«, die zentralen Inhalte der Pfingstpredigt und spricht gleichsam die Worte des »Apostels« Petrus nach (Apg 13,23–37; 2,22–36).

Den Leserinnen und Lesern wird außerdem versichert, dass sie sich als erwählte Gemeinde des Gottes Israels verstehen und sich auf seine Verheißungen berufen dürfen, obwohl sie als »Kirche« der Heiden mehrheitlich oder sogar ausschließlich nicht aus dem Judentum stammen. Am Ende der Apostelgeschichte wird mit einem Zitat aus dem Propheten Jesaja die weitgehende Verweigerung der Juden gegenüber der christlichen Verkündigung als von Gott gewollte Verstockung gedeutet (Apg 28,26f; Jes 6,9f.). Zugleich wird betont, dass nach dem Willen des Gottes Israels allen Völkern der Weg zum Heil offen steht (Apg 10,35; 14,27; 22,21; 26,23; Lk 2,32; 24,47) und dass die Heiden, anders als die Juden, Gottes Heilsangebot bereitwillig und dankbar annehmen (Apg 28,28; 13,46f.; 18,6).

Die Apostelgeschichte betont, dass die Entstehung der »Kirche« und ihre Ausbreitung getragen ist vom Heiligen Geist, d. h. von Gottes schöpferischer, belebender und rettender Kraft. Als Gabe Gottes und des erhöhten Herrn ist der Heilige Geist seit dem Pfingsttag in der »Kirche« gegenwärtig (Apg 2,4.33). Er wirkt im Zeugnis der »Apostel« (Apg 4,8) und überall, wo Mitglieder der Gemeinde den Glauben verkünden (Apg 6,5.10; 7,55; 8,29), und den Getauften schenkt er das ewige Heil (Apg 2,17f.38; 4,31; 5,32; 8,15.17). Die entscheidenden Weichenstellungen verdanken sich seinem Wirken, nämlich die Entscheidung zur Heidenmission und zur Aufnahme der unbeschnittenen Heiden in die »Kirche« (Apg 10,1–11,18; 15,6–29) sowie der Anfang der Mission in Kleinasien (Apg 13,1–3.4ff.) und dann in Europa (Apg 16,6– 10).

Im Blick auf ihren Inhalt lässt sich die Apostelgeschichte deshalb als eine Chronik der vom Heiligen Geist bestimmten Ausbreitung der »Kirche« verstehen, die ihre allmähliche Ablösung vom Judentum dokumentiert und theologisch zu deuten versucht.

3. Literarische und historische Fragen

Der Verfasser der Apostelgeschichte benutzt ältere Überlieferungen (zur »Urgemeinde« von Jerusalem, zum Wirken des Petrus und anderer »Apostel«, zur Gemeinde von Antiochia, zur Biographie und Mission des Paulus). Wie sehr dieses Material inhaltlich umgearbeitet wurde, kann man dort erkennen, wo die Briefe des Paulus parallele Überlieferung bieten. Dies betrifft unter anderem die Darstellung des Petrus als Initiator und Vorkämpfer der Heidenmission (Apg 10,47; 11,17; 15,7–11; Gal 2) oder die Schilderung der Jerusalemer Übereinkunft zur Heidenmission (Apg 15,19–21.28f.; Gal 2,9f.). Ebenso passt die Strukturierung der paulinischen Missionstätigkeit in drei Reisen nicht zu dem, was den Briefen des Paulus über seine Tätigkeit zu entnehmen ist; insbesondere die erste Reise ist nicht durch Angaben seiner Briefe gedeckt (Apg 13–14; Gal 1,17–24).

Nach heutigen Maßgaben kann die Darstellung der Apostelgeschichte nicht als historisch zuverlässig bezeichnet werden, sie entspricht aber den Vorgaben antiker Geschichtsschreibung, die nicht allein Fakten wiedergeben, sondern das Geschehen deuten wollte. Dazu dienen beispielsweise die Reden, die als freie Kompositionen des Verfassers die entscheidenden Wendepunkte markieren, das Geschehen kommentieren und seine Bedeutung erschließen. Zusammen mit romanhaften Ausschmückungen und der dramatischen Gestaltung von Einzelszenen tragen sie zu einer lebendigen und einprägsamen Darstellung der Anfänge der »Kirche« bei.

Der Titel »Apostelgeschichte« (eigentlich »Taten der Apostel«) ist nicht ursprünglich, sondern stammt erst aus dem späten 2. Jahrhundert. Er geht auf die sich in dieser Zeit durchsetzende Sicht zurück, dass Paulus und Petrus als *die* »Apostel« die maßgebenden Gestalten der Anfangszeit der »Kirche« sind (obwohl Paulus in der Konzeption der Apostelgeschichte nicht zu den »Aposteln« gehört). Auch die Identifizierung des Verfassers mit Lukas, einem Mitarbeiter des Paulus (Phlm 24; Kol 4,14; 2 Tim 4,11), erfolgt erst in dieser Zeit. Anlass dafür waren die Wir-Passagen im letzten Drittel des Buches, die den Eindruck erwecken, hier schreibe ein Begleiter des Paulus (Apg 16,10f; 20,5–8.13–15;

21,1–18; 27,1– 28,16). Gegen Lukas oder einen anderen Mitarbeiter des Paulus als Verfasser sprechen jedoch die völlige Unkenntnis der paulinischen Briefe, ein deutlich von den Briefen abweichendes Paulusbild und die nur vagen Anklänge an die paulinische Theologie (Gnaden- und Rechtfertigungslehre; Apg 13,38f. im Mund des Paulus und 15,9–11 im Mund des Petrus). Die Wir-Passagen sind eine literarische Konstruktion und zielen auf den Eindruck von Augenzeugenschaft und auf Nähe zum erzählten Geschehen.

Die Apostelgeschichte lässt erkennen, dass ihr Verfasser über eine gewisse Bildung verfügte. Dafür sprechen die weitgehend gepflegte, wenn auch nicht immer literarische Sprache und die Vertrautheit mit den Konventionen der Geschichtsschreibung. Gute Kenntnisse der biblischen Schriften in ihrer griechischen Übersetzung deuten auf eine Nähe zum Judentum; doch war er wohl nicht Jude, sondern gehörte zum Kreis der »Gottesfürchtigen«, also jener Heiden, die mit dem Monotheismus und der Ethik der jüdischen Überlieferung sympathisierten, den vollen Anschluss an die Synagoge wegen gesellschaftlicher Nachteile aber scheuten. Entstanden ist die Apostelgeschichte wahrscheinlich in einer der Städte Kleinasiens, Makedoniens oder Griechenlands, wo Paulus einst missioniert hatte und wo noch Erinnerungen an sein Wirken lebendig waren. Hinsichtlich der Entstehungszeit lässt sich nur sagen, dass die Apostelgeschichte das frühestens in den späten siebziger Jahren des 1. Jahrhunderts geschriebene Lukasevangelium voraussetzt. Vermutlich stammen beide Schriften aus den letzten beiden Jahrzehnten dieses Jahrhunderts.

THOMAS JOHANN BAUER

Kolosserbrief

Der Kolosserbrief gehört zu den kürzeren der Briefe des Paulus und steht in der Wahrnehmung oft im Schatten nicht nur des Römerbriefs oder der Korintherbriefe, sondern auch des Galater- und Epheserbriefs. Er ist aber mit seiner eigengeprägten Botschaft ein wichtiger Zeuge innerhalb der Sammlung der Paulusbriefe.

Der Brief ist an die Gemeinde in Kolossä geschrieben. Kolossä war eine Stadt in der Provinz Asia, also im Westen der heutigen

Türkei, im Tal des Flusses Lykus. Die Gemeinde, die es dort gab, war nicht von Paulus gegründet worden, sondern vermutlich von dem Kolosser Epaphras (1,7; 4,12f.). Auch in den Nachbarstädten Laodizea und Hierapolis scheint es schon Gemeinden gegeben zu haben (4,13). Die Grußliste in 4,10–18 hat viele Berührungen mit der des Philemonbriefs (Phlm 23f.). Onesimus, um dessen Flucht es im Philemonbrief geht, stammte aus Kolossä und wahrscheinlich gehörte auch sein Besitzer Philemon zu dieser Gemeinde. Kolossä ist wie die beiden Nachbarstädte durch ein Erdbeben im Jahr 60 n. Chr. fast ganz zerstört, aber anders als diese nicht wieder aufgebaut worden.

Von Paulus selbst wird gesagt, dass er im Gefängnis ist (4,3.10.18). Das könnte auf eine Abfassung in Rom hinweisen; aber möglicherweise war Paulus auch schon in Ephesus für einige Zeit im Gefängnis gewesen, was sehr viel näher bei Kolossä lag als Rom.

Der Aufbau des Kolosserbriefs weist die typischen Merkmale eines Paulusbriefs auf: Er beginnt mit dem *Briefkopf* (1,1f.) und der *Danksagung und Fürbitte* (1,3–11).

Diese führt bruchlos hinein in den ersten Hauptteil (1,12–2,23): *Die Grundlegung: Christus und das Heil, das durch ihn geschenkt ist.* Er entfaltet sich in drei Teilen:

(1) *Die Bedeutung der Person und des Wirkens Christi* (1,12–23). In diesen Abschnitt ist ein kunstvolles Christuslied (1,15–20) eingearbeitet.

(2) *Die Vollmacht des Apostels* (1,24–2,7)

(3) *Die falsche Philosophie und die rettende Herrschaft Christi* (2,8–23). Das ist das Zentrum des Briefs. Hier wird die Auseinandersetzung mit einer bedrohlichen Lehre geführt, aber auch die Bedeutung des Christusgeschehens eindrücklich dargelegt (2,9– 15).

Der zweite Hauptteil (3,1–4,6) beschreibt, was daraus praktisch folgt: *Die Konsequenz: Ein Leben aus dem Glauben.*

Nach einer grundsätzlichen Einleitung *Leben in der Gemeinschaft mit Christus* (3,1–4) werden die Folgerungen für das persönliche Leben dargelegt: *Der alte und der neue Mensch* (3,5–17; sehr schön 3,16f.: der rechte Gottesdienst in der Gemeinde und der Welt), dann *Ein geordnetes Miteinander in einer christlichen Familie (Haustafel)* vorgestellt (3,18–4,1) und mit *Mahnung zum Gebet und zur missionarischen Verantwortung* abgeschlossen (4,2–6). Es folgt 4,7–18 *Briefschluss mit persönlichen Informationen und Grüßen.*

Leider ist es schwierig, die gefährliche Lehre (2,8: *Philosophie*), gegen die der Brief kämpft, genauer einzuordnen. In ihrem Mittelpunkt stand offensichtlich die Erkenntnis, dass sogenannte *Mächte der Welt* (Einheitsübersetzung: *Elementarmächte der Welt*; vgl. auch Gal 4,3) im Bereich zwischen Himmel und Erde und also auch zwischen Christus und den Christen herrschten. Man sah in ihnen mächtige Engel, denen besonders demutsvolle Verehrung erwiesen werden musste, damit sie einen nach »oben« ließen (2,18). Dazu gehörte die Beachtung von Speisevorschriften, bestimmter Kalender- und Feiertage, einschließlich des Sabbats, und anderer Tabuvorschriften (2,16.22f.). Es gab wohl auch Einweihungsriten, in denen geheime Dinge geschaut wurden (2,18) und zu denen vielleicht auch die Beschneidung gehörte.

Dagegen setzt der Kolosserbrief eine Verkündigung der Christusbotschaft, die herausstellt, dass Gott durch Christi Tod am Kreuz und durch seine Auferweckung schon die ganze Schöpfung mit sich versöhnt und Frieden mit ihr und den Menschen gemacht hat (1,19f.). Gott hat durch Christus »die Mächte und Gewalten ihrer Macht entkleidet und sie öffentlich zur Schau gestellt und über sie triumphiert« (2,15). Deshalb stehen die Christen nicht mehr unter der Herrschaft irgendwelcher Engelmächte und müssen sich auch nicht mehr besondere Vorschriften und Satzungen auferlegen lassen, um den Weg zu Gott freizumachen. Denn sie sind »mit Christus für die Mächte der Welt gestorben« (2,20). Sie leben nicht mehr in dieser von allen möglichen Gewalten beherrschten Welt, sondern sind mit Christus auferstanden. Darum soll ihr Leben jetzt ganz auf das, was »droben ist«, also was Christus entspricht, ausgerichtet sein (3,1f.).

Im Zuge dieser Auseinandersetzung macht der Kolosserbrief Aussagen, die sich merklich von dem unterscheiden, was Paulus in früheren Briefen gesagt hat. Heißt es in Röm 6,8: »Sind wir aber mit Christus gestorben, so glauben wir, dass wir auch mit ihm leben *werden*«, so lesen wir in Kol 2,12: »Mit ihm seid ihr begraben worden durch die Taufe; mit ihm *seid* ihr auch auferstanden durch den Glauben.« (vgl. 3,1) Auch das Bild vom Leib Christi wird unterschiedlich gebraucht: Wird in 1 Kor 12,12f. die Gemeinde als Leib Christi bezeichnet und damit der ganze Leib mit Christus identifiziert, so ist im Kolosserbrief Christus das *Haupt* des Leibes, und zwar nicht nur der Gemeinde (1,18; 2,19), sondern auch »das Haupt aller Mächte und Gewalten«.

Man kann diese Unterschiede zum Teil damit erklären, dass die Irrlehre in Kolossä eine neue Formulierung der paulinischen

Botschaft nötig machte. Die Bezugnahme auf diese Lehre erklärt auch, dass im Kolosserbrief viele Begriffe auftauchen, die sonst in den Paulusbriefen nicht gebraucht werden. Dazu kommt aber die Beobachtung, dass dieser Brief in einem deutlich anderen Stil geschrieben ist als die älteren Paulusbriefe. Er hat darin große Ähnlichkeit mit dem Epheserbrief, für den er wohl als Vorlage gedient hat. Darum sind viele Ausleger der Meinung, dass der Brief nicht von Paulus selbst stammt, sondern erst nach dessen Tod von einem seiner früheren Mitarbeiter verfasst wurde. Das Auftauchen der gefährlichen Irrlehre in den Gemeinden Kleinasiens machte eine Stellungnahme im Namen des Apostels nötig und Kolossä, wo es nach dem Erdbeben von 60 n. Chr. keine Gemeinde mehr gab, bot sich als fiktiver Adressat an.

Doch kann es sein, dass ein Brief mit so vielen persönlichen Mitteilungen nur Fiktion ist? Andere Ausleger gehen deshalb davon aus, dass Paulus diesen Brief zwar nicht persönlich diktiert hat, dass ihn aber ein Mitarbeiter, vielleicht war es Timotheus, in seinem Auftrag geschrieben hat. Dass Paulus bei der Abfassung im Gefängnis war, wäre eine einleuchtende Begründung für dieses Verfahren, das durchaus den Gepflogenheiten der Zeit entsprach. Diese Annahme würde auch erklären, dass sich der Brief zwar in seinem Stil und in manchen theologischen Aussagen von der Theologie der paulinischen Hauptbriefe unterscheidet, deren Grundlinien aber noch sehr nahesteht.

Wie dem auch sei, der Kolosserbrief ist ein eindrucksvolles Zeugnis für die Überzeugung der Urchristenheit, dass Gottes Handeln in Jesus Christus nicht nur Rettung und Befreiung für die einzelnen Glaubenden oder die christliche Gemeinde bedeutet, sondern Auswirkungen auf die ganze Schöpfung hat. In Christus begegnet Gott, der Schöpfer, der Befreier und der Versöhner, denn »in ihm wohnt die ganze Fülle der Gottheit leibhaftig« (2,9). Weil sie nicht mehr von den Machtspielen der Mächte dieser Welt abhängig sind, sind Christen zu einem neuen Leben befähigt (3,10), zu einem Handeln in dieser Welt, das im Namen Jesu geschieht und von seiner Liebe geprägt ist (3,17), und zu einem Miteinander, das alle Grenzen überwindet (3,11).

WALTER KLAIBER

Erster Thessalonicherbrief

Der erste Thessalonicherbrief ist der älteste der uns erhaltenen authentischen Paulusbriefe. Paulus schrieb ihn zusammen mit seinen Begleitern und Mitarbeitern Silas und Timotheus um 50–51 n. Chr. aus Korinth an die noch sehr junge christusgläubige Gemeinde in Thessaloniki, der damaligen Hauptstadt der römischen Provinz Makedonien. In kaum einem anderen Paulusbrief wird so deutlich, wie sehr der Erfolg der Evangeliumsverkündigung abhängt von der Glaubwürdigkeit und Authentizität der Missionare einerseits und von ihrem respektvollen, motivierenden Umgang mit der jungen Gemeinde und ihrer liebevollen Sorge um sie andererseits. Der ganze Brief ist durchzogen von dieser großen Zuneigung der Missionare zur Gemeinde von Thessaloniki und dem Wunsch, sie angesichts vielfältiger Bedrängnisse und Nöte aufzurichten und zu ermutigen, ihren Weg in der Nachfolge Jesu unbeirrt weiterzugehen. Daher wird der Brief auch als Trost- und Freundschaftsbrief bezeichnet.

Die Adressaten und Adressatinnen und ihre Situation

Die Gemeinde in Thessaloniki wurde gemeinsam von Paulus, Silas und Timotheus auf der zweiten Missionsreise des Paulus gegründet. Die Mehrzahl der Gemeindemitglieder kam nicht aus dem Judentum, sondern aus einem polytheistischen Milieu (vgl. 1 Thess 1,9). Von ihnen gehörten einige zur Gruppe der sogenannten Gottesfürchtigen, Menschen aus dem Heidentum/den Völkern, die sich für das Judentum interessierten, aber auf Grund der Beschneidung und der Speisevorschriften nicht vollständig übertreten wollten. Die Gemeinde war außerordentlich arm, so arm, dass die Missionare nach 1 Thess 2,9 hart für ihren eigenen Lebensunterhalt arbeiteten, um keinem zur Last zu fallen. Nach Phil 4,16 erhielten sie sogar mindestens zweimal finanzielle Unterstützung aus der reicheren christusgläubigen Gemeinde im nahegelegenen Philippi. Die drei Missionare blieben vermutlich mehrere Wochen, vielleicht auch Monate in Thessaloniki, bis sie wegen großer Anfeindungen von verschiedenen Seiten die Stadt verlassen mussten (Apg 17,1–10). Ob die Gemeinde nach dem erzwungenen Weggang der Missionare zunächst aus der Schusslinie geriet, wissen wir nicht. Der Brief selbst setzt jedenfalls weiterhin Konflikte und Nöte voraus (1 Thess 1,6; 2,14; 3,3f.), die sich schon allein aus der Konversion ergaben, aus der Abwendung von den Götzen hin zu dem einen Gott Israels. Sie führte für den Einzelnen nicht selten zum Bruch mit dem bisherigen Umfeld und damit zu sozialer Isolierung. Der persönliche Gewinn musste daher so groß sein, dass er die Nachteile aufwiegen konnte. Neben dem neuen Sinnhorizont, dem Glauben an den lebendigen, wahren Gott Israels und an sein Evangelium von Tod, Auferweckung und Wiederkunft seines Sohnes Jesus Christus (1 Thess 1,9f), waren das die geschwisterliche Gemeinschaft (*ekklesía*) der Christusgläubigen als neues soziales Bezugssystem und die enge Beziehung zu den Erstverkündigern.

Die Themen des Briefes: Die Beziehung zu den Erstverkündigern und die Hoffnung auf die baldige Wiederkunft Christi

Zwei dieser drei Faktoren waren für die Gemeinde inzwischen mit Unsicherheiten verbunden: die Beziehung zu den Erstverkündigern und die Frage nach der Teilhabe an Auferweckung und Parusie/Wiederkommen Christi. Auf diese Unsicherheiten geht der Brief ausführlich ein und versucht sie auszuräumen. Schon im Briefeingang (1,1–10) ist das zu spüren. Die drei Missionare bestärken die Gemeinde, auf ihrem bisherigen guten Weg weiterzumachen. Nicht nur, dass deren Glaube, Liebe und Hoffnung die Missionare stark beeindruckt haben, sondern sie ist sogar für die Gläubigen in ganz Griechenland und weit darüber hinaus Vorbild eines christusgemäßen Lebens geworden.

Erst nach dieser wichtigen Bestätigung folgt der eigentliche Brief. Sein erster Hauptteil (2,1–3,13) greift das Problem der langen Abwesenheit der drei Gemeindegründer auf, die für die Thessalonicher Elternstelle eingenommen hatten und ihnen Orientierung und Weisung gaben (z. B. 2,7.11). Nun, allein gelassen, besteht die Gefahr, dass die Gemeindemitglieder ihr Vertrauen in die drei Missionare verlieren und aufgrund ihrer sozial prekären Situation den gerade neu gewonnenen Glauben wieder aufgeben könnten. Der ganze erste Briefteil ist ein Versuch der drei Erstverkündiger, an die gemeinsame Beziehung anzuknüpfen und sie zu aktualisieren. Daher erinnert Paulus die Gemeinde als erstes an die Geschichte dieser Beziehung, an den Anfang mit all der Mühe, Sorge und Liebe der Missionare ihr gegenüber (2,1– 12) und den daraus erwachsenen guten Früchten der Thessalonicher. In 2,17–20 schreibt er dann von seiner Sehnsucht nach ihnen und den vergeblichen Versuchen, sie zu besuchen, so dass ihm schließlich nur übrigblieb, Timotheus nach Thessaloniki zu schicken (3,1–5). Von ihm erhielt er eine sehr positive Nachricht vom Glauben und von der geschwisterlichen Liebe der Gemeindemitglieder, die große Freude und Dank bei ihm und Silas auslöste (3,6–13).

Doch die Gemeinde braucht neben der Vergewisserung der Liebe des Paulus zu ihr auch konkrete Weisung, die sie in ihrem gegenüber der heidnischen Umwelt veränderten Lebenswandel bestärkt und Glaubenszweifel beseitigt. Beides folgt im zweiten Hauptteil des Briefes (4,1–5,11). Auch hier ist auffällig, wie sehr die Missionare die Gemeinde loben, aufmuntern, stützen und in ihrem eingeschlagenen Weg bestätigen. In 4,1–12 stehen zwei Themen des ethischen Verhaltens im Zentrum: der verantwortliche Umgang mit der eigenen Sexualität (4,3–5) und der geschwisterliche Umgang untereinander in allen Bereichen des Alltags (4,6–12). Nur so war es möglich, gegenüber einer feindlich gesinnten Umwelt als Gruppe zu bestehen und ihr zugleich einen Spiegel vorzuhalten.

Schwerwiegender als Probleme des Lebenswandels scheinen jedoch Zweifel in Bezug auf die Eschatologie gewesen zu sein. Wie Paulus und alle Christusgläubigen damals erwarteten auch die Thessalonicher in unmittelbarer Zukunft das Wiederkommen Christi vom Himmel her und damit die völlige Umgestaltung der gegenwärtigen Welt. Besondere Sorgen machte sich die Gemeinde über diejenigen unter ihnen, die schon gestorben waren. Sie vermuteten, dass sie zwar auferweckt werden, aber womöglich nicht wie die noch Lebenden für immer beim Kyrios Jesus sein würden. Mit seiner kurzen Beschreibung der endzeitlichen Ereignisse in 4,13–18 nimmt Paulus ihnen diese Sorge: Alle Gemeindemitglieder, Lebende und Verstorbene, werden Jesus begegnen und für immer bei ihm sein. Sie brauchen weder die Ereignisse der Endzeit zu fürchten noch das Gericht Gottes (5,1–11), denn Gott hat alle Christusgläubigen durch Jesu Tod zum Heil bestimmt. Der zweite Hauptteil endet in 5,12–22 mit verschiedenen Bitten und kurzen Aufforderungen; dazu gehört u.a. auch die Anerkennung derer, die sich für die Gemeinde einsetzen.

Der erste Thessalonicherbrief als Trost- und Ermutigungsbrief

Wie zwei rote Fäden durchziehen zwei Motive den ganzen Brief und verbinden den ersten Hauptteil mit seinem Beziehungsschwerpunkt und den zweiten Hauptteil mit seinem eschatologischen Schwerpunkt miteinander. Der erste rote Faden ist das Trost- oder Ermutigungsmotiv, das achtmal vorkommt. Der griechische Begriff *parakaléo* kann beides bedeuten und tut das auch in unserem Kontext. Gegenseitiger Trost und gegenseitige Ermutigung sind notwendig angesichts der Abwesenheit der Erstverkündiger, besonders von Paulus, angesichts der Konflikte mit der Umwelt und der Todesfälle in der Gemeinde. Der zweite rote Faden ist das Parusiemotiv. In jedem Kapitel des Briefes kommt es vor, insgesamt fünfmal, und erscheint dadurch wie das Ziel des Briefes und letztlicher Inhalt des Trostes. Paulus beschwört gleichsam das endgültige Kommen Christi und damit die Hoffnung auf ein ständiges Zusammensein mit ihm in seinem Königreich. Zugleich verbindet er das noch ausstehende Kommen Christi unterschwellig mit seinem eigenen noch ausstehenden Kommen – und das auch als Trost. Denn so wenig die Erstverkündiger trotz langer Abwesenheit die Gemeinde vergessen haben, so wenig hat der Gott Jesu Christi sie vergessen. Und so sicher Paulus nach Thessaloniki kommen wird, umso sicherer wird der Kyrios Christus kommen.

ANGELIKA STROTMANN

Zweiter Thessalonicherbrief

Ob der zweite Thessalonicherbrief von Paulus stammt oder von einer späteren Hand geschrieben wurde, ist in der Forschung bis heute umstritten. Wenn der Brief nicht von Paulus selbst ist, so ist er doch deutlich vom ersten Thessalonicherbrief abhängig und der anonyme Autor hat ihn als eine Art Vorlage benutzt. Die Ähnlichkeiten in Aufbau, Themen und Sprache sind jedenfalls verblüffend und reichen bis zu fast identischen Formulierungen. Auf der anderen Seite gibt es auch auffallende Unterschiede. Nicht nur dieselben Themen wie die Endzeitereignisse mit der Parusie Christi und das Alltagsverhalten der christusgläubigen Thessalonicher werden sehr unterschiedlich akzentuiert, sondern auch der Ton des Briefes wirkt viel distanzierter, ist nicht so herzlich und zugewandt wie im ersten Brief. Die Sprache ist formelhafter und weniger originell als in den echten Paulusbriefen.

Probleme der Adressatinnen und Adressaten

Auch wenn wir die realen Adressaten und Adressatinnen des 2 Thess und ihre Herkunft nicht kennen, können wir doch ihre Situation und ihre Probleme aus dem Brief erschließen. Anscheinend gab es unter ihnen eine Gruppe, die angesichts der ausbleibenden Parusie die Christusgläubigen mit ihrer Auslegung des 1 Thess verunsicherten. Sie behaupteten, dass der »Tag des

Herrn« schon gegenwärtig und Christus schon wiedergekommen sei (2,1f). Das führte nicht nur zu einer falschen Einschätzung der Gegenwart, sondern bei einigen auch zu einem falschen, aus dem Takt geratenen Lebenswandel. Statt ihren Lebensunterhalt mit Arbeiten zu verdienen, ließen sie sich versorgen und beschäftigten sich mit unnützen Dingen (3,6–12), und heizten damit die Konflikte mit der Umwelt noch an.

Die noch ausstehende Endzeit und das entsprechende Alltagsverhalten

Der zweite Thessalonicherbrief ist um einiges kürzer als der erste. Das hängt vor allem damit zusammen, dass die Beziehungsthematik zwischen den Erstverkündigern und der Gemeinde, die den ersten Briefteil von 1 Thess dominiert, in 2 Thess fehlt. Nirgends ist von der Sehnsucht nach dem anderen die Rede, geschweige denn von einem Besuchswunsch des Paulus. Stattdessen versucht der Brief die falsche Eschatologie vieler Gemeindemitglieder zu korrigieren, so dass Belehrungen über die Endzeit im Zentrum stehen. Gleich der Briefeingang (1,1–12) spricht das Thema an, während der erste Hauptteil des Briefes es entfaltet (2,3–12). Der Autor argumentiert mit den gegenwärtigen Bedrängnissen, die als solche mitnichten die Wiederkunft Christi spiegeln. Im Gegenteil: Bevor der Kyrios kommt, werden immer bedrohlichere Ereignisse einander ablösen, bei denen der Mensch der Gesetzlosigkeit eine besonders unheilvolle Rolle spielen wird. Angesichts dessen ein undiszipliniertes Leben zu führen und in den Tag hinein zu leben (3,6–12), arbeitet dem Gesetzlosen in die Hände. Als weitere Orientierung bietet der Brief zweierlei als Hilfestellung an: zum einen das Vorbild des Paulus, der, als er in Thessaloniki war, Tag und Nacht gearbeitet hat (3,7–9), zum anderen das Festhalten an seiner überlieferten Lehre (2,15; 3,6), der die Thessalonicher gehorchen sollen. In gewisser Weise gehört dazu auch die Gerichtsandrohung an diejenigen, die die Gemeinde bedrängen (1,3–10) und der Wahrheit nicht glauben (2,10–11), wie an diejenigen, die vom Christusglauben abgefallen sind (2,3).

Fazit

Die Verzögerung der erwarteten Endzeit mit der Parusie Christi, die Betonung des Traditionsprinzips zur Orientierung und Stärkung der eigenen Identität sowie die Mahnung zu Unauffälligkeit und Anpassung weisen auf das Ende des 1. Jahrhunderts hin. Der anonyme Verfasser versucht mit seiner autoritativen Aktualisierung des 1 Thess die gegenwärtige Situation zu erhellen und den Irrweg einer seiner Meinung nach falschen Auslegung des Paulusbriefes aufzudecken.

ANGELIKA STROTMANN

Hebräerbrief

Literaturgeschichtliche Einordnung

Der Hebräerbrief gibt seinen Lesern literaturgeschichtlich eine Fülle bis heute ungelöster Rätsel auf. Bei der *Verfasserfrage* dachte die Alte Kirche an Paulus (13,23: Paulus-Mitarbeiter Timotheus), aber er scheidet aus sprachlichen und theologischen Gründen als Autor aus. Auch andere Verfasser-Hypothesen (Clemens Romanus; Barnabas; Apollos) überzeugen nicht. Es bleibt beim Urteil des Origenes (Euseb, Hist. eccl. VI 25,11ff.): »Wer diesen Brief geschrieben hat, das weiß Gott allein.«

Sicher ist, dass der Verfasser ein eigenständiger Denker von hohem rhetorischen und theologischen Format war, vermutlich ein griechisch sprechender Judenchrist. Seine Sprache und die Methode der Schriftauslegung zeigen eine gewisse Nähe zu Philo von Alexandrien. Der Verfasser bedient sich aber auch rabbinischer Auslegungsmethoden. Der *religionsgeschichtliche Hintergrund* seines theologischen Denkens lässt sich nach wie vor nicht eindeutig bestimmen. Gut zu erkennen sind die Bezüge zur jüdischen Apokalyptik und zum hellenistischen Judentum. Der Verfasser ist ein unbekannter theologischer Lehrer, der das von den Aposteln zuverlässig überlieferte Wort Gottes weitergibt (2,1–4). Die *Adressaten* sind ihm persönlich bekannt (13,19); es handelt sich bei ihnen um eine glaubensmüde und lässig gewordene (z.B. 3,12f.; 5,11f.; 6,11f.; 10,35ff.; 12,12f.) heidenchristliche Gemeinde (vgl. 6,1f.), die wohl am ehesten in Rom beheimatet war. »An die Hebräer« ist eine erst vom Inhalt des Traktats erschlossene Überschrift aus der Zeit der Sammlung urchristlicher Briefe. Für Rom sprechen die Grüße in 13,24 und die erste sicher datierbare Bezeugung des Hebräerbriefes durch den in Rom entstandenen 1. Clemensbrief (96 n. Chr.). Wörtliche und sachliche Anklänge zeigen, dass der 1 Clem den Hebräerbrief gekannt hat. Seine *Abfassungzeit* ist also vor dem Jahr 96 anzusetzen. Frühestmöglicher Abfassungszeitpunkt dürfte das Jahr 64 n. Chr. sein, wenn 10,32–34 und 13,7 auf die neronische Verfolgung anspielen (dagegen 12,4).

Seiner *Form* nach ist der Hebräerbrief kein Brief im eigentlichen Sinn: Absender und Adressaten (Präskript) fehlen ebenso wie die Danksagung (Proömium) für die Glaubensfestigkeit der Adressatengemeinde (vgl. Paulusbriefe). Vielmehr handelt es sich beim Hebräerbrief als einem »Wort tröstlicher Ermahnung« (13,22; vgl. Apg 13,15) um »die erste vollständige urchristliche Predigt, … die uns erhalten blieb« (O. Michel). *Zweck dieser Predigt* ist es, die angefochtene Gemeinde daran zu erinnern, dass ihre Hoffnung in Christus fest begründet ist (Zuspruch: 3,1–6; 6,17- 20; 10,19–21). Sie will ermutigen, am Christusbekenntnis festzuhalten (Anspruch: 3,14; 6,11f.; 10,22–25) und so das unmittelbar bevorstehende endzeitliche Heil zu erlangen (9,28; 10,25; 10,35- 39).

Gliederung und Inhalt

Dass der Hebräerbrief eine um Trost und Ermahnung bemühte seelsorgerliche Predigt darstellt, zeigt sich auch in der *Gliederung*. Es wechseln theologische Grundlegung (1,1–14; 2,5–18; 5,1–10; 7,1–10,18; 11,1–40; 12,18–24) und ermahnende Folgerung (2,1–4; 3,1–4,13; 4,14–16; 5,11–6,20; 10,19–31; 10,32–29; 12,1–17; 12,25–29). Beide Formen sind dem Verfasser gleich wichtig. Jesus ist die Mitte! Es geht um seine Person (1,1–14; 5,1–10; 7,1–28) und um sein Werk (8,1–10,18). Die Ermahnungen legen dieses Christusbekenntnis aus.

Den in drei Hauptteile gegliederten, und mit einem »brieflichen Nachwort« (13,1–25) versehenen Hebräerbrief durchzieht die Gegenüberstellung von 1,1f.: Es geht um das vormalige, vielfache und vielfältige Reden Gottes durch die Propheten zu den Vätern und um das endzeitliche, abschließende und unüberholbare Reden Gottes in seinem Sohn zur christlichen Gemeinde (»uns«; »wir«).

Im *1. Hauptteil (1,1–4,13)* stellt der Verfasser in 3,7–4,11 die Wüstengeneration als warnendes Beispiel dar: Weil sie ungehorsam war und dem Verheißungswort Gottes nicht vertraute, blieben die Väter von der himmlischen Ruhestatt Gottes ausgeschlossen.

Der *2. Hauptteil (4,14–10,31)* legt dar, dass der Hohepriester Jesus (7,1–28) die durch seine sühnende Selbsthingabe im himmlischen Allerheiligsten (8,1–10,18) ein für alle Mal gültige Sündenbeseitigung erwirkt hat, was das levitische Priestertum nicht vermochte. Dadurch ist der Weg ins himmlische Allerheiligste frei. Die Glaubenden dürfen Gott nahen (6,19f.; 10,19ff.).

Im *3. Hauptteil (10,32–12,29)* führt der Verfasser die »Wolke der Zeugen« aus den Vätern (11,1–40) auf. Sie sind, wie auch Jesus selbst (12,2), für die angefochtene Gemeinde Glaubensvorbilder, die dem göttlichen Verheißungswort Zutrauen schenkten.

Theologische Eigenart

Im Neuen Testament einmalig ist die *Hohepriesterlehre des Hebräerbriefes*: Der Verfasser hat hierbei das im Anschluss an Ps 2,7 formulierte Bekenntnis »Jesus ist der Sohn Gottes« interpretiert durch Ps 110,4b: »Du bist Priester auf ewig nach der Ordnung Melchisedeks« (5,5–10; 7,3.20–22). Auf der schriftgelehrten Kombination der beiden Psalmverse gründet der Verfasser seine am *atl. Kultus orientierte Terminologie*. Das zwischen irdischem und himmlischem Heiligtum unterscheidende Weltbild (Kap. 8f.) ist dem AT (v.a. Ex 25–27; Lev 16) verpflichtet: Im *irdischen Heiligtum* werden vom levitischen Priestertum für die eigenen Sünden und für die Sünden des Volkes die Jahr für Jahr am Versöhnungstag zu wiederholenden Tieropfer dargebracht. Im *himmlischen Heiligtum* dagegen hat sich am Karfreitag als dem großen Versöhnungstag der Hohepriester Jesus einmal selbst dahingegeben, um für alle Menschen eine ewig gültige Sündenvergebung zu erwirken (7,11–28; 9,1–28; 10,1–29).

Auffallend ist ferner das *Glaubensverständnis*. Der Verfasser versteht den Glauben als menschliche Haltung, die dem göttlichen Verheißungswort vertraut und das Bekenntnis nicht preisgibt (3,12–14; 4,1–3; 10,22–25; 10,35–11,1; 12,1f.) und so am Tag der Wiederkunft Jesu das Heil, d.h. den Zutritt ins himmlische Allerheiligste und in die unmittelbare Nähe Gottes erlangt (3,12–14; 4,1–3; 9,28; 10,35ff.; 11,39f.; 12,18–24). Für den aber, der bewusst vom Glauben abfällt, gibt es nach dem Hebräerbrief keine Erneuerung der Buße (6,4–8; 10,26–31; 12,16f.).

CHRISTIAN ROSE

Gebete

Sonntagmorgen

Du Schöpfer-Gott
erfüllst den siebten Tag
mit deinem Wohlgefallen.
Du siehst, was du geschaffen hast
und ruhst in den Geschöpfen deiner Liebe.
Lass den Sonntag
zur großen Vorfreude werden
auf deinen ewigen Tag,
an dem du die Gestalt der Erde
erneuern wirst
und wir dich schauen werden.

Sonntagabend

Guter Gott,
in deine Hände bergen wir uns
am Abend dieses Tages.
Wenn nun alles um uns still wird,
lass uns dein leises Reden hören.
Du bist ganz nah,
auch im Dunkel.
Du schweigst nicht
in unseren Nächten
und tröstest uns in unseren Ängsten.
Deine Liebe leuchtet uns.

Montagmorgen

Wie der Tag erwacht
in den Armen der Dämmerung,
so wollest Du, Gott,
das Licht wecken
in meiner Seele.
Mit Zuversicht will ich
den neuen Morgen betreten,
das Leben empfangen
mit allen Sinnen.
Öffne mir die Augen
für das Gute, das Nährende.
Lass mich in den Falten
des Alltäglichen
das Liebenswerte finden.
Meine Erwartungen
will ich nicht umklammert halten,
sondern offen sein
für das, was kommt.
Segne Du mein Tun und Lassen.
Segne die Menschen,
denen ich heute begegne.
Deine Freundlichkeit
lass uns erfahren
im Nehmen und im Geben.
In Dir lass uns aufgehoben sein
von Stunde zu Stunde.
Zeichne Deine Spur
in diesen Tag.
Zeichne Deine Spur
in unsere Herzen.

Montagabend

Den Lärm hinter mir lassen,
Atemzug um Atemzug,
den Lärm der Welt.
Ich lasse mich nieder
im Raum des Schweigens.
Warten will ich
auf Dich, mein Gott.
Bahne Dir den Weg
durch das Gewirr der Bilder und Gedanken.
Erschließe Dir meine Herzmitte.
Berühre mich da,
wo ich unruhig und zerrissen bin.
Lass mich ganz umfangen werden
von Deiner Gegenwart.

Dienstagmorgen

Wie das Morgenlicht
bist du, Gott.
Das Morgenlicht kündet den Menschen
die Zärtlichkeit des Vaters.
So bist du, Gott.

Wie das Morgenlicht
bist du, Jesus Christus.
Das Morgenlicht beendet die Nacht
und führt den Tag herauf.
So bist du, Jesus,
Menschenfreund!

Wie das Morgenlicht hervorbricht,
so glühst du in unseren Herzen,
atemspendender Geist.
Du entzündest das Feuer der Liebe
zur hellen Flamme,
die leuchtet und wärmt und tröstet.

Dienstagabend

Am Abend gingst du
durch deine Schöpfung
und riefst den Menschen
im Schmerz der wissenden Liebe.
Am Abend dieses Tages
kommst du zu mir
und rufst meinen Namen.
Hier bin ich,
Vater,
ich bin müde,
der Staub des Tages hängt an mir,
mit allem komme ich zu dir.
Sei mir ganz nah,
und lass mich ruhen an deinem Herzen.

Mittwochmorgen

Herr, unser Gott,
lass uns nicht im Finstern sein,
dass Dein Tag uns nicht wie ein Dieb überfällt.
Lass uns Kinder des Lichtes sein, Kinder des Tages;
nicht der Nacht lass uns zugehören und nicht dem Dunkel.

Steh uns bei,
dass wir die Zeit nicht verschlafen,
sondern wachsam und nüchtern sind.
Beim aufgehenden Morgenlicht preisen wir Dich, o Herr;
denn Du bist der Erlöser der ganzen Schöpfung.
Schenk uns in Deiner Barmherzigkeit einen Tag,
erfüllt mit Deinem Frieden.

Vergib uns unsere Schuld.
Lass unsere Hoffnung nicht scheitern.
Verbirg Dich nicht vor uns.
In Deiner sorgenden Liebe trägst Du uns;
lass nicht ab von uns;

Du allein kennst unsere Schwäche.
O Gott, verlass uns nicht.

Mittwochabend

Der Tag ist vergangen.
Es ist Abend geworden.
Lasst uns ruhig werden und zu Gott beten,
der uns nahe ist:
Unser Abendgebet steige auf zu dir, Gott,
und es senke sich auf uns herab dein Erbarmen.
Dein ist der Tag, und dein ist die Nacht.
Lass, wenn des Tages Schein verlischt,
das Licht deiner Wahrheit uns leuchten.
Geleite uns zur Ruhe der Nacht und zu deinem Frieden,
und vollende dein Werk an uns in Ewigkeit.

Donnerstagmorgen

Gott, unser Vater.
In jedem Menschen
verbirgt sich dein mildes Licht.

Jesus, du Auferstandener,
Licht unserer Herzen.
Wo wir auch sind,
stets erwartest du uns.

Atem der Liebe Gottes,
Heiliger Geist,
du senkst den Glauben
und die Hoffnung
tief in unsere Seele ein
und lässt uns
Schritte des Vertrauens wagen.

Dreieiniger Gott,
du liebende schöpferische Gegenwart.
Wir loben und ehren dich
heute und alle Tage
bis in Ewigkeit.

Donnerstagabend

Zu dir komme ich am Ende dieses Tages.
Ich lege meinen Tag und alles,
was ich heute in die Hand genommen habe
in deine guten Hände.
Wandle alles, was war, in Segen.
Halte du deine Hand über mich und alle,
die zu mir gehören,
und lass uns heute Nacht
in deiner guten Hand geborgen sein.
Lass dein Angesicht leuchten über uns
im Dunkel der Nacht
und geleite uns zum Licht des neuen Morgens.

Freitagmorgen

Gott, zu dir rufe ich in der Frühe des Tages.
Hilf mir beten
und meine Gedanken sammeln zu dir;
ich kann es nicht allein.
In mir ist es finster,
aber bei dir ist das Licht;
ich bin einsam, aber du verlässt mich nicht;
ich bin kleinmütig, aber bei dir ist die Hilfe;
ich bin unruhig, aber bei dir ist der Friede;
in mir ist Bitterkeit, aber bei dir ist die Geduld;
ich verstehe deine Wege nicht,
aber du weißt den Weg für mich.

Freitagabend

Herr, mein Gott, ich danke dir,
dass du diesen Tag zu Ende gebracht hast.
Ich danke dir,
dass du Leib und Seele zur Ruhe kommen lässt.
Deine Hand war über mir
und hat mich behütet und bewahrt.
Vergib allen Kleinglauben und alles Unrecht dieses Tages
und hilf, dass ich allen vergebe, die mir Unrecht getan haben.
Lass mich in Frieden unter deinem Schutz schlafen
und bewahre mich vor den Anfechtungen der Finsternis.
Ich befehle dir die Meinen und dieses Haus.
Ich befehle dir meinen Leib und meine Seele.
Gott, dein heiliger Name sei gelobt.

Samstagmorgen

Gott, unser Vater,
du bist der Freund des Lebens.
Du kennst uns von Ewigkeit
und hast unseren Namen
in deine Hand geschrieben.

Jesus Christus,
Licht von Gott
und Licht der Welt.
Du wurdest Mensch:
Salz der Erde
und Brot für uns Menschen.

Atem Gottes, Heiliger Geist,
Quelle der Liebe,
du Trösterin in unseren Tränen
und Feuer unserer Propheten.
Du einendes Band
deiner weltweiten Kirche.

Dreieiniger, lebendiger Gott.
Dir sei Ehre heute
und alle Tage und in Ewigkeit.

Samstagabend

Gott unseres Lebens,
unser Herz ist unruhig,
bis es Ruhe findet in Dir.
Zu Dir kommen wir,
wenn es Abend wird.
Dir bringen wir die Woche,
die hinter uns liegt.
Was warm nachklingt in uns,
wir nehmen es als Geschenk Deiner Liebe.
Was gelungen ist in dieser Woche,
wir verdanken es Deinem Segen.
Was uns mit Sorge erfüllt,
was uns unruhig macht,
wir überlassen es Dir.
Du wirst uns den Weg zeigen,
den wir gehen können.
Lass uns jetzt ruhen
in Deinem Frieden.
Deinem Schutz vertrauen wir uns an,
uns und unsre ganze Welt.
Segne den morgigen Tag,
und lass uns erwachen,
Dich zu loben.

Anhang

Bibelleseplan 2021

Januar

1. **Neujahr**
Psalm 8
2. Lukas 3,1–6

3. **2. So nach Weihnachten**
Psalm 100
4. Lukas 3,7–14
5. Lukas 3,15–20
Epiphanias
Erscheinung des Herrn
Lukas 3,21–38
6. Lukas 4,1–13
7. Lukas 4,14–21
8. Lukas 4,22–30

9. **1. So nach Epiphanias**
Taufe des Herrn
Psalm 72
10. Lukas 4,31–37
11. Lukas 4,38–44
12. Lukas 5,1–11
13. Lukas 5,12–16
14. Lukas 5,17–26
15. Lukas 5,27–32

16. **2. So nach Epiphanias**
2. So im Jahreskreis
Psalm 40
17. Lukas 5,33–39
18. Lukas 6,1–5
19. Lukas 6,6–11
20. Lukas 6,12–16
21. Lukas 6,17–26
22. Lukas 6,27–35

23. **3. So nach Epiphanias**
3. So im Jahreskreis
Psalm 16
24. Lukas 6,36–42
25. Lukas 6,43–46
26. Lukas 6,47–49
27. Lukas 7,1–10
28. Lukas 7,11–17
29. Lukas 7,18–23

30. **Letzter So nach Epiphanias**
4. So im Jahreskreis
Psalm 18,1–20

Februar

1. Lukas 7,24–35
2. Lukas 7,36–8,3
3. Lukas 8,4–15
4. Lukas 8,16–18
5. Lukas 8,19–21
6. Lukas 8,22–25

7. **Sexagesimä**
5. So im Jahreskreis
Psalm 18,21–51
8. Lukas 8,26–39
9. Lukas 8,40–56
10. Lukas 9,1–9
11. Lukas 9,10–17
12. Lukas 9,18–27
13. Lukas 9,28–36

14. **Estomihi**
6. So im Jahreskreis
Psalm 15
15. Lukas 9,37–45
16. Lukas 9,46–48
17. **Aschermittwoch**
Lukas 9,49–50
18. Lukas 9,51–56
19. Lukas 9,57–62
20. Lukas 10,1–16

21. **Invokavit**
1. Sonntag der österl. Bußzeit
Psalm 10
22. Lukas 10,17–24
23. Lukas 10,25–37
24. Lukas 10,38–42
25. Lukas 11,1–4
26. Lukas 11,5–13
27. Lukas 11,14–28

28. **Reminiszere**
2. Sonntag der österl. Bußzeit
Psalm 25

März

1. Lukas 11,29–32
2. Lukas 11,33–36
3. Lukas 11,37–54
4. Lukas 18,31–43
5. Lukas 19,1–10
6. Lukas 19,11–27

7. **Okuli**
   3. Sonntag der österl. Bußzeit
   Psalm 34
8. Lukas 19,28–40
9. Lukas 19,41–48
10. Lukas 20,1–8
11. Lukas 20,9–19
12. Lukas 20,20–26
13. Lukas 20,27–40

14. **Lätare**
    4. Sonntag der österl. Bußzeit
    Psalm 84
15. Lukas 20,41–47
16. Lukas 21,1–4
17. Lukas 21,5–19
18. Lukas 21,20–28
19. Lukas 21,29–38
20. Lukas 22,1–6

21. **Judika**
    5. Sonntag der österl. Bußzeit
    Psalm 22,1–22
22. Lukas 22,7–23
23. Lukas 22,24–30
24. Lukas 22,31–38
25. Lukas 22,39–46
26. Lukas 22,47–53
27. Lukas 22,54–62

28. **Palmsonntag**
    Psalm 22,23–32
29. Lukas 22,63–71
30. Lukas 23,1–12
31. Lukas 23,13–25

April

1. **Gründonnerstag**
   Lukas 23,26–31
2. **Karfreitag**
   Lukas 23,32–49
3. **Karsamstag**
   Lukas 23,50–56

4. **Ostersonntag**
   Lukas 24,1–12
5. **Ostermontag**
   Lukas 24,13–35
6. Lukas 24,36–49
7. Lukas 24,50–53
8. Kolosser 1,1–14
9. Kolosser 1,15–23
10. Kolosser 1,24–29

11. **Quasimodogeniti**
    2. Ostersonntag
    Psalm 116
12. Kolosser 2,1–7
13. Kolosser 2,8–15
14. Kolosser 2,16–23
15. Kolosser 3,1–4
16. Kolosser 3,5–11
17. Kolosser 3,12–17

18. **Miserikordias Domini**
    3. Ostersonntag
    Psalm 23
19. Kolosser 3,18–4,1
20. Kolosser 4,2–6
21. Kolosser 4,7–18
22. Daniel 1,1–21
23. Daniel 2,1–23
24. Daniel 2,24–49

25. **Jubilate**
    4. Ostersonntag
    Psalm 67
26. Daniel 3,1–30
27. Daniel 5,1–30
28. Daniel 6,1–29
29. Daniel 7,1–15
30. Daniel 7,16–28

Mai

1. Daniel 8,1–27

2. **Kantate**
   5. Ostersonntag
   Psalm 45
3. Daniel 9,1–19
4. Daniel 9,20–27
5. Daniel 10,1–21
6. Daniel 12,1–13
7. Sprüche 25,11–28
8. Sprüche 26,1–17

9. **Rogate**
   6. Ostersonntag
   Psalm 1
10. Sprüche 27,1–7
11. Sprüche 28,12–28
12. Sprüche 29,1–18
13. **Christi Himmelfahrt**
    Psalm 47
14. Sprüche 30,1–19
15. Sprüche 31,1–9

16. **Exaudi**
    7. Ostersonntag
    Psalm 27
17. Apg 1,1–14
18. Apg 1,15–26
19. Apg 2,1–13
20. Apg 2,14–21
21. Apg 2,22–28
22. Apg 2,29–36

23. **Pfingstsonntag**
    Apg 2,37–41
24. **Pfingstmontag**
    Apg 2,42–47
25. Apg 3,1–10
26. Apg 3,11–16
27. Apg 3,17–26
28. Apg 4,1–12
29. Apg 4,13–22

30. **Trinitatis**
    Dreifaltigkeitssonntag
    Psalm 29
31. Apg 4,23–31

Juni

1. Apg 4,32–37
2. Apg 5,1–16
3. **Fronleichnam**
   Apg 5,17–33
4. Apg 5,34–42
5. Apg 6,1–7

6. **1. So nach Trinitatis**
   10. So im Jahreskreis
   Psalm 3
7. Apg 6,8–15
8. Apg 7,1–29
9. Apg 7,30–53
10. Apg 7,54–8,3
11. Apg 8,4–25
12. Apg 8,26–40

13. **2. So nach Trinitatis**
    11. So im Jahreskreis
    Psalm 13
14. Apg 9,1–9
15. Apg 9,10–19a
16. Apg 9,19b–31
17. Apg 9,32–43
18. Apg 10,1–23
19. Apg 10,24–48

20. **3. So nach Trinitatis**
    12. So im Jahreskreis
    Psalm 103
21. Apg 11,1–18
22. Apg 11,19–30
23. Apg 12,1–25
24. Apg 13,1–12
25. Apg 13,13–25
26. Apg 13,26–43

27. **4. So nach Trinitatis**
    13. So im Jahreskreis
    Psalm 5
28. Apg 13,44–52
29. Apg 14,1–20a
30. Apg 14,20b–28

Juli

1. Apg 15,1–12
2. Apg 15,13–35
3. Apg 15,36–16,5

4. **5. So nach Trinitatis**
14. So im Jahreskreis
Psalm 7
5. Apg 16,6–15
6. Apg 16,16–22
7. Apg 16,23–40
8. Apg 17,1–15
9. Apg 17,16–34
10. Apg 18,1–22

11. **6. So nach Trinitatis**
15. So im Jahreskreis
Psalm 26
12. Apg 18,23–19,7
13. Apg 19,8–22
14. Apg 19,23–40
15. Apg 20,1–16
16. Apg 20,17–38
17. Apg 21,1–14

18. **7. So nach Trinitatis**
16. So im Jahreskreis
Psalm 9
19. Apg 21,15–26
20. Apg 21,27–40
21. Apg 22,1–21
22. Apg 22,22–30
23. Apg 23,1–11
24. Apg 23,12–35

25. **8. So nach Trinitatis**
17. So im Jahreskreis
Psalm 11
26. Apg 24,1–27
27. Apg 25,1–12
28. Apg 25,13–27
29. Apg 26,1–23
30. Apg 26,24–32
31. Apg 27,1–12

August

1. **9. So nach Trinitatis**
18. So im Jahreskreis
Psalm 63
2. Apg 27,13–44
3. Apg 28,1–16
4. Apg 28,17–31
5. 2 Könige 2,1–18
6. 2 Könige 4,1–7
7. 2 Könige 5,1–19a

8. **10. So nach Trinitatis**
19. So im Jahreskreis
Psalm 30
9. 2 Könige 6,8–23
10. 2 Könige 16,1–16
11. 2 Könige 17,1–23
12. 2 Könige 17,24–41
13. 2 Könige 18,1–12
14. 2 Könige 18,13–37

15. **11. So nach Trinitatis**
20. So im Jahreskreis
Psalm 17
16. 2 Könige 19,1–19
17. 2 Könige 19,20–37
18. 2 Könige 22,1–13
19. 2 Könige 22,14–23,3
20. 2 Könige 23,4–25
21. 2 Könige 23,26–37

22. **12. So nach Trinitatis**
21. So im Jahreskreis
Psalm 12
23. 2 Könige 24,1–20
24. 2 Könige 25,1–21
25. 2 Könige 25,22–30
26. Esra 1,1–11
27. Esra 3,1–13
28. Esra 4,1–24

29. **13. So nach Trinitatis**
22. So im Jahreskreis
Psalm 28
30. Esra 5,1–17
31. Esra 6,1–22

September

1. Esra 7,1–28
2. Haggai 1,1–15
3. Haggai 2,1–9
4. Haggai 2,10–23

5. **14. So nach Trinitatis**
   23. So im Jahreskreis
   Psalm 119,137–144
6. Nehemia 1,1–11
7. Nehemia 2,1–20
8. Nehemia 4,1–17
9. Nehemia 5,1–19
10. Nehemia 6,1–7,3
11. Nehemia 8,1–18

12. **15. So nach Trinitatis**
    24. So im Jahreskreis
    Psalm 119,145–152
13. Nehemia 10,1.29–40
14. Nehemia 12,27–43
15. Nehemia 13,15–22
16. Hebräer 1,1–2,4
17. Hebräer 2,5–18
18. Hebräer 3,1–19

19. **16. So nach Trinitatis**
    25. So im Jahreskreis
    Psalm 119,153–160
20. Hebräer 4,1–13
21. Hebräer 4,14–5,10
22. Hebräer 5,11–6,8
23. Hebräer 6,9–20
24. Hebräer 7,1–10
25. Hebräer 7,11–28

26. **17. So nach Trinitatis**
    26. So im Jahreskreis
    Psalm 110
27. Hebräer 8,1–13
28. Hebräer 9,1–15
29. Hebräer 9,16–28
30. Hebräer 10,1–18

Oktober

1. Hebräer 10,19–31
2. Hebräer 10,32–39

3. **Erntedankfest**
   18. So nach Trinitatis
   27. So im Jahreskreis
   Psalm 104
4. Hebräer 11,1–7
5. Hebräer 11,8–22
6. Hebräer 11,23–31
7. Hebräer 11,32–40
8. Hebräer 12,1–17
9. Hebräer 12,18–29

10. **19. So nach Trinitatis**
    28. So im Jahreskreis
    Psalm 32
11. Hebräer 13,1–8
12. Hebräer 13,9–14
13. Hebräer 13,15–25
14. Lukas 12,1–12
15. Lukas 12,13–21
16. Lukas 12,22–34

17. **20. So nach Trinitatis**
    29. So im Jahreskreis
    Psalm 62
18. Lukas 12,35–48
19. Lukas 12,49–53
20. Lukas 12,54–59
21. Lukas 13,1–9
22. Lukas 13,10–17
23. Lukas 13,18–21

24. **21. So nach Trinitatis**
    30. So im Jahreskreis
    Psalm 19
25. Lukas 13,22–30
26. Lukas 13,31–35
27. Lukas 14,1–6
28. Lukas 14,7–14
29. Lukas 14,15–24
30. Lukas 14,25–35

31. **Reformationstag**
    22. So nach Trinitatis
    31. So im Jahreskreis
    Psalm 20

November

1. **Allerheiligen**
   Lukas 15,1–10
2. Lukas 15,11–32
3. Lukas 16,1–9
4. Lukas 16,10–13
5. Lukas 16,14–18
6. Lukas 16,19–31

7. **Drittletzter So im Kirchenjahr**
   32. So im Jahreskreis
   Psalm 21
8. Lukas 17,1–10
9. Lukas 17,11–19
10. Lukas 17,20–37
11. Lukas 18,1–8
12. Lukas 18,9–17
13. Lukas 18,18–30

14. **Vorletzter So im Kirchenjahr**
    33. So im Jahreskreis
    Psalm 6
15. 1 Thess 1,1–10
16. 1 Thess 2,1–12
17. **Buß- und Bettag**
    1 Thess 2,13–20
18. 1 Thess 3,1–13
19. 1 Thess 4,1–12
20. 1 Thess 4,13–18

21. **Ewigkeitssonntag**
    Christkönigsfest
    Psalm 4
22. 1 Thess 5,1–11
23. 1 Thess 5,12–28
24. 2 Thess 1,1–12
25. 2 Thess 2,1–12
26. 2 Thess 2,13–3,5
27. 2 Thess 3,6–18

28. **1. So im Advent**
    Psalm 24
29. Sacharja 1,1–6
30. Sacharja 1,7–17

Dezember

1. Sacharja 2,1–9
2. Sacharja 2,10–17
3. Sacharja 3,1–10
4. Sacharja 4,1–14

5. **2. So im Advent**
   1 Samuel 2,1–10
6. Sacharja 5,1–11
7. Sacharja 6,1–8
8. Sacharja 6,9–15
9. Sacharja 7,1–14
10. Sacharja 8,1–8
11. Sacharja 8,9–19

12. **3. So im Advent**
    Lukas 1,68–79
13. Sacharja 8,20–23
14. Sacharja 9,9–12
15. Sacharja 10,1–12
16. Sacharja 11,4–17
17. Sacharja 12,9 - 13,1
18. Sacharja 14,1–11

19. **4. So im Advent**
    Lukas 1,46–55
20. Maleachi 1,1–14
21. Maleachi 2,17–3,5
22. Maleachi 3,6–12
23. Maleachi 3,13–18
24. **Heiligabend**
    Maleachi 3,19–24
25. **1. Weihnachtstag**
    Psalm 2

26. **2. Weihnachtstag**
    Stephanus
    Lukas 2,29–32
27. Johannes 1,1–5
28. Johannes 1,6–8
29. Johannes 1,9–13
30. Johannes 1,14–18
31. **Silvester**
    Psalm 46

Bibelstellenregister

Johannesevangelium

Apostelgeschichte

Mitarbeiterinnen und Mitarbeiter

Ahrens, Annegret, Pastorin, ev.-freikirchl., 42651 Solingen | 5.–7.08.
Arnold, Sr. Brigitte, Pfarrerin, ev., CH 4125 Riehen | 19.–21.04.
Aßmann, Helmut, Oberkirchenrat, ev., 30169 Hannover | 26.–28.07.
Backhaus, Dr. Franz Josef, Pfarrer, röm.-kath., 26131 Oldenburg | 17.+31.01.; 28.02.
Bähnk, Wiebke, Dr., Pastorin, ev., 25524 Itzehoe | 22.–24.02.
Barnstedt, Dr. Elke Luise, Direktorin beim BVerfG a.D., ev., 76199 Karlsruhe | 8.–10.03.
Bauer, Dr. Steffen, Pfarrer, 64285 Darmstadt | 11.–13.02.
Bauer, Prof. Dr. Dr. Thomas Johann, röm.-kath., 99084 Erfurt | Apostelgeschichte
Beutler-Lotz, Heinz-Günter, Pfarrer, ev., 55234 Bermersheim v.d.H. | 15.–17.03.
Birnbaum, Dr. Elisabeth, röm.-kath., A 4020 Linz | 2 Könige
Bode, Dr. Franz-Josef, Bischof, röm.-kath., 49074 Osnabrück | 1.–3.07.
Böhme, Eva, Pfarrerin, ev., 79295 Sulzburg | 8.–10.11.
Brandt, Edwin, Pastor, ev.-freikirchl., 23570 Lübeck | 4.–7.04.
Britz, Gunther, Assessor, ev., 66793 Saarwellingen | 4.–6.03.
Brodbeck, Ulrike, Lehrerin i.R., meth., 35037 Marburg | 18.–20.03.
Brockmöller, Dr. Katrin, Geschäftsführende Direktorin im Katholischen Bibelwerk e.V., röm.-kath., 70176 Stuttgart | 10.01.; 18.04.; 2.05.
Brutscheck, Dr. Jutta, röm.-kath., 99084 Erfurt | 8.–10.04.
Busche, Guido, Dechant, röm.-kath., 29614 Soltau | 9.–11.12.
Butt, Dr. Christian, Pastor, ev., 23909 Ratzeburg | 22.–24.03.
Butting, Prof. Dr. Klara, ev., 29525 Uelzen | 21.+28.03.; 6.06.
Cornelius-Bundschuh, Prof. Dr. Jochen, Landesbischof, ev., 76133 Karlsruhe | 6.–8.12.
Degkwitz, Dr. Sebastian, Pfarrer, ev., 81739 München | 25.–27.03.
Deselaers, Dr. Paul, Spiritual, röm.-kath., 48143 Münster | 16.–18.08.; Johannesevangelium
Doering, Wolfgang, Diakon, röm.-kath., 73450 Neresheim | 1.–3.02.
Dörrfuß, Dr. Ernst Michael, ev., Pfarrer und Kirchenrat, 72574 Bad Urach | 3.–6.05.
Durst, Dr. Stefan, Pastor, ev., 22587 Hamburg | 6.–8.09.
Eberl, Klaus, Oberkirchenrat i. R., ev., 41849 Wassenberg | 25.–27.10.
Ebert, Ingrid, Journalistin, ev.-freikirchl., 03149 Forst/Lausitz | 7.+14.03.; 11.04.
Eltrop, Dr. Bettina, Wiss. Referentin im Katholischen Bibelwerk e.V., röm.-kath., 73760 Ostfildern | 1.–3.11.
Ewerszumrode OP, Dr. Frank, röm.-kath., 55124 Mainz | 18.–20.10.
Faatz, Dr. Martin, Diakon, röm.-kath., 97222 Rimpar | 7.–9.05.
Fischer, Prof. Dr. Georg, SJ, röm.-kath., A 6020 Innsbruck | Sprichwörter/ Sprüche Salomos
Fischer, Dr. Ulrich, Landesbischof i.R., ev., 68809 Neulußheim | 7.–9.06.
Gabel, Dr. Helmut, röm.-kath., 97222 Rimpar | 4.–6.01.
Garben, Katharina, Pfarrerin, ev., 68809 Neulußheim | 11.–13.10.
Haag-Merz, Christine, Referentin für Öffentlichkeitsarbeit, meth., 71034 Böblingen | 22.–24.04.

Hahn, Udo, Direktor Evangelische Akademie Tutzing, ev., 82327 Tutzing | 16.05.; 13.+20.06.
Hasselhorn, Jost, MA, ev., 29320 Hermannsburg | 13.–15.05.
Hauber, Dr. Michael, röm.-kath., 93059 Regensburg | 9.–11.09.
Heckel, Prof. Dr. Ulrich, Oberkirchenrat, ev., 73033 Göppingen | 12.–14.04.
Hermann, Dr. Markus-Liborius, röm.-kath., 99096 Erfurt | 16.–18.12.
Hilgenstock, Dr. Gabriele, Ärztin, ev., 44339 Dortmund | 14.–16.05.
Hinrichs, Karen, Oberkirchenrätin, ev., 75015 Bretten | 7.–9.01.
von Hoerschelmann, Sieghilde, Buchhändlerin, ev., 25821 Sönnebüll | 21.–23.10.
Jaeger, Joachim Daniel, Propst i. R., ev., 99096 Erfurt | 17.–19.06.
Jahn, Christine, Pfarrerin, ev., 91083 Baiersdorf | 20.–22.05.
Janz-Spaeth, Barbara, Pastoralreferentin, röm.-kath., 73033 Göppingen | 24.–26.06.
Jepsen, Maria, Bischöfin i. R., ev., 25813 Husum | 2.–4.09.
Jobst, Evi, Pfarrerin i. R., ev., 78126 Königsfeld-Erdmannsweiler | 17.–19.05.
Junge, Ulrike, Leiterin Kindertagesstätte, ev., 14806 Bad Belzig | 7.+14.+21.02.
Kast-Streib, Sabine, Kirchenrätin, ev., 76297 Stutensee | 28.–30.03.
Kauffmann, Jürgen, Pfarrer, ev., 81825 München | 27.06.; 4.+11.07.
Kegler, Prof. Dr. Jürgen, Kirchenrat i.R., ev., 68723 Plankstadt | Sacharja; Maleachi
Kirchgessner, Msgr. Dr. Bernhard, Domvikar, röm.-kath., 94032 Passau | 1.+24.01.; 25.04.
Klaiber, Dr. Walter, Bischof i.R., meth., 72072 Tübingen | 30.09.; 1.+2.10.; Kolosser
Klomp, Wibke, Pfarrerin, ev., 69190 Walldorf | 5.–7.07.
Knoll, Günter, Pfarrer, ev., 71083 Herrenberg | 11.–13.01.
Koch-Baisch, Bärbel, Pfarrerin, ev., 74523 Schwäbisch Hall | 8.–10.07.
Koertge, Ulrike, Pastorin, ev., 30159 Hannover | 25.–27.11.
Köhn, Manfred, Pfarrhelfer, röm.-kath., 55743 Idar-Oberstein | 11.–13.11.
Köhring, Dagmar, Pastorin, meth., 70499 Stuttgart | 12.–14.07.
Kolter, Dr. Claudia, Pädagogin und Theologin, ev.-freikirchl., 52070 Aachen | 31.05.; 1.+2.06.
Lehmann-Etzelmüller, Monika, Dekanin, ev., 69469 Weinheim | 15.–17.07.
Leonhardi, Angelika, Studienleiterin, ev., 01445 Radebeul | 27.–29.12.
Liebl, Heimo, Präsident i.R. DW., ev., 82362 Weilheim | 3.01.; 10.10.; 25.12.
Lingenberg, Annegret, mag. theol., ev., 76227 Karlsruhe | 12.+19.+26.12.
Lubenow, Kerstin, Ministerialbeamtin, ev., 10707 Berlin | 15.–17.02.
Mattern, Prof. Dr. Lieselotte, ev., 71638 Ludwigsburg | 21.–23.01.
Mildenberger, Hartmut, Pfarrer, ev., 70597 Stuttgart | 2.01.; 23.–24.05.
Miller, Rev. Dr. Heike, ev., 88001 New Mexico, USA | 18.–20.02.
Müller-Zähringer, Erik, Dipl.-Theol., röm.-kath., 34109 Kassel | 19.–21.07.
Neiber, Hans-Christian, Pfarrer, ev., 97475 Zeil am Main | 7.–9.10.
Oberkampf, Anne, Pastorin, meth., 71032 Böblingen | 25.–27.05.
Petzold, Andrea, Pastorin, meth., 01309 Dresden | 22.–24.07.
Pittner, Dr. Bertram, Pfarrer, röm.-kath., 99425 Weimar | 20.–22.09.
Puder, Dr. Dirk, Pfarrer, ev., 52074 Aachen | 29.–31.07.
Quincke, Christine, Dekanin, ev., 75172 Pforzheim | 28.–30.05.
Rademacher, Dr. Anne, Seelsorgeamtsleiterin Erfurt, röm.-kath., 99084 Erfurt | 18.+25.07.+1.08.; Lukasevangelium

Rehn-Laryea, Andrea, Pastoralreferentin, röm.-kath., 21385 Amelinghausen | 7.+14.+21.+28.11.
Renovanz, Christian, Militärdekan, ev., 88699 Frickingen | 2.–4.08.
Ressel, Anne, Pfarrerin, ev., 68161 Mannheim | 9.–11.08.
Richard, Frère, ev., F 71250 Taizé | 3.–5.06.
Riede, Prof. Dr. Peter, Kirchenrat, ev., 76135 Karlsruhe | 2.–4.12.
Rist, Prof. Dr. Josef, röm.-kath., 97072 Würzburg | 29.+30.11.; 1.12.
Rolf, Dr. Sibylle, Pfarrerin, ev., 68535 Edingen | 12.–14.08.
Röhrs, Annette, Pfarrerin, ev., 74889 Sinsheim | 19.–21.08.
Rössler, Dr. Andreas, Pfarrer, ev., 70619 Stuttgart | 15.–17.04.
Rose, Prof. Dr. Christian, Prälat, ev., 72764 Reutlingen | 16.–18.09.; Hebräer
Salzmann, Prof. Dr. Jorg Christian, ev., 61440 Oberursel | 29.–31.03.
Sattler, Prof. Dr. Dorothea, röm.-kath., 48291 Telgte | 8.+15.+22.08.
Schäberle-Koenigs, Dr. Gerhard, Pfarrer, ev., 75385 Bad Teinach-Zavelstein | 28.–30.01.
Schächtele, Prof. Dr. Traugott, Prälat, ev., 68723 Schwetzingen | 18.–20.11.
Schäfer, Bärbel, Dekanin, ev., 79541 Lörrach | 1.–3.04.
Schneider, Dr. h.c. Nikolaus, Präses a.D. und Ratsvorsitzender der EKD a.D. ev., Essen | 20.–21.12.
Schneider-Riede, Susanne, Pfarrerin, ev., 76135 Karlsruhe | 23.–25.08.
Schroeder, Dr. Christoph, ev., 22609 Hamburg| 4.–6.02.
Schröder, Prof. Dr. Tilman M., Hochschulpfarrer, ev., 70199 Stuttgart | 1.–3.03.
Schubert, Dr. Benedict, Pfarrer, ref., CH 4051 Basel | 26.–28.08.
Schwarz, Klaus, Dekan i. R., ev., 71032 Böblingen | 30.+31.08.; 1.09.
Schwienhorst-Schönberger, Prof. Dr. Ludger, röm.-kath., A 1010 Wien | Esra; Nehemia; Haggai
Senftleben, Dr. Martin, ev., 38321 Denkte | 13.–15.09.
Seul, Dr. Peter, röm.-kath., 50670 Köln | 29.08.; 5.+12.09.
Siquans, Prof. Dr. Agnethe, röm.-kath., A 1010 Wien | 29.+30.04.+1.05.
Spendel, Sr. Dr. Aurelia OP, röm.-kath., 86150 Augsburg | 23.–25.09.
Springhart, PD Dr. Heike, Pfarrerin, ev., 75173 Pforzheim | 27.–29.09.
Stalter, Christian, Pfarrer, ev., 82031 Grünwald | 19.+26.09.; 3.10.
Steinebrunner, Annemarie, Dekanin, ev., 69168 Wiesloch | 25.–27.01.
Stephan, Thomas, Pastoralreferent, röm.-kath., 76863 Herxheim | 4.–6.10.
Stöckigt, Beate, Pastorin, ev., 99510 Apolda | 14.–16.10.
Strotmann, Prof. Dr. Angelika, röm.-kath., 33098 Paderborn | 1./2. Thessalonicherbrief
Thiesbonenkamp, Dr. Jürgen, Pfarrer i.R., ev., 47229 Duisburg | 13.–15.12.
Vering, Johanna, Pastoralreferentin, röm.-kath., 33449 Langenberg | 30.+31.12.
Volkmann, Dr. Evelina, Pfarrerin, ev., 70565 Stuttgart | 22.–24.12.
de Vos, Dr. Christiane, Oberkirchenrätin, ev., 30419 Hannover | 5.12.
Wanke, Dr. Joachim, Bischof em., röm.-kath., 99084 Erfurt | 11.–13.03.
Weingardt, Dr. Beate, Theologin und Dipl.-Psychologin, ev., 72072 Tübingen | 14.–16.01.
Weismantel, Paul, Domvikar, röm.-kath., 97070 Würzburg | 18.–20.01.
Wenner, Rosemarie, Bischöfin, meth., 69226 Nußloch | 17.+24.+31.10.
Wildgruber, Dr. Regina, röm.-kath., 49080 Osnabrück | Daniel
Witzenbacher, Dr. Marc, Oberkirchenrat, ev., 76199 Karlsruhe | 8.–10.02.
Wolf, Christine, Schuldekanin, ev., 69123 Heidelberg | 28.–30.10.

Wolf, Christine, Pfarrerin, ev., 76133 Karlsruhe | 25.–27.02.
Wünsch, Dr. Hans-Michael, Pfarrer, ev., 72127 Kusterdingen-Mähringen | 10.–12.06.
Zähringer, Eva, Pfarrerin, ev., 72072 Tübingen | 22.–24.11.
Zapff, Prof. Dr. Burkard M., röm.-kath., 85072 Eichstätt | 26.–28.04.
Zimmer, Dirk, Pastor, ev.-freikirchl., 91332 Heiligenstadt | 4.–6.11.
Zobel, Dagmar, Prälatin, ev., 79117 Freiburg | 15.–17.11.
Zobel, Hans-Joachim, Dekan i. R., ev., 79117 Freiburg | 10.–12.05.
Zumkehr, Hansfrieder, Pfarrer, ev., 31224 Peine | 21.–23.06.

Abkürzungen biblischer Bücher
(nach den Loccumer Richtlinien)

Altes Testament

Gen	Genesis/1 Mose = 1. Buch Mose
Ex	Exodus/2 Mose = 2. Buch Mose
Lev	Levitikus/3 Mose = 3. Buch Mose
Num	Numeri/4 Mose = 4. Buch Mose
Dtn	Deuteronomium/5 Mose = 5. Buch Mose
Jos	Josua
Ri	Richter
Rut	Rut
1 Sam	1. Buch Samuel
2 Sam	2. Buch Samuel
1 Kön	1. Buch der Könige
2 Kön	2. Buch der Könige
1 Chr	1. Buch der Chronik
2 Chr	2. Buch der Chronik
Esra	Esra
Neh	Nehemia
Ijob	Ijob/Hiob
Ps	Psalmen
Spr	Sprichwörter/Sprüche Salomos
Koh	Kohelet/Prediger Salomo
Hld	Hohelied/Hohelied Salomos
Jes	Jesaja
Jer	Jeremia
Klgl	Klagelieder des Jeremia
Ez	Ezechiel/Hesekiel
Dan	Daniel
Hos	Hosea
Joel	Joël
Am	Amos
Obd	Obadja
Jona	Jona
Mi	Micha
Nah	Nahum
Hab	Habakuk
Zef	Zefania
Hag	Haggai
Sach	Sacharja
Mal	Maleachi

Neues Testament

Mt	Matthäusevangelium
Mk	Markusevangelium
Lk	Lukasevangelium
Joh	Johannesevangelium
Apg	Apostelgeschichte
Röm	Römerbrief
1 Kor	1. Korintherbrief
2 Kor	2. Korintherbrief
Gal	Galaterbrief
Eph	Epheserbrief
Phil	Philipperbrief
Kol	Kolosserbrief
1 Thess	1. Thessalonicherbrief
2 Thess	2. Thessalonicherbrief
1 Tim	1. Timotheusbrief
2 Tim	2. Timotheusbrief
Tit	Titusbrief
Phlm	Philemonbrief
Hebr	Hebräerbrief
Jak	Jakobusbrief
1 Petr	1. Petrusbrief
2 Petr	2. Petrusbrief
1 Joh	1. Johannesbrief
2 Joh	2. Johannesbrief
3 Joh	3. Johannesbrief
Jud	Judasbrief
Offb	Offenbarung des Johannes

Quellenverzeichnis

Abkürzungen:
EG = Evangelisches Gesangbuch
EM = Gesangbuch der Evangelisch-methodistischen Kirche
GL = Gotteslob, Katholisches Gebet- und Gesangbuch 2013
MB = Messbuch der katholischen Kirche

Geleitwort Kurt Marti, DU Rühmungen © Radius Verlag GmbH, Stuttgart 2008

Januar 2. Nikolaus von der Flüe | 3. EG 288 | 4. GL 440, T: Gustav Lohmann/Markus Jenny © Gustav Bosse Verlag, Kassel | 5. Hermann Bezzel in: Jörg Zink, Wie wir beten können, Freiburg 2015, S. 213 | 6. GL 428,5 nach Ps 139,14.23f | 11. EG 440, 3 | 26. EG 406,1 | 27. EG 369,1

Februar 6. Ps 139,9f. | 8. EG 446,4 | 9. EG 355,3 | 10. EG 390,1

März 1. EG 345,1 | 2. EG 555,1 | 11. Lk 23,34 | 12. Mt 6,10 | 15. EG 154,1+2 | 16. EG 154 | 17. EG 154,4+5 | 18. EM 147, 9. EG 11,10 | 19. Ps 119,105 | 20. Ps 139,23f | 30. EG 82,2 | 31. EG 81,4

April 12. EG 503,14 | 13. EG 346,2 | 14. EG 123,6 | 15. EG 197,2 | 16. EG 389,3 | 17. EG 497, 14 | 20. Reformiertes Gesangbuch 817,erster Satz | 26. Dan 3,90 | 27. GL 428,1 | 28. GL [alt] 887 | 30. Ps 130,1.7

Mai 3. nach Ps 51,15 | 4. nach EGWü 542, 4 | 5. Eduard Mörike | 6. nach EGWü 658 | 7. Weish 9,4a | 8. Ps 139,23f. | 9. Ps 119,105 | 11. EG Baden 662,3.4 | 13. EG 454,1+5 | 15. EG 252, 2 | 16. EG 365,1 | 20. nach Basilius, gest. 379, Bischof von Cäsarea | 22. Johann Arndt

Juni 7. EG 136,7/EM 253,5 | 8. EG Baden/Pfalz 647,1 | 9. nach Röm 11,32 | 10. Ps 22,20 | 11. EG 428,1 | 12. nach EG 209,4 | 13. EG 369,5 | 20. EG 329,1 | 29. Kindergesangbuch, 195 © Bernd Schlaudt | 30. EG 391,4

Juli 8. EG 494,1 | 9. EG 346,1 | 10. EG 328,6 | 12. Ps 100, 5 | 13. Ps 101,1 | 14. Ps 69,1 | 19. Mi 6,8; Augustinus | 20. Martin Luther nach der Antiphon Da pacem, Domine | 21. Röm 10,12

August 12. EG 361,1 | 13. EG 445,5 | 29. GL [alt] 887

September 5. GL 543,3, EG 295,3 | 9. GL 395,2 | 10. Ignatius von Loyola | 11. aus der Communauté de Taizé | 12. GL 543,4 | 14. EG 1,1 | 15. EG 331,3 | 20. Augustinus | 30. EG 350,4

Oktober	1. EG 165,1 | 2. EG 365,3 | 7. EG 385,4 | 9. Kommt, atmet auf 074, OT: There is A Longing; Dt. Titel: Da wohnt ein Sehnen tief in uns, Text u. Musik: Anne Quigley, Dt. Text: Eugen Eckert © 1992 OCP Publication adm by Small Stone Media Germany GmbH | 10. EG 329,2 | 14. EG 369,7 | 19. aus dem täglichen orthodoxen Gebet | 21. EG 230 | 22. EG 292,5 | 23. EG 503,14 | 24. EG 295,4, EM 420,5 | 31. aus Martin Luthers Morgensegen
November	15. EG 263,5 | 17. EG 554,2 | 27. EG 494, 4 | 29. Mt 3, 8.11 | 30. 2 Kor 1,3f.
Dezember	1. Joh 14,27 | 9. nach Ps 51,12 | 10. nach Ps 40,5f. | 11. nach Ps 25, 4f | 16. nach Ps 46,2 | 17. nach Sach 13,1 | 18. Ps 118,24 | 20. EG 11,6 | 22. EG 417,2 | 23. aus dem Gebet »Was du gibst« von Michael Lipps, in: Christiane Olbrich Hg., Schenk dir Zeit. Texte – Bilder – Lieder für Schule, Familie und Gemeinde, Karlsruhe 1988, S. 151 | 24. EG 263,1 | 25. EG 33 | 26. klösterliche Antiphon zum Nunc dimittis; vgl. »Benediktinisches Antiphonale« Münsterschwarzach oder auch »Evangelisches Tagzeitenbuch« der Michaelsbruderschaft | 27. EG 16,5 | 28. EG 16,2 | 29. EG 16,3 | 31. EG 331,1
Gebete	Communität Kloster Wülfinghausen | Sonntag aus: Hanna Hümmer, Leise und ganz nah, Jahreslesebuch, Communität Christusbruderschaft | Montag aus: Antje Sabine Naegeli, Umarme mich, damit ich weitergehen kann. Gebete des Vertrauens © Verlag Herder GmbH, Freiburg im Breisgau 2010, S.146f. und 49 | Dienstagabend aus: Hanna Hümmer, Leise und ganz nah, Jahreslesebuch Communität Christusbruderschaft | Mittwochmorgen: Ostsyrische Kirche | Mittwochabend: Altkirchliches Abendgebet | Freitag: Dietrich Bonhoeffer Morgengebet für alle Tage: Singt Jubilate 184 | Abendgebet: EG 490,1, Text: Karl Albrecht Höppl © Strube Verlag, München